POR QUE MENTIMOS

KARIN SLAUGHTER

POR QUE MENTIMOS

Tradução
Marina Della Valle

Rio de Janeiro, 2024

Copyright © Karin Slaughter 2024.
Will Trent é uma marca registrada de Karin Slaughter Publishing LLC.
Mapa © Karin Slaughter 2024
Copyright da tradução © 2024 por Casa dos Livros Editora LTDA.
Todos os direitos reservados.

Título original: *This Is Why We Lied*

Todos os direitos desta publicação são reservados à Casa dos Livros Editora LTDA. Nenhuma parte desta obra pode ser apropriada e estocada em sistema de banco de dados ou processo similar, em qualquer forma ou meio, seja eletrônico, de fotocópia, gravação etc., sem a permissão dos detentores do copyright.

COPIDESQUE	Andre Sequeira
REVISÃO	Laila Guilherme e Vivian Miwa Matsushita
DESIGN DE CAPA	Adaptado do projeto original de Darren Holt, HarperCollins Design Studio
IMAGENS DE CAPA	© Mark Owen / Arcangel Images
ADAPTAÇÃO DE CAPA	Osmane
DIAGRAMAÇÃO	Abreu's System

Dados Internacionais de Catalogação na Publicação (CIP)
(Câmara Brasileira do Livro, SP, Brasil)

Slaughter, Karin
  Por que mentimos / Karin Slaughter; [tradução Marina Della Valle].
– 1. ed. – Rio de Janeiro: HarperCollins Brasil, 2024.

  Título original: This is why we lied.
  ISBN 978-65-5511-557-4

  1. Ficção norte-americana I. Título.

24-204392   CDD-813

Índice para catálogo sistemático:
1. Ficção: Literatura norte-americana   813
Bibliotecária responsável: Cibele Maria Dias – CRB-8/9427

HarperCollins Brasil é uma marca licenciada à Casa dos Livros Editora LTDA.
Todos os direitos reservados à Casa dos Livros Editora LTDA.

Rua da Quitanda, 86, sala 601A – Centro
Rio de Janeiro/RJ – CEP 20091-005
Tel.: (21) 3175-1030
www.harpercollins.com.br

Para David — por sua paciência e bondade infinitas

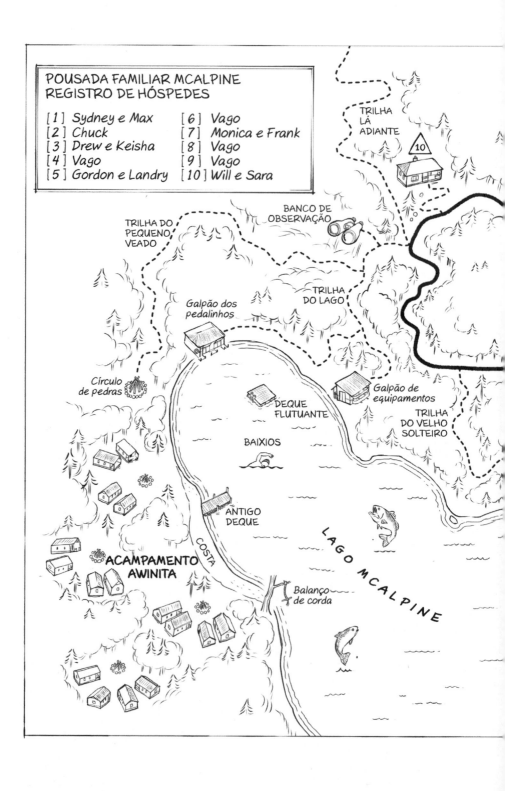

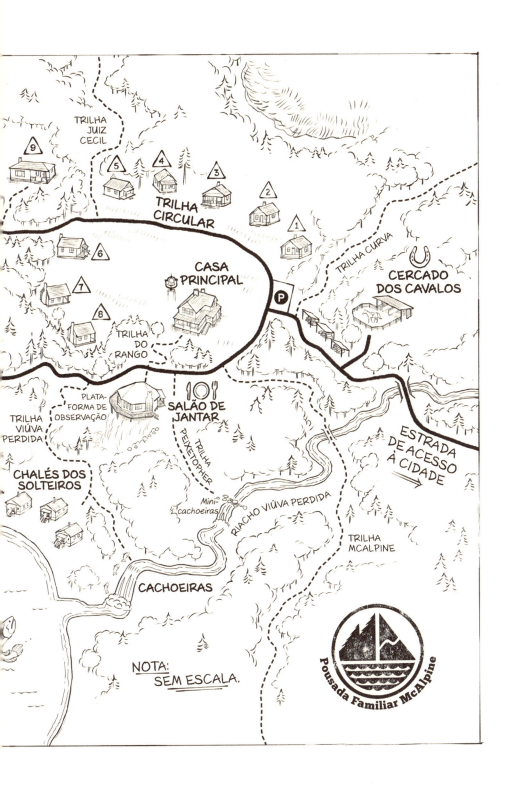

PRÓLOGO

Will Trent sentou-se à beira do lago para tirar as botas de caminhada. Os números em seu relógio brilhavam no escuro. Faltava uma hora para a meia-noite. Ele ouvia uma coruja ao longe. Uma brisa gentil sussurrava através das árvores. A lua era um círculo perfeito no céu noturno, uma luz saltando da figura na água. Sara Linton nadava na direção do deque flutuante. Uma fria luz azul iluminava seu corpo enquanto ela cortava as ondas suaves. Então virou-se, dando braçadas preguiçosas para trás enquanto sorria para Will.

— Vai entrar?

Will não conseguia responder. Ele sabia que Sara estava acostumada com seus silêncios embaraçosos, mas não era um daqueles momentos. Ele estava sem palavras só de olhar para ela. Tudo o que conseguia pensar era a mesma coisa que todo mundo pensava quando os viam juntos: o que uma mulher como ela estava fazendo com ele? Ela era tão inteligente, engraçada e linda, e ele não conseguia nem desamarrar os sapatos no escuro.

Ele tirou a bota à força enquanto Sara nadava em sua direção. O cabelo marrom-avermelhado comprido estava grudado na cabeça dela. Os ombros nus se destacavam fora do negrume da água. Ela havia tirado as roupas antes de mergulhar, rindo com a observação dele de que parecia má ideia pular dentro de algo que você não conseguia ver no meio da noite e quando ninguém sabia onde você estava.

Contudo, parecia uma ideia ainda pior não atender o desejo de uma mulher nua pedindo para você juntar-se a ela.

Will tirou as meias, então ficou de pé para desabotoar a calça. Sara soltou um assovio baixo de apreciação quando ele começou a se despir.

— Opa — disse ela. — Um pouco mais devagar, por favor.

Ele riu, mas não sabia o que fazer com o sentimento de leveza no peito. Will nunca havia experimentado esse tipo de felicidade prolongada. Claro, houve vezes em que conhecera explosões de alegria — o primeiro beijo, a primeira transa, a primeira transa que durou mais de três segundos, formar-se na faculdade, receber um pagamento de verdade, o dia em que finalmente conseguiu se divorciar da ex-mulher odiosa.

Isso era diferente.

Will e Sara casaram-se havia dois dias, e a euforia que ele experimentara durante a cerimônia não tinha diminuído. Na verdade, o sentimento aumentava a cada hora que passava. Quando ela sorria para ele, ou ria de uma de suas piadas idiotas, era como se houvesse borboletas em seu estômago. Ele entendia que não era algo muito másculo, mas havia coisas em que você pensava e coisas que compartilhava, e essa era uma das muitas razões pelas quais ele preferia um silêncio embaraçoso.

Sara soltou um *uau* quando Will tirou a camisa de forma teatral antes de entrar no lago. Ele não estava acostumado a andar por aí nu, especialmente ao ar livre, então mergulhou com mais rapidez do que deveria. A água estava fria, mesmo sendo verão. Ele sentiu calafrios, e sua pele ficou arrepiada. Sentiu os pés afundando de modo desagradável na lama. Então Sara enroscou o corpo no dele e Will não tinha mais nenhuma reclamação.

Ele disse:

— Ei.

— Ei. — Ela arrumou o cabelo dele para trás. — Já esteve num lago antes?

— Não por vontade própria — admitiu ele. — Tem certeza de que a água é segura?

Ela pensou sobre aquilo.

— As cabeças-de-cobre normalmente são mais ativas ao amanhecer. E estamos muito ao norte para a boca-de-algodão.

Will não tinha imaginado a possibilidade de cobras ali. Crescera no centro de Atlanta, cercado por concreto sujo e seringas usadas. Já Sara tinha crescido em uma cidade universitária na área rural do sul da Geórgia, cercada pela natureza.

E cobras, aparentemente.

— Tenho uma confissão — disse ela. — Contei para Mercy que mentimos para ela.

— Imaginei — respondeu Will.

O que havia ocorrido entre Mercy e a família dela naquela noite tinha sido intenso.

— Ela vai ficar bem?

— Provavelmente. Jon parece ser um bom garoto. — Sara balançou a cabeça para a futilidade de tudo aquilo. — É difícil ser adolescente.

Will tentou animar as coisas.

— Há algo a ser dito sobre crescer num orfanato.

Ela pressionou o dedo sobre os lábios dele, o que Will imaginou ser o jeito dela de dizer "não é engraçado".

— Olhe para cima.

Will olhou. Então deixou a cabeça voltar enquanto uma sensação de deslumbramento o tomava. Nunca tinha visto estrelas de verdade no céu. Não como aquelas, de qualquer modo. Furos de alfinete individuais e brilhantes na imensidão escura e aveludada do céu. Não achatadas pela alta poluição. Não embotadas por fumaça ou névoa. Respirou fundo. Sentiu que as batidas do coração desaceleravam. O único som era, de fato, o dos grilos; e a única luz produzida pelo homem era uma cintilação distante que vinha da varanda da casa principal.

Ele meio que amava aquele lugar.

Tinham andado oito quilômetros em um terreno rochoso para chegar à Pousada Familiar McAlpine. O lugar existia havia tanto tempo que Will ouvira falar dele ainda criança. Tinha sonhado em visitar um dia. Andar de canoa, praticar *stand-up paddle*, andar de bicicleta, fazer caminhadas, comer s'mores ao redor da fogueira do acampamento. Estar com Sara, casado e feliz em sua lua de mel, era um fato que trazia mais espanto que cada estrela no céu.

— Em lugares assim, você raspa um pouco a superfície e todo tipo de coisa ruim vem à tona — disse Sara.

Will sabia que ela ainda estava pensando em Mercy. A discussão brutal com o filho dela. A resposta fria dos pais. O irmão patético. O babaca do ex-marido. A tia excêntrica. E os outros convidados com seus problemas, que tinham sido amplificados pela quantidade de álcool servido no jantar em grupo. O que lembrou Will, de novo, de que, quando sonhara com aquele lugar, ainda criança, não tinha previsto que outras pessoas estariam ali. Especialmente um cuzão em particular.

— Sei o que vai dizer — falou Sara. — "É por isso que mentimos."

Aquilo não era exatamente o que ele ia dizer, mas era quase.

Will era agente especial do Departamento de Investigação da Geórgia. Sara tinha se especializado em pediatria e, naquele momento, trabalhava como médica-legista no mesmo local. Os dois cargos costumavam provocar longas conversas com estranhos, nem todas boas e algumas muito ruins. Esconder seus empregos tinha parecido um jeito melhor de desfrutar da lua de mel deles.

Contudo, dizer que era uma coisa não o impedia de ser a outra. Eles eram, ambos, o tipo de pessoa que se preocupava com os outros. Particularmente

Mercy, que parecia ter o mundo inteiro contra ela naquele momento. Will sabia como era preciso ser forte para manter a cabeça erguida e continuar seguindo em frente, enquanto todo mundo tentava puxá-lo para baixo.

— Ei.

Sara abraçou-o mais forte, passando as pernas em torno da cintura dele.

— Tenho outra confissão.

Will sorriu porque ela estava sorrindo. A borboleta no estômago dele começou a se agitar. Então outras coisas se agitaram, porque sentia o calor dela contra seu corpo.

— Qual seria?

— Não consigo ficar longe de você.

Sara beijou-o até o lado do pescoço, mordiscando-o para provocar uma resposta. Os calafrios voltaram. A sensação da respiração dela em sua orelha encheu o cérebro dele de necessidade. Ele deixou a mão descer lentamente. A respiração de Sara alterou-se quando ele a tocou. Will sentia os seios dela subindo e descendo contra seu peito nu.

Então, um grito alto rasgou o ar da noite.

— Will. — O corpo de Sara se retesou. — O que foi isso?

Ele não tinha ideia. Não sabia nem se era humano ou animal. O grito tinha sido de gelar o sangue. Não uma palavra ou um pedido de socorro, mas um som de terror desenfreado. O tipo de barulho que fazia a parte mais primitiva do cérebro entrar no modo luta ou fuga.

Will não tinha sido feito para fugir.

Ele segurou a mão de Sara enquanto voltavam para a costa. Pegou suas roupas e entregou a Sara as coisas dela. Olhou por cima da água enquanto colocava a camiseta. Sabia pelo mapa que o lago tinha o formato de um boneco de neve deitado. A área para nado ficava na cabeça. A costa desaparecia na escuridão na curva do abdômen. O som era difícil de identificar, mas a fonte óbvia do grito era onde as outras pessoas estavam. Quatro outros casais e um homem sozinho estavam hospedados na pousada. A família McAlpine ficava na casa principal. Tirando Will e Sara, os hóspedes estavam em cinco dos dez chalés que se espalhavam além do salão de jantar. Com isso, o número total de pessoas no complexo era dezoito.

Qualquer uma delas poderia ter gritado.

— O casal que estava brigando no jantar. — Sara fechou os botões do vestido. — A dentista que estava bêbada. O cara de TI estava...

— E o cara sozinho? — A calça cargo de Will deslizou pelas pernas em direção à cintura. — Aquele que ficou alfinetando Mercy?

— Chuck — falou Sara. — O advogado era detestável. Como ele entrou no wi-fi?

— A mulher dele obcecada por cavalos irritou todo mundo. — Will enfiou os pés nus nas botas. As meias foram para os bolsos. — Os caras mentirosos do aplicativo estão aprontando alguma.

— E o Chacal?

Will levantou o olhar dos cordões de sapato que amarrava.

— Querido? — Sara virou as sandálias para poder calçá-las. — Você está...

Ele deixou os cadarços sem amarrar. Não queria falar sobre o Chacal.

— Pronta?

Eles pegaram a trilha. Will sentiu vontade de acelerar, apertando o passo, até que Sara começou a ficar para trás. Ela era atlética, mas seus sapatos eram feitos para passear, não para correr.

Ele parou, virando-se para ela.

— Tudo bem se...

— Vai — disse ela. — Eu alcanço você.

Will saiu da trilha, fazendo uma linha reta entre as árvores. Usou a luz da varanda como guia, as mãos afastando os galhos e as trepadeiras que se prendiam em sua camisa. Os pés molhados escorregavam dentro das botas. Tinha sido um erro deixar os cadarços desamarrados. Pensou em parar, mas o vento mudou, trazendo para o ar um odor parecido com o de moedas de cobre. Will não sabia se era mesmo cheiro de sangue ou se seu cérebro de policial estava recuperando memórias de cenas de crime passadas.

O grito não poderia ter vindo de um animal.

Nem Sara estava certa. A única convicção de Will era que o que quer que tivesse feito aquele som estava com medo de perder a vida. Coiote. Lince. Urso. Havia muitas criaturas nas matas que poderiam fazer outras criaturas se sentirem assim.

Ele estava exagerando?

Parou de avançar pelo mato, virando-se para procurar a trilha. Sabia onde Sara estava, não pela visão, mas pelo barulho dos sapatos dela no cascalho. Ela estava na metade do caminho entre a casa principal e o lago. O chalé deles ficava no fim do complexo. Ela provavelmente estava tentando bolar um plano. Havia luzes nos outros chalés? Deveria começar a bater nas portas? Ou pensava a mesma coisa que Will, que estavam se preocupando demais, reflexo do trabalho de ambos, e que aquilo terminaria por ser uma história engraçada para contar à irmã sobre como ouviram um animal dar um grito de morte e saíram correndo para investigar em vez de transar ardentemente no lago.

Naquele momento, Will não conseguia apreciar o humor. O suor havia emplastrado seu cabelo na cabeça. O calcanhar doía com uma bolha. Sangue caía de um ponto na testa onde uma trepadeira lhe rasgara a pele. Ele ouviu o silêncio na mata. Nem os grilos estrilavam. Deu um tapa no inseto que picava seu pescoço. Alguma coisa saiu correndo pelas árvores acima.

Talvez ele não amasse aquele lugar, afinal.

Pior, a verdade era que ele culpava Chacal por sua infelicidade. Desde crianças, nada dava certo na vida de Will quando aquele cuzão estava por perto. O babaca sádico era um amuleto de má sorte ambulante.

Will esfregou o rosto com as mãos, como se pudesse apagar do cérebro qualquer pensamento sobre o Chacal. Eles não eram mais crianças, Will era um homem adulto em sua lua de mel.

Ele tornou a seguir na direção de Sara. Ou, ao menos, na direção que achava que Sara seguia. No escuro, Will tinha perdido toda a noção de tempo e direção. Não sabia por quantos minutos tinha corrido pela floresta como se estivesse enfrentando um grupo de guerreiros ninja. Caminhar pelo mato crescido era muito mais difícil sem a adrenalina para empurrá-lo. Will fez o próprio plano em silêncio. Assim que chegasse à trilha, colocaria as meias e amarraria os cadarços, assim não ficaria mancando pelo resto da semana. Localizaria sua linda esposa, voltaria com ela para o chalé e recomeçariam de onde tinham parado.

— Socorro!

Will congelou.

Não havia mais incerteza. O grito tinha sido tão claro que ele sabia que saíra da boca de uma mulher.

Então ela gritou de novo:

— Por favor!

Will se afastou rapidamente da trilha, correndo na direção do lago. O som tinha vindo do lado oposto à área de nado, do bumbum do homem de neve. Ele manteve a cabeça baixa. As pernas tremiam. Ouvia o sangue correndo perto dos ouvidos, junto com o eco dos gritos. A mata logo se transformou numa floresta densa. Galhos baixos arranhavam seus braços enquanto pequenos mosquitos voavam a seu redor. O terreno subitamente desapareceu sob seus pés, e ele caiu de lado, torcendo o tornozelo.

Ignorou a dor aguda, forçando-se a continuar. Tentou manter a adrenalina sob controle. Precisava desacelerar o passo. O complexo ficava mais elevado que o lago. Havia uma descida íngreme perto do salão de jantar. Will encontrou a parte de trás da Trilha Circular, então seguiu para baixo em outro caminho em zigue-zague. O coração ainda pulsava forte. O cérebro girava em recriminações.

Ele devia ter prestado atenção a seus instintos na primeira vez. Devia ter percebido aquilo. Sentia-se enjoado com o que encontraria, porque a mulher tinha gritado para salvar a própria vida, e não havia predador mais cruel que o ser humano.

Ele tossiu conforme o ar ficou espesso com a fumaça. O luar atravessou as árvores bem a tempo para que ele visse que o chão estava disposto em níveis. Will chegou a uma clareira. Latas de cerveja vazias e bitucas de cigarro emporcalhavam o chão. Havia ferramentas por todos os lados. Manteve-se atento enquanto corria por cavaletes, cabos de extensão e um gerador que tinha sido virado de lado. Havia mais três chalés, todos em diferentes estágios de reparo. Um estava com uma lona no telhado, outro, com as janelas fechadas com madeira. O último pegava fogo. Chamas lambiam o revestimento. A porta estava entreaberta, e fumaça saía por uma janela lateral quebrada. O teto não ia aguentar muito mais tempo.

Os gritos por socorro. O fogo.

Alguém tinha que estar lá dentro.

Will respirou fundo antes de subir a escada da varanda. Escancarou a porta com um chute, e uma onda de calor secou seus olhos. Tirando uma, todas as janelas estavam fechadas com tábuas. A única luz vinha do fogo. Ele se agachou, ficando abaixo da fumaça ao entrar na sala. Na pequena cozinha. No banheiro com espaço para banheira. No pequeno closet. Seus pulmões começaram a doer. Estava ficando sem ar. Inalou um bocado de fumaça preta ao entrar no quarto. Sem porta. Sem utensílios. Sem armário. Da parede dos fundos do chalé, só se viam as vigas.

Eram muito estreitas para que ele passasse entre elas.

Will ouviu um rangido alto acima do crepitar do fogo e correu de volta para a sala. O teto fora totalmente tomado pelo fogo. Labaredas consumiam os pilares de apoio. O telhado estava ruindo, e choviam pedaços de madeira em chamas. Will mal conseguia enxergar por causa da fumaça.

A porta da frente estava muito longe; então ele correu até a janela quebrada, pulando no último minuto, passando pelos destroços que caíam. Will rolou pelo chão. A tosse forte sacudia seu corpo. A pele estava esticada, como se quisesse evaporar com o calor. Tentou ficar de pé, mas só conseguiu ficar de gatinhas antes de expelir fuligem preta. O nariz escorria. O suor pingava de seu rosto. Ele tossiu de novo e, ao respirar, sentiu como se tivesse vidro nos pulmões. Pressionou a testa no chão. A lama grudava em suas sobrancelhas chamuscadas. Ele respirou profundamente pelo nariz.

Cobre.

Will sentou-se.

Havia uma crença entre policiais de que era possível sentir o cheiro do ferro no sangue quando ele atingia o oxigênio. Não era verdade. O ferro precisava de uma reação química para ativar o cheiro. Em cenas de crime, eram os compostos gordurosos da pele. O odor era ampliado na presença de água.

Will olhou para o lago. Seus olhos estavam embaçados. Ele limpou a lama e o suor. Silenciou a tosse que queria vir.

Ao longe, ele via as solas de um par de tênis.

Calça jeans manchada de sangue abaixada até o joelho.

Braços flutuando ao lado.

O corpo estava de rosto para cima, metade dentro da água, metade fora.

Will sentiu-se momentaneamente petrificado pela visão. Era o modo como a lua deixava a pele azul-clara, cerosa. Talvez brincar sobre ter crescido em um orfanato tivesse colocado aquilo em sua mente, ou talvez ainda sentisse a ausência de qualquer membro da família a seu lado no altar do casamento, mas se pegou pensando na mãe.

Até onde sabia, havia apenas duas fotografias que documentavam os dezessete anos da vida curta de sua mãe. Uma era da polícia, quando fora presa, um ano antes do nascimento de Will. A outra tinha sido tirada pelo médico-legista que fizera a autópsia dela. Polaroid. Desbotada. O azul ceroso da pele da mãe tinha o mesmo tom da pele da mulher morta deitada a cinco metros de distância.

Will ficou de pé e mancou até o corpo.

Ele não esperava de forma alguma ver o rosto da mãe. Seus instintos já tinham avisado sobre quem encontraria. Ainda assim, ficar de pé ao lado do corpo, sabendo que estava certo, produziu outra cicatriz no lugar mais escuro de seu coração.

Outra mulher perdida. Outro filho que cresceria sem a mãe.

Mercy McAlpine jazia na água rasa, ondas fazendo seus ombros se retraírem de leve. A cabeça estava apoiada em um grupo de pedras que mantinha o nariz e a boca acima da água. Mechas de cabelo loiro flutuavam ao redor do rosto, dando a ela um efeito etéreo — um anjo caído, uma estrela que se apagava.

A causa da morte não era um mistério. Will podia ver que ela fora esfaqueada várias vezes. A camisa branca de botões que Mercy usava no jantar havia se transformado em uma massa sangrenta no peito dela. A água lavara algumas feridas. Ele via os furos feios nos ombros dela, onde a faca tinha sido torcida. Quadrados vermelhos escuros mostravam que a única coisa que impedira a lâmina de ir mais fundo fora o cabo.

Em sua carreira, Will tinha visto cenas de crime mais horríveis, mas aquela mulher estava viva, andando, brincando, flertando, brigando com o filho emburrado, em pé de guerra com a família tóxica, havia menos de uma hora e agora estava morta. Jamais seria capaz de se entender com o filho. Jamais o veria se apaixonar. Jamais sentaria na primeira fileira para vê-lo se casar com o amor da vida dele. Sem mais feriados, aniversários, formaturas ou momentos sossegados juntos.

E tudo o que ficaria para Jon seria a dor da ausência dela.

Will se permitiu alguns segundos de tristeza antes de invocar seu treinamento. Examinou as árvores para o caso de o assassino ainda estar no entorno. Verificou se havia armas no chão. O agressor tinha levado a faca com ele. Observou a mata de novo, tentando detectar sons estranhos. Engoliu a fuligem e a bile em sua garganta. Ajoelhou-se ao lado de Mercy e pressionou os dedos na lateral do pescoço dela, procurando pulso.

Sentiu as batidas aceleradas do coração dela.

Estava viva.

— Mercy?

Will virou com cuidado a cabeça dela para si. Os olhos da mulher estavam abertos, a parte branca brilhando como mármore polido.

— Quem fez isso com você? — perguntou com a voz firme.

Will ouviu um som assoviado, mas não da boca ou do nariz dela. Os pulmões tentavam puxar ar pelas feridas abertas no peito.

— Mercy.

Ele pegou o rosto dela nas mãos e voltou a falar, decidido:

— Mercy McAlpine. Meu nome é Will Trent. Sou um agente do Departamento de Investigação da Geórgia. Preciso que olhe para mim agora.

As pálpebras dela começaram a estremecer.

— Olhe para mim, Mercy! — ordenou Will. — Olhe para mim.

O branco dos olhos dela apareceu por um instante. As pupilas giraram. Segundos se passaram, talvez um minuto, antes que ela finalmente olhasse para Will. Houve uma breve faísca de reconhecimento, então uma onda de medo. Ela estava de volta ao corpo, cheia de terror, cheia de dor.

— Você vai ficar bem. — Will começou a se levantar. — Vou trazer ajuda.

Mercy agarrou-o pelo colarinho, puxando-o para baixo. Ela olhou para ele — olhou de verdade. Ambos sabiam que ela não ficaria bem. Em vez de entrar em pânico, em vez de soltá-lo, ela o mantinha ali. A vida dela estava entrando em foco. As últimas palavras que dissera para a família, a briga com o filho.

— Jo-Jon... diga a ele... diga a ele que e-ele precisa... ele precisa se afastar d-de...

Will viu as pálpebras dela começando a tremer de novo. Ele não diria nada a Jon. Mercy diria suas últimas palavras na cara do filho. Ele levantou a voz, gritando:

— Sara, chame o Jon! Rápido!

— Nã-não... — Mercy começou a tremer. Ela entraria em choque em instantes. — J-Jon não pode... e-ele não pode... ficar... A-afaste ele de... de...

— Me escute — disse Will. — Dê ao seu filho a chance de se despedir.

— A-amo... — balbuciou. — Amo ele... ta-tanto...

Will podia ouvir a própria dor na voz dela.

— Mercy, por favor, fique comigo só mais um pouco. Sara vai trazer Jon aqui. Ele precisa ver você antes...

— Si-sinto muito...

— Calma — pediu Will. — Apenas fique comigo. Por favor. Pense na última coisa que Jon lhe disse. Esse não pode ser o fim disso. Sabe que ele não te odeia. Ele não te quer morta. Não o deixe com isso. Por favor.

— Perdoo... ele... — Ela tossiu, espalhando sangue. — Perdoo ele.

— Diga isso a ele você mesma. Jon precisa ouvir isso de você.

A mão dela apertou mais a camisa de Will. Ela o puxou para mais perto.

— Per-perdoo ele...

— Mercy, por favor, não... — A voz de Will desapareceu.

Ela estava indo embora rápido demais. De repente, ele se deu conta do que Jon veria se Sara o trouxesse até ali. Não era um momento terno para se despedir. Nenhum filho deveria ter que viver com a imagem da morte violenta da mãe.

Ele tentou engolir a própria dor.

— Certo. Vou dizer a ele. Prometo.

Mercy tomou a promessa dele como permissão.

O corpo dela ficou mole. Ela soltou o colarinho dele. Will observou a mão de Mercy cair, as ondulações que provocou ao bater na água. O tremor havia parado. A boca estava aberta; um suspiro lento, dolorido, foi a despedida. Will esperou que ela respirasse roucamente de novo, mas o peito permaneceu imóvel.

Ele entrou em pânico no silêncio. Não podia deixá-la ir. Sara era médica. Podia salvar Mercy. Ela traria Jon, e ele teria a chance de dizer adeus.

— Sara!

A voz de Will ecoou pelo lago. Ele arrancou a camisa e cobriu as feridas de Mercy. Jon não veria os danos, veria o rosto da mãe. Saberia que ela o amava. Não teria que passar o resto da vida dele imaginando o que poderia ter sido.

— Mercy? — Will a chacoalhou tão forte que a cabeça dela rolou para o lado.

— Mercy?

Ele deu um tapinha no rosto dela. A pele estava gelada. Não havia mais cor para sumir. O sangue tinha parado de circular. Ela não estava respirando. Ele não encontrava pulso. Precisava começar as compressões. Will juntou as mãos, colocou as palmas no peito de Mercy, endireitou os cotovelos e os ombros e bombeou com todo o peso.

Então, uma dor atravessou a mão dele como um relâmpago. Tentou puxar de volta, mas estava presa.

— Pare!

Sara surgiu do nada. Ela pegou as mãos dele, segurando-as contra o peito de Mercy.

— Não se mexa. Vai cortar os nervos.

Levou um momento para que Will entendesse que Sara não estava preocupada com Mercy, mas com ele.

Will olhou para baixo. O cérebro dele não tinha explicação para o que via. Lentamente, começou a voltar a si. Estava olhando para a arma do assassinato. O ataque tinha sido frenético, violento, cheio de raiva. O criminoso não tinha somente esfaqueado Mercy no peito, ele a atacara por trás, enfiando a faca nas costas dela com tanta força que o cabo se quebrara. A lâmina ainda estava enfiada no peito de Mercy.

Will tinha empalado a mão na faca quebrada.

I
DOZE HORAS ANTES DO ASSASSINATO

Mercy McAlpine encarou o teto planejando a semana. Dez casais tinham ido embora da pousada naquela manhã. Cinco outros chegariam ao longo do dia. Mais cinco na quinta-feira, deixando a pousada cheia durante o fim de semana. A transportadora tinha largado as últimas malas no estacionamento naquela manhã, e ela precisava colocar cada uma no chalé certo. Também tinha que pensar no que fazer com o amigo idiota do irmão, que adorava bater à porta deles. Os funcionários da cozinha precisavam ser avisados de que ele estaria ali, porque Chuck tinha alergia a amendoim. Ou talvez ela não os avisasse e o nível de dor de cabeça em sua vida fosse cortado mais ou menos pela metade.

A outra metade era um peso sobre ela. Dave bufava como um trem a vapor que nunca chegaria ao fim do túnel. Os olhos dele estavam arregalados, as bochechas, bem vermelhas. Mercy tinha chegado ao orgasmo, discretamente, havia cinco minutos. Ela deveria ter dito a ele, mas odiava deixar que ele vencesse.

Mercy virou a cabeça, tentando ver o relógio ao lado da cama. Estavam no chão do chalé 5, porque Dave não valia uma superfície macia e lençóis limpos. Devia ser quase meio-dia, e Mercy não podia se atrasar para o encontro de família. Os hóspedes começariam a chegar lá pelas duas da tarde, e telefonemas precisavam ser feitos. Dois casais tinham pedido massagem. Outro tinha se inscrito de última hora no rafting. Ela precisava confirmar se o lugar para passeio a cavalo tinha o horário pela manhã. Precisava também checar o tempo de novo, ver se aquela tempestade ainda seguia na direção deles. O fornecedor trouxera nectarinas em vez de pêssegos. Ele realmente achava que ela não sabia a diferença?

— Merce? — Dave ainda continuava, mas ela conseguia ouvir a derrota na voz dele. — Acho que preciso parar.

Mercy deu dois tapinhas no ombro dele, tirando-o de cima dela. O pau cansado de Dave roçou na perna dela conforme ele caía de costas. Ele olhou para o teto. Ela olhou para ele. Dave acabara de completar 35 anos e parecia mais perto dos oitenta. Os olhos dele estavam amarelados, o nariz marcado por vasinhos rompidos. A respiração era intensa. Ele voltara a fumar, porque a bebida e os comprimidos não o estavam matando rápido o suficiente.

— Desculpe — pediu ele.

Não havia necessidade de Mercy responder, eles tinham feito aquilo tantas vezes que as palavras dela eram como um eco perpétuo. *Talvez se você não estivesse chapado... talvez se você não estivesse bêbado... talvez se você não fosse um merdinha inútil... talvez se eu não fosse uma idiota solitária, estúpida que fica trepando com o ex-marido perdedor no chão...*

— Você quer que eu... — Ele apontou para baixo.

— Estou bem.

Dave riu.

— Você é a única mulher que eu conheço que finge não ter orgasmo.

Mercy não queria brincar com ele. Ela ralhava com Dave por tomar decisões ruins, mas continuava transando com ele como se fosse alguém melhor. Ela puxou a calça jeans para cima. O botão estava apertado devido aos quilos que ganhara. Não tinha tirado nada além dos tênis Nike cor de lavanda, que estavam ao lado da caixa de ferramentas dele. Então lembrou-se:

— Você precisa consertar o banheiro antes que os hóspedes cheguem.

— Está certo, chefa. — Dave rolou de lado, preparando-se para ficar de pé. Ele nunca tinha pressa. — Acha que pode me dar um dinheiro?

— Tire da pensão alimentícia.

Ele estremeceu, não pagava havia dezesseis anos.

— E o dinheiro que Papai pagou para você consertar os chalés dos solteiros?

— Aquilo foi um depósito.

O joelho de Dave estalou alto quando ele ficou de pé.

— Precisei comprar material.

Ela imaginou que a maioria do material tinha vindo do traficante ou do agente de apostas.

— Uma lona e um gerador usado não custam mil dólares.

— Deixa disso, Mercy Mac.

Mercy soltou um suspiro audível ao olhar seu reflexo no espelho. A cicatriz que cruzava seu rosto era de um vermelho-vivo contra a pele branca. O cabelo ainda estava bem preso para trás. A camisa não tinha nem amassado. Ela parecia ter tido o orgasmo menos satisfatório, dado pelo homem mais decepcionante do mundo.

Dave perguntou:

— O que acha desse negócio de investimento?

— Acho que Papai vai fazer o que quiser.

— Não estou perguntando para ele.

Ela olhou para o ex pelo espelho. O pai dela tinha soltado a notícia sobre os investidores ricos durante o café da manhã. Mercy não tinha sido consultada, então imaginou que fosse o jeito do pai de demonstrar que ainda estava no controle. A pousada tinha passado pelas mãos de sete gerações da família McAlpine. Em períodos anteriores, foram feitos pequenos empréstimos, normalmente de hóspedes antigos que queriam que o lugar continuasse funcionando. Eles ajudaram a consertar telhados e comprar aquecedores novos, e, uma vez, a trocar a fiação elétrica da estrada. Isso parecia muito maior. Papai dissera que o dinheiro dos investidores seria suficiente para construir um anexo ao complexo principal.

Mercy disse:

— Acho que é uma boa ideia. O antigo acampamento fica na melhor parte da propriedade. Podemos construir uns chalés maiores, talvez começar a anunciar para casamentos e reuniões de família.

— Ainda vai chamar de Acampamento Aqui-Pedofilia?

Mercy não queria rir, mas riu. O Acampamento Awinita era um terreno de cem acres com acesso ao lago, um riacho cheio de trutas e uma vista magnífica das montanhas mais baixas. A terra tinha sido também uma mina de ouro até quinze anos antes, quando todas as organizações que a alugavam, dos escoteiros aos batistas do Sul, tiveram algum tipo de escândalo com pedofilia. Não havia como saber quantas crianças tinham passado por isso ali. A única opção fora fechar o lugar antes que a mácula se espalhasse para a pousada.

— Não sei — disse Dave. — A maior parte daquele terreno fica em área de conservação. Não se pode construir em nenhum lugar depois de onde o riacho encontra com o lago. Fora isso, não vejo Papai dando satisfação a ninguém sobre como esse dinheiro é gasto.

Mercy citou o pai:

— "Só tem um nome naquela placa na estrada".

— Seu nome também está naquela placa — disse Dave. — E você faz um ótimo trabalho gerenciando este lugar. Estava certa a respeito de melhorar os banheiros. Foi um saco colocar o mármore, mas, com certeza, causa uma boa impressão. As torneiras e as banheiras parecem ter saído de uma revista. Os hóspedes estão gastando mais com extras e voltando para se hospedar de novo. Aqueles investidores não estariam oferecendo nenhum dinheiro se não fosse pelo que você fez aqui.

Mercy resistiu à vontade de se envaidecer. Na família dela, elogios não eram distribuídos sem pensar. Ninguém tinha dito uma palavra sobre as paredes com cores diferentes nos chalés, a área de café e as jardineiras transbordando de flores para que os hóspedes tivessem a sensação de entrar em um conto de fadas.

Ela falou:

— Se gastarmos esse dinheiro bem, as pessoas vão pagar duas vezes, talvez até três, mais do que estão pagando agora. Especialmente se oferecermos uma estrada em que possam chegar de carro em vez de ter que fazer o caminho a pé. Poderíamos até colocar uns daqueles quadriciclos para ir até a parte atrás do lago. É lindo lá embaixo.

— Realmente é lindo, com isso concordo. — Dave passava a maior parte dos dias no local, remodelando os três chalés antigos de forma ostensiva. — Pitica falou alguma coisa sobre o dinheiro?

A mãe dela sempre ficava do lado do pai, mas Mercy disse:

— Ela falaria para você antes de falar para mim.

— Não ouvi coisa alguma.

Dave deu de ombros. Pitica se abriria com ele por fim. Ela amava Dave mais do que os próprios filhos.

— Se quer minha opinião, maior nem sempre é melhor.

Maior era exatamente o que Mercy estava esperando. Depois do choque com a notícia, ela tinha se acostumado com a ideia. A entrada de dinheiro poderia melhorar as coisas. Estava cansada de andar na areia movediça.

— É muita mudança — ponderou Dave.

— Seria tão ruim se as coisas fossem diferentes? — perguntou, encostando-se na penteadeira e olhando para ele.

Eles se entreolharam. A pergunta tinha muito peso. Ela o analisou além dos olhos amarelados e do nariz salpicado de vermelho, e viu o rapaz de 18 anos que tinha prometido tirá-la dali. Então viu o acidente de carro que abriu seu rosto. O centro de recuperação. Centro de recuperação de novo. A batalha pela guarda de Jon. A ameaça de recomeçar a beber. E a decepção constante, implacável.

O telefone dela apitou sobre a mesinha lateral. Dave olhou para a notificação.

— Tem alguém no começo da trilha.

Mercy desbloqueou a tela. A câmera ficava no estacionamento, o que significava que tinha cerca de duas horas antes que os primeiros hóspedes completassem a caminhada de oito quilômetros até a pousada. Talvez menos. Parecia que poderiam encarar a trilha com facilidade. O homem era alto e magro, com corpo de corredor. A mulher tinha cabelo ruivo comprido e cacheado e carregava uma mochila que parecia ter sido usada antes.

O casal beijou-se apaixonadamente antes de seguir para o início da trilha. Mercy sentiu uma pontada de inveja ao vê-los de mãos dadas. Os dois se admiravam mutuamente. Ambos riram, como se percebessem que agiam de modo apaixonado e infantil.

— O cara parece bêbado de tanto trepar — disse Dave.

A inveja de Mercy se intensificou.

— Ela também parece bem alegrinha.

— BMW — notou Dave. — São os investidores?

— Gente rica não é feliz assim. Deve ser o casal em lua de mel. Will e Sara.

Dave olhou com mais atenção, embora ambos estivessem de costas para a câmera.

— Sabe qual a profissão deles?

— Ele é mecânico. Ela é professora de química.

— De onde eles são?

— Atlanta.

— Atlanta de verdade ou área metropolitana de Atlanta?

— Não sei, Dave. Atlanta-Atlanta.

Ele andou até a janela. Mercy o observou, olhando através do complexo para a casa principal. Sabia que algo o tinha provocado, mas não queria perguntar. Mercy dedicara-se muito a Dave. Para ajudá-lo. Para curá-lo. Para amá-lo o suficiente. Para ser o suficiente. Para, para, para não se afogar na areia movediça da necessidade sofrida dele.

As pessoas achavam que ele era o sr. Dave Relaxado-Descontraído-Alma-da--Festa, mas Mercy sabia que ele andava por aí com uma bola imensa de angústia no peito. Dave não era viciado por estar em paz. Tinha passado os onze primeiros anos de vida em lares adotivos. Ninguém se deu ao trabalho de ir atrás dele quando fugiu. Ficara pela área do acampamento até que o pai de Mercy o encontrou dormindo em um dos chalés dos solteiros. Então a mãe dela preparou um jantar, e Dave começou a aparecer todas as noites até se mudar para a casa principal. Os McAlpine o adotaram, o que deu início a vários rumores maldosos quando Mercy engravidou de Jon. Não ajudou que Dave tivesse 18 anos e Mercy tivesse acabado de fazer 15 quando aconteceu.

Eles jamais se viram como irmãos. Eram mais como dois idiotas que se encontraram ao acaso. Ele a odiou até que a amou. Ela o amou até odiá-lo.

— Alerta.

Dave se virou da janela.

— Peixetopher está vindo com raiva.

Mercy estava colocando o telefone no bolso de trás quando o irmão abriu a porta. Ele estava segurando um dos gatos, um ragdoll gordo e mole. Christopher vestia o de sempre: colete de pescador, chapéu de pescador com iscas penduradas, bermuda cargo com bolsos demais e chinelos; assim poderia colocar facilmente as galochas e ficar no meio de um riacho o dia inteiro jogando o anzol. Daí o apelido.

Dave perguntou:

— O que o atraiu até aqui, Peixetopher?

— Não sei. — Peixe levantou o olhar. — Algo me chamou a atenção.

Mercy sabia que poderiam seguir naquilo por horas.

— Peixe, você disse ao Jon para limpar as canoas?

— Disse, e ele me mandou ir me foder.

— Jesus. — Mercy lançou um olhar para Dave, como se ele fosse o único responsável pelo comportamento de Jon. — Onde ele está agora?

Peixe colocou o gato na varanda ao lado do outro.

— Eu o mandei comprar pêssegos na cidade.

— Por quê? — Ela olhou para o relógio de novo. — Temos cinco minutos até o encontro de família. Não vou pagar Jon para vagabundear por aí o verão todo. Ele precisa saber dos horários.

— Ele precisa ficar longe. — Peixe cruzou os braços do jeito que sempre fazia quando achava que tinha algo importante a dizer. — A Delilah está aqui.

Se ele dissesse que Lúcifer estava dançando na varanda da frente, ela teria ficado menos chocada. Sem pensar, Mercy agarrou o braço de Dave. O coração dela batia forte no peito, pois fazia doze anos que tinha enfrentado a tia em um tribunal cheio. Delilah tentara conseguir a guarda permanente de Jon, e Mercy ainda sentia as feridas profundas da luta para consegui-lo de volta.

— O que aquela vaca está fazendo aqui? — perguntou Dave. — O que ela quer?

— Não sei — respondeu Peixe. — Ela passou por mim na rua e entrou na casa com Papai e Pitica. Encontrei Jon e o mandei sair antes que ele a visse. De nada.

Mercy não conseguia agradecer ao irmão. Ela começara a suar. Delilah morava a uma hora de viagem, em sua pequena bolha. Os pais a chamaram até aqui porque estavam aprontando alguma coisa.

— Papai e Pitica estavam na varanda esperando Delilah?

— Eles sempre ficam na varanda de manhã. Como vou saber se estavam esperando por ela?

— Peixe!

Mercy bateu o pé. Ele sabia a diferença entre um achigã-boca-pequena e um achigã-da-rocha, mas não sabia ler as pessoas.

— Como eles estavam quando Delilah chegou? Ficaram surpresos? Falaram alguma coisa?

— Acho que não. Delilah saiu do carro segurando a bolsa desse jeito. — Mercy o viu posicionar as mãos na frente da barriga. — Aí ela subiu a escada e todos entraram.

— Ela ainda se veste como a Pippi Meialonga? — perguntou Dave.

— Quem é Pippi Meialonga?

— Quietos — sibilou Mercy. — Delilah não falou nada sobre Papai estar numa cadeira de rodas?

— Não. Nenhum deles falou nada, agora que estou pensando nisso. Estranhamente silenciosos. — Peixe levantou o dedo para indicar que tinha se lembrado de outro detalhe. — Pitica começou a empurrar a cadeira de Papai para dentro, mas Delilah tomou o lugar dela.

— É a cara da Delilah — murmurou Dave.

Mercy sentiu a mandíbula contrair. Delilah não tinha ficado surpresa ao encontrar o irmão em uma cadeira de rodas, o que significava que já sabia do acidente, o que significava que haviam conversado pelo telefone. A questão era: quem tinha dado o telefonema? Ela fora convidada ou simplesmente tinha aparecido?

Como se fosse uma deixa, o celular dela começou a tocar. Mercy o retirou do bolso e viu o nome no identificador de chamada.

— Pitica.

— Coloque no viva-voz — pediu Dave.

Mercy tocou a tela. A mãe começava cada telefonema do mesmo jeito, não importava se estivesse ligando ou respondendo.

— É a Pitica.

— Pode falar, mãe — disse Mercy.

— Vocês estão vindo para a reunião de família?

Mercy olhou para o relógio. Estava dois minutos atrasada.

— Mandei Jon para a cidade. Peixe e eu estamos indo.

— Traga Dave.

A mão de Mercy pairava sobre o telefone. Estava pronta para desligar, mas seus dedos vacilaram.

— Por que quer o Dave aí?

Houve um clique, e a mãe encerrou a chamada.

Mercy olhou para Dave, depois para Peixe. Ela sentiu uma gota grossa de suor descer pelas costas.

— Delilah vai tentar pegar Jon de volta — falou ela.

— Não, não vai. Ele acabou de fazer aniversário, já é quase um adulto. — Pelo menos uma vez Dave era o lógico. — Delilah não pode levá-lo embora. Mesmo se ela tentar, não vai para julgamento por uns dois anos, pelo menos. Até lá, ele vai ter dezoito.

Mercy pressionou a palma da mão sobre o coração. Ele estava certo. Jon, às vezes, agia feito um bebê, mas tinha dezesseis anos. Mercy não era uma ferrada que fazia cagadas em série, com duas prisões por dirigir embriagada, tentando largar a heroína com Xanax. Ela era uma cidadã responsável. Dirigia o negócio da família e estava limpa havia treze anos.

— Caras — disse Peixe —, deveríamos saber que Delilah está aqui?

— Ela não viu você quando veio pela rua? — questionou Dave.

— Talvez? — Peixe estava perguntando, não afirmando. — Eu estava empilhando madeira perto do barracão e ela passou bem rápido. Sempre como se estivesse em uma missão.

Mercy pensou em uma explicação que era quase horrível demais para falar:

— O câncer pode ter voltado.

Peixe pareceu abalado. Dave se afastou um pouco, virando as costas para eles. Pitica tinha sido diagnosticada com melanoma metastático havia quatro anos. Um tratamento agressivo tinha colocado o câncer em remissão, mas isso não significava cura. O oncologista lhe dissera para manter suas coisas em ordem.

— Dave? — perguntou Mercy. — Notou alguma coisa? Ela mudou de alguma forma?

Dave balançou negativamente a cabeça e enxugou os olhos com o punho. Ele sempre tinha sido o menino da mamãe, e Pitica ainda cuidava dele como a um bebê. Mercy não podia se ressentir da afeição extra, pois a mãe dele o abandonara em uma caixa de papelão do lado de fora de uma unidade do Corpo de Bombeiros.

— Ela... — Dave limpou a garganta algumas vezes para conseguir falar. — Ela iria me sentar sozinho e contar se tivesse voltado. Não jogaria isso em cima de mim num encontro de família.

Mercy sabia que era verdade, porque Dave fora a primeira pessoa a quem Pitica contara da última vez. Ele sempre tivera uma conexão especial com a mãe dela. Tinha sido ele quem a apelidara de Mãe Pitica, por causa do tamanho dela. Durante o tratamento do câncer, Dave a levara a cada consulta médica, a cada cirurgia, a cada tratamento. Também fora ele quem trocara os curativos cirúrgicos, cuidara para que ela tomasse os remédios e até lavara os cabelos dela.

Papai estava muito ocupado gerenciando a pousada.

— Estamos ignorando o óbvio — disse Peixe.

Dave estava limpando o nariz com a barra da camiseta quando se virou.

— Como assim?

— Papai quer falar sobre os investidores.

Mercy se sentiu uma idiota por não ter pensado nisso antes.

— Precisamos convocar um encontro do conselho para votar o recebimento do dinheiro?

— Não.

Dave conhecia as regras do Fundo Familiar McAlpine melhor que qualquer um. Delilah tinha tentado tirá-lo porque ele era adotado.

— Papai é o administrador, então ele toma essas decisões. Além disso, só é preciso de quórum para convocar uma votação. Mercy, você tem o voto de Jon, então ele só precisa de você, Peixe e Pitica. Não há motivo para que eu esteja lá. Ou Delilah.

Peixe olhou ansiosamente para o relógio.

— Precisamos ir, certo? Papai está esperando.

— Esperando para nos pegar de tocaia — disse Dave.

Mercy imaginou que fosse o que o pai planejava. Ela não tinha a ilusão de que participariam de um momento afetuoso em família.

— Vamos acabar logo com isso — convocou Mercy.

Ela liderou os rapazes pelo complexo. Os dois gatos caminhavam ao lado deles. Mercy lutava contra seu estado natural de ansiedade. Jon estava seguro. Ela não estava indefesa. Era velha demais para uma surra, e não era como se Papai conseguisse alcançá-la.

Ela sentiu o calor subir pelo rosto. Era uma filha horrível por pensar em algo assim. Dezoito meses antes, o pai estava guiando um grupo na trilha de bicicleta quando foi de cabeça sobre o guidão e caiu no desfiladeiro. Um helicóptero de resgate o içara numa maca enquanto os hóspedes assistiam a tudo com horror. Ele havia quebrado o crânio e duas vértebras do pescoço. As costas também tinham sido fraturadas. Não havia dúvida de que ele terminaria em uma cadeira de rodas. O pai sofrera danos nos nervos do braço direito. Se tivesse sorte, teria controle limitado da mão esquerda. Ainda conseguia respirar sozinho, mas naqueles primeiros dias os cirurgiões falavam dele como se estivesse morto.

Mercy não teve tempo para sofrer. Ainda havia hóspedes na pousada, e mais chegariam nas semanas seguintes. Era preciso fazer os cronogramas. Escolher os guias. Comprar mantimentos. Pagar contas.

Peixe era o mais velho, mas nunca tinha se interessado pelo gerenciamento. Sua paixão era levar os hóspedes para a água. Jon era muito jovem, e mais, ele odiava o lugar. Não dava para ter certeza de que Dave apareceria. Delilah não era uma opção. Pitica, compreensivelmente, não saía do lado de Papai. Por falta de alternativa, Mercy tinha recebido o posto. Que ela de fato era boa naquilo deveria ser fonte de orgulho para a família. Que as mudanças que ela fez levaram a um lucro maior no primeiro ano, que ela estava a ponto de dobrar aquilo naquele momento, deveria ter gerado celebração.

Porém, desde o momento em que saíra do centro de recuperação, o pai tinha fervilhado de ódio. Não por causa do acidente. Não por ter perdido a facilidade atlética do corpo. Nem mesmo por ter perdido a liberdade. Por algum motivo incompreensível, toda a sua raiva e animosidade foram dirigidas a Mercy.

Todos os dias, Pitica passeava com Papai pelo complexo principal. Todo dia, ele achava defeitos em tudo o que Mercy fazia. As camas não tinham sido arrumadas do jeito certo. As toalhas não haviam sido dobradas do jeito certo. Os hóspedes não tinham sido tratados do jeito certo. As refeições não estavam sendo servidas do jeito certo. E, é claro, o *jeito certo* era sempre o *jeito dele*.

No começo, Mercy tinha se esforçado para agradá-lo, afagando o ego dele, fingindo que não conseguia seguir sem ele, implorando por conselhos e aprovação. Nada funcionou. A raiva só piorou. Ela poderia ter cagado barras de ouro que ele ainda encontraria problemas em cada uma delas. Mercy sabia que Papai podia ser um tirano exigente, o que ela não tinha percebido é que ele era tanto mesquinho quanto cruel.

— Esperem — falou Peixe, a voz baixa como quando eram crianças indo escondidas até o lago. — Como vamos fazer isso, meu povo?

— Como sempre fazemos — respondeu Dave. — Você vai olhar para o chão de boca fechada. Eu vou deixar todo mundo puto. Mercy vai brigar.

Aquilo o fez ganhar um sorriso, ao menos. Mercy apertou o braço de Dave antes de abrir a porta da frente.

Como sempre, foram recebidos pela escuridão. Paredes escuras, gastas pelo tempo. Duas janelas pequenas e estreitas. Sem luz do sol. O saguão da casa principal havia sido o alojamento original quando a pousada foi inaugurada depois da Guerra Civil. O lugar era pouco mais que um barracão de pesca na época. Era possível ver marcas de machado no revestimento de madeira, onde as tábuas tinham sido cortadas de árvores derrubadas na propriedade.

Por sorte e necessidade, a casa tinha sido expandida ao longo dos anos. Uma segunda entrada fora erguida do lado da varanda, assim os hóspedes viam algo mais convidativo quando voltavam da trilha. Quartos privados foram construídos para hóspedes mais ricos, o que causou a necessidade de uma segunda escadaria para o andar de cima. Um saguão e um salão de jantar foram construídos para os pretensos Teddy Roosevelts que chegavam às pencas para explorar a nova floresta nacional. A cozinha tinha sido conectada à casa quando os fogões a lenha saíram de moda. A varanda ao redor da construção foi uma concessão ao calor exaustivo do verão. Em determinado momento, havia doze irmãos McAlpine em beliches no andar de cima. Uma metade odiava a outra, o que levou à necessidade de construir três chalés dos solteiros perto do lago.

Quase todos debandaram quando chegou a Grande Depressão, deixando um McAlpine solitário agarrado a um fio. Ele tinha guardado as cinzas deles em uma prateleira no porão depois que, um a um, voltaram à propriedade. O bisavô de Mercy e Peixe tinha criado o fundo familiar altamente controlado, e a amargura dele em relação aos irmãos estava escrita em cada parágrafo.

Ele também era a única razão pela qual o lugar não fora vendido para ser desmembrado anos antes. A maior parte da área do acampamento estava em uma região de conservação que jamais poderia receber construções. A outra parte era protegida por cláusulas que determinavam como a terra poderia ser usada. O fundo exigia um consenso antes que qualquer coisa importante fosse feita, e, ao longo dos anos, só houve McAlpine babacas brigando com McAlpine babacas que evitavam o consenso, ainda que apenas por despeito. Que o pai fosse o maior babaca de uma longa linhagem não deveria ser surpresa.

E, no entanto, ali estavam eles.

Mercy endireitou os ombros enquanto andava pelo longo corredor. Os olhos lacrimejaram com a onda de luz vinda das janelas basculantes, depois das janelas palladianas, então das portas sanfonadas elegantes que davam na varanda dos fundos. Cada cômodo era como um anel em um tronco. Era possível marcar a passagem do tempo pela argamassa com crina de cavalo, pelos tetos texturizados e pelos eletrodomésticos verde-abacate ao lado do cooktop Wolf de seis bocas novinho na cozinha.

Foi onde encontrou os pais esperando. A cadeira de rodas de Papai estava parada diante da mesa redonda com pé no meio que Dave tinha construído depois do acidente. Pitica estava sentada ao lado dele, as costas eretas, os lábios apertados, a mão sobre uma pilha de cronogramas. Havia algo atemporal na aparência dela. Mal havia uma ruga marcando seu rosto. Ela sempre parecera mais a irmã de Mercy do que a mãe, a não ser pelo ar de desaprovação. Como de costume, Pitica não sorriu até ver Dave, então o rosto dela se iluminou como se Elvis tivesse carregado Cristo pela porta.

Mercy mal registrou a mudança. Delilah não estava à vista, o que fez seu cérebro ficar confuso. Onde ela estava escondida? Por que estava ali? O que ela queria? Ela tinha cruzado com Jon na estrada estreita?

— É tão difícil chegar na hora?

Papai olhou de maneira teatral para o relógio da cozinha. Ele usava um de pulso, mas girar o braço esquerdo exigia esforço.

— Sentem-se.

Dave ignorou a ordem e se curvou para beijar o rosto de Pitica.

— Tudo certo, Mãe Pitica?

— Estou bem, querido.

Pitica esticou a mão e deu uns tapinhas no rosto dele.

— Vá se sentar.

O toque leve dela desmanchou, temporariamente, a preocupação no cenho de Dave. Ele piscou para Mercy enquanto puxava uma cadeira. *Menino da mamãe*. Peixe tomou seu assento de sempre à esquerda dela; o olhar voltado para o chão, as mãos sobre o colo, nenhuma surpresa.

Mercy pousou os olhos no pai. O rosto dele passara a ter mais cicatrizes que o dela, com rugas profundas que se espalhavam do canto dos olhos até as cavidades das bochechas. Ele completara 68 anos havia pouco tempo, mas parecia ter noventa. Sempre fora um homem atraente, que vivia ao ar livre. Antes do acidente de bicicleta, Mercy jamais tinha visto o pai ficar sentado mais tempo do que o necessário para enfiar a comida na boca. As montanhas eram o lar dele. Conhecia cada centímetro das trilhas. O nome de cada pássaro. Cada flor. Os hóspedes o adoravam. Os homens queriam a vida dele. As mulheres queriam seu senso de propósito. Eles o chamavam de guia favorito, animal espiritual, confidente.

Ele não era pai deles.

Pitica inclinou-se na cadeira para passar os cronogramas. Era uma mulher pequena, mal tinha 1,50 metro, com uma voz suave e um rosto de querubim.

— Certo, crianças. — Pitica sempre começava os encontros de família com a mesma frase, como se ainda fossem pequenos. — Vamos receber cinco casais hoje. Mais cinco na quinta.

— Casa cheia — disse Dave. — Bom trabalho, Mercy Mac.

Os dedos da mão esquerda de Papai apertaram o braço da cadeira.

— Precisamos trazer guias extras para o fim de semana.

Mercy levou um momento para encontrar sua voz. Estavam de fato fazendo o encontro como se Delilah não estivesse escondida nas sombras? Papai claramente estava aprontando alguma. Porém, não havia nada a fazer além de seguir com aquilo.

— Já chamei Xavier e Gil. Jedediah ficará de sobreaviso — falou Mercy.

— De sobreaviso? — perguntou Papai. — O que significa *de sobreaviso*?

Mercy engoliu a oferta de buscar a palavra no Google para ele. Eles tinham regras rígidas sobre a proporção entre hóspedes e guias — não apenas por questões de segurança, mas porque as experiências bem preparadas atraíam muito dinheiro.

— Para o caso de hóspedes que se inscreverem para a caminhada no último minuto.

— Você diz a eles que é tarde demais. Não deixamos guias pendurados. Eles trabalham por dinheiro, não por promessas.

— Jed não se importa com isso, Papai. Ele disse que vai vir se puder.

— E se ele não estiver disponível?

Mercy sentiu os dentes rangendo. Ele sempre dificultava as coisas.

— Então eu mesma acompanharei os hóspedes na trilha.

— E quem vai cuidar do lugar quando você estiver vagabundeando pelas montanhas?

— As mesmas pessoas que cuidavam quando era você.

As narinas de Papai se dilataram de raiva. Pitica parecia profundamente desapontada. Menos de um minuto de reunião e já estavam num impasse. Mercy nunca iria vencer. Ela poderia ir rápido ou devagar, mas ainda estaria pisando em areia movediça.

— Certo — disse Papai. — Você vai simplesmente fazer o que quer fazer.

Ele não cederia. Dava a última palavra enquanto dizia que ela estava errada. Mercy estava a ponto de responder quando a perna de Dave pressionou a dela sob a mesa, pedindo para que deixasse aquilo quieto.

Papai já tinha seguido em frente, de qualquer maneira. Ele direcionou o olhar para Peixe.

— Christopher, precisa dar o seu melhor com os investidores. Os nomes são Sydney e Max, mulher e homem, e é ela quem manda. Leve os dois até as cachoeiras, onde com certeza vão ser conquistados. Não os chateie com seu papo de ecologia.

— Entendido.

Peixe tinha feito mestrado em Manejo de Recursos Naturais, com ênfase em pesca e ciências aquáticas na Universidade da Geórgia. A maioria dos hóspedes ficava encantada com as paixões dele.

— Estava pensando se iam gostar do... — tentou continuar Peixe.

— Dave — disse Papai. — O que está acontecendo com os chalés dos solteiros? Estou pagando por prego?

De um jeito passivo-agressivo que atingiu todos à mesa, Dave não teve pressa para responder. As mãos foram lentamente para o rosto. Ele coçou o queixo de maneira distraída.

— Encontrei fungo na madeira do terceiro chalé. Precisei desmontar a parte de trás e começar de novo. Pode estar na fundação. Quem sabe?

As narinas de Papai se dilataram de novo. Ele não tinha como verificar a afirmação de Dave. Não conseguia ir até aquela parte da propriedade, mesmo se o amarrassem em um quadriciclo.

— Quero fotos! — ordenou Papai. — Documente o estrago. E guarde toda a sua merda. Tem uma tempestade chegando, e não vou pagar por outra serra de mesa porque você não teve o senso de tirá-la da chuva.

Dave estava tirando sujeira de debaixo da unha.

— Claro, Papai.

Mercy observou a mão esquerda do pai apertando o braço da cadeira. Dois anos antes, ele teria voado por cima da mesa. Naqueles dias, ele precisava economizar cada pingo de energia só para coçar a bunda.

— Quando quer que eu me encontre com os investidores? — questionou Mercy.

Papai riu da pergunta.

— Por que você se encontraria com eles?

— Porque sou a gerente. Porque tenho todas as planilhas e demonstrativos de lucros e perdas. Porque sou uma McAlpine. Porque cada um de nós tem uma parte igual no fundo. Porque tenho o direito.

— Você tem o direito de calar a boca antes que eu cale para você.

Papai se virou para Peixe.

— Por que Chuck está de novo na propriedade? Não somos um abrigo de sem-teto.

Mercy trocou um olhar com Dave. O que ele entendeu como uma deixa para jogar a bomba no meio da sala.

— Vocês não vão nos contar que Delilah está aqui?

Pitica remexeu-se na cadeira, desconfortável.

Papai começou a sorrir, o que trazia seu próprio sentido especial de medo. A crueldade dele sempre deixava uma marca.

— O que faz você acreditar que ela está aqui?

— Acho... — Dave começou a batucar os dedos na mesa. — Acho que os investidores não estão aqui para investir. Estão aqui para comprar.

Peixe ficou de boca aberta.

— O quê?

Mercy sentiu o ar sair de seus pulmões.

— Vo-você não pode. O fundo diz...

— Está feito — disse Papai. — Precisamos sair deste lugar antes que você nos enterre.

— Enterrar? — Mercy não conseguia acreditar no que ouvia. — Está zoando com a porra da minha cara?

— Mercy! — sibilou a mãe. — Olha a boca!

— Nós estamos com lotação máxima durante toda a estação! — Ela não conseguia parar de gritar. — Os lucros subiram trinta por cento desde o ano passado!

— Lucro esse que você desperdiçou em banheiros de mármore e lençóis chiques.

— E que recuperamos com o retorno dos hóspedes.

— Quanto tempo isso vai durar?

— Pelo tempo que você ficar longe disso!

Mercy ouviu o guincho raivoso em sua voz ecoar pelo espaço. A culpa invadiu seu corpo. Nunca tinha falado com o pai daquela maneira. Nenhum deles tinha. Sempre tiveram medo.

— Mercy — falou Pitica. — Sente-se, menina. Tenha um pouco de respeito.

A filha afundou lentamente na cadeira. Lágrimas escorriam por seu rosto. Aquilo era uma imensa traição. Ela era uma McAlpine. Supostamente, a sétima geração. Tinha desistido de tudo — tudo — para ficar ali.

— Mercy — repetiu Pitica. — Peça desculpas ao seu pai.

Ela sentiu a cabeça tremer e tentou engolir as farpas na garganta.

— Você me escute, senhorita Trinta Por Cento. — O tom de Papai era como uma lâmina esfolando a pele dela. — Qualquer babaca pode conseguir um ano bom. São os anos magros que você não vai conseguir segurar. A pressão vai achatar você.

Ela limpou os olhos.

— Não sabe disso.

Papai riu de forma sarcástica.

— Quantas vezes precisei tirar você da cadeia? Pagar sua reabilitação? Seus advogados? Sua fiança? Dar dinheiro para o delegado fazer vista grossa? Tomar conta do seu menino porque você estava tão bêbada que mijava na calça?

Mercy olhou para o forno acima do ombro dele. Aquela era a parte mais funda da areia movediça, o passado do qual ela nunca, jamais escaparia.

— Delilah veio para votar, certo? — perguntou Dave.

Papai permaneceu em silêncio.

Dave, então, continuou:

— O fundo familiar diz que você precisa ter sessenta por cento dos votos para vender a parte comercial da propriedade. Você me fez trabalhar naqueles chalés para podermos incluir aquela área na parte comercial, certo?

Mercy mal conseguia ouvir o que ele dizia. O fundo familiar era complexo. Nunca tinha estudado a linguagem porque nunca imaginou que houvesse uma chance de aquilo ter importância. Cada geração, havia décadas, tinha desprezado o lugar a ponto de ir embora ou trabalhado a contragosto pelo bem comum.

Dave falou:

— Somos sete. Isso quer dizer que precisa de quatro votos para vender.

Mercy soltou uma gargalhada surpresa.

— Você não tem. Eu tenho o voto de Jon até ele completar dezoito anos. Somos dois "não". Dave é "não". Peixe, idem. Você não tem os votos, mesmo com Delilah.

— Christopher? — Papai fulminou Peixe. — É verdade?

— Eu...

Peixe manteve o olhar voltado para o chão. Ele amava aquela terra, conhecia cada subida e descida do terreno, cada espaço para pesca e cada canto tranquilo. Mas isso não o impedia de ser quem era.

— Não posso ficar no meio disso. Eu me recuso. Ou me abstenho. O que quiserem chamar. Estou fora.

Mercy queria ter se surpreendido com o posicionamento dele.

— Isso nos deixa cada um com cinquenta por cento. Cinquenta não são sessenta — disse ao pai.

— Tenho um número para você — retrucou Papai. — Doze milhões.

Mercy ouviu a garganta de Dave trabalhar enquanto engolia em seco. Dinheiro sempre o transformava. Era como a poção que transformava o dr. Jekyll em monstro.

— Metade são impostos — disse Mercy. — Seis milhões divididos por sete, certo? Papai e Pitica recebem porções iguais. Peixe recebe a parte dele votando ou não.

— Jon também — falou o ex-marido.

— Dave, por favor.

Mercy esperou que ele olhasse para ela. Dave estava muito ocupado vendo cifrões, pensando em toda a merda que compraria, nas pessoas que impressionaria. Ela estava em uma sala cheia de gente, cercada por sua família, mas, como sempre, estava totalmente sozinha.

— Pense no que vocês poderiam fazer com esse dinheiro. Viajar. Começar seu próprio negócio. Voltar para a escola, talvez? — argumentou Pitica.

Mercy sabia exatamente o que eles iriam fazer. Jon não conseguiria guardar o dinheiro. Dave cheiraria e beberia tudo e ainda ia querer mais. Peixe doaria para qualquer fundo de conservação de rio dos infernos que encontrasse. Mercy precisaria cuidar de cada centavo, porque era uma criminosa condenada com duas prisões por dirigir embriagada que tinha desistido da escola para ter um bebê. Só Deus sabia se o dinheiro ia durar até ela ficar velha. Se chegasse lá.

Os pais dela, por outro lado, estavam bem. Tinham um plano de aposentadoria privado. As apólices do acidente tinham coberto as contas de hospital e da recuperação de Papai. Ambos recebiam previdência social e dividendos da pensão. Não precisavam do dinheiro, pois tinham tudo de que precisavam.

A não ser tempo.

— Quanto tempo acha que resta para você? — perguntou Mercy.

Papai piscou. Por um instante, a guarda dele baixou.

— Do que está falando?

— Não está indo na fisioterapia. Se recusa a fazer os exercícios de respiração. Só sai de casa para ver o que estou fazendo. — Mercy deu de ombros. — Covid, influenza ou um resfriado forte pode levar você na semana que vem.

— Merce — murmurou Dave. — Não seja cruel.

Mercy enxugou as lágrimas dos olhos. Estava além da crueldade. Queria machucá-los do mesmo jeito que a machucavam.

— E você, mãe? Quanto tempo até o câncer voltar?

— Jesus — disse o ex-marido. — Isso foi longe demais.

— E roubar meu direito de nascença, não?

— Seu direito de nascença — disse Papai. — Sua vaca estúpida. Quer saber o que aconteceu com seu direito de nascença? Dê uma olhada na porra da sua cara feia no espelho.

Mercy sentiu uma vibração passar por seu corpo. Uma sensação de tensão. Um medo repugnante.

Papai não tinha se movido, mas ela sentiu como se fosse adolescente de novo com as mãos dele em torno do pescoço. Agarrando Mercy pelo cabelo quando ela tentava fugir. Sacudindo o braço dela com tanta força que o tendão rompeu. Ela estava atrasada para a escola de novo, atrasada para o trabalho de novo, não tinha feito o dever de casa, tinha feito o dever de casa muito cedo. Ele sempre estava atrás dela, socando seu braço, deixando hematomas em suas pernas, batendo nela com o cinto, chicoteando-a com a corda no celeiro. Ele havia chutado a barriga quando ela ficara grávida. Enfiado a cara dela no prato quanto ela estava muito enjoada para comer. Havia colocado uma tranca do lado de fora da porta do quarto dela para que não pudesse ver Dave. Testemunhado na frente de um juiz que ela merecia passar um tempo na prisão. Dissera a outro juiz que ela tinha problemas mentais. E, a um terceiro, que ela não era capaz de ser mãe.

Ela o via naquele momento com uma clareza surpreendente, súbita.

Papai não estava com raiva do que tinha perdido no acidente de bicicleta. Estava com raiva do que Mercy tinha ganhado.

— Seu velho estúpido. — A voz que saiu da boca dela parecia possuída. — Eu gastei quase metade da minha vida nesta terra esquecida. Acha que não escutei as conversas de vocês, os sussurros, os telefonemas e as confissões tarde da noite?

A cabeça de Papai foi para trás.

— Não se atreva...

— Cale a boca — Mercy explodiu. — Todos vocês. Cada um de vocês. Peixe. Dave. Pitica. Até Delilah, seja lá onde estiver escondida. Eu posso acabar com a vida de vocês agora mesmo. Um telefonema. Uma carta. Ao menos dois de vocês, filhos da puta, podem acabar na cadeia. O resto jamais seria capaz de mostrar a cara de novo. Não há dinheiro neste mundo que possa comprar suas vidas de volta. Serão destruídos.

O medo deles deu a Mercy uma sensação de poder que ela jamais sentira. Podia vê-los considerando suas ameaças, pesando as chances. Sabiam que ela não estava blefando. Mercy poderia queimar todos eles sem nem riscar um fósforo.

— Mercy — tentou Dave.

— O quê, Dave? Está dizendo meu nome ou desistindo como sempre faz?

Ele apoiou o queixo no peito.

— Só estou dizendo para tomar cuidado.

— Cuidado com o quê? — perguntou. — Você sabe muito bem que eu aguento um golpe. E toda a minha merda já está espalhada. Está escrita na porra da minha cara feia. Está gravada naquela lápide no cemitério de Atlanta. Eu não tenho nada a perder além deste lugar e, se chegar a isso, eu juro por Deus Todo-Poderoso que vou levar todos vocês comigo.

A ameaça foi suficiente para fazer com que todos ficassem calados por um momento maravilhoso. No silêncio, Mercy ouviu pneus passando na rua de cascalho. A velha caminhonete precisava de um silenciador novo, mas ela estava grata pelo aviso. Jon voltava da cidade.

— Conversamos depois do jantar. Temos hóspedes chegando. Dave, conserte o banheiro no 3. Peixe, limpe aquelas canoas. Pitica, lembre o pessoal da cozinha de que Chuck é alérgico a amendoim. E você, Papai, sei que não pode fazer muita coisa, mas é melhor deixar a porra da sua irmã longe do meu filho.

Mercy saiu da cozinha. Ela passou pelas portas sanfonadas, janelas palladianas e janelas basculantes. No saguão escuro, pôs a mão na maçaneta, mas fez uma pausa antes de abrir. Jon estava tentando entrar de ré com a caminhonete no espaço dela. Ela ouvia as engrenagens enquanto ele pisava na embreagem.

Ela inspirou fundo, depois exalou lentamente.

Havia história naquele cômodo escuro. Suor e labuta e terra que foram passados por mais de 160 anos. Fotos cobriam as paredes, todas de marcos importantes: um daguerreótipo da cabana de pescador. Cópias em sépia de vários McAlpine trabalhando na propriedade. Alguém cavando o primeiro poço. A empresa de energia trazendo a linha de transmissão elétrica. A anexação do Acampamento Awinita. Escoteiros cantando em volta de uma fogueira. Hóspedes assando marshmallows à beira do lago. A primeira foto colorida mostrava o novo encanamento interno. Os chalés dos solteiros. O deque flutuante. A área dos pedalinhos. Os retratos de família. As gerações dos McAlpine: os casamentos, os funerais, os bebês e a vida.

Mercy não precisava de fotografias. Tinha registrado a própria história. Diários de sua infância. Livros-razão que encontrara escondidos no escritório e enfiados atrás de um armário velho na cozinha. Os cadernos e as notas que tinha começado a manter sozinha. Havia segredos que destruiriam Dave. Revelações que destruiriam Peixe. Crimes que mandariam Pitica para a prisão. E o mal puro que Papai tinha cometido para manter aquele lugar em suas mãos violentas e gananciosas.

Nenhum deles tiraria a pousada de Mercy.

Eles precisariam matá-la primeiro.

2
DEZ HORAS ANTES DO ASSASSINATO

WILL COMEÇAVA A ENTENDER que havia uma grande diferença entre correr oito quilômetros por dia nas ruas de Atlanta e subir uma montanha. Talvez tivesse sido uma má ideia passar quase a vida inteira treinando os músculos da perna para exatamente uma coisa. Não ajudava o fato de que Sara apertasse o passo feito uma gazela. Ele sentia muito prazer em observá-la fazendo sua rotina de ioga pela manhã, mas não tinha percebido que ela estava se condicionando em segredo para o Ironman.

Ele tirou a garrafa de água da mochila como desculpa para parar.

— Precisamos ficar hidratados.

O sorriso malicioso nos lábios de Sara lhe disse que sabia exatamente o que ele estava aprontando. Ela se virou, apreciando a vista.

— É tão lindo aqui em cima. Eu me esqueço de como é bom estar cercada por árvores.

— Temos árvores em Atlanta.

— Não assim.

Ele precisou concordar com ela. A vista da montanha a longa distância era de cair o queixo se você não tivesse a sensação de que vespas assassinas estavam atacando suas batatas da perna.

— Obrigada por me trazer aqui. — Ela pousou as mãos sobre os ombros dele. — É um jeito perfeito de começar nossa lua de mel.

— A noite passada foi fantástica — comentou Will.

— Essa manhã também. — Ela o beijou longamente. — A que horas precisamos estar no aeroporto?

Ele sorriu. Sara tinha se encarregado do casamento. Will tinha se encarregado da lua de mel e fizera tudo o que podia para mantê-la em segredo, até pedira à irmã dela para fazer as malas. A bagagem deles já tinha sido entregue na pousada. Tinha dito a Sara que fariam uma caminhada de um dia, com um piquenique, e voltariam para Atlanta para voar até o destino deles.

— A que horas *você* quer estar no aeroporto? — perguntou Will.

— É um voo noturno?

— É?

— Vamos ficar sentados por muito tempo? É por isso que queria fazer um pouco de exercício?

— Vamos?

— Pode parar com o fingimento — Ela puxou a orelha dele de brincadeira. — Tessa me contou tudo.

Will quase caiu naquela. Sara era incrivelmente próxima da irmã, mas não havia como Tessa tê-lo delatado.

— Boa tentativa.

— Vou precisar saber o que colocar na mala — disse, o que era verdade, mas também sorrateiro. — Preciso de um maiô ou de um casaco pesado?

— Quer saber se vamos para a praia ou para o Ártico?

— Você vai mesmo me fazer esperar até a noite?

Will estivera ponderando silenciosamente a hora certa de contar a ela o destino. Deveria esperar até chegarem à pousada? Ou contar antes que chegassem lá? Ela ficaria feliz com a escolha dele? Ela tinha mencionado um voo noturno. Achava que estavam indo para algum lugar romântico, como Paris? Talvez devesse ter levado Sara a Paris. Se doasse sangue o suficiente, provavelmente conseguiria reservar um albergue para jovens.

— Meu amor. — Ela alisou as sobrancelhas dele com o dedo. — Seja onde for, vou ficar feliz porque estou com você.

Ela o beijou de novo, e Will decidiu que aquela era uma boa hora. Ao menos, se ela ficasse desapontada, não seria na frente do público.

— Vamos nos sentar — pediu ele.

Ele a ajudou com a mochila. Os pratos de plástico bateram contra os talheres de lata ao atingirem o chão. Eles já tinham parado para um almoço de frente para uma campina cheia de cavalos pastando. Will comprara sanduíches chiques da confeitaria francesa em Atlanta, o que confirmara sua crença de que não era um cara de sanduíche chique.

Mas Sara tinha ficado encantada, que era o que importava.

Ele pegou gentilmente a mão dela enquanto sentavam-se no chão de frente um para o outro. O dedão de Will foi automaticamente para o anelar dela. Ele brincou com a aliança fina que tinha se juntado ao anel que pertencera à mãe dele. Will pensou na cerimônia, no sentimento de euforia que ainda não tinha conseguido debelar. Faith, sua parceira no Departamento de Investigação da Geórgia, tinha ficado com ele. Will tinha dançado com a chefe dele, Amanda, porque ela era mais como uma mãe para ele, se sua mãe fosse o tipo de pessoa que atiraria em sua perna para que os caras malvados pegassem você primeiro enquanto ela fugia.

— Will? — chamou Sara.

Ele sentiu um sorriso desajeitado se formar na boca. Do nada, estava nervoso. Will não queria desapontá-la, também não queria colocar muita pressão nela. A pousada poderia ter sido uma ideia terrível, e ela poderia terminar odiando aquilo.

— Conte sua parte favorita do casamento — pediu ela.

Will sentiu um pouco da falta de jeito sair de seu sorriso.

— Seu vestido era lindo.

— Isso é fofo — falou. — Minha parte favorita foi quando todo mundo foi embora e você me comeu encostada na parede.

O riso dele era mais uma gargalhada.

— Posso mudar minha resposta?

Ela roçou gentilmente os dedos no lado do rosto dele.

— Conte.

Will respirou fundo e se forçou a sair de seus pensamentos.

— Quando eu era criança, havia um grupo de igreja que fazia atividades de verão com o orfanato. Eles nos levavam para o Six Flags ou para o Varsity, para comer cachorro-quente ou assistir a um filme ou algo assim.

O sorriso de Sara se suavizou. Ela sabia que a vida dele no orfanato não tinha sido fácil.

— Eles também patrocinavam a ida de crianças para o acampamento de verão. Duas semanas nas montanhas. Nunca fui, mas quem ia só falava disso pelo resto do ano. Passeio de canoa, pescaria, caminhadas. Toda aquela coisa.

Sara pressionou os lábios. Ela estava fazendo as contas. Will tinha passado dezoito anos no sistema. Não conseguir ir ao acampamento ao menos uma vez era estatisticamente improvável.

Will explicou:

— Eles davam passagens da Bíblia para memorizar. Você precisava recitar na frente da igreja inteira. Se falasse os versículos corretamente, então você ia.

Ele viu a garganta dela funcionar.

— Merda, desculpe.

Conte com Will para fazer Sara chorar na lua de mel deles.

— Foi minha escolha, não minha dislexia. Eu conseguia decorar os versículos, mas não queria falar na frente das pessoas. Eles estavam tentando nos ajudar a sair da concha, acho? Tipo "aprenda a falar para estranhos ou fazer uma apresentação ou...".

Ela apertou a mão dele.

— Enfim... — Ele precisava continuar com aquilo. — Ouvia falar do acampamento no fim de cada verão, as crianças não paravam de falar dele, e achei que seria bacana ir para lá. Não acampar, porque sei que você odeia acampar.

— Eu odeio.

— Mas há uma pousada ecológica na qual você chega caminhando. Não dá para chegar de carro. Está na mesma família há anos. Eles têm guias que levam para passeios de bicicleta, pescaria, *stand-up paddle* e...

Ela o interrompeu com um beijo.

— Amei tudo nisso.

— Tem certeza? — perguntou Will. — Por que não é só para mim. Eu marquei massagem para você, e há ioga ao nascer do sol ao lado do lago. Além disso, não há wi-fi, televisão, nem sinal de celular.

— Puta merda. — Ela parecia realmente pasma. — O que vai fazer?

— Vou comer você encostada em cada parede do chalé.

— Vamos ter nosso próprio chalé?

— Oi!

Os dois se viraram com o som. Um homem e uma mulher estavam a uns vinte metros de distância na trilha. Usavam roupas de caminhada e carregavam mochilas que eram tão novas que Will se perguntou se eles tinham tirado as etiquetas no carro.

O homem gritou:

— Vocês estão indo para a pousada? Estamos perdidos.

— Não estamos perdidos — murmurou a mulher.

Os dois usavam alianças de casamento, mas Will teve a impressão, pelo olhar cortante que ela deu ao marido, que aquilo estava em discussão.

— Só tem uma trilha para entrar e para sair, certo?

Sara olhou para Will. Ele tinha liderado a caminhada, e, na verdade, só havia uma trilha, mas ele não se meteria entre os dois.

— Sou Sara — apresentou-se. — Esse é meu marido, Will.

Will limpou a garganta ao se levantar. Ela nunca o tinha chamado de marido antes.

O homem olhou para Will.

— Nossa, quanto você mede, 1,90 ou 1,95 metro?

Will não respondeu, mas o homem pareceu não se importar.

— Sou Frank. Essa é Monica. Tudo bem se a gente for junto?

— Claro.

Sara pegou a mochila dela. O olhar que ela lançou para Will era um lembrete pouco sutil de que havia uma diferença entre silêncios constrangedores e ser mal-educado.

— Então — disse ele. — Dia bonito, não? Tempo bom.

— Ouvi dizer que pode vir uma tempestade — respondeu Frank.

— Por esse lado, certo? — murmurou Monica.

Frank tomou a dianteira, caminhando na frente de Sara. A trilha era estreita, então Will não tinha escolha a não ser ficar no fim, atrás de Monica. A julgar pelas bufadas dela, a mulher não estava gostando da caminhada. Nem estava preparada para ela. Os tênis Skechers sem cadarços deslizavam nas pedras.

— Tive a ideia de vir aqui — começou Frank. — Quero dizer, eu amo ficar ao ar livre, mas o trabalho me ocupa muito.

Monica bufou de novo. Will olhou sobre a cabeça dela para Frank. O homem tinha usado algum tipo de spray nas partes carecas para cobrir o rosa vivo do couro cabeludo. O suor tinha feito a tinta escorrer até o colarinho dele, deixando um círculo escuro.

— E então Monica disse: "Se você prometer que vai parar de falar disso, eu vou". — A voz de Frank tinha tomado a cadência de um martelo elétrico. — Precisei tirar folga do trabalho, o que não é fácil. Tenho uma equipe de oito caras.

Will adivinhou pelo modo como Frank falava que ele ganhava menos que a mulher. E aquilo o incomodava. Olhou para o relógio. O site da pousada dizia que os hóspedes normalmente levavam duas horas para caminhar até lá. Will e Sara tinham parado para almoçar, então talvez faltassem mais dez ou quinze minutos. Ou vinte, já que o ritmo de Frank era lento.

Sara lançou um olhar para Will sobre o ombro. Ela não se sacrificaria pelo bem comum. Will precisaria participar mais da conversa.

Ele perguntou a Frank:

— Como vocês ficaram sabendo desse lugar?

— Google — respondeu.

— Obrigada, Google — murmurou Monica.

— O que vocês fazem? — perguntou o marido.

Will viu Sara endireitar os ombros. Algumas semanas antes, tinham concordado que, não importava para onde fossem, seria mais fácil mentir sobre seus empregos. Ele não queria ser valorizado ou desabonado por usar distintivo. Sara não queria escutar reclamações médicas esquisitas ou teorias loucamente perigosas sobre vacinas.

Antes que ela perdesse a paciência, ele disse:

— Sou mecânico. Minha esposa dá aula de química no Ensino Médio.

Ele percebeu Sara sorrir. Era a primeira vez que Will a chamava de esposa.

— Ah, eu mandava muito mal na parte de ciência — admitiu Frank. — Monica é dentista. Você fez química, Monica?

Monica grunhiu em vez de responder. Ela era o tipo de pessoa de Will.

— Faço a parte de TI para o grupo de seguros Afmeten. Ninguém ouviu falar deles, não se preocupe. Atendemos mais indivíduos com alto patrimônio e investidores institucionais.

— Olhem, mais gente na trilha — falou Sara.

Will sentiu o estômago dar um nó ao pensar em mais pessoas. O segundo casal deveria ter seguido adiante na trilha enquanto Will e Sara almoçavam. Eram mais velhos, provavelmente na metade da casa dos cinquenta, porém mais determinados e mais bem equipados para caminhar pela trilha.

Ambos sorriram enquanto esperavam o grupo chegar.

— Vocês devem estar indo para a Pousada McAlpine. Sou Drew, esta é minha companheira, Keisha — disse o homem.

Will esperou sua vez de apertar as mãos, tentando não pensar nos momentos maravilhosos que teve sozinho com Sara. Seu cérebro vomitava imagens do site da Pousada McAlpine. Refeições preparadas por chefs. Trilhas selecionadas. Excursões de pesca. Havia sempre dois ou três casais em cada foto. Só naquele instante Will percebia que os casais, provavelmente, não se conheciam antes de chegarem à pousada.

Ele terminaria praticando *stand-up paddle* com Frank.

Keisha disse:

— Vocês quase encontraram Landry e Gordon. Eles se adiantaram para a pousada. É a primeira vez deles. São desenvolvedores de aplicativo.

— Jura? — perguntou Frank. — Eles mencionaram qual aplicativo?

— Nós estávamos muito embevecidos pela vista para falar de qualquer outra coisa. — Drew envolveu a cintura de Keisha com o braço. — Fizemos uma promessa de que não vamos falar sobre trabalho durante a semana inteira. Querem participar?

— Totalmente — disse Sara. — Vamos?

Will nunca a amara mais.

Todos ficaram em silêncio enquanto seguiam a trilha sinuosa até o topo da montanha. As árvores ficaram com as copas mais densas. O caminho se estreitou de novo, então voltaram a uma fila indiana. Havia uma ponte de madeira bem conservada sobre um riacho. Will olhou para a água corrente. Ele se perguntou com que frequência ela alagava as margens, mas deixou a pergunta de lado quando Frank começou a debater verbalmente consigo mesmo sobre as diferenças entre rios e riachos. Sara deu um sorriso desconfortável para Will enquanto o outro seguia tagarelando feito um poodle toy nos calcanhares dela. De algum modo, Will tinha ficado com o penúltimo lugar da fila. Drew estava na frente dele. Monica estava no final, cabeça baixa, os pés ainda escorregando nas rochas. Will esperava que ela tivesse mandado entregar algum tipo de bota de caminhada na pousada. Ele estava usando suas botas táticas HAIX. Provavelmente, conseguiria escalar o lado de um prédio se as batatas da perna não explodissem.

Frank parara de falar quando precisaram atravessar um trecho rochoso. Felizmente, o silêncio continuou quando o caminho se alargou e a caminhada ficou mais fácil. Sara conseguiu ficar atrás de Frank, assim poderia conversar com Keisha. Logo, as duas mulheres estavam rindo. Will adorava o jeito fácil de Sara. Ela conseguia encontrar coisas em comum com quase todo mundo. Will, nem tanto, mas ele tinha consciência de que estaria cercado por aquelas pessoas durante os próximos seis dias. E também do olhar que Sara lhe tinha dado antes. Ela precisava que ele mantivesse o lado dele da conversa. O único momento em que Will era bom com conversa fiada era na frente de um suspeito na mesa de interrogatório.

Ele pensou nos outro quatro hóspedes, imaginando que tipo de criminosos eles hipoteticamente seriam. Considerando o preço salgado da pousada, supôs que ao menos três deles teriam mais predisposição para crimes de colarinho branco. Frank definitivamente estaria metido em algo relacionado a criptomoedas. Keisha tinha a aparência competente e dissimulada de uma estelionatária. Drew lembrava Will de um cara que havia prendido por um esquema em pirâmide que envolvia suplementos nutricionais. Restava Monica, que legitimamente parecia que assassinaria Frank. Do grupo, Will imaginou que ela era a que mais provavelmente se livraria do crime. Teria um álibi e um advogado. Certamente, não concordaria com um interrogatório.

E ele teria dificuldades de culpá-la pelo crime.

— Will — chamou Drew, que era como você começava uma conversa quando não estava construindo cenários sobre criminosos na cabeça. — Primeira vez na pousada?

— É. — Will manteve a voz baixa, porque Drew tinha mantido a dele. — E vocês?

— Terceira. A gente ama isso aqui. — Ele passou os dedões por trás das alças da mochila. — Keisha e eu temos um negócio de bufê no West Side. Difícil ficar longe. Eu dei chilique na primeira vez que ela me arrastou até aqui. Não conseguia acreditar que não tinha telefone nem internet. Achei que entraria em choque no fim do dia. Mas aí...

Will o observou esticar os braços e respirar de modo profundo e purificante.

— Estar na natureza te restaura. Sabe do que estou falando? — perguntou Drew.

Will assentiu, mas tinha algumas preocupações.

— Então, tudo na pousada é feito em grupo?

— As refeições são comunitárias. As atividades são limitadas a quatro hóspedes por guia.

Will não gostou daquelas probabilidades.

— Como isso é reservado?

— Você pode pedir um casal específico — explicou. — Por que acha que fiquei para trás para conversar com vocês?

Will imaginou que era bem óbvio.

— Realmente não tem internet? Não tem sinal?

— Não para nós. — Drew estava sorrindo. — Eles têm uma linha fixa para emergências. Os empregados têm acesso ao wi-fi, mas não têm permissão de passar a senha aos hóspedes. Acredite em mim, na primeira vez tentei vencê-los pelo cansaço, mas Papai conduz a equipe com rédeas firmes.

— Papai?

— Nossa! — gritou Frank.

Will viu um veado saltar pelo caminho. Havia uma grande clareira a uns cem metros. A luz do sol descia pela abertura. Will viu um arco-íris cruzando o céu azul, como algo saído de um filme. Só faltava a freira cantando. Ele sentiu o coração desacelerar no peito. Uma calma tomou conta dele. Sara o olhava de novo, com um sorriso imenso no rosto. Will soltou o pouco de ar que não tinha percebido que prendia.

Ela estava feliz.

— Tome. — Drew passou um mapa a Will. — É velho, mas ajuda a dar uma ideia da localização.

Velho era uma descrição perfeita. O mapa parecia ter saído dos anos 1970, com decalques de letras e desenhos para indicar vários pontos de interesse. Um laço irregular fazia uma volta no quadrante superior, com linhas tracejadas indicando trilhas menores. Will viu a ponte sobre o riacho que tinham atravessado. A escala devia estar errada. Tinham caminhado por ao menos vinte minutos para chegar lá. Ele imaginou, pela marca dos McAlpine impressa na parte de baixo, que os donos não estavam preocupados com precisão.

Ele estudou as imagens enquanto caminhava. A casa localizada na parte de baixo do laço parecia ser a principal da propriedade. Imaginou que as casas menores eram os chalés. Todos tinham um número, indo até o 10. Uma construção octogonal servia como salão de jantar, a julgar pelos desenhos de prato e talheres ao lado. Outra trilha seguia até uma cachoeira com um cardume de peixes pulando pelo ar. Outra tinha um armazém de equipamentos com canoas. Outra trilha serpenteava na direção de uma estrutura para barcos. O lago tinha a forma de um homem de neve encostado num muro. A cabeça aparentemente era a área para nado. Havia um deque flutuante. O que parecia ser um mirante panorâmico tinha um banco do qual se podia admirar a vista.

Will notou com interesse que havia apenas uma estrada de acesso, que terminava perto da casa principal. Pensou que a estrada cruzava o riacho em algum ponto perto da ponte de pedestres e seguia até a cidade. A família não carregava os suprimentos nas costas. Um lugar daquele tamanho precisaria de entregas em grandes volumes e de um jeito para trazer e levar os funcionários. Além de água e eletricidade. Ele imaginou que a linha de telefone fixo fosse enterrada. Ninguém queria ficar preso em um romance de Agatha Christie.

— Droga — disse Drew. — Nunca me canso.

Will levantou o olhar. Tinham entrado na clareira. A casa principal era uma confusão de arquitetura ruim. O segundo andar parecia ter sido colado, e o térreo tinha tijolos de um lado e ripas de madeira do outro. Parecia haver duas entradas principais, uma na frente e outra lateral. Uma terceira escadaria, menor, subia pelos fundos, ao lado de uma rampa para cadeira de rodas. Uma varanda espaçosa em torno da casa tentava gerar alguma coesão arquitetônica, mas não havia explicação para as janelas diferentes. Algumas das mais estreitas fizeram Will se lembrar da prisão do Condado de Fulton.

Uma mulher com aspecto de amante da natureza e cabelo loiro preso para trás estava no pé da escadaria da varanda lateral. Usava short cargo e uma camisa de abotoar branca, com tênis Nike cor de lavanda. Na mesa ao lado dela havia uma variedade de aperitivos, copos de água e taças de espumante. Will olhou para trás para ver se Monica ainda estava lá, mas ela tinha revivido com a visão da mesa. Passou por Will, pegou uma taça de espumante e tomou quase num gole só.

— Sou Mercy McAlpine, gerente da Pousada Familiar McAlpine — disse a mulher com aspecto de amante da natureza. — Três gerações de McAlpine moram aqui na propriedade. Gostaríamos de dar as boas-vindas a todos vocês. Se puder ter sua atenção por um momento, vou repassar rapidamente algumas regras e informações de segurança, depois vamos para as partes divertidas.

Sara ficou à frente, ouvindo concentrada, como a linda nerd que era. Frank ficou colado ao lado dela. Keisha e Drew estavam ao fundo com Will, como as crianças bagunceiras da sala de aula. Monica tomou outra taça de espumante e sentou-se no último degrau da escada. Um gato de aparência musculosa se esfregou na perna dela. Will viu um segundo felino gordo se jogar no chão e rolar de costas. Imaginou que os desenvolvedores de aplicativo, Landry e Gordon, já tivessem passado pela orientação e estavam maravilhosamente sozinhos.

— No acontecimento improvável de uma emergência, um incêndio ou tempo perigoso, vão nos ouvir tocar aquele sino. — Mercy apontou para o grande objeto preso em um poste. — Se ouvirem o badalar, pedimos que sigam para o estacionamento do outro lado da casa.

Will alternava entre um brownie e batatas fritas enquanto Mercy detalhava o plano de evacuação. E, como começou a se parecer demais com uma reunião de trabalho, ele se desligou da voz dela e começou a estudar o complexo. Lembrava os *campi* de faculdade que tinha visto na televisão. Vasos de cerâmica transbordando de flores. Bancos de parque. Áreas gramadas e blocos de pedra onde ele imaginou que os gatos tomavam sol.

Oito chalés estavam aninhados em seus próprios jardins em torno da casa principal. Will imaginou que outros dois ficavam na parte de trás do laço, o que significava que a família, provavelmente, morava na casa principal. Ele deduziu, pelo tamanho, que havia ao menos seis quartos no andar de cima. Will não conseguia conceber escolher viver em cima de outras pessoas daquele jeito. No entanto, a irmã de Sara morava num andar abaixo dela no condomínio, então talvez Will estivesse pensando demais no Lar de Crianças de Atlanta, e não o suficiente nos Waltons.

— Agora — anunciou Mercy —, a parte divertida.

Ela começou a passar pastas pelo grupo. Três casais, três pares. Sara abriu a dela com ansiedade. Ela adorava um material informativo. Will sentiu a atenção sendo atraída de volta a Mercy conforme ela explicava como as atividades funcionavam, onde deveriam se encontrar, que equipamento seria fornecido. O rosto dela era comum, a não ser pela cicatriz comprida que começava na testa, passava sobre a pálpebra, descia pelo lado do nariz e então fazia uma curva fechada na direção da mandíbula.

Will era bem versado em cicatrizes que resultavam de violência. Um punho ou um sapato não teriam aquela precisão. A lâmina de uma faca não desceria de modo tão reto. Um taco de beisebol poderia deixar uma ferida linear, mas a cicatriz tendia a ficar ondulada no ponto mais profundo do impacto. Se Will precisasse adivinhar, um pedaço de metal ou vidro afiado tinha causado o dano. Isso significava acidente industrial ou automobilístico.

— Divisão dos chalés. — Mercy baixou o olhar para a prancheta. — Sara e Will estão no fim da trilha, no número 10. Meu filho, Jon, vai mostrar o caminho.

Mercy se virou para a casa, um sorriso afetuoso suavizando o rosto. A afeição direcionava-se ao menino que descia lentamente os degraus da varanda. Ele parecia ter uns dezesseis anos, tinha o tipo de músculo duro que os meninos possuíam apenas por existir. Will notou que Jon deu uma olhada lenta em Sara. Então o menino tirou o cabelo encaracolado do rosto e mostrou os dentes brancos.

— Oi. — Jon passou direto por Frank e concentrou todo o seu charme em Sara. — Gostou da caminhada até aqui?

— Gostei, obrigada.

Sara sempre fora boa com crianças, mas estava ignorando o fato de que aquele menino não olhava para ela como criança.

— Você também é da família McAlpine?

— Culpado. Terceira geração morando na montanha. — Ele passou os dedos pelo cabelo de novo. Talvez precisasse de um pente. — Pode me chamar de Jon. Espero que goste de sua estada na propriedade.

— Jon. — Will passou para a frente de Frank. — Sou Will, marido de Sara.

O menino precisou entortar o pescoço para cima para olhar para Will, mas a parte importante é que ele tinha entendido o recado.

— Por aqui, senhor.

Will devolveu o mapa desenhado à mão a Drew, que assentiu, aprovando. Não era uma maneira ruim de começar a semana. Will se casara com uma mulher linda. Tinha subido uma montanha. Tinha deixado Sara feliz. Tinha intimidado um adolescente sedento.

Jon os guiou pelo complexo. Ele andava de um jeito desengonçado, como se ainda estivesse aprendendo a usar o corpo. Will se lembrava daquela sensação, sem saber se acordaria no dia seguinte com um bigode ou com a voz soando como a de uma menininha. Não voltaria para aquela época nem por todo o dinheiro do mundo.

Eles entraram na trilha do círculo entre os chalés 5 e 6. O chão estava coberto por cascalho. Um dos gatos correu para a vegetação baixa, perseguindo um esquilo. Will ficou feliz porque a iluminação de baixa voltagem os ajudaria a andar à noite. A escuridão da floresta não era a mesma coisa que a da cidade. As copas das árvores se fechavam acima deles. Will podia sentir a temperatura cair enquanto Jon seguia adiante deles. O terreno começou a descer gradualmente. Alguém tinha podado as trepadeiras e os galhos em torno do caminho, mas Will tinha a sensação de entrar fundo na floresta.

— Esta é a Trilha Circular.

Sara tinha aberto a pasta até o mapa e diminuiu o passo para aumentar a distância entre eles.

— Fazer o círculo duas vezes dá mais ou menos um quilômetro e meio. Estamos na parte de cima. Podemos explorar a parte de baixo quando formos comer. Provavelmente vamos precisar de dez ou quinze minutos para chegar até o salão de jantar.

O estômago de Will roncou.

Ela virou a página para o calendário e levantou os olhos para Will, surpresa.

— Você inscreveu nós dois na ioga matinal? — perguntou Sara.

— Achei que deveria tentar. — Will imaginou que pareceria um idiota. — E sua irmã me disse que você adora pescar.

— Minha irmã está certa. Não pesco desde que me mudei para Atlanta. — Ela passou os dedos pelos dias. — Rafting. Passeio de bicicleta. Não vejo onde você se inscreveu para uma competição de xixi a distância com um adolescente.

Will lutou para não sorrir.

— Acho que o primeiro é de graça.

— Ótimo. Eu iria odiar se você pagasse pelo segundo.

Will entendeu a mensagem, que Sara suavizou ao passar o braço pelo dele. Ela apoiou a cabeça no ombro dele enquanto caminhavam. Ficaram em um silêncio amigável. Will não sentiu tanto a inclinação do terreno quanto suas panturrilhas o relembravam de que não eram usadas para isso. A caminhada não era curta. Ele calculou que cinco minutos se passaram até o terreno ficar mais íngreme. As árvores recuaram. O céu se abriu sobre a cabeça deles. Ele via as montanhas aparecendo a distância como um tapete mágico sem fim. Will não sabia se eram as mudanças na elevação ou o modo como o sol se movia, mas, a cada vez que olhava a vista, parecia diferente. As cores eram uma explosão de verdes. O ar era tão fresco que os pulmões dele pareciam tremer.

Jon havia parado. Ele apontou para uma bifurcação na trilha a uns dezoito metros à frente.

— O lago fica por ali. Vocês não devem nadar depois de escurecer. O chalé 10 é o mais distante da casa principal, mas, se seguir para a esquerda na bifurcação, volta para o salão de jantar.

— Havia um acampamento por aqui, certo? — perguntou Will.

— Acampamento Awinita — disse Jon.

— *Awinita* é uma palavra indígena? — questionou Sara.

— É cervo jovem em cherokee, mas um hóspede me disse há um tempo que deveriam ser duas palavras e que se escreve com um d, como *ahwi anida*.

— Sabe onde fica o acampamento? — perguntou Will.

— Fechou quando eu era pequeno. — Jon deu de ombros enquanto continuava subindo a trilha. — Se está interessado em tudo isso, pode perguntar à minha avó, Pitica. Vai vê-la no jantar. Ela sabe mais sobre este lugar do que qualquer outra pessoa.

Will observou Jon desaparecer numa curva e deixou Sara ir na frente. A visão era ainda melhor por trás. Ele estudou o formato das pernas dela. A curva da bunda. Os músculos tonificados ao longo dos ombros nus. O cabelo estava preso em um rabo de cavalo. A nuca tinha um brilho de suor por causa da caminhada. Will também estava suado. Eles provavelmente tomariam um longo banho juntos antes do jantar.

— Ah, uau.

Sara estava olhando para uma ramificação da trilha.

Will seguiu o olhar dela. Jon subia uma série de degraus de pedra que pareciam ter sido cravados na colina para Glorfindel. Havia samambaias nas bordas, com musgo cobrindo as pedras adjacentes. No topo estava uma pequena cabana de tábuas rústicas e revestimento de ripas. Flores coloridas desciam das floreiras nas janelas. Uma rede balançava na varanda da frente. Will poderia passar os próximos dez anos tentando fazer algo tão perfeito e nunca chegaria perto.

— É como um conto de fadas. — A voz de Sara tinha um tom de encantamento. Quando sorria, ficava mais linda. — Eu amei.

— Dá para ver três estados a partir do cume — contou Jon.

Sara abriu a pasta no mapa. Tirou a bússola da mochila e apontou para longe.

— Acho que deve ser o Tennessee, certo?

— Sim, senhora.

Jon desceu as escadas para apontar ele mesmo.

— Essa é a encosta leste da Lookout Mountain. Há um banco na Trilha do Lago, chamado banco de observação, de onde se pode ver melhor. Estamos no planalto de Cumberland.

— O que quer dizer que o Alabama fica nesta direção. — Sara apontou para trás de Will. — E a Carolina do Norte fica para lá.

Will se virou. Tudo o que via eram milhões e milhões de árvores ondulando através da cordilheira. Ele girou, captando o brilho do sol da tarde que transformava parte do lago em um espelho. Visto de cima, o local parecia menos um boneco de neve e mais uma ameba gigante que desaparecia na curva da terra.

— Esses são os Baixios. A água vem do topo das montanhas, então ainda faz um pouco de frio nesta época do ano — explicou Jon.

Sara segurou a pasta aberta como um livro e leu:

— O lago McAlpine se estende por mais de quatrocentos acres, com profundidades de quase 21 metros. Os Baixios, localizados no final da Trilha do Lago, têm menos de 4,5 metros, o que torna a área ideal para nadar. Há achigã-boca-pequena, picão-verde, perca-sol-de-guelras-azuis e perca-amarela. Oitenta por cento do lago ficam em uma área de conservação que nunca poderá receber construções. O complexo da pousada é ladeado pela Floresta Estadual de Muscogee, de 750 mil acres, a oeste, e pela Floresta Nacional Cherokee, de 800 mil acres, a leste.

Jon complementou:

— As duas tribos que ficavam nessa área eram os cherokee e muscogee. A pousada foi fundada depois da Guerra Civil, há sete gerações dos McAlpine.

Will imaginou que a terra havia sido um roubo. Os habitantes originais foram removidos de suas casas e forçados a marchar para o oeste. A maioria deles morreu na viagem.

Sara apontou o mapa.

— E essa parte perto do riacho, Trilha da Viúva Perdida?

— Ela desce por uma colina íngreme até a parte de trás do lago — disse Jon. — A história conta que o primeiro Cecil McAlpine que começou esse lugar teve a garganta cortada por uns caras maus. A mulher dele achou que ele tinha morrido e desapareceu naquela trilha. Só que ele estava vivo. Cecil a procurou por dias, mas ela havia se perdido para sempre.

— Você sabe muita coisa sobre esse lugar — disse Sara.

— Minha avó me enfiava isso na cabeça todo dia quando eu era criança. Ela ama esse lugar. — Jon deu de ombros, mas Will viu o rubor do orgulho no rosto dele. — Prontos?

O jovem não esperou resposta. Subiu as escadas e abriu a porta do chalé. Não tinha chave. Todas as janelas já estavam abertas para aproveitar a brisa.

Sara estava sorrindo de novo.

— É lindo, Will. Obrigada.

— As malas já estão no quarto. — Jon começou uma rotina claramente praticada. — A cafeteira fica ali. As cápsulas estão na caixa. As canecas ficam penduradas nos ganchos. Tem uma minigeladeira debaixo do balcão com tudo o que pediram.

Will olhou ao redor enquanto Jon apontava o óbvio. Ele tinha reservado o chalé de dois quartos porque a vista deveria ser melhor. O custo adicional significava que ele provavelmente teria que levar o almoço de casa durante o ano seguinte, mas, a julgar pela reação de Sara, tinha valido a pena.

Ele mesmo estava bastante satisfeito com a escolha. A área principal do chalé era grande o suficiente para acomodar um sofá e duas poltronas. O couro parecia desgastado e confortável. O tapete de corda sob os pés era macio e flexível.

As luminárias eram de meados do século XX. Tudo parecia cuidadosamente posicionado e tinha um ar de qualidade. Will imaginou que, se você se dava ao trabalho de transportar algo montanha acima, ia querer ter certeza de que era algo durável.

Ele seguiu Jon e Sara até o quarto maior. As malas deles estavam sobre a cama, que era alta e estava coberta por uma manta de veludo azul-escuro. Outro tapete macio. Luminárias combinando e mais uma cadeira de couro confortável no canto ao lado de uma mesa lateral.

Will passou a cabeça pelo vão da porta do banheiro e ficou surpreso com o toque contemporâneo. Mármore branco, instalações modernas e de aparência industrial. Havia uma grande banheira de imersão em frente a um janelão que dava para o vale. Will não conseguiu pensar em uma maneira de descrever a vista de tirar o fôlego, então só pensou em sentar na banheira com Sara. Decidiu que valia a pena um ano de sanduíches de geleia e manteiga de amendoim no almoço.

Jon disse:

— Um de nós dá uma volta na trilha às oito da manhã e, de novo, às dez da noite. Se precisarem de alguma coisa, deixem um bilhete nos degraus, debaixo da pedra, ou esperem na varanda e vão nos ver passar. Caso contrário, precisarão ir até a pousada. Posso ajudá-los com mais alguma coisa?

— Estamos bem, obrigado.

Will esticou o braço para pegar a carteira.

— Não temos permissão de receber gorjeta — avisou Jon.

— E se eu comprar esse vape no seu bolso de trás? — perguntou Sara.

Will ficou tão surpreso quanto Jon aparentava ter ficado. Como pediatra, Sara tinha asco de vape. Tinha visto muitas crianças destruírem os pulmões.

— Por favor, não conte para minha mãe. — Jon perdeu uns cinco anos com aquele pedido desesperado. Ele ficou agitado, e sua voz soou como um guincho. — Comprei hoje na cidade.

Ela disse:

— Dou vinte por ele.

— Sério?

Jon já estava tirando a caneta de metal do bolso. Era azul-vivo com uma ponta prateada, talvez dez dólares num 7-Eleven.

— Ainda tem um pouco de essência dentro. Precisa de mais cartuchos?

— Não, obrigada.

Sara fez um gesto para Will pagar.

Ele teria se sentido mais confortável confiscando um produto de tabaco de um menor de idade, mas isso não parecia algo que um mecânico de automóveis faria. Will relutantemente entregou o dinheiro.

— Obrigado.

Jon dobrou cuidadosamente a nota de vinte, e Will podia ver o cérebro do menino tentando descobrir como conseguir mais.

— Não deveríamos, mas se vocês, ah, quero dizer, se precisarem, eu tenho a senha do wi-fi. Não chega até aqui, mas no salão de jantar...

— Não, obrigada — respondeu Sara.

Will abriu a porta para que o menino se mexesse. Jon os saudou ao sair. Era difícil não seguir o rapaz. A senha do wi-fi não era uma informação ruim de ter.

Sara perguntou:

— Não está pensando em pegar a senha, certo?

Will fechou a porta, fingindo ser um homem que não queria saber como o Atlanta United estava indo contra o FC Cincinnati. Ele viu Sara tirar um saco Ziploc da mochila dela. Ela colocou o vape dentro e o guardou na mochila.

— Não quero que Jon tire isso do lixo — explicou.

— Você sabe que ele vai comprar outro.

— Provavelmente — admitiu. — Mas não hoje à noite.

Will não se importava com o que Jon faria.

— Gostou daqui?

— É lindo. Obrigada por me trazer para um lugar tão especial.

Ela fez um aceno com a cabeça para que ele a seguisse de volta ao quarto. Antes que Will pudesse ter esperança, ela começou a digitar a combinação na mala dela.

— O que vou encontrar aqui?

— Pedi para Tessa arrumar suas coisas.

— Isso foi muito sorrateiro.

Sara abriu o zíper de cima da mala e fechou em seguida.

— O que deveríamos fazer primeiro? Descer até o lago? Andar pela propriedade? Conhecer os outros hóspedes?

— Nós dois precisamos tomar banho antes do jantar.

Sara olhou para o relógio.

— Poderíamos tomar um banho longo de banheira depois experimentar a cama.

— É um bom plano.

— Esses travesseiros estão bons para você?

Will os verificou. A espuma era dura feito pau. Ele preferia uma panqueca.

— A parte que você não estava escutando antes... Jon disse que há outros tipos de travesseiro na casa principal. — Ela sorriu de novo. — Eu poderia desfazer as malas e começar a preparar o banho enquanto você pega seus travesseiros.

Will a beijou antes de sair.

A luz do sol dançava nos Baixios quando ele desceu os degraus de pedra. Ele ergueu a mão para bloquear a luz até chegar ao caminho. Em vez de seguir a Trilha Circular de volta ao complexo principal, Will foi em direção ao lago para se familiarizar com o caminho. O cenário mudava conforme ele se aproximava da água. Podia sentir a umidade no ar. Ouvia o bater suave das ondas. O sol estava mais baixo no céu. Ele passou pelo banco de observação que, como anunciado, servia para observar a paisagem. Will sentiu aquela mesma paz envolvê-lo. Drew estava certo sobre ser restaurado na natureza. E Sara estava certa sobre as árvores. Tudo parecia diferente ali. Mais devagar. Menos estressante. Seria difícil partir no final da semana.

Will olhou ao longe, permitindo-se alguns minutos para esvaziar a mente e aproveitar o momento. Não tinha percebido quanta tensão mantinha em seu corpo até que ela não estivesse mais lá. Ele olhou para a aliança no dedo. Exceto pelo Timex no pulso, não era de usar acessórios, mas gostou do acabamento escuro da joia de titânio que Sara escolhera para ele. Eles pediram um ao outro em casamento quase ao mesmo tempo. Will tinha lido que era preciso gastar três meses do salário em um anel de noivado. O salário de médico de Sara lhe proporcionara a melhor parte do acordo.

Ele provavelmente deveria encontrar maneiras de lhe agradecer por isso, em vez de ficar olhando para longe, boquiaberto. Will voltou pelo caminho por onde viera. Poderia observar o progresso do sol na banheira com Sara. Ela obviamente queria que ele saísse do chalé por alguns minutos. Will se esforçou para desligar seu cérebro de detetive enquanto passava pelos degraus de pedra. Sara sabia que seria mais fácil pegar travesseiros novos depois do jantar. Provavelmente, queria surpreendê-lo com algo legal. O pensamento fez Will sorrir ao fazer uma curva acentuada na trilha.

— Ei, Lata de Lixo.

Will levantou os olhos. Havia um homem parado a cinco metros de distância. Fumando um cigarro, estragando o ar puro. Fazia muito tempo que Will não era chamado por aquele apelido. Tinha sido dado a ele no orfanato. Contudo, não havia uma razão inteligente por trás, a polícia apenas o encontrara dentro de uma lata de lixo.

— Qual é, Lixo? — continuou o homem. — Não está me reconhecendo?

Will observou o estranho. Ele vestia calça de pintor e uma camiseta branca manchada. Era mais baixo que Will. Mais redondo. O amarelo em seus olhos e a teia de vasos sanguíneos rompidos indicavam um problema de longa data com drogas. Ainda assim, isso não ajudava a revelar sua identidade. A maioria das crianças com quem Will cresceu lutava contra o vício. Era difícil não fazer isso.

— Está me zoando?

O homem soprou um fluxo de fumaça enquanto andava na direção de Will.

— Não está me reconhecendo mesmo?

Will teve uma sensação de pavor. Foi a lentidão deliberada que desencadeou uma lembrança. Num minuto, Will estava parado em uma trilha na montanha com um estranho; no minuto seguinte, estava sentado na sala comunal do orfanato, observando o menino a quem todos chamavam de O Chacal descer lentamente a escada. Um passo. Então o próximo. O dedo arrastando-se pelo gradil como uma foice.

Havia uma regra não escrita nos círculos de adoção de que uma criança com mais de seis anos não era desejada. Elas ficavam num limbo depois disso. Danificadas. Will já tinha visto isso acontecer dezenas de vezes no orfanato. As crianças mais velhas iam para famílias temporárias ou, raramente, eram adotadas. As que voltavam sempre tinham uma certa expressão nos olhos. Às vezes, contavam suas histórias. Em outras, era possível ler o que havia acontecido nas cicatrizes em seus corpos. Queimaduras de cigarro. O gancho de um cabide de arame. A cicatriz ondulada de um taco de beisebol. Os pulsos enfaixados onde haviam tentado acabar com a infelicidade em seus próprios termos.

Todas tentavam curar seus danos de maneiras diferentes. Comendo exageradamente e vomitando. Pesadelos. Ataques. Algumas não conseguiam parar de se cortar. Outras sumiam num cachimbo ou numa garrafa. Umas não conseguiam controlar a raiva. Outras tornavam-se mestres do silêncio constrangedor.

Poucas aprendiam a transformar os danos em arma contra os outros. Recebiam apelidos como O Chacal porque eram predadoras astutas e agressivas. Não faziam amizades, mas alianças estratégicas que eram facilmente abandonadas quando surgia uma oportunidade melhor. Mentiam na sua cara. Roubavam suas coisas. Espalhavam boatos de merda sobre você. Invadiam o escritório principal e liam seu arquivo. Descobriam o que tinha acontecido com você, coisas que você nem sabia sobre si mesmo. Então inventavam um apelido. Como Lata de Lixo. E aquilo o acompanhava pelo resto da vida.

— Aí está — disse O Chacal. — Agora você se lembra de mim.

Will sentiu a tensão invadir seu corpo novamente.

— O que você quer, Dave?

3

Mercy apontou para a pequena cozinha dentro do chalé 3.
— A cafeteira fica ali. As cápsulas estão na caixa. As canecas estão...
— Já sabemos.

Keisha tinha um sorriso de conhecimento no rosto. Ela dirigia um serviço de bufê em Atlanta. Sabia como era seguir a mesma rotina dia após dia.

— Obrigada, Mercy. Estamos muito felizes por voltar.

— Hiperfelizes. — Drew estava de pé em frente às portas francesas da sala. Todos os chalés de um quarto davam para o cume Cherokee. — Já sinto minha pressão sanguínea baixando.

— Ainda está tomando seus comprimidos, senhor — disse Keisha, e se virou para Mercy. — Como vai seu pai?

— Está indo — respondeu ela, tentando não contrair os dentes.

Não tinha visto ninguém da família desde que ameaçara arruinar a vida deles.

— É a terceira vez de vocês aqui. Estamos realmente muito felizes por terem voltado.

— Diga para Pitica que ainda gostaríamos de falar com ela — falou Keisha.

Mercy notou que a voz dela tinha um certo tom, mas ela já tinha muitos problemas no momento para se preocupar com mais um.

— Vou falar pra ela.

— Parece que vocês têm um bom grupo desta vez — disse Drew. — Com poucas exceções.

Mercy manteve o sorriso no rosto. Ela conhecera a dentista e o marido hippie. Não fora surpresa quando Monica passou o cartão Amex dela e disse para continuar mandando bebidas.

— Eu realmente gostei da professora, Sara. Nós nos conhecemos na trilha — contou Keisha.

— O marido parece um cara bacana — disse Drew. — Podemos nos juntar a eles?

— Sem problemas. — Mercy manteve o tom leve, ainda que fosse precisar refazer todo o cronograma depois do jantar. — Peixetopher escolheu uns lugares ótimos para vocês. Acho que vão ficar muito contentes.

— Já estou contente. — Drew olhou para Keisha. — Você está contente?

— Ah, amor, eu sempre estou contente.

Mercy tomou aquilo como uma deixa para sair. Eles estavam se abraçando quando ela fechou a porta. Ela deveria ficar impressionada com o fato de terem vinte anos a mais que ela e ainda mandarem ver, mas estava com inveja. E irritada. Tinha ouvido a privada pingando no banheiro deles, o que significava que Dave não tinha se dado ao trabalho de consertá-la.

Ela fez uma anotação no bloco enquanto caminhava em direção ao chalé 5. Mercy podia sentir o olhar de desaprovação de Papai acompanhando-a da varanda. Pitica, ao lado, tricotava algo que ninguém usaria. Os gatos estavam deitados aos pés deles. Os pais agiam como se a reunião de família tivesse ocorrido normalmente. E ainda não havia sinal de Delilah. Dave tinha desaparecido. Peixe tinha fugido para o galpão de equipamentos. De todos ele era, talvez, a única pessoa que fazia o que Mercy mandava. Provavelmente, era o mais preocupado também.

Ela deveria encontrar o irmão e pedir desculpas. Dizer que ele ficaria bem. Tinha que haver uma maneira de Mercy convencer Dave a votar contra a venda. Precisaria juntar algum dinheiro para suborná-lo. O ex-marido sempre ia preferir receber uma nota de cem hoje em vez de uma de quinhentos em uma semana. Então, reclamaria dos quatrocentos perdidos pelo resto da vida.

— Mercy Mac! — berrou Chuck pelo complexo.

Ele carregava seu habitual galão gigante de água como se fosse algum tipo de atleta de elite precisando desesperadamente de hidratação. Ele andava como se jogasse um pé depois do outro, o motivo pelo qual Dave tinha começado a chamá-lo de Chuck — *o cara anda como se fosse o brinquedo assassino*. Mercy já nem se lembrava mais do nome verdadeiro do homem. O que ela sabia era que ele tinha uma imensa queda por ela e sempre lhe causava arrepios.

— Peixe está esperando você no galpão de equipamentos — mentiu.

— Ah.

Ele piscou por trás dos óculos de lentes grossas.

— Obrigado, mas eu estava procurando você. Queria ter certeza de que você sabia da minha...

— Alergia a amendoim — Mercy terminou.

Ela sabia da alergia havia sete anos, mas ele sempre a relembrava.

— Eu disse a Pitica para avisar a cozinha. Deveria checar com ela.

— Tudo bem. — Ele olhou de volta para Pitica, mas não foi embora. — Precisa de ajuda com alguma coisa? Sou mais forte do que pareço.

Mercy observou enquanto ele tensionava um músculo envolto em gordura. Ela mordeu os lábios para não pedir que, por favor, pelo amor de Deus, ele fosse se foder. Chuck era o melhor amigo do irmão, o único amigo dele, se fosse honesta. O mínimo que podia fazer era tolerar o babaca esquisito.

— É melhor ir falar com Pitica. Uma ambulância leva ao menos uma hora para chegar aqui. Não quero perder você por envenenamento por amendoim.

Ela se virou para não ver a decepção registrada no rosto redondo como a lua. A vida inteira de Mercy tinha sido repleta de Chucks. Caras patetas, bem-intencionados, que tinham bons empregos e praticavam higiene básica. Mercy namorou alguns deles. Conheceu as mães. Até foi à igreja deles. E então ela sempre se via estragando tudo ao voltar para Dave.

Talvez Papai não estivesse tão errado quando disse que a maior tragédia de Mercy era que ela era inteligente o suficiente para saber quanto era estúpida. Não havia nada no passado dela que indicasse o contrário. A única coisa boa que tinha feito fora recuperar o filho. Na maioria dos dias, Jon, provavelmente, concordaria com ela. Mercy se perguntou como ele se sentiria quando descobrisse que ela estava atrapalhando a venda. Teria que pular daquela ponte quando chegasse lá.

Mercy subiu a escada do chalé 5 e bateu à porta com mais força do que queria.

— Sim?

A porta foi aberta por Landry Peterson. Tinham se conhecido durante a chegada, mas, naquele momento, ele usava apenas uma toalha em torno da cintura. Era um homem bonito. O mamilo direito tinha um piercing e havia uma tatuagem sobre o coração, várias flores coloridas e uma borboleta perto do nome *Gabbie*, escrito em letra cursiva.

Os olhos de Mercy começaram a arder quando ela percebeu o nome. Sentiu a boca ficar totalmente sem saliva. Ela se forçou a desviar os olhos da tatuagem e os levantou em direção a Landry.

O sorriso dele era um tanto agradável. Então disse:

— Uma cicatriz e tanto essa que você tem.

— Eu...

As mãos de Mercy foram para a cicatriz em seu rosto, mas não havia como cobrir tudo.

— Desculpe a intromissão. Fui cirurgião bucomaxilofacial em uma vida anterior. — Landry inclinou a cabeça, observando-a como se ela fosse um espécime em um microscópio. — Fizeram um bom trabalho. Deve ter precisado de muitas suturas. Quanto tempo ficou na sala de operação?

Por fim, Mercy conseguiu engolir em seco. Ela acionou aquele botão na cabeça dos McAlpine que a fazia fingir que tudo estava bem.

— Não tenho certeza. Foi há muito tempo. De qualquer modo, queria checar com vocês se está tudo certo. Precisam de alguma coisa?

— Acho que estamos bem por ora.

Ele olhou para trás dela, primeiro para a esquerda, depois para a direita.

— Vocês têm uma bela estrutura aqui. Deve trazer um bom dinheiro. Sustenta a família toda, certo?

Mercy estava pasma. Imaginou se aquele homem estava de algum modo ligado aos investidores. Ela tentou colocar a conversa de novo em terreno familiar.

— Vai ver o cronograma na pasta. O jantar é...

— Querido?

Gordon Wylie chamou de dentro do chalé. Mercy reconheceu a voz encorpada de barítono.

— Está vindo?

Mercy começou a se afastar.

— Espero que gostem de sua estada.

— Só um minuto — disse Landry a Mercy. — O que estava dizendo sobre o jantar?

— Coquetéis às seis da tarde. A refeição é servida às 18h30.

Mercy pegou seu bloco de notas e fingiu escrever enquanto descia a escada. Não ouviu a porta fechar. Landry a observava, acrescentando um segundo par de olhos ao olhar incandescente de desaprovação de Papai. Ela teve a sensação de que suas costas pegavam fogo enquanto se dirigia para a Trilha Circular.

Landry estava agindo de forma estranha? Era Mercy quem estava tornando tudo estranho? Gabbie poderia ser qualquer coisa. Uma música, um lugar, uma mulher. Muitos gays experimentaram antes de se assumirem. Ou talvez Landry fosse bi. Talvez estivesse flertando com Mercy. Tinha acontecido isso antes. Ou ela poderia estar pirando porque ver aquela maldita tatuagem trouxe a sensação de que seu coração estava prestes a deslizar montanha abaixo como uma avalanche.

Gabbie.

Mercy tocou a cicatriz no rosto. Nunca houve uma representação melhor do antes e depois. Antes, quando ela era apenas uma idiota decepcionante. Depois, quando tinha destruído a única coisa boa que acontecera em sua vida. Não apenas a coisa boa, mas sua chance de felicidade. De paz. Num futuro que não a deixasse desesperada para voltar e mudar o passado.

Ela desejou que o botão McAlpine ligasse novamente e a levasse para a terra de está-tudo-bem. Mercy já estava estressada o suficiente sem procurar mais coisas para se estressar. Olhou sua lista de tarefas. Precisava verificar como estavam os recém-casados. Deveria ir até a cozinha, pois Pitica não tinha dado o aviso sobre a alergia de Chuck. Tinha que encontrar Peixe e ajeitar as coisas, além de consertar ela mesma o banheiro quebrado. Os investidores apareceriam em algum momento. Aparentemente, eram bons demais para a caminhada e chegariam pela estrada de acesso. Mercy não passou muito tempo considerando como agiria perto deles. Estava dividida entre ser friamente educada e arrancar os olhos deles.

Gabbie.

O botão a deixara na mão. Ela saiu da trilha e encontrou uma árvore para se apoiar. O suor escorria por suas costas. Sentiu o estômago queimar. Ela se inclinou e expeliu bile, o jato curvando as folhas de uma samambaia no chão. Mercy se sentia do mesmo jeito; como se um vômito pesado a puxasse para baixo constantemente.

— Mercy Mac.

A porra do Dave.

— O que está fazendo escondida nas árvores?

O ex-marido abriu caminho por entre a vegetação. Ele cheirava a cerveja barata e cigarro.

— Encontrei cartuchos de vape no quarto de Jon. Isso é culpa sua — falou Mercy.

— Como assim? — Ele fez sua expressão de insulto. — Jesus, vai me esculachar toda vez que topar comigo hoje?

— O que você quer, Dave? Tenho trabalho a fazer.

— Ah, vamos — disse. — Eu ia contar uma coisa engraçada, mas não sei se você está no clima.

Mercy se recostou na árvore. Ela sabia que ele não a deixaria ir embora.

— O que é?

— Não com essa atitude.

Ela queria dar na cara dele. Havia três horas, ele estava em cima dela debatendo-se como uma baleia ofegante. Havia duas horas, ela estava ameaçando arruinar a vida dele. E agora ele queria contar a ela uma história engraçada.

Mercy enfim cedeu.

— Desculpe. O que é?

— Tem certeza?

Ele não esperou por mais persuasão.

— Lembra daquele menino do orfanato de quem falei?

Ele tinha muitas histórias sobre meninos no orfanato.

— Qual?

— Lata de Lixo — explicou. — Ele é o cara alto que chegou hoje. Will Trent. O que está com a ruiva.

Mercy não conseguiu se segurar.

— É ela a garota que fez seu primeiro boquete?

— Não, essa era outra menina, Angie. Acho que ela finalmente largou dele. Ou está morta em alguma vala em algum lugar. Nunca achei que o idiota fosse terminar com alguém normal.

Normal era a palavra de Dave para pessoas que não eram ferradas por suas infâncias de merda. Mercy raramente conhecia alguém que se enquadrasse nessa categoria, mas Sara Linton parecia ser uma dessas poucas sortudas. Ela emitia aquela vibração que só outras mulheres conseguiam captar. Tinha as coisas sob controle.

Mercy limpou a boca com as costas da mão. As merdas dela estavam espalhadas como Legos pelo chão.

Dave continuou:

— É estranho vê-lo por aqui. Eu disse que ele não lê muito bem. Não conseguia memorizar os versículos da Bíblia. Meio que patético ele aparecer aqui perto do acampamento tantos anos depois. Tipo, cara, você teve sua chance. Hora de seguir em frente.

Mercy ainda estava suando. A samambaia vomitada estava a menos de trinta centímetros de seu pé. Como sempre, Dave estava muito envolvido consigo mesmo para perceber. Como sempre, ela teve que fingir estar interessada. Ou talvez *fingir* não fosse a palavra certa, pois Mercy estava realmente interessada. Lata de Lixo sempre foi destaque nas histórias de Dave sobre sua juventude trágica. O garoto desajeitado era o ponto alto de quase todas as piadas.

Não teria sido a primeira vez que Dave interpretaria alguém errado. Mercy não trocara uma palavra com Will Trent, mas a esposa dele não era o tipo de mulher que ficaria com uma piada ambulante. Esse era mais o lance de Mercy.

— Qual a história de verdade? — perguntou ela. — Você agiu de modo estranho quando o viu na câmera no começo da trilha.

Dave deu de ombros.

— Ressentimento. Se dependesse de mim, diria para ele voltar de onde veio.

Mercy precisou segurar o riso com a explosão infantiloide dele.

— O que ele fez para você?

— Nada. É o que ele *acha* que eu fiz para ele. — Dave soltou um suspiro exagerado, fleumático. — O cara ficou puto comigo porque achou que fui um dos caras que deu o apelido a ele.

Ela viu Dave abrir os braços e dar de ombros, alheio ao fato de ter dado às pessoas apelidos estúpidos, como Mãe Pitica, Mercy Mac, Chuck e Peixetopher.

— Quer dizer, seja o que for que tiver acontecido no orfanato, tentei ser melhor hoje. O cara foi um babaca total — explicou Dave.

— Você falou com ele?

— Eu estava indo consertar aquele banheiro e topei com ele.

Mercy se perguntou quanto Dave achava que ela era burra. O chalé 10 ficava na parte de trás da Trilha Circular. O banheiro com vazamento estava no 3, bem atrás dela.

Ainda assim, ela o instigou:

— E?

Dave deu de ombros de novo.

— Tentei fazer a coisa certa. Não foi minha culpa o que aconteceu com ele, mas achei que talvez um pedido de desculpas o ajudaria a trabalhar parte do trauma. Gostaria que alguém fosse bacana assim comigo.

Mercy já tinha recebido as desculpas meia-boca de Dave. Elas não eram bacanas.

— O que você disse exatamente?

— Não sei. Alguma coisa do tipo "o que passou, passou". — Dave deu de ombros mais uma vez. — Tentei ser magnânimo.

Mercy mordeu o lábio inferior. Aquela era uma palavra grande para Dave.

— O que ele disse?

— Ele começou a contar até dez. — Dave enfiou os dedões nos bolsos. — Tipo, eu deveria me sentir ameaçado? Eu disse que ele não é inteligente.

Mercy baixou o olhar para que ele não visse sua reação. Will Trent era uns trinta centímetros mais alto que Dave e mais musculoso que Jon. Ela apostaria sua parte da pousada de que o ex-marido teria saído correndo antes que Will chegasse ao 5. De outro modo, Dave seria levado das montanhas em um saco para cadáver.

— O que você fez?

— Fui embora. O que mais eu poderia fazer?

Dave coçou a barriga, uma das muitas indicações de que estava mentindo.

— Como eu disse, ele é meio patético. O cara sempre foi quieto, não sabia como falar com as pessoas. E está aqui no acampamento depois de quantos anos? Algumas crianças nunca se livram do que passaram. Não é minha culpa que ele ainda esteja ferrado.

Mercy podia dizer muita coisa sobre as pessoas que não se livram das coisas.

— De qualquer modo — grunhiu Dave —, o que você disse no encontro de família… aquilo foi só você falando bobagem, certo?

Mercy sentiu um frio na espinha.

— Não, não era só besteira, Dave. Não vou deixar Papai vender esse lugar e tirá-lo de mim. De Jon.

— Então vai tirar quase um milhão do seu filho.

— Não estou tirando nada de ninguém — disse Mercy. — Olhe ao redor, Dave. Olhe para esse lugar. A pousada pode cuidar de Jon pelo resto da vida dele. Ele pode passá-la para filhos e netos. É o nome dele na placa na estrada também. Tudo o que ele precisa fazer é trabalhar. Eu devo isso a ele.

— Você deve uma escolha a ele — replicou Dave. — Pergunte a Jon o que ele quer fazer. Ele é praticamente um homem. Deveria ser decisão dele.

Mercy sentiu a cabeça balançar antes que Dave terminasse.

— De jeito nenhum.

— Foi o que pensei. — Dave bufou de desapontamento. — Você não vai perguntar a Jon porque é covarde demais para ouvir a resposta dele.

— Não vou perguntar a Jon porque ele ainda é um menino — explicou Mercy. — Não vou colocar esse tipo de pressão nele. Jon vai saber que você quer vender. Vai saber que eu não quero. Seria como pedir a ele para escolher entre nós dois. Realmente quer fazer isso com ele?

— Ele poderia ir para a faculdade.

Mercy ficou chocada com a sugestão. Não porque não queria que Jon tivesse uma educação formal, mas porque Dave tinha infernizado Jon por anos para pensar que faculdade era perda de tempo. Ele tinha feito a mesma coisa com Mercy quando ela começara a falar de fazer supletivo à noite. Ele não queria que ninguém fizesse mais do que ele fizera.

— Merce — disse Dave. — Pense no que está tentando deixar de lado. Você quer sair desta montanha desde que te conheci.

— Eu queria sair desta montanha com *você*, Dave. E eu tinha quinze anos quando te disse isso. Não sou mais um bebê, e gosto de administrar este lugar. Você disse que eu era boa nisso.

— Isso foi só… — Ele abanou a mão, rejeitando o elogio que a tinha deixado tão orgulhosa. — Você precisa botar a cabeça no lugar. Estamos falando de dinheiro que transforma a vida.

— Não do tipo bom — respondeu ela. — Não vou dizer o que estou pensando, mas nós dois sabemos como você fica odioso quando está perto de dinheiro.

— Só veja.

— Não há qualquer coisa para ser vista. Não importa. Poderíamos estar falando do preço de balões de ar quente. Não vou deixar você tirar este lugar de mim. Não depois que coloquei meu coração nele. Não depois de tudo pelo que passei.

— Que merda você passou? — questionou Dave. — Sei que não foi fácil, mas você sempre teve um lar. Sempre teve comida na mesa. Nunca dormiu ao relento debaixo de chuva forte. Nunca teve um pervertido enfiando sua cabeça no chão.

Mercy olhou para além do ombro dele. Na primeira vez que Dave contara a ela sobre o abuso sexual que tinha sofrido quando era criança, ela sofrera demais. Na segunda e na terceira vez, havia chorado com ele. Na quarta, na quinta e até na centésima vez, tinha feito o que ele pedira para ajudá-lo a sair daquilo, fosse cozinhar, limpar ou alguma coisa no quarto. Alguma coisa que machucava. Alguma coisa que a fazia se sentir suja e pequena. Qualquer coisa que o fizesse sentir-se melhor.

E então Mercy percebeu que o que tinha acontecido com Dave quando ele era criança não importava. O que importava era o inferno que ele a fazia atravessar quando já era adulto.

A necessidade dele era um buraco sem fundo na areia movediça.

— Não há por que termos essa conversa. Eu já me decidi — sentenciou Mercy.

— Sério? Não vai nem conversar sobre isso? Vai foder com seu próprio filho?

— Não sou eu quem vai foder com ele, Dave! — Mercy não se importava se os hóspedes a ouvissem. — É com você que estou preocupada.

— Comigo? Que merda vou fazer?

— Vai pegar o dinheiro dele.

— Besteira.

— Eu vi o que você faz quando tem um pouco de dinheiro no bolso. Não conseguiu segurar por mais de um dia aqueles mil dólares que Papai te deu.

— Eu disse que comprei material!

— Quem está enganando agora? — perguntou Mercy. — Você nunca vai ficar feliz com um milhão de dólares. Vai gastar com carros e jogos de futebol e festas e pagando rodadas de bebidas no bar e sendo o grande cara da cidade. E nada disso vai mudar sua vida. Não vai fazer de você uma pessoa melhor. Não vai apagar o que aconteceu com você quando era pequeno. E vai querer mais porque é o que você faz, Dave. Você pega, pega e não dá a mínima se isso deixa uma pessoa vazia.

— Isso é uma coisa escrota de dizer. — Ele balançou a cabeça conforme se afastava, mas deu meia-volta e questionou: — Me diz uma vez que levantei a mão para aquele menino.

— Não precisa bater nele. Você só o cansa. Não consegue evitar. É quem você é. E está tentando fazer isso com aquele pobre homem no chalé 10. Pela vida inteira faz todo mundo se sentir tão pequeno porque é o único jeito de se sentir grande.

— Cala a porra dessa boca!

As mãos dele serpentearam até a garganta dela. As costas dela foram imprensadas na árvore. O fôlego saiu de seu peito. Era o que acontecia quando a pena de Mercy acabava. Dave encontrava outras maneiras para fazer com que ela se importasse.

— Escuta aqui, sua vaca maldita!

Mercy aprendera havia muito tempo a não deixar marcas no rosto ou nas mãos dele. Ela arranhou o peito dele, enfiando as unhas na carne, desesperada para se soltar.

— Está escutando? — Ele apertou mais as mãos. — Acha que é tão inteligente? Que sabe tudo sobre mim?

Mercy bateu os pés. Ela estava vendo estrelas.

— Precisa pensar em quem fica com a tutela de Jon se você morrer. Como vai impedir a venda se estiver deitada no túmulo? — perguntou Dave.

Os pulmões de Mercy começaram a tremer. O rosto irritado e inchado de Dave flutuava diante dos olhos dela. Mercy ia perder a consciência. Talvez morrer. Por apenas um momento, ela quis. Seria tão fácil ceder nessa última vez. Para deixar Dave ficar com seu dinheiro. Para deixar Jon arruinar sua vida. Para deixar Peixe encontrar a saída da montanha. Papai e Pitica ficariam aliviados. Delilah, em êxtase. Ninguém sentiria falta de Mercy. Não haveria nem uma foto desbotada na parede da família.

— Vaca de merda. — Dave soltou o pescoço de Mercy antes que ela desmaiasse. O olhar de desprezo no rosto dele dizia tudo. Ele já a culpava por fazer as coisas ficarem tão ruins. — Nunca roubei de alguém que amo. Nunca. Foda-se você por dizer isso.

Mercy caiu no chão enquanto ele batia os pés pela floresta. Ela ouviu os devaneios furiosos dele, esperando que sumissem antes de ousar se mover novamente. Ela tocou embaixo dos olhos, mas não sentiu lágrimas. Recostou a cabeça na árvore. Olhou para a mata. A luz do sol brilhava através das folhas.

Houve um tempo em que Dave se desculpava por machucá-la. Então ele passou para o estágio de desculpas meia-boca, em que murmurava as palavras. Nos últimos tempos, tinha uma certeza inabalável de que era Mercy quem despertava a maldade nele. Sr. Dave Descontraído. Sr. Dave Tranquilo. Sr. Dave Alma-da-Festa. Ninguém percebia que o Dave que viam era um teatro. O verdadeiro Dave, o Dave de verdade, era quem tentara estrangulá-la até a morte.

E a verdadeira Mercy era quem desejara que ele fizesse isso.

Ela tocou o pescoço, verificando se havia pontos doloridos. Definitivamente ficaria com hematomas. Desculpas inundaram seu cérebro. Talvez um acidente colocando a corda no cavalo. Uma queda sobre o guidão de uma bicicleta. Um escorregão ao sair de uma canoa. Uma linha de pesca que ficou presa. Havia dezenas de explicações a seu alcance. Tudo o que ela precisava era se olhar no espelho amanhã de manhã e escolher aquela que combinasse com as marcas roxas.

Mercy se esforçou para ficar de pé. Tossiu na mão, deixando a palma salpicada de sangue. Dave tinha feito um estrago. Ela voltou pelo caminho, jogando uma espécie de jogo em que relembrava todas as vezes que ele a tinha machucado. Foram inúmeros socos e tapas. Na maioria das vezes, ele era rápido. Atacava e recuava. Raramente a segurava como um boxeador que se recusa a ouvir o gongo. Houve apenas duas vezes que ele a sufocara até ela desmaiar, com um mês de diferença uma da outra, ambas por causa do divórcio.

Ela tinha flagrado Dave numa traição mais de uma vez. O problema com o ex-marido era que ele entendia que escapar impune de algo uma vez era como uma permissão para repetir. Ao olhar para trás, Mercy nem acreditava que estivesse apaixonado por alguma das mulheres. Ou até se sentido atraído por elas. Algumas eram bem mais velhas. Outras estavam fora de forma, tinham meia dúzia de filhos ou eram pessoas incrivelmente desagradáveis. Uma destruiu a caminhonete dele, que tinha sido paga por Pitica. Uma o roubou. Outra o deixou com um saco de maconha quando os policiais bateram na porta de seu trailer.

O que Dave gostava na traição não era o sexo. Deus sabia que o pau dele era de lua. O que ele amava era o ato de trapacear. De se esconder. De enviar mensagens secretas do celular pré-pago. De fuçar aplicativos de namoro. De mentir a respeito de aonde estava indo, quando voltaria, com quem estava. De saber que Mercy seria humilhada. De saber que as mulheres que atraía eram burras o suficiente para pensar que Dave deixaria Mercy e se casaria com elas. De saber que poderia aprontar e não haveria consequências.

De saber que Mercy ainda o aceitaria de volta.

Claro, ela sempre o obrigava a se esforçar para isso, mas Dave também se divertia nessa parte. Fingia que tinha mudado. Derramava lágrimas de crocodilo. O drama de todas as ligações noturnas. As mensagens de texto constantes. Aparecia com flores, uma playlist romântica e um poema escrito num guardanapo de bar. Implorava, suplicava, esforçava-se, curvava-se, cozinhava, limpava, demonstrava um súbito interesse em ser pai de Jon e era doce como mel até que Mercy o aceitasse de volta.

Então, um mês depois, espancava-a por fazer barulho jogando chaves sobre a mesa da cozinha.

Estrangulamento era um sinal de perigo terrível. Ao menos era o que Mercy tinha lido na internet. Quando um homem coloca as mãos em torno do pescoço de uma mulher, ela tem seis vezes mais chances de sofrer violência mais séria ou ser assassinada.

A primeira vez que ele a estrangulou foi a primeira vez que Mercy pediu o divórcio. Não o comunicou, pediu, como se precisasse da permissão dele. Dave explodiu. Apertara o pescoço dela com tanta força que ela sentira a cartilagem se mover. Desmaiara no trailer, acordando deitada no próprio mijo.

A segunda vez foi quando contara a ele que tinha encontrado um pequeno apartamento para ela e Jon na cidade. Mercy não se lembrava do que tinha acontecido a seguir, exceto que achou que fosse morrer. O tempo se perdera. Não sabia onde estava. Como havia chegado lá. Então percebera que estava no apartamento minúsculo. Jon estava soluçando na sala ao lado. Mercy correu para o berço. Ele tinha o rosto vermelho e coberto de ranho. A fralda, cheia. Ele estava aterrorizado.

Às vezes, Mercy ainda sentia os bracinhos dele desesperadamente agarrados a ela. O corpinho tremendo enquanto ele chorava. Mercy o acalmara, tinha ficado com ele no colo a noite toda, tudo para ficar bem. O desamparo de Jon a motivara a separar-se de Dave. Ela pedira o divórcio na manhã seguinte. Tinha saído do apartamento e voltado para a pousada. Não havia feito aquilo por si mesma. Não surtara por causa das constantes humilhações de Dave ou do medo de ossos quebrados ou da morte, mas porque havia entendido que, se morresse, Jon não teria ninguém.

Mercy precisava quebrar o padrão de verdade dessa vez. Ia impedir a venda. Faria o que fosse necessário para evitar que Dave esgotasse seu filho. Papai ia morrer um dia. Com sorte, Pitica não tinha muito mais tempo. Mercy não condenaria Jon a uma vida inteira atolado na areia movediça.

Como se fosse uma deixa, Mercy ouviu a caminhada galopante de Jon pela Trilha Circular. Os braços dele estavam estendidos, as mãos flutuando sobre o topo dos arbustos como as asas de um avião. Ela o observou em silêncio. Andava da mesma maneira quando era pequeno. Mercy se lembrava de como ele ficava animado ao vê-la no caminho. Corria para seus braços e ela o levantava no ar, e, naquele momento, teria sorte se ele se desse conta da sua existência.

Ele baixou os braços quando ela entrou no caminho.

— Fui para o galpão ajudar o Peixe com as canoas, mas ele me disse que dava conta. O pessoal do chalé 10 está instalado.

O cérebro de Mercy foi imediatamente para outra tarefa que pudesse passar para ele, mas ela se impediu.

— Como eles são?

— A mulher é legal — disse Jon. — O cara é meio assustador.

— Talvez fosse melhor não paquerar a mulher dele.

Jon deu um sorriso encabulado.

— Ela tinha muitas perguntas sobre a propriedade.

— Você respondeu todas?

— Respondi. — Ele cruzou os braços. — Disse a ela para procurar Pitica se quisesse saber mais.

Mercy percebeu que mexia a cabeça em concordância. Muitas coisas tinham mudado desde a época de Papai, mas nenhum filho dela pareceria ignorante sobre a terra que pisava.

— Mais alguma coisa? — perguntou Jon.

Mercy pensou em Dave novamente. Ele tinha um padrão depois das brigas. Ia para o bar, beberia para afogar a raiva. Era com o amanhã que ela tinha que se preocupar. Não havia como evitar que ele encontrasse Jon e contasse sobre os investidores. Sem dúvida, Mercy seria a vilã da história.

— Vamos descer até o banco de observação. Quero que sente comigo por um minuto.

— Não tem trabalho a fazer?

— Nós dois temos — disse a mãe, mas desceu a trilha na direção do local, de qualquer modo.

Jon a seguiu a certa distância. Mercy tocou o pescoço com os dedos. Esperava que ele não visse uma marca. Odiava o olhar que Jon lhe dava quando Dave explodia. Parte recriminação, parte pena. Qualquer preocupação deixara de existir havia muito tempo. Ela imaginou que fosse como ver alguém correr de cabeça contra uma parede, levantar-se e correr de cabeça contra a parede de novo.

Ele não estava errado.

— Certo. — Mercy sentou-se no banco. Ela deu uns tapinhas sobre o espaço ao lado dela. — Vamos fazer isso.

Jon se posicionou na extremidade oposta, as mãos enfiadas nos bolsos do short. Tinha completado dezesseis anos no mês anterior, e, quase da noite para o dia, a adolescência o atingira. A dose repentina de hormônios agia como um pêndulo. Num minuto ele estava cheio de arrogância e flertando com a mulher de um hóspede, no seguinte parecia um garotinho perdido. Ele lembrava tanto Dave que Mercy ficou momentaneamente sem palavras.

Então, o adolescente rabugento surgiu.

— Por que está me olhando desse jeito esquisito?

Mercy abriu a boca e depois fechou. Queria mais tempo. Havia uma paz desconfortável entre eles naquele instante. Em vez de estragar tudo dando um sermão sobre vape, não limpar o quarto ou todas as coisas habituais com as quais o incomodava, ela admirou a vista. O desfile de verdes, a superfície dos Baixios ondulando suavemente com o vento. No outono, era possível sentar naquele mesmo lugar e observar as folhas mudando de tom, toda a cor escorrendo dos picos. Precisava preservar aquele lugar para Jon. Não era apenas o futuro dele que estaria garantido aqui. Era a vida dele.

— Às vezes me esqueço de como isso tudo é bonito — começou ela.

Jon não deu uma opinião. Ambos sabiam que ele ficaria perfeitamente feliz morando em uma caixa sem janelas na cidade. Ele tinha a mania de Dave de culpar os outros pela sensação de isolamento dele. Ambos poderiam estar em um cômodo cheio de pessoas e ainda se sentirem sozinhos. Para ser sincera, Mercy muitas vezes se sentia da mesma maneira.

— Tia Delilah está na casa — continuou.

Ele olhou para ela, mas permaneceu em silêncio.

— Quero que se lembre, não importa o que aconteceu quando você era bebê, Delilah ama você. É por isso que ela foi para o tribunal. Ela queria ficar com você para ela.

Jon olhou para o horizonte. Mercy jamais tinha dito uma palavra ruim sobre Delilah. A única boa lição que tinha aprendido com Dave é que a pessoa que passa o tempo inteiro falando e sendo uma babaca raramente consegue empatia. Que era o motivo pelo qual Dave só mostrava seu lado monstruoso para Mercy.

— É o Subaru dela que está no estacionamento? — perguntou Jon.

Mercy sentiu-se uma idiota. Obviamente, o filho tinha visto o carro de Delilah. Não se podia guardar segredo por ali.

— Acho que Papai e Pitica andaram conversando com ela. É por isso que ela veio.

— Não quero morar com ela. — Jon olhou para Mercy antes de desviar o olhar de novo. — Se ela está aqui por isso, não vou embora. Não com ela, pelo menos.

Mercy tinha esgotado as lágrimas havia muito tempo, mas sentiu uma tristeza profunda com a certeza na voz dele. Ele estava tentando cuidar da mãe. Aquela poderia ser a última vez que ele fazia isso por um tempo. Talvez para sempre.

— O que ela quer? — perguntou o jovem.

A garganta de Mercy doía tanto que ela teve a impressão de engolir pregos.

— Precisa encontrar Papai. Ele vai contar o que está acontecendo.

— Por que não me conta?

— Porque... — Mercy se esforçou para se explicar.

Não era covardia. Seria tão fácil moldar a visão de Jon a partir do pensamento dela. Mas Mercy sabia que seria tão ruim quanto se Dave manipulasse o filho. Deus sabia que ela poderia fazer isso. Mesmo com dezesseis anos, Jon ainda era muito influenciável. Estava cheio de hormônios e era muito ingênuo. Ela poderia convencê-lo a se jogar de um penhasco caso se esforçasse. Dave iria destruí-lo totalmente.

— Mãe? — disse Jon. — Por que você mesma não me conta?

— Porque você precisa ouvir o outro lado de alguém que quer isso.

Ele deu um sorrisinho.

— Está falando esquisito.

— Me avise quando quiser escutar meu lado, certo? Serei honesta com você o máximo que puder. Mas preciso que escute Papai primeiro. Pode ser?

Mercy esperou que ele concordasse com a cabeça. Então, olhou nos olhos azul-claros dele e sentiu que alguém enfiava as mãos dentro de seu peito e partia seu coração.

Aquilo era coisa do Dave. Ele ia tomar outro pedaço de Mercy, o pedaço mais precioso, e ela jamais o conseguiria de volta.

Jon estava olhando para ela.

— Você está bem?

— Estou — respondeu. — A mulher no chalé 7 quer uma garrafa de uísque. Pode levar para ela?

— Claro. — Jon ficou de pé. — De que tipo?

— Do tipo mais caro. E pergunte se ela quer mais amanhã. — Mercy também ficou de pé. — Quero que tire o resto da noite de folga. Eu cuido da limpeza depois do jantar.

O sorriso enorme voltou, e ele era como o menininho dela de novo.

— Sério?

— Sério. — Mercy se embebeu da empolgação dele. Ela queria prolongar aquele momento o máximo de tempo que pudesse. — Está fazendo um ótimo trabalho por aqui, querido. Estou orgulhosa de você.

O sorriso dele era melhor do que qualquer droga que ela já tinha se injetado. Mercy precisava elogiá-lo mais, dar a ele mais chance de ser um menino. Ela estava a ponto de destruir toda a família dela. Precisava quebrar o ciclo babaca McAlpine também.

Ela disse:

— Não importa o que acontecer, lembre-se de que eu te amo, querido. Nunca se esqueça disso. Você é a melhor coisa que já me aconteceu, e eu te amo muito.

— Mãe — grunhiu ele.

Mas então ele a abraçou, e Mercy sentiu que caminhava nas nuvens.

Durou dois segundos até que Jon se afastasse. Ela observou enquanto ele subia a trilha, resistindo à vontade de chamá-lo de volta.

Mercy se virou antes que ele sumisse. Ela se permitiu alguns segundos para se recompor antes de voltar ao trabalho. Foi para a esquerda na bifurcação e caminhou ao longo da curva do lago. Sentia o cheiro fresco da água junto com um tom mofado e amadeirado.

Eles faziam uma fogueira todos os sábados à noite perto dos Baixios para dar um último viva aos convidados. Com s'mores, chocolate quente e Peixe dedilhando seu bandolim, porque, obviamente, ele era o tipo de alma sensível que tocava bandolim. Os convidados adoravam. Para falar a verdade, Mercy também. Gostava de ver o sorriso no rosto deles e de saber que era parte da razão pela qual estavam felizes. Como mãe de um filho adolescente, como ex-mulher de um alcoólatra abusivo, como filha de um escroto cruel e de uma mãe fria e distante, ela precisava saborear suas vitórias onde pudesse encontrá-las.

Mercy olhou para a água e imaginou como Papai explicaria os investidores a Jon. Falaria mal de Mercy? Gritaria e amaldiçoaria o nome dela? Ela havia feito alguma manipulação furtiva? A pessoa sendo babaca raramente consegue empatia. Jon ia querer protegê-la, mesmo se não concordasse com ela.

Não havia nada que ela pudesse fazer, a não ser esperar que ele a encontrasse.

Trabalhar faria esse tempo passar mais rápido. Ela pegou o bloco de notas. Ia verificar os recém-casados no caminho de volta até a colina. Ela mesma consertaria o banheiro. Precisava falar com a cozinha. Fez uma marca atrás para a garrafa de uísque que Jon estava levando para o chalé 7. Tinha a sensação de que a dentista gastaria muito dinheiro antes de ir embora no domingo. Não havia razão para que Monica não comprasse as garrafas das prateleiras mais altas com seu Amex Platinum. Papai era abstêmio e nunca havia promovido a venda de bebidas alcoólicas. Os uísques produzidos em pequenos lotes selecionados que Mercy tinha trazido no ano passado foram quase os únicos responsáveis pelo salto no lucro.

Mercy colocou o bloco de volta no bolso enquanto andava pelo caminho do terraço. Viu Peixe perto do galpão de equipamentos. Ele estava lavando as canoas.

O coração de Mercy doeu ao ver seu irmão de joelhos, sempre tão verdadeiro e sério. Era o filho mais velho, mas Papai sempre o havia tratado como algo secundário. Então Dave apareceu, e Pitica deixou claro quem ela realmente considerava seu filho. Não era de admirar que ele tivesse escolhido desaparecer.

Ela estava prestes a chamar o nome dele quando Chuck saiu do galpão de equipamentos. Estava sem camisa. O rosto e o peito estavam tão vermelhos que pareciam queimados de sol. Carregava um pedaço de papel-alumínio achatado em uma das mãos e um isqueiro na outra. A chama acendeu, e a fumaça saiu do papel-alumínio. Enquanto Mercy observava, ele o estendeu para Peixe, que espalhou a fumaça em direção ao rosto, respirando fundo.

— Mercy? — chamou Chuck.

— Idiotas — ela sibilou, virando as costas.

— Mercy? — chamou Peixe. — Mercy, por favor, não...

O som dos pés dela subindo a trilha abafou tudo o que ele tinha a dizer. Ela não conseguia acreditar no irmão estúpido. Tinha sido exatamente sobre isso que ela o alertara durante a reunião de família. Ele nem estava mais se preocupando em esconder. E se ela fosse um hóspede? Jon tinha acabado de ir ao galpão. E se ele tivesse passado pela trilha e visto os dois daquele jeito? Como eles explicariam aquilo?

Mercy continuou em frente, contornando a bifurcação em direção à Trilha Circular. Não diminuiu o passo até estar do outro lado da estrutura de barcos. Enxugou o suor do rosto e imaginou como o dia poderia ficar ainda pior. Ela olhou para o relógio. Tinha uma hora antes de ter que ajudar na preparação do jantar. Ainda não tinha falado com a cozinha sobre a estúpida alergia a amendoim de Chuck.

— Cristo — sussurrou.

Era demais. Em vez de voltar pela ladeira, ela foi pela margem rochosa. Forçou uma longa expiração. Seus sentidos sobressaíram com a natureza de todos os lados. As ondas suaves. O cheiro da fogueira da noite anterior. O calor do sol acima.

Ela expirou novamente.

Aquele era seu lugar de paz. Os Baixios eram como uma âncora invisível que a mantinha presa à terra. Não podia desistir daquilo. Ninguém ia amá-los tanto quanto ela.

Mercy observou o deque flutuante mover-se para a frente e para trás. Também procurara refúgio ali diversas vezes. Papai odiava a água e se recusava a aprender a nadar. Quando ele estava em um de seus períodos de fúria, Mercy nadava até o deque para fugir dele. Às vezes, ela adormecia sob as estrelas. Às vezes, Peixe se juntava a ela. Mais tarde, Dave também, mas por motivos diferentes.

Mercy sentiu a cabeça balançar. Não queria pensar nas coisas ruins. O irmão a ensinara a nadar ali. Ele tinha ensinado Dave a "andar" na água porque Dave tinha medo de afundar a cabeça. Mercy mostrara a Jon o melhor lugar para mergulhar do deque flutuante, o local onde a água era mais profunda, o local onde se podia escapar silenciosamente caso hóspedes aparecessem. Quando o menino era mais novo, vinham até ali nas manhãs de domingo. Eles conversavam sobre a escola, as meninas e as coisas que queria fazer na vida.

Deus sabia que ele nunca mais tinha se aberto assim com ela, mas Jon era um bom garoto. Não estava arrasando na escola nem era popular, mas, comparado aos pais, estava prosperando. Tudo o que Mercy queria era que ele fosse feliz.

Queria isso mais do que qualquer coisa no mundo.

Jon acabaria encontrando sua turma. Poderia levar algum tempo, mas aconteceria. Ele era bondoso. Mercy não tinha ideia de quem ele herdara isso. Claro, ele tinha o temperamento explosivo de Dave. Tomava decisões erradas como Mercy. Mas adorava a avó. Só reclamava um pouco quando Mercy o fazia trabalhar. Claro que estava entediado ali. Todas as crianças ficavam entediadas ali. Mercy, aos doze anos, não começara a roubar doses das garrafas de bebida porque sua vida era muito emocionante.

— Porra — ela bufou.

O cérebro dela não parava de seguir para lugares ruins.

Ela forçou o botão a aparecer, olhando distraidamente para o céu azul-turquesa até que o sol virou para a cordilheira. Ela fechou as pálpebras contra a luz quente. O ponto branco deixou sua memória em suas retinas. Ela observou a cor ficar mais escura, quase azul-marinho. Então ele escreveu uma palavra. Em letra cursiva. Um arco sobre o coração de Landry Peterson.

Gabbie.

Os hóspedes do chalé 5 fizeram a reserva sob o nome de Gordon Wylie. Uma cópia da carteira de motorista dele foi necessária para a reserva. O valor da hospedagem foi garantido no cartão de crédito de Gordon. O Lexus com a placa de Gordon estava no início da trilha. O endereço residencial de Gordon estava nas etiquetas de envio das malas.

O nome de Landry só apareceu uma vez no cadastro, como segundo hóspede. Seu empregador era o mesmo de Gordon: Wylie App Co. Em retrospecto, parecia algo saído de Looney Tunes. Pelo que Mercy sabia, o nome Landry era falso. A pousada verificava apenas o responsável pela reserva. Acreditava que as pessoas eram honestas sobre seus empregos, seus interesses, sua experiência com cavalos, escalada e rafting.

O que significava que Landry Peterson poderia ser qualquer pessoa. Poderia ser um amante secreto. Um amigo com benefícios de longa data. Um colega de trabalho que procurava algo mais. Ou poderia ser parente da jovem que Mercy havia matado dezessete anos antes.

O nome dela era Gabriella, mas a família a chamava de *Gabbie*.

4

Sara sentou-se na beira da cama e se permitiu chorar. Ela estava tão abalada que chegou a soluçar. Houve tanto estresse antes do casamento... Precisaram adiar a cerimônia em um mês, para que ela pudesse tirar o gesso do pulso quebrado. Tinha cancelado pedidos, refeito cronogramas, encaixado projetos de trabalho e atrasado casos. Então houve o espetáculo circense de fazer malabarismo com primos, tias e tios, certificando-se de que todos tinham reservas no hotel, carro, comidas de que gostariam e lugares para ir, pois alguns cruzaram o oceano e decidiram ficar durante a semana toda. Queriam saber o que poderiam fazer e ver, e Sara, aparentemente, era o guia *Lonely Planet* pessoal deles.

A irmã e a mãe tinham ajudado, e Will tinha feito mais do que era justo, mas Sara nunca ficara tão aliviada por ter terminado algo.

Ela olhou para o anel e a aliança no dedo. Respirou fundo, de modo calmo. Sara merecia um Oscar por não ter perdido a paciência naquela manhã, quando Will dissera que começariam a viagem de lua de mel com uma caminhada. De duas horas. Nas montanhas. Quando o aeroporto ficava a vinte minutos da casa deles.

Casa deles.

Ela tentou não ficar aflita com aquilo. Não enquanto estavam enchendo as mochilas. Não quando entraram no carro. Não quando saíram dos limites da cidade. Não quando estacionaram no começo da trilha. Will tinha ficado encarregado da lua de mel. Sara precisava que ele se encarregasse dela. Porém, quando tinham parado para almoçar em um gramado e ela notara que o tempo passava, teve medo de que ele a surpreendesse com algum tipo de acampamento.

Sara odiava acampar. *Desprezar* seria uma palavra melhor. O único motivo pelo qual tinha suportado as escoteiras fora o interesse em ganhar todas as insígnias.

O que era a história da vida de Sara. Ela sempre tinha se levado ao extremo. Formara-se um ano antes do esperado no Ensino Médio. Atravessou correndo os anos de graduação. Batalhou para estar entre os primeiros da turma na faculdade de medicina. Fez o máximo que pôde durante a residência. Então houve o consultório de pediatria, sua transição até se transformar em médica-legista em tempo integral. Ela sempre havia usado a educação a serviço de outras pessoas. Cuidar de crianças em uma área rural e depois em um hospital público. Dar algum tipo de desfecho aos familiares de vítimas de crime. E tudo isso enquanto cuidava da irmã menor. E dos pais. Fazia companhia para sua tia Bella. Dera apoio ao primeiro marido. Havia sofrido com a morte dele. Trabalhado duro para construir algo significativo com Will. Sobrevivido às intromissões da ex-mulher tóxica dele. Navegado pelo relacionamento esquisito dele com a chefe. Virado a melhor amiga da parceira dele. Caído de amores pelo cachorro dele.

Quando Sara olhava para sua vida, o que via era uma mulher que estava sempre indo em frente, sem deixar de se certificar de que todos estavam bem.

Até aquele momento.

Ela olhou para a mala aberta. Will baixara todos os livros dela no iPad. Atualizara os podcasts no telefone dela. A irmã tinha colocado exatamente o que ela precisava, até os produtos de higiene pessoal e a escova de cabelo. O pai havia incluído uma de suas iscas de pesca feitas à mão e uma lista de piadas de tiozão bem ruins. A tia doara um chapéu de palha largo para proteger do sol a pele branca de fantasma de Sara. A mãe lhe dera uma pequena Bíblia de bolso, o que tinha parecido um pouco opressor no começo, mas então Sara percebeu que uma página estava marcada. Ela havia usado um lápis leve para sublinhar uma seção do livro de Rute, 1:16:

... *porque aonde quer que tu fores irei eu, e onde quer que pousares, ali pousarei eu; o teu povo é o meu povo, o teu Deus é o meu Deus.*

Ler a passagem levou Sara ao limite. A mãe havia capturado perfeitamente seus sentimentos por Will. Ela iria aonde ele a levasse. Ela se deitaria com ele onde quer que ele escolhesse. Ela trataria a família dele como se fosse sua. Teria até fingido gostar de acampar se chegasse a isso. Era total e completamente dedicada.

Foi assim que as lágrimas deram lugar ao choro, o choro ao soluço, e ela desabou na cama como uma vitoriana emocionada. Sara não conseguiu evitar. Tudo era perfeito demais. A maravilhosa cerimônia de casamento. Essa linda pousada.

Os presentes da família. O cuidado que Will colocou em tudo. Ele até pediu que o iogurte favorito dela fosse colocado na pequena geladeira da cozinha. Sara nunca tinha se sentido tão bem tratada em sua vida.

— Vamos lá — ela ralhou consigo mesma. A hora de desabar tinha acabado. Will voltaria logo.

Ela encontrou a caixa de lenços de papel em cima da caixa de descarga do vaso sanitário para poder assoar o nariz. Havia uma pequena seleção de sais de banho perto da banheira. Pelo bem de Will, ela escolheu o menos perfumado antes de abrir a torneira da banheira. Sara se olhou no espelho. A pele estava vermelha e manchada. O nariz, praticamente brilhando. Os olhos, avermelhados. Will voltaria da casa principal esperando sexo quente na banheira e a encontraria parecendo uma fugitiva lunática.

Sara assoou o nariz. Soltou o cabelo porque sabia que Will gostava assim. Então foi para o quarto e terminou de desempacotar as roupas. A irmã mais nova não tinha sido completamente altruísta. De brincadeira, Tessa havia colocado um brinquedo sexual no fundo da mala. Quando estava colocando o objeto de volta na mala, ouviu uma voz alta do lado de fora da janela da frente.

— Paul! — gritou um homem. — Dá para esperar?

Sara foi para a sala. A janela estava aberta. Ela ficou nas sombras enquanto observava dois homens discutindo no caminho abaixo. Eram mais velhos, estavam em muito boa forma e claramente frustrados.

— Gordon, não me importo com o que você pensa — disse Paul. — É a coisa certa a fazer.

— A coisa certa? — perguntou Gordon. — Desde quando você se importa com a coisa certa?

— Desde que eu vi como é a porra da vida dela! — berrou Paul. — Não está certo!

— Querido.

Gordon alisou os braços do homem.

— Precisa deixar isso de lado.

Paul escapou das mãos dele e começou a correr em direção ao lago.

Gordon correu atrás dele, gritando:

— Paul!

Sara fechou as cortinas. Aquilo tinha sido interessante. Na caminhada, Keisha dissera que os caras do aplicativo se chamavam Gordon e Landry. Sara se perguntou se Paul era outro hóspede ou alguém que trabalhava na pousada. Então se obrigou a parar de pensar, porque não estava ali para entender as outras pessoas. Estava ali para fazer sexo ardente com o marido na banheira.

Marido.

Sara se pegou sorrindo enquanto voltava para o banheiro. Tinha visto a expressão no rosto de Will quando o chamou de marido pela primeira vez. Correspondia ao prazer absoluto que sentira quando ele a chamou de esposa.

Ela olhou pela grande janela panorâmica atrás da banheira. Nenhum sinal de Gordon e Paul. O chalé ficava numa altura muito mais elevada do que o caminho. Nem conseguia ver o lago. A vista era de árvores e mais árvores. Verificou a temperatura da água, que estava perfeita. A banheira ficaria cheia muito mais rápido do que tinha esperado. Sara era filha de um encanador. Conhecia bem o fluxo de água. Também conhecia o marido. Ela poderia conseguir distraí-lo do fato de que ela estivera chorando se Will a encontrasse nua e esperando. Foi exatamente o que aconteceu quando ele entrou no banheiro cinco minutos depois.

Will derrubou os travesseiros que segurava.

— O que houve?

Sara se recostou na banheira.

— Entre.

Ele olhou pela janela. Era tímido com o corpo. Onde Sara via os músculos magros e os tendões, o contorno do abdômen lindo, os braços bonitos e fortes, Will só via as cicatrizes que carregava desde a infância. As queimaduras de cigarro redondas e enrugadas. A marca de um gancho de um cabide. O enxerto de pele onde o tecido rasgado fora danificado demais para cicatrizar.

Os olhos de Sara começaram a arder com lágrimas novamente. Ela queria voltar no tempo e matar todas as pessoas que o machucaram.

— Você está bem? — perguntou Will.

Ela assentiu.

— Apenas apreciando a vista.

Will não parou para testar a temperatura. Entrou na banheira no lado oposto ao que ela estava. Quase não cabiam juntos. Os joelhos dele estavam vários centímetros acima da borda da banheira. Sara se ajeitou e pousou a cabeça no peito dele. Will a enlaçou com os braços. Ambos olharam para a copa das árvores lá fora. Neblina pairava sobre a cadeia de montanhas. Ela gostava da ideia de ouvir a chuva no telhado de metal.

— Tenho uma confissão — falou ela.

Ele pressionou os lábios no topo da cabeça dela.

— Fiquei um pouco sobrecarregada com tudo.

— Sobrecarregada ruim?

— Sobrecarregada bom. — Ela olhou para ele. — Sobrecarregada feliz.

Will assentiu. Sara beijou-o suavemente, antes de pousar a cabeça no peito dele novamente. Havia espaço na conversa para ele falar. Sara sabia que ele também estava se sentindo um pouco sobrecarregado. Embora fosse mais provável que Will corresse dezesseis quilômetros pela encosta de um penhasco do que sentasse na cama para chorar.

— Sua irmã colocou tudo que você precisa? — perguntou ele.

— Incluindo um consolo rosa-choque de 25 centímetros.

Will ficou quieto por um minuto.

— Acho que poderíamos tentar se você estiver a fim de uma coisa menor?

Sara riu quando ele a puxou mais para perto. Houve uma completa ausência de som dentro do banheiro de mármore. Nem uma gota d'água saiu da torneira. Ela ouviu o ritmo constante da respiração de Will. Fechou os olhos. Ficou deitada nos braços dele até a água começar a esfriar. Não tinha planejado adormecer, mas foi exatamente o que aconteceu. Quando acordou, a névoa da chuva se movia lentamente pela montanha.

Ela respirou fundo e suspirou.

— A gente devia fazer alguma coisa, certo?

— Talvez. — Will começou a acariciar lentamente o braço dela, que resistiu ao impulso de ronronar feito um gato. — Tenho uma confissão.

Sara não sabia se ele estava brincando ou não.

— O que foi?

— Tem um cara na pousada que morava no orfanato quando eu estava lá.

A informação era tão inesperada que Sara precisou de um segundo para processá-la. Will raramente mencionava pessoas do orfanato. Ela olhou para ele e perguntou:

— Quem?

— O nome dele é Dave — respondeu Will. — Ele era legal no começo. Então aconteceu alguma coisa. Ele mudou. As crianças começaram a chamá-lo de O Chacal. Não sei, talvez ele mesmo tenha inventado o nome. Dave estava sempre dando apelidos para as pessoas.

Sara pousou a cabeça de novo no peito de Will e escutou a batida lenta do coração dele.

— Fomos amigos por um tempo. Dave estava nas mesmas aulas que eu. Aulas de reforço. Achei que a gente se dava muito bem.

Ela sabia que Will só tinha frequentado essas aulas por causa da dislexia. Ele não tinha sido diagnosticado até a faculdade. Ainda tratava aquilo como um segredo vergonhoso.

— O que aconteceu com ele?

— Ele foi mandado para uma família adotiva muito ruim. Eles se aproveitavam do sistema. Inventavam todo tipo de coisa errada com Dave para pegar mais dinheiro para o tratamento. E então ele começou a ter infecções. Então...

Sara ouviu a voz de Will parar. Infecções urinárias recorrentes em crianças muitas vezes eram sinal de abuso sexual.

— Eles o tiraram de lá, mas Dave voltou cruel. Só que eu não percebi no começo. Ele ainda fingia que éramos amigos. Eu ouvia umas coisas realmente ruins dele, mas todo mundo falava coisas ruins de todo mundo. Éramos todos ferrados.

Sara sentiu o peito dele subir e descer.

— Então, ele começou a tentar dar uma de valentão para cima de mim. Começava brigas. Eu quis socar ele algumas vezes, mas não teria sido justo. Ele era menor, mais novo que eu. Poderia ficar machucado de verdade.

Will continuou acariciando o braço dela.

— E começou a andar com Angie, o que... não sou idiota. Não é como se ele a tivesse arrastado até o porão. Ela saía com muitos caras. Aquilo fazia com que ela sentisse que tinha algum controle sobre a vida dela. Imagino que Dave também fosse daquele jeito. Porém, bateu em mim de um jeito diferente quando Angie foi com ele. Como eu disse, achei que ele era meu amigo, e aí ele se virou contra mim. E ela sabia disso e saiu com ele do mesmo jeito. Era uma situação ruim.

Sara não conseguia entender a dinâmica distorcida entre Will e a ex-mulher. A única coisa boa que poderia dizer sobre a pessoa era que ela tinha ido embora.

— Dave continuou aprontando com ela. Deu um jeito para que eu soubesse e continuou esfregando na minha cara. Era como se ele quisesse que eu batesse nele. Como se fosse provar alguma coisa se conseguisse me quebrar. — Will ficou em silêncio por um longo tempo. — Foi ele quem começou a me chamar de Lata de Lixo.

Sara sentiu o coração apertar. Não conseguia imaginar como tinha sido para Will topar com esse homem horrível bem depois do casamento, ter todas as memórias ruins da infância trazidas à tona. O apelido em particular deveria ter sido como um chute na cara. Nos últimos dias, Will fizera umas piadas sobre o lado dele na igreja estar vazio, mas Sara tinha visto a verdade nos olhos dele. Ele sentia falta da mãe. O último ato de amor que ela teve com o filho foi colocá-lo em uma lata de lixo, para que ele ficasse em segurança. Então esse babaca nojento tinha transformado aquele fato em um meio de tortura.

— Dave tentou pedir desculpas — disse Will. — Na trilha, agora mesmo.

Ela olhou para cima de novo, surpresa.

— O que ele disse?

— Não foi um pedido de desculpas de verdade. — Will soltou um riso seco, embora nada na situação fosse engraçado. — Ele disse: "Vamos, Lata de Lixo. Não me olhe desse jeito. Vou pedir desculpas se vai ajudar você a superar isso".

— Que filho da puta — sussurrou Sara. — O que você respondeu?

— Contei até dez. — Will deu de ombros. — Não sei se bateria mesmo nele, mas ele saiu correndo quando cheguei no três, então jamais saberemos.

Ela sentiu a cabeça balançar. Parte dela queria que ele tivesse enfiado o babaca na terra.

— Sinto muito por isso ter acontecido — disse Will. — Prometo que não vou deixar que isso atrapalhe nossa lua de mel.

— Nada vai atrapalhar.

Sara pensou em um adendo ao versículo bíblico da mãe. Os inimigos de Will eram inimigos dela. Era melhor Dave rezar para não encontrar Sara naquela semana.

— Ele é hóspede?

— Acho que é empregado. Manutenção, pelo jeito que estava vestido.

Will continuou acariciando o braço dela.

— É curioso. Dave fugiu do orfanato uns anos antes que eu saísse por idade. Os policiais interrogaram todos nós, e eu disse a eles que Dave, provavelmente, estava por aqui. Ele amava o acampamento. Tentava ir todo ano. Eu o ajudava com os versículos da Bíblia. Ele lia em voz alta tantas vezes que eu decorava. Ele treinava comigo no ônibus, durante a educação física, na sala de estudos. Se tivesse colocado metade daquele esforço na escola, com certeza não teria ficado com as crianças lentas como eu.

Sara pressionou o dedo nos lábios dele. Ele não era lento.

Will pegou a mão dela e beijou a palma.

— Terminamos com as confissões?

— Eu tenho mais uma — disse Sara.

Ele riu.

— Certo.

Ela sentou, assim podiam olhar um para o outro.

— Há uma trilha no mapa chamada de Pequeno Veado. Vai para trás do lago.

— Jon disse que *awinita* é a palavra cherokee para cervo jovem, que é um pequeno veado.

— Acha que a trilha vai dar no acampamento?

— Vamos descobrir.

5

SEIS HORAS ANTES DO ASSASSINATO

A EQUIPE DA COZINHA estava em sua pressa louca de sempre para preparar o jantar quando Mercy entrou. Ela saiu do caminho, quase atingindo uma pilha de pratos sobre a lavadora. Alejandro olhou para ela e, com um breve aceno com a cabeça, disse que estava tudo bem.

Ainda assim, perguntou a ele:

— Recebeu o aviso sobre a alergia a amendoins?

Ele assentiu de novo, dessa vez com uma leve inclinação no queixo que significava que ela deveria sair.

Mercy não levava para o lado pessoal. Ficava contente em deixá-lo trabalhar. O último cozinheiro deles era um idoso ranzinza com um vício pesado em oxicodona, que fora preso por tráfico na semana seguinte ao acidente de Papai. Alejandro era um jovem chef porto-riquenho recém-saído da Escola de Culinária de Atlanta. Mercy tinha oferecido carta branca na cozinha se ele pudesse começar no dia seguinte. Os hóspedes o adoravam. Os dois garotos da cidade que trabalhavam na cozinha pareciam encantados. Ela só não sabia por quanto tempo ele se contentaria em cozinhar pratos insossos nas colinas.

Ela empurrou a porta da sala de jantar, e uma súbita onda de náusea fez seu estômago revirar. Mercy apoiou a mão na porta. Seu cérebro continuava minimizando todo o estresse, mas seu corpo continuava lembrando-a de que estava ali. Ela abriu a boca para respirar fundo e depois voltou ao trabalho.

Mercy deu a volta na mesa, ajustando uma colher aqui, uma faca ali. A luz mostrou uma mancha de água em um dos copos. Ela usou a barra da camisa para limpá-la enquanto examinava a sala. Duas mesas compridas dividiam o espaço. Na época de Papai só havia bancos, mas Mercy gastara dinheiro em cadeiras adequadas. As pessoas bebiam mais quando podiam se recostar. Ela também investiu em caixas de som para tocar música suave e numa iluminação que poderia ser regulada para definir o clima, coisas que Papai odiava, mas não havia muito que pudesse fazer a respeito, porque não conseguia usar os controles.

Ela devolveu o copo à mesa, ajustou outro garfo, moveu um candelabro para centralizá-lo. Contou silenciosamente os talheres. Frank e Monica, Sara e Will, Landry e Gordon, Drew e Keisha. Sydney e Max, os investidores, estavam com a família. Chuck estava ao lado de Peixe, para ficarem de mau humor juntos. Delilah tinha sido colocada no final como uma decisão tardia, o que parecia apropriado. Mercy sabia que Jon não ia mostrar a cara. Não só porque, talvez, já tivesse conversado com Papai sobre os investidores, mas porque Mercy tinha dado a ele a noite de folga. Alejandro não lavava a louça, e os moradores da cidade gostavam de sair da montanha no máximo às 20h30. Mercy precisaria ficar acordada até meia-noite, limpando e preparando coisas para o café da manhã.

Ela olhou para o relógio. O serviço de coquetéis começaria em breve. Caminhou até o deque. Outra atualização depois do acidente de Papai. Havia pedido a Dave para ampliar a plataforma de observação, com tábuas em sustentações sobre o penhasco. Dave precisou de ajuda com os suportes, ele e os amigos bebendo cerveja enquanto pendiam em cordas numa altura de quinze metros sobre a ravina. Ele terminou o projeto enrolando fios de luzes em volta dos suportes. Havia bancos para sentar e parapeitos para apoiar as bebidas, e era perfeito se você não soubesse que Dave tinha atrasado a entrega em seis meses e cobrado três vezes mais do que havia orçado.

Silenciosamente, Mercy examinou as garrafas de bebida no bar. Os rótulos exóticos apareciam bem sob o sol do início da noite. Na época de Papai, ofereciam apenas um vinho da casa com o sabor e a consistência de bebida de qualidade duvidosa. Desde o acidente, vendiam uísque sour e gim-tônica por preços ridiculamente altos. Contudo, Mercy sempre tinha suspeitado que os hóspedes deles pagariam por Tito's e Macallan. O que ela não previra era que a pousada poderia ganhar quase a mesma coisa com a venda de bebidas quanto ganhava com a diária.

Penny, outra moradora da cidade, estava atrás do bar preparando as bebidas. Ela era mais velha que o restante da equipe, sensata e desgastada pelos anos. Mercy a conhecia havia muito tempo, desde quando Penny começara a limpar quartos no Ensino Médio. Ambas tinham festejado muito durante aqueles dias, então ambas alcançaram a sobriedade da maneira mais difícil. Felizmente, Penny não precisava beber para saber o que era gostoso. Tinha um conhecimento enciclopédico de coquetéis obscuros que empolgava os convidados e os incentivava a pedir mais.

— Tudo indo bem?

— Indo.

Penny levantou o olhar de onde cortava limões quando vozes ecoaram pela trilha. Então, checou o relógio e franziu o cenho.

Mercy não ficou surpresa ao ver que Monica e Frank chegaram para os coquetéis antes do horário marcado. Pelo menos, a dentista aguentava a bebida. Monica não era barulhenta nem desagradável, apenas estranhamente silenciosa. Mercy tinha convivido com muitos tipos de bêbados, e os quietos geralmente eram os piores. Não porque poderiam se tornar desagradáveis ou imprevisíveis, mas porque tinham a missão de beber até morrer. Frank era chato, mas Mercy não achava que ele fosse do tipo beber-até-morrer.

Até aí, as pessoas pensavam a mesma coisa de Dave.

— Bem-vindos! — Mercy colocou um sorriso no rosto quando eles chegaram ao deque. — Tudo bem?

Frank retribuiu o sorriso.

— Fantástico. Estamos muito felizes por termos vindo.

Monica tinha ido diretamente para o bar. Ela indicou uma garrafa, dizendo a Penny:

— Dose dupla, sem gelo.

Mercy sentiu a boca salivar quando Penny abriu a garrafa de WhistlePig Estate Oak. Disse a si mesma que a vontade repentina era porque a garganta ainda estava dolorida de quando Dave a estrangulara. Um golinho de uísque de centeio acalmaria a dor. Que era exatamente o que ela dissera a si mesma da última vez que escorregara, só que daquela vez tinha sido uísque de milho.

Monica pegou o copo e engoliu metade de uma só vez. Mercy nem imaginava que tipo de vida rica era necessária para ficar bêbada pagando vinte dólares por dose. Depois do segundo copo não dava para sentir o gosto, de qualquer modo.

O barulho do cascalho sob a cadeira de Papai anunciou a chegada dele. Pitica o empurrava com sua cara feia habitual. Um homem e uma mulher caminhavam de cada lado da cadeira. Deviam ser os investidores. Ambos, provavelmente, tinham cinquenta e muitos anos, mas eram ricos o suficiente para serem quarentões em Atlanta. Max usava calça jeans e uma camiseta preta. O corte de ambos lhe dava uma aparência de um milhão de dólares. Sydney vestia a mesma coisa, mas, enquanto ele usava um par de tênis HOKA, ela tinha nos pés um par de botas de couro surradas. O cabelo loiro descolorido estava preso em um rabo de cavalo alto no topo da cabeça. As bochechas eram afiadas como vidro. Os ombros estavam para trás. Os seios, para cima. O queixo, levantado.

Mercy a reconheceu como uma cavaleira de verdade. Você não conseguia aquela postura frequentando o shopping. A mulher deveria ter um estábulo cheio de cavalos puro-sangue e um treinador em tempo integral na propriedade dela em Buckhead. Se você pagava dez mil dólares por mês a alguém para ensinar um bando de pôneis de duzentos mil a dançar quadrilha, doze milhões por uma segunda ou uma terceira casa não seriam motivo de preocupação.

Pitica tentou chamar a atenção de Mercy. O rosto crítico da mãe tinha uma expressão de intensa desaprovação. Ela claramente ainda estava brava com a reunião, gostava que as coisas acontecessem de forma mais suave. Sempre servira como a facilitadora de Papai, usando a culpa para conseguir a subserviência deles todos, e, muitas vezes, o perdão.

Mercy não conseguia lidar com a mãe naquele momento. Voltou para a sala de jantar. Seu estômago embrulhou novamente. Ela se permitiu sentir um pouco de tristeza. Estivera esperando que Jon surgisse atrás da cadeira de Papai. Que o filho perguntasse seus motivos, que conversassem sobre o assunto, que o jovem entendesse que tinha mais futuro ali nos negócios da família. Que ele não a odiasse abertamente, ou, pelo menos, que concordasse em discordar. Mas não havia Jon. Apenas o olhar desdenhoso da mãe.

Mercy perderia todo mundo antes que a noite terminasse. Jon não era como Dave. O temperamento dele fervia antes de explodir, e, quando acontecia, levava dias, às vezes, semanas, para voltar ao normal. Ou, pelo menos, um novo normal, porque Jon acumulava suas queixas como se fossem cartões colecionáveis.

De repente, houve um clique suave e Mercy ergueu o olhar. Pitica estava fechando com cuidado a porta da sala de jantar. A mãe fazia tudo com silêncio deliberado, fosse cozinhar um ovo ou caminhar. Conseguia aproximar-se furtivamente como um fantasma. Ou a Morte, dependendo do humor dela.

Naquele momento, estava mais para a segunda opção. Ela começou:

— Papai está aqui com os investidores. Sei que tem seus sentimentos, mas precisa fazer uma cara boa.

— Quer dizer a porra da minha cara feia? — Mercy a viu se encolher, mas ela estava apenas citando o pai. — Por que eu seria legal com eles?

— Porque você não vai fazer toda aquela coisa que estava falando. Simplesmente não vai.

Mercy olhou para a mãe. Pitica estava com as mãos apoiadas na cintura fina. As bochechas estavam vermelhas. Com rosto de querubim e estatura pequena, ela poderia ser confundida com uma criança performática.

— Não estou blefando, mãe. Vou acabar com cada um de vocês se tentarem fazer essa venda.

— Você não vai. — Pitica bateu o pé com impaciência, mas, ainda assim, era mais como um passo delicado. — Pare com essa tolice.

Mercy estava a ponto de rir na cara dela, mas pensou em uma pergunta:

— Você quer vender este lugar?

— Seu pai disse...

— Estou perguntando o que *você* quer, mãe. Sei que não é sempre que sua opinião é levada em conta.

Mercy esperou, mas a mãe não respondeu. Ela repetiu a pergunta.

— Você quer vender este lugar?

Os lábios de Pitica se apertaram em uma linha tensa.

— Esta é nossa casa.

Mercy tentou apelar para um sentido de justiça.

— Meu bisavô sempre disse que não somos os donos. Somos administradores da terra. Você e Papai tiveram seu tempo. Não é justo tomar decisões que vão afetar as próximas gerações.

Pitica ficou em silêncio, mas um pouco da raiva havia deixado seus olhos.

— Colocamos nossas vidas neste lugar. — Mercy indicou o salão de jantar. — Ajudei a colocar pregos nestas tábuas quando tinha dez anos. Dave construiu aquele deque onde as pessoas estão bebendo. Jon limpa aquela cozinha de joelhos. Peixe apanhou parte da comida que estamos cozinhando agora. Quase todos os jantares da minha vida foram nesta montanha. Jon também. Peixe também. Por que quer tirar isso de nós?

— Christopher disse que não se importa.

— Ele disse que não quer ficar no meio disso — corrigiu Mercy. — É diferente de não se importar. É o oposto de não se importar.

— Você deixou Jon devastado. Ele nem quis vir jantar.

A mão de Mercy foi para o coração.

— Ele está bem?

— Não, não está — disse Pitica. — Coitadinho. Só me restou abraçá-lo enquanto chorava.

Mercy sentiu a garganta se fechar, e a dor aguda causada pelas mãos de Dave serviu para endireitar sua espinha.

— Sou a mãe de Jon. Sei o que é melhor para ele.

Pitica bufou um riso dissimulado. Ela sempre tinha se comportado mais como uma amiga do que uma avó com Jon.

— Ele não conversa com você como conversa comigo. Ele tem sonhos. Quer fazer coisas com a vida dele.

— Eu também tinha — replicou Mercy. — Você me disse que, se eu fosse embora, nunca mais poderia voltar.

— Você estava grávida — falou Pitica. — Quinze anos. Sabe como foi vergonhoso para mim e para o Papai?

— Você sabe como foi difícil para mim?

— Então deveria ter ficado de pernas fechadas! — Pitica explodiu. — Você sempre leva as coisas longe demais, Mercy. Dave disse a mesma coisa. Você simplesmente está indo longe demais.

— Você falou com Dave?

— Sim, falei com Dave. Fiquei com Jon chorando em um ombro e Dave no outro. Ele está destroçado com isso, Mercy. Ele precisa desse dinheiro. Ele tem dívidas com as pessoas.

— Dinheiro não vai mudar isso — respondeu Mercy. — Ele só vai terminar devendo para pessoas diferentes.

— Não é assim dessa vez. — Pitica vinha falando aquela mesma coisa havia mais de uma década. — Dave quer mudar. O dinheiro vai dar a ele a oportunidade de melhorar.

Mercy sentiu a cabeça tremer. Pitica era cega quando se tratava de Dave. Havia um número infinito de chances para ele. Enquanto isso, Mercy tinha sido obrigada a suportar um ano inteiro de testes mensais de urina antes que a mãe permitisse que ficasse sozinha com Jon.

— Dave quer que a gente compre uma casa lá embaixo para morarmos todos juntos — falou Pitica.

Mercy riu. A porra do traiçoeiro do Dave de olho na parte de Pitica e Papai da venda. Ela daria um ano até que ele começasse a mexer nos fundos de aposentadoria deles.

— Dave disse que iríamos encontrar um lugar grande, em um andar só, assim Papai não precisaria dormir na sala de jantar, com uma piscina para Jon trazer os amigos. O menino fica sozinho aqui — disse Pitica. — Dave pode dar uma boa vida para nós e Jon. E para você também, se não fosse tão teimosa.

Mercy riu.

— Por que estou surpresa por você tomar o lado de Dave? Sou tão ingênua quanto você.

— Ele ainda é meu bebê, não importa quanto você tenha distorcido isso na sua cabeça. Eu nunca o tratei diferente de como trato você e o Christopher.

— A não ser por todo o amor e a afeição.

— Pare de sentir pena de si mesma. — Pitica bateu o pé em silêncio de novo. — Papai contaria a você hoje à noite, mas, não importa o que aconteça com os investidores, está despedida.

Pela segunda vez naquele dia, Mercy sentia um soco no estômago.

— Não podem me despedir.

— Você está indo contra a família. Onde você vai morar? Não na minha casa.

— Mãe.

— Não me venha com *mãe* — desdenhou Pitica. — Jon vai ficar, mas queremos você fora daqui até o fim da semana.

— Vocês não vão ficar com o meu filho.

— Como você vai sustentá-lo? Você não tem um centavo no seu nome. — O queixo de Pitica se levantou em arrogância. — Vamos ver quão longe você vai descendo a montanha e procurando emprego com uma acusação de assassinato nas costas.

Mercy a encarou.

— Vamos ver quanto tempo sua bunda magra vai ficar na prisão. — Pitica se afastou, chocada. — Acha que não sei o que andou fazendo?

Havia algo muito satisfatório na demonstração de medo nos olhos da mãe. Mercy queria mais.

— Tenta a sorte, velha. Posso chamar a polícia a qualquer momento.

— Escute, menina. — Pitica enfiou o dedo na cara de Mercy. — Se continuar com essas ameaças, alguém vai enfiar uma faca nas suas costas.

— Acho que a minha mãe acabou de fazer isso.

— Quando ataco alguém, eu olho no olho. — Ela encarou Mercy. — Você tem até domingo.

Pitica virou as costas e saiu pela porta. O fato de que ela tinha partido sem fazer som algum era bem pior do que qualquer pisada no chão ou batida de porta. Ninguém pediria desculpas ou voltaria atrás no que havia sido dito. A mãe tinha querido dizer aquilo.

Mercy estava demitida. Tinha uma semana para sair da casa.

A compreensão a atingiu como um golpe na cabeça, e Mercy afundou sobre uma cadeira. Sentia-se zonza. As mãos tremiam. As palmas deixaram marcas de suor sobre a mesa. Eles podiam demiti-la? Papai era o administrador, mas quase todo o resto dependia de votação. Mercy não poderia contar com Dave. Peixe evitava problemas. Mercy não tinha conta bancária, nem dinheiro, exceto as duas notas de dez dólares em seu bolso, e isso era dinheiro para pequenas despesas.

— Dia difícil?

Mercy não precisava se virar para saber quem perguntara. A voz da tia não tinha mudado nos últimos treze anos. Fazia um tipo cruel de sentido que Delilah tivesse escolhido aquele momento para sair das sombras.

— O que você quer, sua velha… — começou Mercy.

— Cuzona?

Delilah sentou-se na frente dela.

— Talvez eu tenha a profundidade, mas não a temperatura.

Mercy olhou para a tia. O tempo não mudara em nada a irmã mais velha de Papai. Ainda parecia exatamente o que era: uma idosa hippie que fazia sabão na garagem. Os longos cabelos grisalhos estavam trançados até a bunda. Ela usava uma camisa simples de algodão que poderia ter sido feita com um saco de farinha. As mãos eram calejadas e marcadas por causa da fabricação de sabão. Havia um buraco profundo no bíceps que havia cicatrizado como um pedaço de estopa amassada.

O rosto dela ainda era bondoso. Essa era a parte difícil. Mercy não conseguia conciliar a Delilah que havia crescido amando com o monstro que terminara por odiar. Que era como Mercy se sentia em relação a todos em sua vida.

Exceto Jon.

Delilah continuou:

— É chocante quando você pensa em todas as histórias valorosas que foram passadas a respeito deste velho lugar. Como se a área inteira não tivesse sido palco de genocídio. Sabia que o primeiro acampamento de pesca foi construído por um soldado confederado que desertou depois da Batalha de Chickamauga?

Mercy sabia que o lugar tinha sido fundado depois da Guerra Civil, mas não da parte da deserção. A história familiar dizia que o primeiro Cecil McAlpine tinha sido um objetor de consciência que partira para as montanhas com uma criada fugitiva.

— Esqueça a lenga-lenga romântica — disse Delilah. — Toda aquela história da Viúva Perdida é um monte de merda. O capitão Cecil trouxe uma mulher escravizada com ele. O idiota achou que estavam apaixonados. Ela via aquilo mais como sequestro e estupro. Cortou o pescoço dele no meio da noite e fugiu com toda a prataria da família. Mas você sabe que é difícil matar os McAlpine.

Mercy certamente sabia da última parte.

— Acha que me dizer que meus ancestrais eram seres humanos nojentos vai me chocar até concordar com a venda? Sabe que eu conheço meu pai, certo?

— Ah, eu sei…

Delilah apontou para o pedaço de pele grosseira no bíceps.

— Isso não é de um acidente com cavalo. Seu pai me atacou com um machado quando eu disse que queria administrar a pousada. Caí no chão com tanta força que minha mandíbula quebrou.

Mercy mordeu os lábios para não reagir. Ela estava intimamente familiarizada com aquela verdade. Estava escondida no velho celeiro atrás da pastagem quando o ataque acontecera. Mercy nunca contara a ninguém o que havia testemunhado. Nem para Dave.

— Cecil me colocou no hospital por uma semana. Perdi parte do músculo do braço, e precisaram fechar minha mandíbula com arame. Hartshorne não se deu ao trabalho de tentar pegar uma declaração. Fiquei dois meses sem conseguir falar.

As palavras de Delilah eram brutais, mas o sorriso era suave.

— Vá em frente e faça a piada, Mercy. Sei que você quer.

Mercy engoliu o aperto na garganta.

— Qual o propósito disso? Está me dizendo para ir embora como você fez, antes que me machuque?

Delilah reconheceu a verdade com outro sorriso.

— É muito dinheiro.

Mercy sentiu o estômago se encher de ácido de novo. Estava exausta de brigar.

— O que você quer, Dee?

Delilah tocou a lateral do próprio rosto.

— Vejo que sua cicatriz ficou melhor que a minha.

Mercy desviou o olhar. Sua cicatriz ainda era uma ferida aberta. Estava gravada em sua alma como o nome naquela lápide no cemitério.

Gabriella.

Delilah perguntou:

— Por que acha que seu pai me deixou de fora do encontro familiar?

Mercy estava cansada demais para enigmas.

— Não sei.

— Mercy, pense na pergunta. Você sempre foi a mais inteligente aqui. Pelo menos depois que fui embora.

Foi o tom melodioso que tocou Mercy — tão reconfortante, tão familiar. Tinham sido próximas antes de tudo virar uma merda. Quando criança, Mercy ficava com Delilah durante os verões. A tia mandava cartas e cartões-postais de suas viagens. Ela foi a primeira pessoa a quem Mercy contou que estava grávida. Foi a única pessoa que estava com Mercy quando Jon nasceu. Mercy tinha sido algemada à cama do hospital porque estava presa. Delilah a ajudou a embalar Jon contra o peito nu para que ela pudesse amamentá-lo.

E depois ela tentou levá-lo embora para sempre.

— Você tentou roubar meu filho de mim — falou Mercy.

— Não vou me desculpar pelo que aconteceu. Eu fiz o que achava que era melhor para Jon.

— Tirá-lo da mãe dele.

— Você entrava e saía da prisão, entrava e saía do centro de reabilitação, então aconteceu aquela coisa horrível com Gabbie. Mal conseguiram costurar sua cara de volta. Você poderia muito bem ter morrido.

— Dave era...

— Inútil — terminou Delilah. — Mercy, meu amor, nunca fui sua inimiga.

Mercy soltou um riso. Nos últimos dias, tudo o que tinha eram inimigos.

— Eu me escondi na sala enquanto Cecil estava conduzindo o encontro de família. — Delilah não precisava dizer que as paredes da casa eram finas. Ela ouvira tudo, inclusive as ameaças de Mercy. — Minha menina, você está jogando um jogo perigoso.

— É o único que sei jogar.

— Você mandaria eles para a cadeia? Humilhando-os e destruindo-os?

— Olhe o que estão tentando fazer comigo.

— Isso reconheço. Eles nunca pegaram leve com você. Pitica escolheria Dave em vez dos próprios filhos.

— Está tentando me alegrar?

— Estou tentando conversar com você como um adulto.

Mercy foi tomada pelo desejo de fazer alguma coisa infantil. Esse era seu lado estúpido, o que colocaria fogo na ponte enquanto ainda corria sobre ela.

— Não está cansada? — perguntou Delilah. — Lutar contra todas essas pessoas que nunca vão lhe dar o que precisa.

— Do que eu preciso?

— Segurança.

O peito de Mercy apertou. Já tinha recebido muitos socos no estômago naquele dia, mas a palavra a atingiu como uma marreta. Segurança era a única coisa que jamais sentira. Sempre houve o medo de que Papai explodisse. Que Pitica fizesse algo rancoroso. Que Peixe fosse abandoná-la. Que Dave fosse... Merda, nem valia a pena passar pela lista porque Dave fez de tudo, *exceto* fazer com que ela se sentisse segura. Mesmo Jon não lhe trouxera uma sensação de paz. Mercy sempre teve medo de que ele se voltasse contra ela como os outros fizeram. De que fosse perdê-lo. De que fosse sempre estar sozinha.

Ela havia passado a vida inteira esperando pelo próximo golpe.

— Querida. — Sem aviso, Delilah se esticou sobre a mesa e pegou a mão de Mercy. — Fale comigo.

Mercy olhou para as mãos delas. Era ali que Delilah havia envelhecido. Manchas de sol. Cicatrizes de queimadura de soda cáustica e óleos. Calos por embalar e desembalar moldes de madeira. A tia era muito esperta. Muito inteligente. Não era na areia movediça que Mercy estava correndo. Era em água fervendo.

Mercy cruzou os braços ao se recostar na cadeira. Delilah estava de volta à propriedade havia menos de um dia e já fazia a sobrinha sentir-se sensível e vulnerável.

— Por que Papai deixou você de fora do encontro familiar?

— Porque eu disse a ele que você tem meu voto. O que você quiser fazer, eu apoio.

Mercy balançou a cabeça de novo. Aquilo era algum tipo de armadilha. Ninguém jamais a apoiava, especialmente Delilah.

— É você que está jogando agora.

— Não há jogo da minha parte, Mercy. Pelas regras do fundo, ainda recebo cópias dos relatórios financeiros. Com base no que posso ver, você manteve esse lugar de pé durante tempos muito difíceis. E você conseguiu se endireitar.

Delilah deu de ombros.

— Na minha idade, eu ia preferir sair com o dinheiro, mas não vou punir você por endireitar sua vida. Você tem meu apoio. Vou votar contra a venda.

A palavra *apoio* a feriu como uma cama de pregos. Delilah não estava ali para oferecer apoio. Ela sempre tinha motivos ocultos. Mercy estava muito cansada para vê-los naquele momento, ou talvez estivesse apenas cansada demais de sua família odiosa, mentirosa.

Ela disse as primeiras palavras que lhe vieram à cabeça:

— Não preciso da porra do seu apoio.

— É mesmo?

Delilah parecia se divertir, o que era ainda mais enfurecedor.

— Sim, é *mesmo*.

Mercy colocou peso naquela última palavra. A mão coçava para socar aquele sorriso na cara de Delilah.

— Pode enfiar seu apoio no cu.

— Vejo que não perdeu o famoso Gênio de Mercy. — Delilah ainda parecia se divertir. — Isso é sensato?

— Quer saber o que é sensato? Ficar fora da porra das minhas coisas.

— Estou tentando ajudar você, Mercy. Por que você é assim?

— Descubra você mesma, Dee. Você é a inteligente aqui.

A caminhada pela sala foi magnífica, como se fosse o "vá se foder" mais gratificante de todos os tempos. O ar quente envolveu Mercy quando ela abriu as portas duplas e observou a aglomeração. O deque estava lotado. Chuck estava abraçado a Peixe, que não olhou para ela quando tentou chamar a atenção dele. Papai encontrava-se no centro de um grupo, contando uma história idiota sobre sete gerações de McAlpine que amavam uns aos outros e àquela terra. Jon ainda não chegara. Provavelmente, estava jantando comida congelada em seu quarto. Ou pensando em todas as promessas vazias que Dave tinha lhe feito sobre uma casa gigante, com piscina, na cidade e uma família feliz que não incluía a porra da mãe dele.

Mercy sentiu um desconforto repentino tomar conta de seu corpo. Agarrou-se ao corrimão quando a realidade a atingiu como um martelo no crânio. O que havia de errado com ela, saindo furiosamente do salão de jantar daquele jeito? O voto de Delilah significava que Mercy só teria que conquistar mais uma pessoa do lado de Papai. E ali estava Mercy, fodendo tudo por um único e fugaz momento de prazer. Era a mesma decisão errada que a fazia voltar para Dave. Quantas vezes precisaria continuar se jogando contra paredes de tijolos antes de perceber que poderia parar de se machucar?

Ela tocou a garganta com os dedos e engoliu a saliva que inundou sua boca. Ignorou o suor escorrendo pelas costas. O famoso Gênio de Mercy. Mais como a famosa Insanidade de Mercy. Desejou que suas mãos parassem de tremer. Teve que expulsar a conversa da mente. Expulsar Delilah. Expulsar Dave. Sua família. Nenhum deles importava naquele instante. Só precisava terminar o jantar.

Mercy ainda era a gerente ali. Pelo menos até domingo. Ela deu uma olhada nos hóspedes. Monica sentou-se de lado com um copo na mão. Frank estava perto de Sara, que sorria educadamente ao ouvir a história de Papai sobre um distante McAlpine lutando contra um urso. Keisha mostrava a Drew uma mancha no copo. Malditos donos de bufê. Eles que lidassem com a água dura e moradores de cidade chapados que sempre chegam meia hora atrasados.

Ela procurou os outros convidados, e o estômago revirou quando viu Landry e Gordon descendo a trilha. Tinham sido os últimos a chegar. Estavam envolvidos em conversas privadas. Os investidores olhavam para a ravina, provavelmente discutindo quantos títulos de férias partilhadas poderiam vender. Mercy esperava que alguém os jogasse por cima do guarda-corpo. Ela fez outra varredura, procurando Will Trent. A princípio tinha sentido falta dele, mas o encontrou no canto, ajoelhado para acariciar um dos gatos. Ainda parecia tonto de sexo, o que significava que Dave era a última coisa em sua mente.

Mercy teria muita sorte se fosse ela.

— Ei, Mercy Mac. — Chuck pousou a mão no braço dela. — Se eu pudesse...

— Não me toque!

Mercy não notou que tinha gritado até que todos olharam para ela. Ela balançou a cabeça para Chuck, forçando uma risada e dizendo:

— Desculpe. Desculpe. Você me assustou, seu tonto.

Chuck pareceu confuso quando Mercy acariciou o braço dele. Ela nunca o tocava. Evitava isso a qualquer custo.

— Você está musculoso, Chuck.

E perguntou ao grupo:

— Alguém quer mais bebida?

Monica levantou um dedo. Frank puxou a mão dela para baixo.

— Então, como eu estava dizendo, o urso — falou Papai. — A lenda diz que ele terminou gerenciando uma loja de charutos na Carolina do Norte.

Houve algumas risadas educadas que quebraram a tensão. Mercy usou isso como deixa para seguir em direção ao bar, que ficava a menos de cinco metros de distância mas parecia estar a um quilômetro. Ela ajeitou as garrafas, alinhando os rótulos desbotados, desejando silenciosamente sentir o sabor de alguma ou de todas no fundo da garganta.

— Você está bem, menina? — perguntou Penny.

— Nossa, não — respondeu. — Pegue leve ao servir aquela senhora. Ela vai desmaiar sobre a mesa.

— Se eu colocar mais água no copo dela, vai parecer uma amostra de urina.

Mercy olhou de volta para Monica. Os olhos da mulher estavam vazios.

— Ela não vai perceber.

— Mercy — chamou Papai. — Venha conhecer este casal bacana de Atlanta.

A pele dela se arrepiou com o tom jovial dele. Aquele era o Papai que todos adoravam. Mercy amava assistir a essa versão do pai quando criança. Então começou a se perguntar por que ele não era o mesmo homem alegre e charmoso com a própria família.

O círculo de pessoas se abriu quando ela caminhou em direção a ele. Cada um dos investidores ficou de um lado da cadeira. Pitica estava atrás dele e tocou silenciosamente o canto da boca, persuadindo Mercy a sorrir.

Mercy obedeceu, colocando um sorriso falso no rosto.

— Olá, bem-vindos às montanha. Espero que cês tenha tudo que precisam.

As narinas de Papai se dilataram com o sotaque caipira dela, mas continuou com as apresentações.

— Sydney Flynn e Max Brouwer, essa é Mercy. Ela gerencia a pousada enquanto procuramos alguém mais qualificado para assumir o posto.

Mercy sentiu o sorriso fraquejar. Ele não tinha dito a eles nem que ela era sua filha.

— Está certo. Meu pai levou um tombo feio na montanha, e pode ser muito perigoso aqui.

— Às vezes, a natureza ganha — falou Sydney.

Mercy deveria ter adivinhado que uma amante de cavalos teria um desejo de morte.

— Pelas suas botas, estou achando que você conhece um estábulo.

Sydney se animou.

— Você cavalga?

— De jeito nenhum! Meu bisavô dizia que os cavalos são assassinos ou suicidas.

De repente, Mercy percebeu que cada um dos hóspedes tinha reservado uma aventura com cavalgada.

— A não ser que eles sejam bem domados. Só usamos cavalos de terapia, que estão acostumados a trabalhar com crianças. Max, você cavalga?

— Deus, não. Sou advogado. Não ando a cavalo. — Ele levantou os olhos do telefone. A regra de sem wi-fi para hóspedes de Papai, aparentemente, tinha exceções. — Só faço o cheque por eles.

Sydney soltou a risada aguda de uma mulher que tinha tudo pago.

— Mercy, precisa me mostrar a propriedade. Adoraria ver melhor a terra dentro da reserva de conservação. Temos umas fotografias aéreas dos pastos, mas quero olhar para eles do chão. Enfiar as mãos na terra. Sabe como é? A terra precisa falar com você.

Mercy segurou a língua enquanto assentia.

— Acho que meu irmão reservou uma pescaria para vocês amanhã de manhã.

— Pescaria — disse Max. — Isso é mais meu estilo. Você não pode cair do barco e quebrar o pescoço.

— Na verdade, pode. — Peixe tinha saído do nada. — Quando estava na faculdade...

— Certo — disse Papai. — Vamos entrar para jantar, pessoal. Pelo cheiro, nosso chef preparou mais uma das refeições deliciosas dele.

Mercy relaxou a mandíbula para não quebrar os dentes. Papai só tinha reclamado da comida de Alejandro desde o momento em que o homem colocara o pé na cozinha.

Ela ficou para trás enquanto os convidados seguiam Papai até a sala de jantar e percebeu um sorriso simpático de Will, que estava para trás do grupo. Imaginou que ele sabia o que era ser esculachado em público. Não havia como saber que tipo de inferno Dave o tinha feito passar no orfanato, e ficou feliz em ver que pelo menos uma pessoa tinha conseguido se livrar da baixeza dele.

— Merce. — Peixe estava encostado no guarda-corpo. Ele baixou o olhar para o copo, girando restos de refrigerante. — O que foi aquilo?

O choque de confrontar Pitica e enfurecer Delilah tinha passado. Naquele momento, havia só o pânico.

— Eles me demitiram. Me deram até domingo para ir embora.

Peixe não pareceu surpreso, o que significava que já sabia; e, a julgar pelo silêncio e pela história inteira da vida deles juntos, não tinha aberto a boca para defendê-la.

Mercy disse:

— Muito obrigada, irmão.

— Talvez seja melhor. Não está cansada deste lugar?

— Você está?

Ele deu de ombros.

— Max diz que eles vão me manter aqui.

Mercy deixou os olhos se fecharem por um instante, era uma traição atrás de outra. Quando os abriu, Peixe tinha se abaixado para acariciar o gato.

— É uma boa saída para mim, Mercy. — Peixe olhou para ela enquanto coçava atrás das orelhas do gato. — Sabe que nunca tive tino para os negócios. Vão fechar a pousada. Transformar em um complexo familiar. Construir um espaço para os cavalos. Vou ser o administrador da terra. Finalmente vou usar meu diploma.

Mercy sentiu a tristeza saindo pelos poros. Ele falava como se ela já estivesse acabada.

— Então, acha tudo bem um monte de gente rica pegar toda essa terra só para ela? Transformar os riachos e ribeirões em propriedade particular? Ser dono dos Baixios?

Peixe deu de ombros novamente, olhando para o gato.

— As pessoas ricas são as únicas que podem usá-la agora.

Ela só conseguiu pensar em uma maneira de sensibilizá-lo.

— Por favor, Christopher. Preciso que seja forte para o Jon.

— Jon vai ficar bem.

— Você acha? — perguntou ela. — Você sabe bem como Dave fica com dinheiro. Ele é como um tubarão sentindo cheiro de sangue na água. Ele já criou um sonho maluco sobre como vai comprar uma casa para Papai e Pitica morarem. Jon também.

Peixe acariciou a barriga do gato com força demais e levou uma patada. Então ficou de pé, mas olhou por sobre os ombros de Mercy porque não conseguia olhá-la nos olhos.

— Talvez isso não fosse tão ruim. Dave ama Pitica e sempre vai cuidar dela. Jon sempre teve uma conexão especial com ela também. Você sabe que ela adora o neto. Papai não pode machucar quem quer que seja naquela cadeira, e morar junto pode dar um recomeço a eles. Dave sempre quis uma família. É por isso que ele veio para cá em primeiro lugar, para um lugar ao qual pertence.

Mercy se perguntou por que o irmão não achava que ela também merecia aquilo.

— Dave não consegue se emendar. Olha o que ele fez comigo. Não consigo nem ter uma conta no banco. Ele vai dar um golpe e deixá-los na mão.

— Eles vão estar mortos antes que isso aconteça.

A verdade parecia mais dura vinda do irmão gentil dela.

— E o Jon?

— Ele é jovem — disse Peixe, como se isso deixasse a coisa mais fácil. — E eu preciso pensar em mim para variar. Seria legal fazer meu trabalho todo dia e não ter todo esse drama de família e o peso do negócio. Além disso, posso começar a retribuir. Talvez montar uma instituição de caridade.

Ela não conseguia mais ouvir as alucinações sem noção dele.

— Está se esquecendo do que eu falei no encontro de família? Não vou deixar roubarem este lugar de mim. Acha que não vou testemunhar sobre o que vi você e o Chuck fazendo lá no galpão? Os federais vão cair em cima de você tão rápido que não vai nem saber o que está acontecendo até estar numa prisão.

— Você não vai fazer isso.

Peixe a olhou diretamente nos olhos, o que era a coisa mais arrepiante que havia acontecido com ela naquele dia. O olhar era firme, a boca estava retesada. Nunca tinha visto o irmão parecer tão certo sobre algo na vida.

— Você disse que sua merda já está toda espalhada por aí. Que não tem nada a perder. Nós dois sabemos que há uma coisa que eu poderia tirar de você — ameaçou Peixe.

— Tipo o quê?

— O resto da sua vida.

6
CINCO HORAS ANTES DO ASSASSINATO

SARA ENCOSTOU-SE EM WILL quando ele pousou o braço nas costas da cadeira dela. Olhou para o belo rosto dele, tentando não derreter como uma adolescente louca por garotos. Ainda podia sentir o cheiro dos sais de banho perfumados na pele dele. Will vestia uma camisa de botões azul ardósia com o colarinho aberto. As mangas eram longas e a temperatura no cômodo estava um pouco alta. Ela viu uma gota de suor na incisura supraesternal dele, e a única coisa que a impediu de ser uma *geek* total ao se referir à indentação no pescoço dele pelo nome anatômico foi seu desejo de explorá-la com a língua.

Ele acariciou o braço dela com os dedos. Sara resistiu ao desejo de fechar os olhos. Sentia-se cansada do dia longo, e precisavam acordar logo ao amanhecer no dia seguinte para a ioga; então uma caminhada, depois prática de *stand-up paddle*. O que parecia divertido, mas ficar na cama o dia todo também seria divertido.

Ela ouviu Drew contar a Will o que esperar da caminhada, os almoços para viagem e as vistas panorâmicas. Ela percebia que o marido ainda se sentia desapontado sobre o acampamento. Nenhum dos McAlpine a quem tinham perguntado durante os coquetéis estivera particularmente interessado em confirmar ou negar a localização do acampamento. Christopher fingiu ignorância. Cecil tinha entrado em outra grande história de pescaria. Até Pitica, que deveria ser a historiadora da família, mudara de assunto rapidamente.

Tentariam a sorte de novo na Trilha do Pequeno Veado na tarde seguinte. Não haviam tido muito tempo para explorar naquele dia, porque tinham perdido uma boa hora fazendo exatamente o que Sara odiava a respeito de acampar, que era ficar suados e atravessar a vegetação rasteira fechada, então examinar um ao outro para ver se tinham carrapatos. Por fim, chegaram a uma clareira com mato crescido com um círculo de pedras grande. Will tinha brincado sobre encontrar uma assembleia de bruxas. Sara achou, pelas latas de cerveja e guimbas de cigarro, que tinham descoberto um lugar de pegação de adolescentes.

Era mais provável que tivessem encontrado o local de um velho círculo de fogueira de acampamento. O que significava que o lugar tinha que estar perto. As crianças no orfanato falavam sobre alojamentos, um refeitório e de se esgueirarem para trás dos chalés dos supervisores para espioná-los. Muitos anos haviam se passado desde que Will ouvira aquelas histórias, mas, ainda assim, haveria fundações e restos das construções. Coisas que eram levadas para cima das montanhas normalmente não eram levadas para baixo.

Sara voltou para a conversa bem quando Will perguntou a Drew:

— O que vocês dois fizeram hoje à tarde?

— Ah, você sabe. Isso e aquilo.

Ele deu uma leve cotovelada em Keisha, que se concentrava até demais nas manchas do copo que segurava. Drew balançou a cabeça com firmeza para ela, pedindo para que deixasse aquilo para lá, então perguntou a Will:

— Como está a lua de mel?

— Ótima — disse Will. — Em que ano vocês dois se conheceram?

Sara estendeu o guardanapo de pano sobre o colo, escondendo o sorriso quando Drew disse não somente o ano, mas a data completa e o lugar. Will estava tentando melhorar no bate-papo, mas, não importava o que dissesse, sempre parecia um policial solicitando um álibi.

— Eu a levei ao jogo no nosso estádio contra Tuskegee — contou Drew.

— O estádio fica na saída do Boulevard Joseph Lowery, não é?

— Conhece o *campus*? — Drew parecia impressionado pela questão aberta feita para verificar fatos. — Estavam começando a construção do RAYPAC.

— A casa de shows? — perguntou Will. — Como ela era?

Sara deixou olhos e ouvidos irem na direção de Gordon, que estava sentado à esquerda dela. Ela tentou escutar o que ele dizia para o homem a seu lado. Infelizmente, as vozes eram muito baixas. De todos os hóspedes, os dois homens eram os mais misteriosos para Sara. Na hora do coquetel, tinham se apresentado como Gordon e Landry, mas ela os escutara na trilha e ouvira Gordon chamar Landry pelo nome Paul. Ela não sabia o que eles estavam fazendo, mas imaginou que Will conseguiria chegar ao fundo daquilo assim que começasse a interrogá-los sobre estarem nas proximidades do chalé 10 entre 16h e 16h30.

Ela se concentrou de novo na conversa do marido com os donos de bufê.

— Quem mais estava presente? — Will perguntou a Keisha, o que era uma pergunta totalmente normal sobre o primeiro encontro de um casal.

Sara se desligou de novo e olhou para Monica, que estava inclinada ao lado de Frank. Ela não tinha contado as bebidas de propósito. Pelo menos não depois da segunda. A mulher estava quase em um estupor. Frank precisava dar apoio a ela com um braço. Ele era um homem irritante, mas parecia preocupado com a mulher. Não se poderia dizer a mesma coisa dos dois últimos a chegarem. Sydney e Max estavam sentados mais perto da cabeceira da mesa. Ele tinha a cabeça enfiada no telefone, o que era interessante considerando as restrições de wi-fi. Ela batia o cabelo preso em um rabo como um cavalo espantando moscas.

— Doze no total — dizia ela a um Gordon muito desinteressado. — Quatro Appaloosa, um Warmblood Holandês e o resto Trakehner. Eles são os mais novos, mas...

Sara a bloqueou. Gostava de cavalos, mas não o suficiente para se prender em uma conversa interminável.

Will apertou o ombro dela para ver como ela estava.

Ela se inclinou para cochichar no ouvido dele:

— Já encontrou o assassino?

Ele sussurrou de volta:

— Foi Chuck, no salão de jantar com o *breadstick*.

Sara direcionou o olhar para Chuck, que devorava um *breadstick*. Ele tinha um galão com água sobre a mesa ao lado dele porque ninguém mais confiava em seus rins. Christopher, o guia de pescaria, estava à esquerda dele. Ambos pareciam infelizes. Chuck, provavelmente, tinha bons motivos. Mercy quase arrancara a cabeça dele. Ela tentara disfarçar, mas ele a deixara desconfortável. Até Sara tinha percebido a vibração esquisitona dele, e ela não tinha dito qualquer coisa além de "oi" para o homem.

Ela não tinha a mesma impressão de Christopher McAlpine, que parecia ser tão tímido quanto desajeitado. Ele sentava-se ao lado da mãe estranhamente fria, cujos lábios estavam pressionados formando uma careta. Pitica viu o filho se esticar para pegar outro pedaço de pão e deu um tapa na mão dele, como se ele ainda fosse criança. Ele colocou a mão sobre o colo e baixou os olhos para a mesa. O único membro da família que parecia estar gostando do jantar era o homem na cabeceira da cama. Ele, provavelmente, forçara-os a comparecer e amava ser o centro das atenções. Os hóspedes pareciam fascinados pelas histórias dele, mas Sara não conseguia evitar pensar que o homem era o tipo de fanfarrão carola que cancelaria o baile de formatura e tornaria ilegal dançar.

Cecil McAlpine tinha uma cabeleira branca e traços rústicos bonitos. A maioria das pessoas o chamava de Papai. Sara deduziu, pelas cicatrizes recentes no rosto e nos braços, que ele tinha sofrido um acidente grave nos últimos anos. No contexto de desastres graves, ao menos ele tivera um pouco de sorte. O nervo frênico, que controla o diafragma, é formado nas raízes nervosas de C-3, 4 e 5. Um dano na região exigiria que ele passasse o resto da vida num respirador. Se sobrevivesse ao ferimento inicial.

Ela observou Cecil levantar o dedo anelar da mão esquerda, indicando à mulher que queria um gole d'água. Ele havia oferecido a Will e Sara um forte cumprimento com a mão direita quando eles chegaram para tomar coquetéis, mas aquilo havia esgotado suas forças.

Cecil terminou de beber, então disse a Landry/Paul:

— A fonte que alimenta o lago começa no passo McAlpine. Siga pela Trilha da Viúva Perdida até a parte de trás do lago. O riacho fica a uns quinze minutos de caminhada dali. Caminhe por uns vinte quilômetros. É uma bela andada subindo a encosta da montanha. Pode ver o pico do banco de observação no caminho de volta ao lago.

— Keesh — sussurrou Drew com uma voz rouca —, deixe isso quieto.

Sara percebeu que eles estavam discutindo sobre o copo com manchas de água. Ela virou-se educadamente, captando outra conversa na ponta oposta da mesa. A irmã de Cecil, uma comedora de granola usando vestido tie-dye, dizia a Frank:

— As pessoas acham que sou lésbica porque uso papete, mas sempre digo a elas que sou lésbica porque adoro transar com mulher.

— Eu também! — Frank soltou uma risada, levantando o copo d'água em um brinde.

Sara trocou um sorriso com Will. Eles estavam muito longe da mulher. A tia parecia a única pessoa divertida na mesa. Sara adivinhou, pelas cicatrizes nas mãos e nos antebraços, que ela trabalhava com produtos químicos. Havia uma cicatriz muito maior em seu bíceps, como se um pedaço de seu braço tivesse sido arrancado por um machado. A mulher, provavelmente, trabalhava em uma fazenda com maquinário pesado. Sara poderia imaginá-la com um cachimbo feito de milho e uma matilha de cães pastores.

— Ei. — Will baixou a voz de novo. — Que tipo de nome é Pitica?

— É um apelido.

Sara sabia que a dislexia de Will fazia com que fosse difícil entender certos jogos de palavras.

— Acho que uma variação de pequetita. Porque ela é muito pequena.

Ele assentiu. Sara percebeu que a explicação o fizera pensar em Dave, o fornecedor de apelidos. Ambos tinham ficado felizes porque o babaca maldoso não tinha aparecido na hora dos coquetéis. Sara não queria que a sombra do cara se estendesse pela noite deles. Ela colocou uma mão na coxa de Will e sentiu o músculo se retesar. Sara esperava que aquele jantar não durasse muito tempo. Havia coisas melhores para comer.

— Aqui está!

Mercy saiu da cozinha com uma bandeja em cada mão. Dois rapazes adolescentes a seguiam com mais bandejas e cumbucas de molho.

— As entradas são uma seleção de empanadas, *papas rellenas* e os famosos *tostones* do chef, feitos a partir de uma receita aperfeiçoada pela mãe dele em Porto Rico.

Houve longos suspiros conforme os pratos eram colocados no centro da mesa. Sara esperou que Will entrasse em pânico, mas o homem que achava que mostarda com mel era algo muito exótico parecia surpreendentemente bem.

Ela perguntou:

— Já comeu comida porto-riquenha?

— Não, mas dei uma olhada no cardápio no site deles.

Ele apontou para as diferentes opções.

— Carne dentro de pão frito. Carne dentro de batatas fritas. Bananas-da-terra verdes fritas, que são na verdade bananas, que tecnicamente são frutas, mas isso não conta, porque são fritas duas vezes.

Sara riu, mas estava secretamente contente. Ele tinha escolhido aquele lugar para ela também.

Mercy deu a volta na mesa enchendo os copos com água. Ela inclinou-se entre Chuck e o irmão. Sara observou a mandíbula da mulher se contrair enquanto Chuck murmurava alguma coisa. Ela era a personificação do desconforto. Tinha que haver alguma história ali.

Sara virou-se, determinada a não se envolver nos problemas de outras pessoas.

— Mercy — falou Keisha. — Você se importa de trocar nossos copos?

Drew pareceu irritado.

— Está tudo bem, de verdade.

— Sem problemas. — A mandíbula de Mercy contraiu-se ainda mais, porém conseguiu um sorriso forçado. — Já volto.

Mercy pegou os dois copos, deixando cair água sobre a mesa, e voltou para a cozinha. Drew e Keisha trocaram olhares penetrantes. Sara supôs que os donos de bufê eram tão incapazes de desligar seus cérebros exigentes quanto os médicos-legistas e os detetives. E filhas de encanadores. Os copos estavam limpos. As manchas vinham de depósitos minerais na água dura.

— Monica — disse Frank em voz baixa. Ele estava enchendo o prato dela com comida frita, tentando colocar algo em seu estômago. — Lembra dos *sorullitos* que comemos naquele bar no terraço de frente para o porto em San Juan?

Os olhos de Monica pareceram entrar em foco quando ela olhou para Frank.

— Tomamos sorvete.

— Tomamos.

Ele levou a mão dela à boca para um beijo.

— Aí tentamos dançar salsa.

A expressão de Monica suavizou-se ao olhar para o marido.

— Você tentou. Eu fracassei.

— Você nunca fracassou em nada.

Sara sentiu um nó na garganta enquanto eles se olhavam. Havia algo tão comovente entre eles... Talvez ela tivesse julgado mal o casal. De qualquer forma, parecia uma intrusão assistir. Então, olhou para Will. Ele também havia notado. Ele estava esperando ela começar a comer para que pudesse dar a primeira garfada.

Sara pegou o garfo. Espetou uma empanada. Seu estômago roncou e ela percebeu que estava faminta. Precisaria ter cuidado para não ficar muito cheia, porque não queria ser a mulher que entrou em coma alimentar na segunda noite de sua lua de mel.

— Mãe! — Jon entrou pela porta. — Onde você está?

Todos eles se viraram com a agitação. Jon não caminhou, mas cambaleou pela sala. O rosto dele estava inchado e suado. Sara imaginaria que ele tinha bebido quase tanto quanto Monica naquela noite.

— Mãe! — berrou. — Mãe!

— Jon?

Mercy veio correndo da cozinha. Ela tinha um copo d'água em cada mão quando viu o estado do filho, mas manteve a calma.

— Querido, entre na cozinha.

— Não! — gritou. — Não sou a porra de um bebê. Me conte os motivos. Agora!

Ele arrastava tanto as palavras que Sara mal conseguia entendê-lo. Ela viu Will virar a cadeira para o caso de Jon perder o equilíbrio.

— Jon. — Mercy balançou a cabeça em um aviso. — Vamos fazer isso depois.

— Vamos porra nenhuma!

Ele andou na direção da mãe, o dedo indicador em riste.

— Você quer estragar tudo. Papai já planejou tudo, assim podemos ficar todos juntos. Sem você. Não quero ficar com você. Quero morar com Pitica em uma casa com piscina.

Sara ficou chocada ao ouvir o som de triunfo que Pitica soltou.

Mercy também tinha escutado. Ela olhou de volta para a mãe, depois disse ao filho:

— Jon, eu...

— Por que você estraga tudo?

Ele a pegou pelo braço, chacoalhando-a com tanta força que um dos copos caiu da mão dela e se espatifou no chão de pedra.

— Por que você tem que ser uma vaca o tempo inteiro?

— Ei! — Will tinha ficado de pé assim que Jon agarrara a mãe. Ele andou até lá, dizendo ao menino: — Vamos lá para fora.

Jon virou-se, gritando:

— Cai fora, Lata de Lixo.

Will ficou pasmo, assim como Sara. Como aquele menino sabia sobre o nome terrível? E por que estava gritando aquilo naquele momento?

— Eu disse cai fora! — Jon tentou empurrá-lo, mas Will não se mexeu. O menino tentou de novo. — Porra!

— Jon. — As mãos de Mercy tremiam tanto que a água se movia no copo que restava. — Eu te amo. Eu...

— Eu te odeio — disse Jon, e o fato de que ele não tinha gritado as palavras pareceu mais devastador que suas explosões anteriores. — Eu queria que você estivesse morta.

Ele saiu, batendo a porta atrás de si. O som era como uma explosão sônica. Ninguém falou. Ninguém se mexeu. Mercy estava paralisada.

Então, Cecil disse:

— Veja o que você fez, Mercy.

Mercy mordeu o lábio. Ela parecia tão abalada que Sara sentiu o próprio rosto corar.

Pitica fez *tsc, tsc, tsc* com a língua.

— Mercy, pelo amor de Deus, limpe esse vidro antes que machuque mais alguém.

Will ajoelhou-se antes de Mercy. Ele tirou o lenço do bolso de trás e o usou para colocar os cacos quebrados do copo d'água. Mercy abaixou-se trêmula ao lado dele. A cicatriz no rosto dela brilhava de humilhação. A sala estava tão silenciosa que Sara podia ouvir os pedaços de vidro quebrado batendo.

— Eu sinto muito — Mercy disse a Will.

— Não se preocupe. Eu quebro coisas o tempo inteiro — respondeu o agente.

O riso de Mercy foi interrompido por uma engolida em seco.

— É o que digo. — Chucky fez uma voz engraçada. — Filho de peixe, peixinho é.

Christopher ficou em silêncio. Ele esticou a mão para pegar outro *breadstick* e deu uma mordida barulhenta. Sara não conseguia imaginar a raiva que sentiria se alguém dissesse qualquer coisa remotamente ruim sobre sua irmã mais nova, mas o homem só mastigou feito um idiota inútil.

Na verdade, estavam todos olhando para Mercy como se ela estivesse em uma tenda em um show de aberrações de um velho parque de diversões.

Sara dirigiu-se à mesa:

— A gente provavelmente deveria comer esse jantar delicioso antes que fique frio.

— É uma boa ideia — concordou Frank, provavelmente acostumado a ignorar explosões bêbadas. — Estava acabando de lembrar Monica da viagem que fizemos a Porto Rico há uns anos. Eles têm um tipo de salsa que é diferente do samba brasileiro.

— De que jeito? — Sara o incentivou.

— Merda — sibilou Mercy.

Ela tinha cortado o polegar no vidro. Sangue pingava no chão. Mesmo a distância, Sara podia ver que o ferimento era profundo.

A médica levantou-se para ajudar, perguntando:

— Tem um kit de primeiros socorros na cozinha?

— Estou bem, eu...

Mercy colocou a mão boa sobre a boca. Ela ia vomitar.

— Pelo amor de Deus — murmurou Cecil.

Sara enrolou o guardanapo de pano com firmeza no polegar de Mercy para ajudar a estancar o sangramento. Deixou o resto do vidro quebrado para Will e guiou Mercy até a cozinha.

Um dos jovens garçons ergueu o olhar e voltou a preparar os pratos. O outro colocava a louça na máquina de lavar. O chef era o único que parecia se importar com Mercy. Ele acompanhou-a pela cozinha com o olhar, as sobrancelhas franzidas de preocupação. Contudo, permaneceu em silêncio.

— Estou bem — falou Mercy. Então assentiu para Sara. — É aqui atrás.

Sara a seguiu em direção a um banheiro que parecia servir de passagem para um escritório apertado. Havia uma máquina de escrever elétrica sobre a mesa de metal. Os papéis estavam empilhados por todo o chão. Não havia telefone. A única referência à modernidade era um laptop fechado sobre uma pilha de livros contábeis.

— Desculpe pela bagunça. — Mercy esticou o braço por baixo de uma fileira de ganchos onde pendiam casacos de frio. — Não quero estragar sua noite. Pode apenas me dar aquele kit de primeiros socorros e voltar para o jantar.

Sara não tinha intenção de deixar aquela pobre mulher sangrando no banheiro. Ela estava esticando a mão para pegar o kit na parede quando ouviu Mercy balbuciar como se quisesse vomitar. Então, a tampa da privada se abriu. Mercy estava de joelhos quando um fluxo de bile saiu de sua boca. Ela tossiu mais algumas vezes antes de ficar de pé novamente.

— Porra. — Mercy limpou a boca com as costas da mão boa. — Desculpe.

— Posso olhar seu polegar? — perguntou Sara.

— Estou bem. Por favor, vá aproveitar seu jantar. Eu posso dar um jeito nisso.

Como que para provar seu ponto de vista, ela pegou o kit de primeiros socorros e sentou-se no vaso sanitário. Sara observou enquanto Mercy tentava abrir a caixa com uma mão. Ficou claro que ela estava acostumada a fazer tudo sozinha. Também estava claro que ela não poderia lidar com aquela situação específica sozinha.

— Posso? — Sara esperou o aceno relutante de Mercy antes de pegar a caixa e abri-la no chão.

Ela encontrou a variedade habitual de curativos junto com fluidos de emergência, três pacotes de sutura, dois torniquetes, gaze para cobrir feridas e curativos hemostáticos. Havia também um frasco de lidocaína, o que não era estritamente legal para um kit de primeiros socorros de cozinha, mas imaginou que eles estivessem acostumados a fazer sua própria triagem tão longe da civilização.

— Deixe-me ver seu polegar — pediu Sara.

Mercy não se mexeu. Ela olhou sem expressão para os suprimentos de primeiros socorros como se estivesse perdida em alguma lembrança.

— Meu pai era quem dava pontos nas pessoas se elas precisassem.

Sara podia ouvir a tristeza na voz dela. Os dias em que Cecil McAlpine tinha a destreza para costurar alguém haviam acabado. Ainda assim, era difícil sentir pena daquele homem. Sara não conseguia imaginar o próprio pai falando com ela do jeito que Cecil falara com Mercy. Principalmente na frente de estranhos. E sua mãe teria arrancado o coração de qualquer um que ousasse dizer uma palavra contra qualquer uma de suas filhas.

— Sinto muito — falou Sara.

— Não é culpa sua. — O tom de Mercy era sucinto. — Você poderia abrir aquele rolo de curativo para mim? Não sei como funciona, mas vai parar o sangramento.

— É coberto por um agente hemostático para absorver o conteúdo líquido do sangue e coagular.

— Eu esqueci que você é professora de química.

— A respeito disso... — Sara sentiu o rosto corar. Ela odiava se delatar como mentirosa, mas não deixaria Mercy lutar com o curativo. — Sou médica. Will e eu decidimos não contar nossas profissões.

Mercy não pareceu afetada pela desonestidade.

— O que ele faz? Joga basquete? Futebol americano?

— Não, ele é agente do Departamento de Investigação da Geórgia.

Sara lavou as mãos na pia enquanto Mercy absorvia a notícia.

— Desculpe por termos mentido. Não queríamos...

— Não se preocupe com isso — disse Mercy. — Considerando o que acabou de acontecer, não estou em posição de julgar.

Sara ajustou a temperatura da água. Sob a luz forte do teto, ela via três marcas vermelhas no lado esquerdo do pescoço de Mercy. Eram recentes, não tinham mais do que algumas horas. Os hematomas ficariam mais pronunciados em alguns dias.

— Vamos colocar a ferida debaixo da água, para o caso de ter algum vidro.

Mercy enfiou a mão debaixo da torneira. Ela nem vacilou, embora a dor devesse ser significativa. Estava acostumada a ser ferida.

Sara aproveitou a oportunidade para estudar as marcas vermelhas no pescoço de Mercy. Ambos os lados mostravam ferimentos. Ela imaginou que, se colocasse as mãos em volta do pescoço da mulher, as linhas combinariam com os dedos. Tinha feito a mesma coisa muitas vezes com pacientes em sua mesa de autópsia. O estrangulamento era uma característica comum nos homicídios relacionados à violência doméstica.

— Olhe — disse Mercy. — Antes de continuar a me ajudar, deveria saber que Dave é meu ex. Ele é o pai de Jon. E é o babaca que disse a Jon que seu marido era chamado de Lata de Lixo milhões de anos atrás. Dave faz umas merdas mesquinhas assim o tempo todo.

Sara ouviu a informação com calma.

— Foi Dave quem estrangulou você?

Mercy fechou lentamente a torneira, sem responder.

— Isso pode explicar sua náusea. Você desmaiou?

Mercy negou com a cabeça.

— Está tendo dificuldades para respirar?

Mercy repetiu o gesto.

— Alguma mudança na visão? Tontura? Problemas para se lembrar das coisas?

— Eu gostaria de não lembrar das coisas.

Sara perguntou:

— Você se importa se eu examinar seu pescoço?

Mercy sentou-se no vaso sanitário. Ela ergueu o queixo em sinal de concordância. A cartilagem estava alinhada. O osso hioide estava intacto. As marcas vermelhas eram proeminentes e estavam inchadas. A pressão nas carótidas combinada com a compressão da traqueia poderia facilmente ter levado à morte dela. A única coisa mais perigosa era uma chave de braço.

Sara imaginou que Mercy estava ciente de quanto estivera perto de morrer e sabia que dar um sermão em uma vítima de violência doméstica nunca impediria um futuro ato de violência doméstica. Tudo o que ela poderia fazer era dizer à mulher que ela não estava sozinha.

— Tudo parece bem. Você vai ficar com hematomas feios. Quero que me procure a qualquer momento se sentir que há alguma coisa errada. Noite ou dia, certo? Não importa o que eu estiver fazendo. Isso poderia ser sério.

Mercy parecia cética.

— Seu marido contou a você a história real sobre Dave?

— Ele me contou.

— Dave deu o apelido a ele.

— Eu sei.

— Provavelmente, há outras merdas que...

— Eu não me importo, de verdade — disse Sara. — Você não é seu ex-marido.

— Não — disse Mercy, olhando para o chão. — Eu sou a trouxa que fica aceitando ele de volta.

Sara deu a ela um momento para se recompor. Ela abriu o kit de sutura e tirou a gaze, a lidocaína e uma pequena seringa. Quando levantou o olhar para Mercy, percebeu que a mulher estava pronta.

— Coloque a mão sobre a pia.

Mais uma vez, Mercy não se contraiu quando Sara derramou iodo na ferida. O corte era profundo. Mercy estava lidando com comida, e o caco de vidro estava no chão. Qualquer uma dessas coisas poderia levar a uma infecção. Apenas para garantir, Sara teria dado a Mercy uma receita para antibióticos, mas precisaria se contentar com um aviso.

— Se você sentir febre, vir alguma marca vermelha ou sentir alguma dor incomum...

— Eu sei — respondeu Mercy. — Há um médico na cidade com quem posso fazer um acompanhamento.

Sara percebeu pelo tom da voz que Mercy não tinha intenção de fazer o acompanhamento. Novamente, poupou a mulher de um sermão. Uma coisa que Sara havia aprendido trabalhando no departamento de emergência do único hospital público em Atlanta era que, se não era possível tratar a doença, você poderia ao menos tratar o ferimento.

— Vamos acabar com isso — falou Mercy.

Ela ficou quieta enquanto Sara colocava toalhas de papel sobre o colo de Mercy. Então posicionou um curativo do kit de primeiros socorros em cima. Sara lavou as mãos novamente. Em seguida, passou o higienizador.

— Ele parece legal — disse Mercy. — Seu marido.

Sara chacoalhou as mãos para secar.

— Ele é.

— Você... — A voz de Mercy parou conforme ela juntava os pensamentos. — Ele faz você se sentir segura?

— Totalmente.

Sara olhou para o rosto de Mercy. A mulher não parecia ser do tipo que mostrava as emoções com facilidade, mas a expressão dela era de tristeza profunda.

— Fico feliz por você. — O tom de Mercy era melancólico. — Acho que nunca me senti segura com ninguém na vida.

Sara não conseguia encontrar uma resposta, mas Mercy não queria uma.

— Você se casou com seu pai?

Sara quase riu da pergunta. Parecia bobagem neofreudiana, mas aquela não era a primeira vez que ouvia isso.

— Eu me lembro de ficar brava na faculdade quando minha tia me disse que as meninas sempre se casam com os pais.

— Ela estava certa?

Sara pensou nisso enquanto vestia as luvas descartáveis. Will e o pai dela eram altos, embora o segundo tivesse perdido a magreza. Ambos eram frugais, se isso significava gastar incontáveis minutos raspando o restinho de manteiga de amendoim do pote. Will não gostava de piadas de tiozão, mas tinha o mesmo senso de humor autodepreciativo do pai dela. Era mais provável que ele mesmo consertasse uma cadeira quebrada ou uma parede do que chamasse um faz--tudo. Ele também era mais propenso a se levantar quando todos os outros permaneciam sentados.

— Estava — admitiu Sara. — Eu me casei com meu pai.

— Eu também.

Sara percebeu que ela não estava pensando nas características boas de Cecil McAlpine, mas não havia como continuar. Mercy ficou quieta, perdida em seus próprios pensamentos enquanto olhava para o polegar machucado. A médica colocou lidocaína na seringa. Se Mercy notou a dor da injeção, não disse nada. Sara imaginou que, se você passasse o dia lidando com hematomas e estrangulamento, uma agulha perfurando sua carne seria apenas um pequeno inconveniente.

Ainda assim, Sara trabalhou rápido para fechar a ferida. Fez quatro suturas, espaçando-as. Mercy já tinha uma cicatriz no rosto que, provavelmente, servia como um lembrete de um momento ruim. Sara não queria que ela olhasse para o polegar e se recordasse de outro.

Sara recitou as precauções de costume enquanto enrolava a gaze.

— Mantenha seco por uma semana. Tylenol para a dor, se necessário. Gostaria de dar uma olhada de novo antes de ir embora.

— Acho que não estarei aqui. Minha mãe acabou de me despedir.

Mercy soltou um riso surpreso.

— Sabe, eu odiei este lugar por tanto tempo, mas agora só consigo amá-lo. Não me imagino morando em nenhum outro. Está na minha alma.

Sara precisou se lembrar de não se meter nos negócios dos outros.

— Sei que parece ruim agora, mas as coisas geralmente ficam melhores pela manhã.

— Duvido que eu dure tanto tempo.

Mercy sorria, mas não havia nada engraçado no que ela tinha dito.

— Não há uma pessoa nesta montanha que não queira me matar neste momento.

7

UMA HORA ANTES DO ASSASSINATO

Sara rolou na cama e encontrou o lado de Will vazio. Ela olhou para a mesinha de cabeceira em busca de um relógio, mas não havia nada lá, a não ser o telefone dele. Os dois tinham ficado muito perturbados com o que havia acontecido no jantar para fazer qualquer coisa mais interessante do que dormir ouvindo um podcast sobre o Pé-Grande nas montanhas ao norte da Geórgia.

— Will?

Ela chamou, mas o chalé estava silencioso o suficiente para perceber que ele não estava lá.

Sara pegou do chão o vestido leve de algodão que tinha usado para o jantar e caminhou até a sala. Ela murmurou um xingamento no escuro ao bater o joelho no sofá. Verificou a varanda pela janela aberta. A rede que balançava levemente estava vazia. A temperatura tinha caído, e havia no ar uma sensação de tempestade se aproximando. Ela virou o pescoço para ver o caminho até o lago. No brilho suave do luar, viu Will no banco que ficava de frente para a cadeia de montanhas. Os braços dele estavam abertos sobre as costas do banco. Ele olhava para o horizonte.

Sara calçou os pés antes de descer cuidadosamente a escada de pedra. Sandálias não eram uma boa ideia tão tarde da noite. Ela poderia pisar em alguma coisa venenosa ou torcer o tornozelo. Ainda assim, não voltou para pegar as botas de caminhada. Sentiu-se atraída por Will. Depois do jantar, ele tinha ficado quieto, reflexivo. Ambos estavam um pouco traumatizados com a cena entre Mercy e a família. Sara lembrou-se novamente de como era sortuda por ter uma família amorosa, próxima. Crescera achando que aquilo era o normal, mas a vida a ensinara que tinha ganhado na loteria.

Will levantou os olhos quando ouviu Sara se aproximando.

— Quer um tempo sozinho? — perguntou ela.

— Não.

Ele passou os braços em torno dela quando ela sentou e recostou-se nele. O corpo de Will parecia sólido e reconfortante. Ela pensou na pergunta de Mercy — *Ele faz você se sentir segura?* Com exceção do pai, Sara nunca tinha tido tanta certeza sobre um homem em sua vida. Incomodava-a Mercy jamais ter sentido aquilo. No que dizia respeito a Sara, aquilo caía na categoria de direitos humanos fundamentais.

— Parece que vai chover — anunciou Will.

— O que vamos fazer com todo esse tempo livre dentro do chalé?

Ele riu, os dedos fazendo cócegas no braço dela. Contudo, o sorriso desapareceu quando ele olhou para a noite.

— Andei pensando muito na minha mãe.

Sara se endireitou, de modo que pudesse olhar para ele. Will manteve o rosto virado, mas ela percebia, pelo jeito como a mandíbula dele estava contraída, que aquilo era difícil para ele.

— Me conte — pediu ela.

Ele respirou fundo, como se estivesse a ponto de mergulhar a cabeça na água.

— Quando eu era criança, imaginava como a minha vida teria sido se ela não tivesse morrido.

Sara pousou a mão sobre um dos ombros dele.

— Eu tinha essa ideia de que teríamos sido felizes. Que a vida teria sido mais fácil. A escola teria sido mais fácil. Amizade. Namoradas. Tudo.

A mandíbula dele se contraiu de novo.

— Mas, agora, olho para trás e… ela sofria com vícios. Tinha seus próprios demônios. Poderia ter sofrido uma overdose ou ido parar na prisão. Teria sido uma mãe solteira com um ex abusivo. Então talvez eu tivesse terminado sob os cuidados do Estado de qualquer modo. Mas, pelo menos, eu a teria conhecido.

Sara sentiu uma tristeza imensa por ele jamais ter tido a oportunidade.

— Foi legal ter Amanda e Faith no casamento — falou Will, referindo-se à chefe e à parceira, que eram a coisa mais próxima que tinha de uma família. — Mesmo assim, fico imaginando.

Sara só podia assentir. Não tinha passado por nada parecido para saber como ele se sentia. Apenas poderia ouvir e deixá-lo ver que estava a seu lado.

— Ela o ama — disse Will. — Mercy e Jon. É óbvio que ela o ama.

— É.

— A porra do Chacal.

— Você nunca descobriu o que aconteceu com ele depois que ele fugiu do orfanato?

— Nada.

Will balançou negativamente a cabeça.

— Está claro que achou o caminho até aqui, conseguiu sobreviver, conseguiu se casar e ter um filho. É isso que não entendo, sabe? Essa vida, ser pai, ter uma mulher e filho, é o que ele sempre quis. Mesmo quando éramos crianças, ele falava como ser parte de uma família resolveria todos os problemas dele. E aqui está o cara, com tudo o que queria, e fodeu com tudo. O jeito como ele trata Mercy é irracional, mas Jon claramente precisa dele. Dave ainda é seu pai.

Sara nunca tinha encontrado o homem, mas não achava que Dave era muita coisa. Ela também não sabia se ele ainda estava na pousada. Sara jamais quebraria o sigilo de um paciente, mas Mercy era vítima de violência doméstica, e Will era policial. O fato de que a mulher estava falando como se a vida dela corresse perigo tinha feito Sara pensar que tinha a obrigação de se abrir. Ela não havia considerado o impacto que essa informação teria em Will. As tendências violentas de Dave estavam fazendo com que ele perdesse o sono.

— A parte que realmente me deixa furioso — disse Will. — O que Dave passou... foi ruim. Pior do que eu passei. Mas o terror, o medo implacável... essas memórias vivem dentro de seu corpo, não importa quanto sua vida mude para melhor. E Dave está se virando e fazendo a mesma coisa para a pessoa que ele deveria amar.

— É difícil romper padrões.

— Mas ele sabe como é. Estar assustado o tempo inteiro. Não saber quando vão te machucar. Você não consegue comer. Não consegue dormir. Apenas anda por aí com uma pedra no estômago o tempo inteiro. E a única coisa boa em ser machucado é que você sabe que tem algumas horas, talvez alguns dias, antes que te machuquem de novo.

Sara sentiu os olhos se encherem de lágrimas.

— Isso incomoda você? — perguntou Will.

Sara não sabia ao certo o que ele queria dizer.

— O que me incomoda?

— Eu não ter família.

— Meu amor, você é minha família.

Sara segurou a cabeça dele e a virou até que seus olhos se encontrassem.

— Vou para onde você for. Fico onde você ficar. Seu pessoal é meu pessoal, e meu pessoal é o seu.

— Você tem muito mais pessoal que eu. — Ele forçou um sorriso desajeitado no rosto. — E alguns deles são realmente esquisitos.

Sara sorriu de volta. Ela tinha visto aquilo. Durante as raras vezes em que ele falava sobre a infância, o mecanismo era sempre utilizar o humor.

— Quem é esquisito?

— Aquela mulher com o chapéu de plumas, por exemplo.

— Tia Clementine — disse Sara. — Ela tem um mandado de prisão pendente por roubar galinhas.

Will riu.

— Fico feliz por você não ter contado para Amanda. Ela teria adorado prender alguém no meu casamento.

Sara tinha visto a emoção no rosto de Amanda quando Will pediu para que ela dançasse com ele. Não teria estragado aquele momento de jeito nenhum.

— Eu disse para você que o segundo marido da tia Bella se suicidou. Atirou na cabeça. Duas vezes.

A falta de jeito havia deixado o sorriso dele.

— Não consigo decidir se está brincando sobre isso.

Sara olhou diretamente para ele. A lua destacava as pintas cinza no azul.

— Eu tenho uma confissão — disse ela.

Ele sorriu.

— O quê?

— Eu realmente quero uma transa quente no lago com você.

Ele ficou de pé.

— O lago fica para esse lado.

Eles deram as mãos enquanto seguiam pelo caminho, parando para se beijar. Sara encostou-se no ombro de Will, acompanhando o ritmo dele. O silêncio absoluto na montanha a fez sentir como se fossem as únicas duas pessoas na Terra. Quando pensava em sua lua de mel, Sara tinha imaginado isso. A lua cheia brilhando no céu. O ar fresco. A sensação segura de Will ao lado dela. A gloriosa perspectiva de tempo ininterrupto e sem pressa para estarem um com o outro.

Ela ouviu o lago antes de chegarem, a batida suave da água contra a margem rochosa. De perto, havia algo de tirar o fôlego nos Baixios. A água tinha um tom azul quase neon. As árvores pendiam na curva como uma parede protetora. Sara viu um deque flutuante a vários metros de distância. Havia um trampolim e uma plataforma para banhos de sol. Ela crescera em um lago e ficava feliz por estar perto da água. Tirou as sandálias e o vestido.

— Ah — disse Will. — Sem roupa de baixo?

— Difícil ter uma transa quente no lago se não estiver nua.

Will olhou em volta. Ele claramente não apreciava a ideia de nudez pública.

— Parece uma má ideia pular, no meio da noite, em alguma coisa que não se pode ver quando ninguém sabe onde você está.

— Vamos viver perigosamente.

— Talvez devêssemos...

Sara o prendeu entre as pernas e o beijou profundamente. Então entrou na água. Ela suprimiu um tremor com a queda súbita de temperatura. Ainda que estivessem no meio do verão, o degelo nos Montes Apalaches tinha acontecido mais tarde. Havia algo revigorante no frio conforme ela nadava na direção do deque flutuante.

Ela virou de costas para checar Will.

— Vai entrar? — perguntou.

Will não respondeu, mas tirou as meias. Então ele começou a desabotoar a calça.

— Opa — disse ela. — Um pouco mais devagar, por favor.

Will fez um teatro ao abaixar a calça. Moveu a cintura enquanto desabotoava a camisa. Sara deu um grito de encorajamento. A água estava fria, mesmo sendo verão. Ela adorava o corpo dele. Os músculos pareciam ter sido esculpidos em uma placa de mármore. As pernas eram mais sexy do que qualquer homem tinha o direito de ter. Antes que ela pudesse olhá-lo de fato, Will fez a mesma coisa que ela, entrando direto na água. Sara percebeu pelos dentes cerrados que a temperatura o tinha surpreendido. Ela teria que trabalhar para aquecê-lo. Puxou-o para perto, apoiando as mãos nos ombros fortes dele.

Ele disse:

— Ei.

— Ei.

Ela arrumou o cabelo dele para trás.

— Já esteve num lago antes?

— Não por vontade própria — admitiu. — Tem certeza de que a água é segura?

— As cabeças-de-cobre normalmente são mais ativas ao amanhecer. E estamos muito ao norte para a boca-de-algodão. Ela podia ver os olhos dele se arregalarem em alarme. Ele tinha crescido em Atlanta, onde as maiores serpentes estavam sob o domo do capitólio.

— Tenho uma confissão — disse ela. — Contei para Mercy que mentimos para ela.

— Imaginei. Ela vai ficar bem?

— Provavelmente. Jon parece ser um bom menino.

Sara ainda se preocupava que o polegar de Mercy fosse infectar, mas não havia nada que pudesse fazer a respeito daquilo.

— É difícil ser adolescente.

— Há algo a ser dito sobre crescer num orfanato.

Ela pressionou o dedo sobre os lábios dele, o que Will imaginou ser o jeito dela de dizer "não é engraçado".

— Olhe para cima.

Will olhou. Sara olhou para Will. Os músculos no pescoço dele se destacaram. Ela viu a incisura supraesternal dele. O que a levou de volta ao jantar. O que infelizmente a levou de volta para Mercy.

— Em lugares assim, você raspa um pouco a superfície e todo tipo de coisa ruim vem à tona — disse Sara.

Will lançou um olhar cuidadoso para ela.

— Sei o que vai dizer — falou Sara. — "É por isso que mentimos."

Will levantou uma sobrancelha, mas a poupou do "eu-te-falei".

— Ei — disse ela, porque tinham passado tempo suficiente da noite deles falando sobre os McAlpine. — Tenho outra confissão.

Ele começou a sorrir de novo.

— Qual seria?

— Não consigo ficar longe de você.

Sara beijou-o até o lado do pescoço dele e subiu mordiscando. Roçou os dentes na pele dele. A temperatura da água deixou de ser um problema. Will a tocou entre as pernas. A sensação do toque dele a fez gemer. Ela se abaixou para retribuir o favor.

Então um grito alto e agudo rasgou o ar da noite.

— Will...

Sara o apertou por instinto.

— O que foi isso?

Ele a pegou pela mão, examinando a área enquanto seguiam para a margem.

Nenhum dos dois falou. Will entregou o vestido para Sara. Ela o virou, procurando a barra. Ainda ouvia o grito ecoar em sua cabeça, tentando descobrir de onde ele tinha vindo. Mercy parecia ser a fonte mais provável, mas ela não tinha sido a única pessoa infeliz naquela noite.

Sara pensou nos demais, começando pelos donos de bufê.

— O casal que estava brigando no jantar. A dentista que estava bêbada. O cara de TI estava...

— E o cara sozinho?

Will puxou a calça para cima.

— Aquele que ficou alfinetando Mercy?
— Chuck.

Sara tinha observado o homem repulsivo olhando para Mercy durante o jantar. Ele parecia se deleitar com o desconforto dela.

— O advogado era detestável. Como ele entrou no wi-fi?
— A mulher dele obcecada por cavalos irritou todo mundo.

Will enfiou os pés nus nas botas.

— Os caras mentirosos do aplicativo estão aprontando alguma.

Sara tinha contado a ele a mudança esquisita de nome entre Landry e Paul.

— E o Chacal?

O rosto de Will ficou duro como pedra.

Sara colocou as sandálias.

— Querido? Você está...
— Pronta?

Will não deu a ela a chance de responder, tomando a dianteira no caminho. Passaram pelo chalé e viraram à esquerda para a Trilha Circular. Ela podia sentir que ele fazia esforço para seguir o ritmo dela. Sara normalmente teria começado a correr, mas suas sandálias tornavam isso impossível.

Ele, por fim, parou, virando-se para ela.

— Tudo bem se...
— Vai. Eu alcanço você.

Sara observou enquanto ele corria para dentro da floresta densa. Ele estava cortando a Trilha Circular, fazendo uma linha reta na direção da casa principal, o que fazia sentido porque era de lá que vinha a única luz.

Sara se virou para o lago. Pelo mapa, havia três seções, uma maior que a outra, como um bolo de casamento. Ela poderia jurar que o grito tinha vindo da camada inferior, na extremidade oposta aos Baixios. Ou talvez não tivesse sido um grito. Talvez uma coruja tivesse caçado um coelho do chão da floresta. Ou um leão da montanha tivesse enfrentado um guaxinim.

— Pare! — censurou-se.

Aquilo era loucura. Eles saíram sem um plano. Não era como se Sara pudesse acordar as pessoas porque poderia ter ouvido um grito. Já tinha tido bastante drama na pousada naquela noite. O problema era Will e Sara. Nenhum deles conseguia se desligar do trabalho. Não havia nada que ela pudesse fazer a não ser seguir até a casa principal. Ela iria sentar na escada da varanda e esperar que Will se juntasse a ela. Talvez um dos gatos fofinhos lhe fizesse companhia.

Sara ficou grata pela iluminação baixa ao longo da trilha enquanto subia para a casa. Ela não sabia dizer se a caminhada parecia mais longa ou mais curta dessa vez.

Não havia pontos de referência para ver. Ela não tinha relógio. O tempo parecia ter parado. Sara ouviu os sons da floresta. Os grilos cantavam, criaturas corriam. Uma brisa farfalhava seu vestido. A promessa de chuva estava pesada no ar. A médica acelerou o passo.

Mais alguns minutos se passaram antes que ela visse a luz da varanda brilhando na casa principal. Estava a cerca de 45 metros de distância quando notou uma figura descendo a escada. A lua estava atrás de algumas nuvens. A escuridão duelou com a lâmpada fraca, criando uma forma monstruosa. Sara se repreendeu por sentir medo. Precisava parar de ouvir podcasts sobre o Pé-Grande antes de dormir. A forma era a de um homem carregando uma mochila.

Ela estava prestes a gritar quando ele tropeçou no complexo, caiu de joelhos e começou a vomitar.

O cheiro azedo de álcool flutuava no ar. Por uma fração de segundo, Sara considerou se virar, encontrar Will e continuar com sua noite, mas não conseguiu olhar para o outro lado. Principalmente porque suspeitava que a figura monstruosa era na verdade um adolescente problemático.

Ela tentou:

— Jon?

— O quê? — Ele tropeçou, segurando a mochila enquanto tentava ficar de pé. — Vá embora.

— Você está bem?

Sara mal podia enxergar, mas ele claramente não estava bem. O jovem oscilava para a frente e para trás, como um boneco de posto.

— Por que não nos sentamos na varanda?

— Não. — Ele deu um passo para trás. Depois outro. — Cai fora.

— Eu vou — disse. — Mas vamos encontrar sua mãe antes. Tenho certeza de que ela quer…

— Socorro!

Sara sentiu o coração congelar dentro do peito. Ela se virou para a direção de onde vinha o som. Não havia dúvida de que era da parte de trás do lago.

— Por favor!

A porta da frente tinha se fechado em um estrondo quando ela se virou de novo na direção de Jon. Sara não tinha tempo para um menino bêbado. Estava mais preocupada com Will, e sabia que ele iria diretamente na direção da mulher que gritava.

Sara não teve escolha a não ser tirar as sandálias. Levantou a bainha do vestido e começou a correr pelo complexo. Seu cérebro tentava furiosamente descobrir o melhor caminho. Nos coquetéis, Cecil tinha mencionado que a

Trilha da Viúva Perdida levava até a parte de trás do lago. Sara se lembrava de tê-la visto marcada no mapa. Correu ao redor da Trilha Circular, contornando o caminho que levava ao salão de jantar. Ela não conseguiu encontrar marcação alguma para a Trilha da Viúva Perdida. Tudo o que podia fazer era entrar na floresta.

Agulhas de pinheiro se cravavam na sola dos pés descalços de Sara. Roseiras-bravas enroscavam em seu vestido. Sara bloqueava o pior do dano com os braços. Aquilo não era uma corrida de velocidade. Ela precisava se controlar. A julgar pelo mapa, a parte de trás do lago ficava bem distante do complexo. Ela diminuiu a velocidade enquanto considerava todas as coisas que deveria ter feito primeiro. Localizar um kit de primeiros socorros. Colocar as botas de caminhada. Alertar a família, pois Jon estava bêbado, era jovem e, provavelmente, tinha desmaiado no quarto.

Pobre Mercy. A família dela não viria correndo. Tinham sido tão horríveis com ela no jantar. A maneira como a mãe a tratara. O olhar de nojo no rosto do pai. O silêncio patético do irmão. Sara deveria ter conversado mais com Mercy. Deveria ter pressionado a mulher sobre seu medo de não conseguir sobreviver até o dia seguinte.

— Sara, chame o Jon! Rápido! — A voz de Will era como uma mão apertando o peito dela.

Ela tropeçou e parou. Sara nunca o ouvira soar tão descontrolado. Ela se virou na direção de onde a voz tinha vindo. Não havia como saber quanto tempo havia se passado desde que falara com Jon do lado de fora da casa. Ela sabia que Will estava perto. Também sabia que correr de volta para o complexo sem pensar não era o que Jon precisava.

Algo muito ruim tinha acontecido com Mercy. Will não estava pensando direito. Mercy não gostaria que o filho a visse em perigo. Se Dave tivesse chegado até ela, se ele realmente a tivesse machucado, então Sara não deixaria Jon ter essa lembrança gravada em seu cérebro.

— Sara! — berrou Will de novo.

O som do desespero dele a fez correr outra vez, agora com propósito. Ela correu o máximo que podia, os braços apertados contra o corpo. Quanto mais chegava perto, mais o ar engrossava com fumaça. O terreno desceu vertiginosamente. Sara começou a deslizar de forma controlada. Perdeu o equilíbrio no último minuto, quase caindo no resto do caminho. Ficou sem fôlego, mas finalmente avistou uma clareira. Ela se levantou e começou a correr novamente. Viu o luar traçando o contorno de um cavalete, delineando as ferramentas espalhadas pelo chão, um gerador, uma serra de mesa e... o lago.

A fumaça escurecia o espaço à frente dela. Sara correu agachada pelo terreno curvo e rochoso. Eram três chalés rústicos. O último queimava tanto que ela conseguia sentir o calor na pele. A fumaça se enrolava como uma bandeira enquanto o vento diminuía. Sara deu mais um passo à frente. O chão estava molhado. Sentiu o cheiro do sangue antes de perceber onde estava. O cheiro familiar de moeda de cobre com o qual tinha convivido durante a maior parte da vida adulta.

— Por favor — disse Will.

Sara se virou. Uma trilha de sangue seguia até o lago. Will estava de joelhos sobre um corpo na água. Sara reconheceu Mercy pelos sapatos cor de lavanda.

— Mercy. — Will soluçou. — Não o deixe. Não pode deixá-lo.

Sara andou na direção do marido. Nunca o vira chorar daquele jeito. Ele estava mais que aflito. Estava devastado.

Ela se ajoelhou do outro lado do corpo. Pousou gentilmente os dedos no pulso de Mercy. Não havia pulso. A pele estava quase gelada por causa da água. Sara olhou para o rosto de Mercy. A cicatriz nada mais era do que uma linha branca. Os olhos da mulher encaravam sem vida a coleção de estrelas. Will tentou cobri-la com a camisa, mas não havia como esconder a violência. Mercy havia sido atingida por múltiplas facadas, algumas delas tão profundas que provavelmente quebraram ossos. O volume de sangue era tão grande que o vestido de Sara absorvia o vermelho da água.

Ela precisou limpar a garganta antes de conseguir falar:

— Will?

Ele não parecia perceber que Sara estava ali.

— Mercy, por favor, não.

Ele entrelaçou os dedos e colocou as palmas sobre o peito de Mercy. Sara não teve coragem de pará-lo. Havia tentado reanimar tantos pacientes em sua carreira. Sabia como era a morte. Sabia quando um paciente já tinha partido. Também sabia que precisava deixar Will tentar.

Ele se inclinou sobre Mercy. Colocou todo o peso sobre o peito dela.

Ela observou as mãos dele bombeando o coração.

Aconteceu tão rápido que, inicialmente, Sara não entendeu o que estava vendo. Então percebeu que um pedaço de metal afiado tinha penetrado a mão de Will.

— Pare! — gritou ela, pegando as mãos dele e imobilizando-as sobre o corpo de Mercy. — Não se mexa. Vai cortar os nervos.

Will levantou o olhar até Sara, a expressão em seu rosto era a mesma que teria diante de um estranho.

— Will.

Sara apertou com mais força.

— A faca está dentro do peito dela. Não pode mexer a mão, tá?

— Jon está... ele está vindo?

— Ele voltou para a casa. Está bem.

— Mercy queria que eu dissesse a ele que... que ela ainda o ama. Que ela o perdoa pela briga.

Will tremia de dor.

— Ela disse que queria que ele soubesse que está tudo bem.

— Pode dizer tudo isso para ele.

Sara queria enxugar as lágrimas, mas tinha medo de que ele fosse arrancar a faca se ela o soltasse.

— Precisamos ajudar você primeiro, tá? Há nervos importantes nessa parte da sua mão. Eles ajudam você a segurar objetos. Uma bola de basquete. Uma arma. Ou eu.

Lentamente, ele voltou a si. Analisou a longa lâmina que havia empalado sua mão na parte entre o polegar e o indicador, mas não entrou em pânico.

— Me diga o que fazer.

Sara soltou uma expiração rasa de alívio.

— Vou tirar minhas mãos, então posso fazer uma avaliação, tá?

Ela viu Will engolir em seco e assentir.

Sara soltou-o gentilmente. Estudou o ferimento. Estava grata pelo luar, mas não era suficiente. Sombras cruzavam a cena — da fumaça que passava, das árvores, de Will, da faca. Sara apertou a ponta da lâmina entre o polegar e o indicador. Testou para ver a firmeza com que estava presa no corpo de Mercy. A resistência firme mostrou que o objeto, de alguma forma, havia ficado preso entre as vértebras ou no esterno. Não havia como retirá-lo, exceto pela força.

Em qualquer outra situação, Sara teria estabilizado a mão de Will na lâmina para que um cirurgião pudesse removê-la de maneira controlada. Não tinham esse luxo. Mercy estava parcialmente submersa na água. A pressão de Will era a única coisa que impedia o corpo dela de se mover com a corrente. Estavam Deus sabe a que distância de um hospital, quanto mais de um paramédico. Mesmo com toda a ajuda do mundo, seria imprudente tentar levar o corpo de Mercy e Will para fora da floresta com a mão presa ao peito dela. Sem falar no risco de ter uma pessoa viva presa a um cadáver. As bactérias da decomposição podem causar uma infecção potencialmente fatal.

Ela precisaria resolver aquilo ali mesmo.

Will estava do lado esquerdo de Mercy. A faca, espetada no lado direito do peito, caso contrário, estaria no coração dela, o que teria impedido a tentativa de reanimação cardiorrespiratória. Os dedos de Will ainda estavam entrelaçados, mas o dano se limitava à mão direita. Cerca de sete centímetros da lâmina serrilhada estavam aparecendo. Ela estimou que tinha 1,2 centímetro de largura e era afiada. O assassino, provavelmente, retirara-a da cozinha da família ou do salão de refeições. Sua esperança era de que a maioria das estruturas importantes nas mãos de Will tivesse sido poupada — não havia muita coisa no espaço membranoso tenar —, mas Sara não iria correr risco.

Ela citou a anatomia tanto para o bem dela quanto para o de Will:

— Os músculos tenares são inervados pelo nervo mediano, aqui. O nervo radial gera sensações nas costas da mão, do polegar ao dedo médio, aqui e aqui. Preciso ter certeza de que estão intactos.

— Certo. — A expressão dele se tornou estoica. Ele queria acabar com aquilo. — Como você verifica isso?

— Vou tocar seus dedos do lado de fora, e você precisa me dizer se a sensação é normal ou se alguma coisa parece esquisita.

Ela podia ver a preocupação no rosto de Will enquanto ele assentia com a cabeça.

Sara passou de leve o dedo pelo contorno do polegar dele. Então, fez a mesma coisa com o indicador. Will não deu retorno algum. O silêncio dele era enlouquecedor.

— Will?

— Está normal, acho.

Sara sentiu parte de sua ansiedade baixar.

— Não consigo tirar a lâmina do corpo. Vou tirar sua mão da lâmina, mas preciso que relaxe os músculos do braço, mantenha os cotovelos soltos e me deixe fazer todo o trabalho. Não tente me ajudar, certo?

Ele assentiu.

— Certo.

Sara segurou firme o polegar dele enquanto passava os dedos por baixo da palma. Começou a levantar a mão o mais lentamente que conseguia.

Will respirou fundo.

Sara continuou até que tivesse tirado a mão.

Will expirou longamente. Embora estivesse livre, manteve a mão na mesma posição, os dedos abertos, pairando no ar sobre o corpo. Ele olhou para a palma. O choque havia passado. Ele sentia tudo naquele instante, percebia o que havia acontecido. Moveu o polegar. Flexionou os dedos. Sangue pingava da ferida, mas era mais um gotejamento do que um jato, o que indicava que as artérias estavam intactas.

— Graças a Deus — disse Sara. — A gente devia ir ao hospital para darem uma olhada nisso. Pode haver danos que não estamos vendo. Você tomou sua vacina antitetânica, mas a ferida precisa ser bem limpa. Podemos encontrar alguém para nos levar até a estrada de acesso e dirigir de volta até Atlanta.

— Não — disse Will. — Não tenho tempo para isso. Mercy acabou de ser esfaqueada. Ela foi destroçada. Quem fez isso estava frenético, fora de controle. O único jeito de odiar alguém tanto assim é se o conhece.

— Will, você precisa ir para o hospital.

— Preciso encontrar Dave.

8

Will seguiu Sara até o salão de jantar. As luzes estavam apagadas, mas alguém havia deixado a música tocando. Ele estendeu o braço para impedi-la de ir na direção da cozinha. Dave poderia estar escondido. Poderia ter outra faca.

Ele entrou primeiro. Esperava que Dave tivesse outra faca. Will poderia dominar o babaca assassino com uma mão. Tinha passado quase dez anos segurando-se no orfanato, mas eles não eram mais crianças. Abriu a porta da cozinha com um chute e acendeu as luzes do teto. Podia ver claramente até o banheiro do fundo e o escritório adiante.

Vazios.

Ele examinou as facas penduradas na parede e enfiadas no suporte.

— Não parece estar faltando nenhuma.

Sara não parecia se preocupar em identificar a arma do crime. Ela foi na direção do banheiro.

— Tem um telefone no escritório? — perguntou Will.

— Não.

Ela pegou o kit de primeiros socorros da parede.

— Lave as duas mãos na pia. Você está coberto de sangue.

Will olhou para baixo. Tinha se esquecido de que usara a camisa para cobrir Mercy. O peito nu estava completamente vermelho. Água vermelha do lago tinha manchado sua calça cargo azul-marinho, deixando manchas mais escuras, como um dálmata. Ele abriu a torneira da cozinha, dizendo:

— Precisamos ligar para a polícia local, formar um grupo de buscas. Se Dave está a pé, pode estar no meio do caminho, descendo a montanha agora. Estamos perdendo tempo.

— Não vamos fazer nada até estancar o sangramento.

Sara abriu o kit de primeiros socorros sobre o balcão da cozinha. Ela jogou uma porção generosa de detergente nas mãos, então esfregou até os antebraços para limpá-los.

— Me diga por que está tão certo de que Dave matou Mercy?

Will não esperava a pergunta, pois parecia óbvio que Dave era culpado.

— Você me disse que ele já tinha tentado estrangular Mercy uma vez hoje.

— Mas ele não estava lá no jantar. Não o vimos em lugar algum na mata ou nas trilhas. — Sara pegou um pano de prato e começou a limpar o sangue na barriga dele. — Há menos de duas horas, as palavras exatas de Mercy foram: "Não há uma pessoa nesta montanha que não queira me matar neste momento".

— Você me disse que ela tentou fingir que estava brincando.

— E aí ela foi assassinada — disse Sara. — Está se concentrando em Dave pelos motivos óbvios, mas poderia ter sido outra pessoa.

— Como quem?

— Que tal o cara que se apresentou como Landry, mas foi chamado pelo parceiro de Paul?

— O que isso tem a ver com Mercy?

Em vez de responder, ela avisou a ele:

— Isso vai doer.

Will contraiu a mandíbula enquanto ela derramava desinfetante na ferida aberta.

— A dor vai ficar pior antes de ficar melhor — avisou ela. — E Chuck? Mercy claramente não queria nada com ele. Mesmo depois que ela disse para cair fora, ele continuou olhando para ela como um predador.

Will estava a ponto de responder quando ela colocou um pouco de gaze entre o polegar e o indicador dele. A sensação era a de que ela punha um fósforo aceso na ferida.

— Jesus, o que é isso?

— Um curativo hemostático — respondeu. — Causa queimaduras cutâneas, mas vai parar o sangramento. Preciso que mantenha a pressão por alguns minutos. Você tem, talvez, 24 horas antes de precisar tirar. Ou pode ir ao hospital e deixar que cuidem da ferida do jeito certo.

Will percebeu pelo tom sucinto dela qual escolha ela queria que ele fizesse.

— Sara, sabe que não posso me afastar disso.

— Eu sei.

Ela manteve pressão firme no curativo. Nenhum deles falou, mas cada um tinha seus próprios pensamentos. Ela repassava todos os modos como a mão dele poderia infectar, os nervos se danificarem ou qualquer outra questão médica que poderia existir. Ele pensava em Dave com uma intensidade singular que afastou sua mente por um instante do fato de que a mão parecia explodir por dentro.

— Só mais um minuto.

Sara acompanhava o segundo ponteiro do relógio da parede se mover.

Will a observou para passar o tempo. Estava tão suada e desgrenhada quanto ele. Ele tirou um graveto do cabelo dela. Ela estava descalça. O sangue de Mercy na água havia transformado o vestido de algodão cinza-esverdeado dela em uma versão tie-dye que o lembrava da roupa que a tia de Mercy usara no jantar.

Pensar na tia o fez se lembrar do resto da família de Mercy. Will se concentrara tanto em rastrear Dave que não havia considerado o que precisava acontecer primeiro. Naquele momento, ele não tinha autoridade na investigação. Na melhor das hipóteses, era uma testemunha e, na pior, apenas um substituto até que o delegado local chegasse.

Podia demorar um pouco para o homem chegar à pousada. Will teria que fazer a notificação da morte, e Jon precisaria ser informado de que a mãe havia sido assassinada. O menino, provavelmente, iria querer ver o corpo dela. Mercy não poderia ficar flutuando na água. Will e Sara haviam conseguido carregá-la para o segundo chalé. Tinham bloqueado a porta com um pouco da madeira espalhada pelo canteiro de obras para que nenhum animal pudesse chegar até ela. A chuva que se aproximava significava que a cena do crime seria destruída de qualquer maneira.

— A deficiência de Cecil presumidamente o tira da lista. — Sara ainda estava repassando os suspeitos alternativos. — Jon estava comigo.

— Por que Jon estava com você?

— Ele ainda estava bêbado. Acho que estava tentando fugir. — Sara manteve o curativo na mão dele enquanto abria um pacote de gaze. — Havia uma tensão óbvia entre Mercy e o irmão. E a mãe. Deus, eles foram todos tão horríveis com ela no jantar...

Will sabia que ela estava tentando ajudar, mas aquele não era um caso complicado.

— O chalé foi incendiado, provavelmente para encobrir a cena do crime. A calça jeans dela foi abaixada, provavelmente porque foi atacada. Ela foi arrastada para a água, provavelmente para que se afogasse. Pontos a mais por lavar o DNA. O ataque foi frenético. O assassino estava raivoso, descontrolado, violento. Às vezes, o óbvio é óbvio por um motivo.

— E, às vezes, um investigador pode desenvolver uma visão de túnel no começo de um caso que acaba por levá-lo na direção errada.

— Sei que não está questionando as minhas habilidades.

— Estou sempre do seu lado — disse Sara. — Só oferecendo uma verificação da situação. Você, com razão, odeia Dave.

— Me diga como ele não é o suspeito principal.

Sara não tinha uma resposta.

— Olhe para nós. Olhe para nossas roupas. Quem matou Mercy estaria coberto de sangue.

— É por isso que o relógio está correndo — disse Will. — A cena do crime é praticamente inútil. Temos a lâmina dentro do peito de Mercy, mas não sabemos onde está o cabo. Não quero dar a Dave um segundo a mais para destruir provas, mas vou precisar esperar o delegado chegar aqui. Ele vai organizar uma busca e começar uma investigação formal. De qualquer jeito, não sei ao certo como eu sairia deste lugar. Não tenho nenhuma justificativa legal para confiscar um veículo.

Ela começou a enfaixar a mão dele com uma atadura de compressão.

— Precisamos encontrar um telefone. Ou a senha do wi-fi.

— Precisamos de mais que isso. Eu tenho um SOS de emergência no meu telefone. Tudo o que preciso fazer é encontrar sinal. Ele usa satélites para enviar uma mensagem de texto e o local para serviços de emergência e contatos específicos.

— Amanda.

— Ela seria capaz de conseguir abrir uma investigação — disse Will.

O Departamento de Investigação da Geórgia não tinha permissão para assumir um caso fora de sua jurisdição. Precisava receber o pedido das autoridades locais ou uma ordem do governador.

— Estamos no Condado de Dillon. É provável que o delegado tenha lidado com apenas um assassinato em toda a carreira. Precisamos de especialistas em incêndio criminoso, investigação forense, uma autópsia completa. Se a busca se estender até amanhã, vamos precisar coordenar com os serviços federais para o caso de Dave ter atravessado fronteiras. O delegado não vai ter orçamento para isso e vai ficar grato quando Amanda aparecer.

— Vou pegar seu telefone no chalé e mandar a mensagem. — Sara finalizou o curativo. — Vá tocar o sino na casa principal. Isso vai fazer todos saírem.

— A não ser que não seja Dave — ponderou Will. — Então vamos saber bem rápido se alguém mais está envolvido. Eles estarão cobertos de sangue ou não vão aparecer. Ou vão estar com o cabo quebrado da faca escondido em algum lugar. Vamos ter que fazer buscas em todos os chalés e na casa principal.

— Você tem permissão para fazer isso?

— Circunstâncias extremas. O assassino escapou da cena e pode haver outras vítimas. Está pronta?

— Espere um segundo.

Sara foi ao banheiro e trouxe um paletó branco que devia pertencer ao chef.

— Vista isso por enquanto. Vou trazer alguma coisa do chalé para você se trocar.

Ela o ajudou a colocar o paletó. Estava tão apertado nos ombros que Sara teve dificuldade com os botões. A peça ficou aberta na parte de baixo, mas não havia nada que pudesse ser feito a respeito disso. Ela se ajoelhou e amarrou o cadarço das botas dele. Will se lembrou de que ela ainda estava descalça. Tirou as meias do bolso e as ofereceu a ela.

— Obrigada. — Os olhos de Sara se fixaram nos dele enquanto ela as vestia. — Prometa que vai ter cuidado.

Will não estava preocupado consigo mesmo. E, de repente, percebeu que estava mandando a esposa para o chalé deles, o mais longe do complexo principal, sozinha, de noite, com um assassino à solta.

— Talvez eu devesse ir com você.

— Não. Vá fazer seu trabalho.

Ela pressionou os lábios no rosto dele por um segundo a mais que de costume.

— A família não vai querer que Mercy fique sozinha a noite toda. Diga a eles que fico com o corpo até que ela possa ser removida.

Will acariciou o rosto de Sara com a mão. A compaixão dela era um dos muitos motivos pelos quais ele a amava.

— Vamos — convocou ele.

Os dois se separaram quando a Trilha do Rango chegou à Trilha Circular. As nuvens tinham mudado com a chuva que chegava, obscurecendo a lua cheia. Will teve a impressão de que todos os seus sentidos estavam em alerta. Estava tão escuro que Dave poderia estar a três metros dele e não teria ideia. Ele pegou ritmo, correndo na direção da casa, ignorando a torção no tornozelo. A dor ardente na mão foi para o fim da lista de coisas com as quais precisava se preocupar.

Sara estava certa ao considerar outros possíveis suspeitos, mas não pelo motivo que havia declarado. Um dia, Will seria chamado para testemunhar sobre aquela noite diante de um júri. Ele se certificaria de que poderia relatar de forma honesta que havia considerado outros suspeitos. Não haveria, naquela investigação, erros que um advogado de defesa pudesse usar para desmontar uma condenação. Will devia isso a Mercy.

Ele devia isso especialmente a Jon.

O poste de madeira com o sino antigo no topo ficava a poucos metros da casa principal. Will teve a impressão de que uma vida inteira se passara desde que estivera na escada da varanda comendo brownies e batatas fritas. O dia passou diante de seus olhos, mas em vez das coisas que pensou que se lembraria de sua lua de mel — o sorriso de Sara, a caminhada até a pousada, segurá-la nos braços enquanto ela adormecia na banheira —, ele se recordava de todos os pontos de tensão manifestados por Mercy McAlpine no dia em que foi brutalmente assassinada.

Dave a tinha estrangulado. Chuck a tinha enraivecido. Keisha a deixara irritada sobre os copos de água. Jon a humilhara na frente de um monte de gente. Cecil tinha sido cruel. Pitica fora fria. Christopher havia sido covarde. Aquela mulher louca por cavalos tinha claramente irritado Mercy quando pedira um passeio pelos pastos. O chef tinha ficado dentro da cozinha quando Jon fizera um escândalo. Talvez os caras mentirosos do aplicativo estivessem escondendo alguma coisa de Mercy. Talvez a dentista, o cara de TI ou a atendente do bar...

Will não tinha tempo para talvez. Ele esticou o braço até a corda e a puxou. O som que o sino fez era mais como um clangor do que um badalo. Ele puxou a corda outras vezes. O barulho era obsceno no silêncio, mas o que havia acontecido com Mercy no lago era a definição de depravado.

Ele estava pegando a corda novamente quando luzes começaram a se acender. Primeiro dentro da casa principal. A cortina tremeu em uma das janelas do último andar. Will viu Pitica vestida com seu roupão, olhando para baixo com uma careta. Outra luz do segundo andar se acendeu, dessa vez no canto mais afastado. Houve um barulho de estalo quando os holofotes se acenderam ao redor do perímetro do complexo. Will não tinha notado as luminárias nas árvores durante o dia, mas estava grato por elas, porque conseguia ver o desenho de toda a área.

As janelas de dois dos chalés brilhavam como se todas as lâmpadas estivessem acesas. Ele viu Gordon sair para a varanda. O homem usava uma cueca preta e nada mais. Landry/Paul não apareceu. A dois chalés de distância, Chuck descia as escadas aos tropeços, vestindo um roupão amarelo com estampa de patinhos de borracha. Ele apertou o tecido atoalhado, mas não antes de Will notar que estava nu por baixo.

As luzes surgiram em outro chalé. Will esperou ver Keisha e Drew, mas Frank abriu a porta de camiseta branca e cueca samba-canção. Ele ajustou os óculos e pareceu pasmo ao ver Will.

— Está tudo bem? — perguntou Frank.

Will estava a ponto de responder quando ouviu a porta da casa principal ranger ao abrir.

— Quem está aí fora?

A cadeira de Cecil McAlpine apareceu na varanda. Ele estava sem camisa. Cicatrizes profundas cruzavam seu peito. Eram cortes retos, como se ele tivesse deitado em pedaços de metal afiado.

— Pitica, quem tocou o sino?

— Não tenho ideia.

Pitica estava atrás do marido, o rosto torcido de ansiedade enquanto amarrava o cinto do robe vermelho-escuro.

— Que inferno está acontecendo? — perguntou a Will.

O agente levantou a voz:

— Preciso de todos aqui fora.

— Por quê? — questionou Cecil. — Quem é você para nos dizer o que fazer?

— Sou agente especial do Departamento de Investigação da Geórgia — anunciou Will. — Preciso de todos aqui fora, agora.

— Agente especial, é? — Gordon olhou de volta para o chalé antes de descer casualmente as escadas.

Landry ainda não havia aparecido.

— Desculpe.

Frank ficou na varanda.

— Monica está passando mal. Ela bebeu demais...

— Traga ela para fora.

Will começou a andar na direção do chalé de Gordon.

— Onde está Paul? — perguntou?

— No chuveiro. — Gordon não o corrigiu a respeito do nome. — O que você...

Will abriu a porta. O chalé era menor que o dele e de Sara, mas tinha quase o mesmo desenho. Will ouviu o chuveiro desligar.

— Paul? — chamou ele.

Uma voz respondeu:

— Sim?

Will tomou aquilo como a confirmação que precisava de que os dois homens tinham mentido sobre o nome de Paul. Ele entrou no banheiro. Paul estava pegando uma toalha. Ele olhou para Will e então olhou de novo, provavelmente por causa do paletó do chef. A boca dele formou um sorrisinho.

— Ficou entediado com sua esposa convencional?

Will analisou o relógio. Era 1h06. Não era o horário habitual para um banho. Ele viu as roupas de Paul empilhadas no chão. Usou o bico da bota para espalhá-las. Sem sangue. Sem cabo quebrado de faca.

— Há algum motivo para você estar no meu banheiro parecendo que acabou de sair de um show da Taylor Swift?

Paul estava secando o cabelo com a toalha. Will podia ver a tatuagem no peito dele, um desenho florido em torno de uma inscrição em letra cursiva. Paul percebeu que Will tinha notado e colocou a toalha sobre o ombro, cobrindo a inscrição.

— Geralmente não me interesso pelo tipo forte e quieto, mas poderia abrir uma exceção.

— Vista-se e venha para fora.

A sensação ruim que Will tinha sobre Paul só piorou. Ele olhou em torno do quarto, depois pela sala, quando estava saindo. Nada de roupas ensanguentadas. Nada de cabo de faca.

Mais pessoas haviam se reunido enquanto ele estava dentro do chalé. Durante a caminhada pelo complexo, viu a cadeira de Cecil no topo da escadaria principal. Christopher estava de pé ao lado de Chuck, também usando um robe amarelo estampado, esse com peixes. Todos o seguiam com os olhos, observando as manchas escuras na calça cargo, o paletó apertado do chef.

Ninguém fez perguntas. O único som veio de Frank, que fazia um ruído de desaprovação enquanto ajudava Monica a sentar no degrau de baixo. Ela usava o que parecia uma camisola de seda preta, e estava tão bêbada que a cabeça ficava caindo para o lado. Sydney, a mulher dos cavalos, estava com o marido, Max. Ainda usavam as camisetas e a calça jeans combinando do jantar, mas ela calçava chinelos em vez de botas de montaria. De todas as pessoas reunidas, o casal rico parecia o mais agitado. Will não sabia se era culpa ou privilégio que os deixava desconfiados ao serem chamados para fora da cama no meio da noite.

— Vai se explicar?

Gordon estava encostado no poste do sino, ainda usando apenas cueca. Paul atravessava lentamente o complexo. Tinha vestido uma samba-canção e uma camiseta branca. O sorrisinho havia deixado seu rosto. Ele parecia preocupado.

Will se virou com o som de passos na varanda da frente da casa da família. Jon desceu as escadas sem a ousadia anterior. O cabelo estava molhado. Outro banho tarde da noite, provavelmente para ficar sóbrio. O menino vestia pijama, sem sapatos. O rosto estava inchado, os olhos, vidrados.

Will questionou:

— Onde estão Keisha e Drew?

— Eles estão no 3.

Chuck apontou para o chalé alinhado à quina da varanda da frente. As janelas estavam fechadas, assim como as cortinas. As luzes estavam apagadas.

— Há um telefone dentro da casa? — perguntou para Chuck.

— Tem, na cozinha.

— Vá lá dentro e ligue para o delegado. Diga a ele que um agente do Departamento de Investigação da Geórgia pediu para você informar um código um-vinte-dois, e que precisa de assistência imediata.

Will não ficou para se explicar. Correu em direção ao chalé 3. Cada passo trazia uma sensação de pavor. Mais uma vez, pensou na conversa com Sara na cozinha. Será que havia desenvolvido uma visão de túnel? O ataque contra Mercy tinha sido um acontecimento aleatório? A pousada ficava no sopé da Trilha dos Apalaches, que se estendia por 3.200 quilômetros pela costa leste, da Geórgia ao Maine. Pelo menos dez assassinatos haviam ocorrido na trilha desde que começaram a registrá-los. Estupros e outros crimes eram raros, mas não incomuns. Pelo que Will sabia, ao menos dois assassinos em série perseguiram as vítimas na trilha. O terrorista das Olimpíadas de verão tinha passado quatro anos escondido naquela floresta. Era exatamente como Sara havia dito: arranhe um pouco a superfície e todo tipo de coisa ruim vem à tona.

Will pisou com força na escada do chalé 3. Como os outros, não havia tranca. Ele abriu a porta com tanta força que ela explodiu na parede.

— Jesus Cristo! — gritou Keisha.

Ela sentou-se na cama, apalpando o marido cegamente. Puxou a máscara de dormir rosa para cima.

— Will? Que porra é essa?

Drew gemeu. Ele estava preso debaixo do polvo de uma máscara de apneia. A máquina fazia um som mecânico alto que competia com um ventilador ligado ao lado da cama.

— Qual é o problema? — perguntou ele, tirando a máscara.

— Preciso de vocês dois lá fora. Agora.

Will saiu, contando silenciosamente, tentando ver quem faltava. O grupo ainda estava reunido perto das escadas. Chuck estava dentro da casa, chamando a polícia. Sara, com sorte, estava vindo naquela direção pela trilha.

— Onde estão os empregados da cozinha? — perguntou a Christopher.

— Eles vão embora à noite. Em geral, saem da montanha por volta de 20h30.

— Você os viu indo embora?

— Por que isso importa?

Will apertou os olhos da direção do estacionamento. Três veículos.

— Quem dirige o…

— Chega das suas perguntas! — disse Pitica. — Por que não nos contou que é policial? Seu formulário de registro dizia que você é mecânico. Qual é o certo?

Will a ignorou, voltando a Christopher:

— Onde está Delilah?

— Aqui em cima.

Ela estava inclinada em uma janela do segundo andar.

— Eu realmente preciso descer?

— Que porra é essa, cara?

Drew andou na direção de Will com um olhar agressivo no rosto. Ele e Keisha usavam pijamas azuis combinando. O rosto antes amigável do homem estava cheio de uma raiva fervilhante.

— Você não tem o direito de assustar minha esposa daquele jeito.

— Espere — disse Keisha. — Onde está Sara? Ela está bem?

— Ela está bem — respondeu Will. — Houve um...

— Liguei para o delegado — informou Chuck descendo a escada. — Ele disse que vai levar de quinze a vinte minutos para chegar aqui em cima. Não dei detalhes. Disse que você era policial, passei o código e avisei que ele precisava correr.

— Você é policial?

A raiva de Drew subiu vários níveis.

— Você me disse que trabalhava com carros, cara. Que porra está acontecendo?

Will estava a ponto de responder quando Delilah saiu para a varanda. Ela fez a única pergunta que deveria importar naquele momento...

— Onde está Mercy?

Os olhos de Will encontraram Jon. Ele estava sentado na escada, a alguns passos de Monica. Pitica estava ao lado dele. Ela era tão pequena que o ombro dele ficava na altura da cintura dela. A avó mantinha a cabeça dele em seu quadril com um braço ferozmente protetor. Com o cabelo encaracolado penteado para trás, Jon tinha uma aparência jovem e vulnerável, mais parecido com um menino do que com um homem. Will queria chamá-lo de lado, explicar gentilmente o que havia acontecido, garantir que encontraria o monstro que havia tirado a mãe dele.

Mas como diria ao menino que o monstro poderia ser o próprio pai?

— Por favor — pediu Delilah. — Onde está Mercy?

Will engoliu suas emoções. A melhor coisa para Jon no momento era que ele fizesse seu trabalho.

— Não há um modo fácil de dizer isso.

— Ah, não. — A mão de Delilah foi para a boca. Ela já tinha entendido. — Não-não-não.

— O quê? — exigiu Cecil. — Pelo amor de Deus, fale!

— Mercy está morta.

Will ignorou os murmúrios dos hóspedes. Estava observando Jon enquanto dava a notícia. O garoto estava preso em algum lugar entre o choque e a descrença. De qualquer forma, aquilo ainda não o atingira. Talvez em alguns anos Jon se lembrasse desse momento e se perguntasse por que tinha se sentido paralisado, sentado com a cabeça pressionada contra o corpo da avó. As recriminações viriam à tona — deveria ter exigido respostas, gritado e uivado pela perda.

No momento, tudo que Will poderia oferecer eram os detalhes.

— Encontrei Mercy perto da água. Há três construções...

— Os chalés dos solteiros. — Christopher se virou para o lago. — Que cheiro é esse? Houve um incêndio? Ela estava pegando fogo?

— Não — explicou Will. — Houve um incêndio, mas as chamas se consumiram.

— Ela se afogou? — O tom de Christopher era difícil de decifrar. Ele falava com um ar estranho de indiferença. — Mercy nada bem. Eu a ensinei a nadar nos Baixios quando ela tinha quatro anos.

— Ela não se afogou — disse Will. — Ela recebeu ferimentos múltiplos.

— Ferimentos? — O tom de Christopher ainda era monótono. — Que tipo de ferimentos?

— Quieto — disse Pitica. — Deixe o homem falar.

Will pensou em quanto revelar na frente dos hóspedes, mas a família tinha o direito de saber.

— Ela tinha ferimentos de faca. A morte dela vai ser considerada homicídio.

— Esfaqueada? — Delilah apertou o gradil para se manter em pé. — Ah, meu Senhor. Pobre Mercy.

— Homicídio — repetiu Chuck. — Quer dizer que ela foi assassinada?

— Sim, seu idiota — respondeu Cecil. — Você não é esfaqueado várias vezes por acidente.

— Pobre amorzinho.

Pitica não estava falando de Mercy. Puxou Jon para mais perto, pressionando os lábios no topo da cabeça dele, que se agarrou mais a ela angustiado. O rosto dele desapareceu no tecido do robe dela, mas Will conseguia distinguir os soluços abafados. — Você vai ficar bem, meu menininho. Estou aqui.

Will continuou a falar com a família:

— Nós colocamos o corpo dela em um dos chalés. Sara se ofereceu para ficar com ela até que a remoção possa ser feita.

— Isso é horrível.

Keisha tinha começado a chorar.

— Por que alguém iria querer machucar Mercy?

Drew a puxou para perto, mas ainda conseguiu lançar para Will um olhar de ódio desenfreado.

Will o ignorou. Estava mais interessado na família. Tinha esperado uma sensação coletiva de luto, mas, enquanto estudava cada pessoa, não via nada nem próximo disso. A indiferença anterior de Christopher ainda era visível em seu rosto voltado para baixo. A expressão de Cecil era a de um homem que sofrera uma inconveniência terrível. Pitica estava compreensivelmente focada em Jon, mas não tinha derramado uma lágrima sequer pela filha, mesmo enquanto o neto estremecia de dor ao lado dela.

A coisa que mais surpreendeu Will foi que nenhum deles tinha nenhuma pergunta. Fizera inúmeras notificações de morte na carreira. As famílias sempre queriam saber: "Quem fez isso?", "Como aconteceu?", "Ela sofreu?", "Quando podemos ver o corpo?", "Ele tinha certeza de que era ela?", "Poderia ser um engano?", "Ele estava totalmente certo?", "Ele tinha capturado o assassino?", "Por que ele não estava caçando o assassino?", "O que aconteceria a seguir?", "Quanto tempo iria demorar?", "Eles poderiam pedir pena de morte?", "Quando poderiam enterrar o corpo?", "Por que aquilo tinha acontecido?", "Pelo amor de Deus, por quê?".

— Seus filhos da puta! — As pantufas de Delilah bateram nas tábuas enquanto ela descia lentamente as escadas. Ela estava falando com a família dela. — Quem de vocês fez isso?

Will observou enquanto ela parava na frente de Pitica. A raiva da tia brilhava como um relâmpago. Seu lábio inferior tremia. Lágrimas escorriam por seu rosto.

— Você. — Ela enfiou o dedo na cara de Pitica. — Foi você que fez isso? Escutei você ameaçando Mercy antes do jantar.

Chuck soltou um riso nervoso.

Delilah se virou para ele.

— Cala essa boca imunda, seu pervertido nojento. Todos nós vimos você apalpando Mercy. O que foi aquilo? E você, seu baitola fracote?

Christopher não levantou os olhos, mas era claro que Delilah falava com ele.

— Não pense que não sei o que você aprontou, Peixetopher — continuou ela.

— Droga, Dee, pare com essa besteira. Todos nós sabemos quem fez isso — falou Cecil.

— Não se atreva. — A voz de Pitica era suave, mas tinha intensidade. — Não sabemos de coisa alguma.

— Puta que pariu.

As mãos de Delilah estavam na cintura enquanto ela agigantava-se sobre Pitica.

— Por que você está sempre protegendo aquele merda inútil? Você não escutou o homem? Sua filha foi assassinada! Com várias facadas! Seu sangue e sua carne! Você não se importa?

— E você se importa? — retrucou Pitica. — Você foi embora por treze anos e, de repente, sabe tudo sobre isso?

— Sei de você, sua maldita!

— Basta!

Will precisou separá-las antes que elas se destruíssem.

— Vocês deveriam voltar para seus quartos. Hóspedes, voltem para seus chalés.

— Quem colocou você no comando? — perguntou Cecil.

— O estado da Geórgia. Fico na posição até o delegado chegar. — Will se voltou para o grupo. — Vou precisar de depoimentos de todos vocês.

— De jeito nenhum. — Drew se virou para Pitica: — Senhora, sinto muito por sua perda, mas precisamos sair quando o sol nascer. Pode mandar nossa bagagem para casa. Passe os valores no cartão de crédito cadastrado. Esqueça aquele outro negócio. Faça o que quiser aqui. Não nos importamos.

— Drew — tentou Will. — Preciso de um depoimento de testemunha, só isso.

— Sem chance — disse Drew. — Não preciso responder a suas perguntas. Conheço meus direitos. Na verdade, você não diz merda alguma para mim ou para minha esposa a partir de agora, sr. Policial. Você acha que não vi esse *Dateline* antes? São as pessoas que se parecem conosco que terminam caindo por causa de merdas com as quais não têm envolvimento algum.

Drew arrastou Keisha de volta para o chalé deles antes que Will pudesse pensar em um motivo para pará-los. A porta bateu tão forte que pareceu um tiro sendo disparado.

Ninguém falou. Will olhou para a trilha que levava ao chalé 10. As luzes baixas mostravam que o caminho estava vazio. Ele não deveria ter deixado Sara sair sozinha. Aquilo estava demorando muito.

— Policial? — Max, o advogado rico de Buckhead, esperou pela atenção de Will. — Embora Syd e eu apoiemos com firmeza a polícia, também declinamos do interrogatório.

Will precisava parar aquilo.

— Vocês todos são testemunhas. Ninguém foi declarado suspeito. Eu preciso de depoimentos sobre o que aconteceu no jantar, e para onde todo mundo foi depois.

— O que quer dizer com "para onde todo mundo foi depois"? — perguntou Paul. O olhar dele foi na direção de Gordon. — Está nos pedindo álibis?

Will se esforçou para evitar que corressem.

— Jon nos disse que alguém anda pela Trilha Circular às oito da manhã e às dez da noite. Talvez tenham visto alguma coisa.

— Era Mercy — disse Christopher. — Ela estava responsável pela trilha às dez da noite nesta semana. Eu estava no turno das oito da manhã.

Will se lembrou de Jon contando os detalhes a eles, mas queria mantê-los falando.

— Como é isso? Vocês batem nas portas?

— Não — explicou Christopher. — As pessoas nos chamam se precisam de alguma coisa. Ou deixam bilhetes na escada. Tem uma pedra para colocar em cima do papel para impedir que voe.

— Olhe. — Monica tinha revivido temporariamente. Ela estava apontando para o chalé deles. — Deixamos uma nota debaixo da pedra na nossa varanda por volta das nove horas da noite. Sumiu.

Will imaginou que aquilo fosse uma confirmação de vida.

— Mercy trouxe o que tinham pedido?

— Não. — Frank olhou para Monica.

Pelo olhar, Will imaginou que o pedido fosse mais álcool.

— Alguém viu Mercy depois das dez da noite?

Novamente, silêncio.

— Alguém ouviu algum grito ou pedidos de socorro?

Outra vez, a resposta foi silêncio.

— Odeio interromper de novo — disse Max, embora não tivesse interrompido nada. — Mas nós dois precisamos voltar para a cidade.

— Os cavalos precisam receber comida e água — completou Sydney.

Will teria esperado uma desculpa melhor, mas não havia razão para desafiá-los. Legalmente eles não poderiam ser obrigados a falar, muito menos a ficar por ali.

— Cecil, Pitica. — Max se virou para a família McAlpine. — Sentimos muito por sua filha. Foi uma noite adorável estragada por uma tragédia inominável. Entendemos que sua família precisa de tempo para o luto.

Cecil não parecia querer tempo para nada.

— Ainda estamos prontos para seguir em frente. Agora, mais do que nunca.

— Certamente — disse Max, soando como se não estivesse nem um pouco certo.

— Vamos manter sua família em nossos pensamentos e nossas preces — declarou Sydney.

A dupla saiu andando lado a lado. Will imaginou com o que Cecil estava pronto para seguir em frente. O casal de Buckhead tinha recebido tratamento especial desde o começo. A senha do wi-fi era o de menos. Will imaginou que o Mercedes Benz G 550 de 150 mil dólares estacionado entre um Chevy antigo e um Subaru sujo significava que eles receberam permissão de deixar de lado a caminhada até a pousada.

— Foda-se isso — disse Gordon. — Preciso de uma bebida.

Ele começou a caminhada de volta para o chalé. Paul se juntou a ele, mas não antes de fitar Will. O olhar enviou um alerta vermelho. No banheiro, Paul havia claramente notado o sangue na calça de Will, mas não tinha ficado perturbado. Naquele momento, estava visivelmente nervoso. A notícia da morte de Mercy tinha mudado o comportamento dele, mas Will esperaria até ter certeza de que a propriedade estava segura para descobrir o motivo.

Seis dos chalés estavam ocupados, o que deixava quatro vazios. Dave poderia estar escondido em qualquer um deles. Will pesou as vantagens de verificá-los contra as desvantagens de dar tempo à família para se reagrupar. Seus instintos lhe disseram para ficar quieto. Havia algo errado com a maneira como eles se comportavam. Paul não era a única pessoa despertando as suspeitas dele. Talvez Sara tivesse razão a respeito da visão de túnel.

— Desculpe, Will?

Frank e Monica eram os únicos hóspedes que restavam.

— Não me importo que tenha mentido sobre ser policial. Foi sorte você estar aqui. Monica e eu não temos nada para esconder. O que quer saber? — perguntou o marido.

Will não iria começar com Frank e Monica.

— Vocês dois poderiam voltar para o chalé de vocês? Preciso falar com a família primeiro. Há alguns detalhes particulares dos quais precisamos tratar.

— Ah, certo.

Frank ajudou Monica a ficar de pé. A mulher mal conseguia andar sozinha.

— Bata na porta quando quiser. Faremos qualquer coisa para ajudar.

Will percebeu que os McAlpine não tinham se mexido. Mas nenhum deles olhava para ele. Nenhum tinha começado a fazer perguntas. A não ser por Delilah, nenhum tinha expressado sinais de luto. Questionamentos pareciam flutuar pelo ambiente.

— Will?

Sara tinha se juntado a eles. Will ficou aliviado por ver que ela estava bem, mas também por ter alguma ajuda. Ele correu na direção dela, assim poderiam ter alguma privacidade longe dos McAlpine. Ela vestia uma camiseta e calça jeans e carregava umas das camisas dele sob o braço.

Sara entregou-lhe o telefone e a roupa.

— Levou um tempo para conseguir sinal, mas mandei a mensagem e consegui uma confirmação. Todo mundo foi notificado. Como está sua mão?

A mão parecia estar presa em uma armadilha para ursos.

— Preciso que leve a família para dentro e fique de babá enquanto verifico os outros chalés. Não deixe que combinem as histórias. O delegado deve chegar logo. Veja se há alguma faca faltando na cozinha. Se tiver chance, Paul tem uma tatuagem no peito. Quero saber o que está escrito.

— Entendi.

Sara andou até a família e se dirigiu a eles usando seu tom profissional.

— Sinto muito pela perda de vocês. Sei que é uma hora traumática para todos. Vamos entrar. Talvez eu possa responder a algumas de suas perguntas.

Pitica foi a primeira a falar:

— Você é policial também?

— Sou médica-legista no Departamento de Investigação da Geórgia.

— Vocês são um par de mentirosos, é isso que são.

Pitica parecia ainda mais preocupada que Drew por serem da polícia. Will a observou pegar Jon pelo braço e arrastá-lo para o fundo da casa. Christopher começou a empurrar a cadeira de Cecil. Chuck os seguiu. Apenas Delilah permaneceu ali. Will precisava que ela fosse para dentro. Se Dave estivesse escondido em um dos chalés vazios, poderia estar armado com um revólver ou uma faca. Ele não queria arriscar que Delilah fosse atingida no fogo cruzado. Ou feita refém.

Ele apoiou a camisa na escada, então enfiou o telefone no bolso. Botou a mão sobre o peito para ajudar com a dor. Delilah observava-o cuidadosamente. Ela não tinha entrado com a família.

— Você tem alguma coisa para me dizer? — perguntou Will.

Ela claramente tinha muita coisa para dizer, mas enrolou, tirando um lenço de papel do bolso, fungando, limpando os olhos. Ele não achava que era fingimento. Delilah estava realmente abalada com a morte de Mercy. A não ser que você fosse a Meryl Streep, não conseguiria fingir aquele tipo de desespero.

— Ela sofreu? — ela perguntou por fim.

Will manteve a resposta neutra.

— Cheguei lá no final.

— Você tem certeza... — A voz dela falhou. — Você tem certeza de que ela está morta?

Will assentiu.

— Sara a pronunciou morta na cena.

Delilah passou o lenço de papel nos olhos.

— Fiquei longe deste lugar esquecido por mais de uma década e, no segundo em que volto, estou atolada nas besteiras deles.

Ele tinha a sensação de que ela se referia a algo além do assassinato. Will tocou duas vezes no botão lateral do iPhone para ligar o aplicativo de gravação.

— Em qual besteira você está atolada?

— Mais do que sonha tua vã filosofia, Horácio.

— Vamos pular o Shakespeare — disse Will. — Sou um investigador, preciso de fatos.

— Aqui está um — falou. — Todo mundo dentro daquela casa vai mentir para você. Sou a única que vai contar a verdade.

Na experiência de Will, as pessoas menos honestas eram as que se esforçavam para anunciar que estavam sendo honestas, mas estava ansioso para ouvir a versão da tia.

— Conte para mim, Delilah. Quem tem um motivo?

— Quem não tem? — perguntou ela. — Aqueles idiotas ricos de Atlanta estão aqui para comprar a pousada. Precisa haver uma votação familiar para aprovar a venda. Doze milhões de dólares divididos por sete. Mercy tem dois votos, o dela e o de Jon, porque ele ainda é menor de idade. Ela avisou à família que não deixaria a venda acontecer.

Will sentiu algumas de suas projeções começarem a mudar.

— Quando foi isso?

— Durante o encontro de família ao meio-dia de hoje. Eu me escondi na sala para escutar, porque sou xereta e adoro drama. Por fim, isso valeu alguma coisa.

Delilah tirou outro lenço do bolso para limpar o nariz.

— Cecil tentou coagir Mercy a votar para vender, mas ela se virou contra ele. Ela se virou contra todos eles, na verdade. Mercy disse que não deixaria que tirassem a pousada dela. Ou de Jon. Que destruiria cada um deles se chegasse àquele ponto. Ela disse que, se perdesse este lugar, todos cairiam com ela. E estava falando sério. Pelo tom, eu percebi que ela estava falando sério.

Will se viu repensando. Motivos financeiros estavam na raiz da maioria dos crimes. Doze milhões eram um monte de motivos.

— O que ela ameaçou fazer?

— Expor os segredos deles.

— Você sabe os segredos deles?

— Se soubesse, te contaria todos. Meu irmão é um babaca abusivo, isso posso te dizer, mas os dias dele machucando pessoas acabaram. Ao menos fisicamente.

Delilah olhou para a casa.

— As ameaças de Mercy eram mais perigosas, se entende o que eu quero dizer. Ela afirmou que alguns deles poderiam ir para a prisão. Alguns deles jamais recuperariam a reputação. Gostaria de me lembrar de mais detalhes. Na minha idade, tenho sorte por ainda encontrar o caminho de casa, mas essas são as duas coisas que ficaram na memória.

Will se lembrou de algo que ela dissera.

— Você disse a Pitica que a ouviu ameaçando Mercy antes do jantar.

— Ela a demitiu, foi o que Pitica fez — Delilah balançou a cabeça com raiva. — Aí, disse a Mercy que, se ela não votasse para vender a pousada, acabaria com uma faca nas costas.

Aquilo parecia uma coincidência notável. Contudo, Pitica era pequena. Ela não conseguiria arrastar Mercy até o lago. Não sem ajuda.

— E Dave?

— Filho da puta ganancioso. — A boca dela se torceu de aversão. — Ele votaria para vender, também.

— Por que Dave tem direito a voto?

Não era a pergunta que Will faria, mas, naquele momento, ele precisava saber.

— Cecil e Pitica adotaram-no legalmente há mais de vinte anos, o que significa que ele é parte do fundo familiar. Se você está no fundo, tem direito a um voto.

Will precisou de outro momento para se situar, mas por motivos pessoais. Dave não tinha conseguido apenas uma família. Tinha conseguido duas.

— Como a adoção aconteceu?

— Eles o encontraram se esgueirando na área do acampamento como um gato selvagem. Cecil queria entregá-lo para o delegado, mas Pitica se afeiçoou por ele. Ela é normalmente fria, mas tem um relacionamento muito pouco saudável com aquele menino. Ela ataca Mercy com uma tonelada de tijolos, trata Christopher como o enteado indesejado. Enquanto isso, Dave não faz nada de errado. Ouso dizer que ela é do mesmo jeito com Jon, provavelmente porque ele é a cara do pai. Eles todos se comportam como se isso fosse normal, aliás.

Will não perguntou sobre o fato de que Dave era o equivalente a um meio-tio para o próprio filho. Ele era qualificado de modo único para entender os relacionamentos estranhos que saíam do sistema de abrigos para menores.

Em vez disso, perguntou:

— E Christopher? Você o chamou de outra coisa.

— Peixetopher. É um apelido que Dave deu a ele. Estava tentando ser uma babaca porque ele costumava odiar o nome, mas acho que se acostumou. É como Dave funciona. Ele o cansa até que você o deixe fazer o que ele quer.

Will tentou tirá-la de Dave.

— Christopher machucaria Mercy?

— Quem sabe? Ele sempre foi recluso. Não recluso-excêntrico, mais tipo recluso-assassino-em-série-colecionando-calcinhas-de-mulher. E Chuck, eles parecem farinha do mesmo saco, à espreita no mato fazendo sabe Deus o quê.

— Você disse que ficou mais de uma década sem vir aqui. Como sabe que ficam à espreita juntos?

— Eu os vi conspirando perto da pilha de madeira quando dirigi até a casa hoje de manhã. Rostos juntos, trocando olhares furtivos. Eles viram meu carro e Chuck saiu correndo como um esquilo assustado, enquanto Christopher se abaixou como se o mato alto pudesse torná-lo invisível. Alguma coisa estava acontecendo, definitivamente. — Ela fungou. — Então, depois do encontro de família, eu vi os dois de volta no mesmo lugar com as cabeças juntas de novo.

Will precisaria adicionar a pilha de madeira à sua lista de locais para vasculhar.

— Eles estão em um relacionamento?

— Você quer saber se eles são como os dois exibicionistas do chalé 5?

Ela deu um riso vazio.

— Christopher não tem tanta sorte. Ele teve uma sorte terrível com mulheres. A namorada do Ensino Médio engravidou de outro rapaz. Então aquele negócio horrível aconteceu com Gabbie.

— Quem é Gabbie?

— Só outra menina que ele perdeu. Foi há muito tempo. Ele nunca namorou de verdade depois disso. Ao menos, não que eu saiba. Porém, de novo, não é como se eu tivesse me mantido a par das notícias.

Will sentiu uma gota de água na testa. A chuva estava chegando, mas ele esperaria que ela falasse.

Ela, então, continuou:

— Escute, Dave é sua melhor aposta. Todos tinham motivo para querer que ela morresse, mas ele espancava Mercy. Ossos quebrados. Hematomas. Ninguém jamais disse ou fez nada para impedir. A não ser eu, e olha o que aconteceu. Você não pode mudar as pessoas dizendo a elas que estão erradas. Elas precisam chegar a essa conclusão por si mesmas. E eu acho, acho que isso significa que ela nunca vai fazer isso.

Will a viu engolindo em seco. Os olhos dela se encheram de lágrimas.

— E você? Você tinha um motivo para querer que Mercy morresse?

— Está me pedindo um motivo? — Ela soltou um suspiro pesado. — Eu fiquei feliz por Mercy finalmente ter colocado a vida nos eixos. Eu até me ofereci para ajudá-la a barrar a venda da pousada, mas Mercy é orgulhosa. *Era* orgulhosa. Jesus, ela era tão nova. Eu nem sei o que dizer a Jon. Ele nunca teve um pai, e agora perder a mãe assim...

Will testou a honestidade dela.

— O que as pessoas lá dentro vão me dizer quando eu perguntar se você tinha ou não um motivo?

— Ah, definitivamente vão me jogar na fogueira.

Delilah enfiou o lenço de papel dobrado de volta no bolso.

— Vão dizer que eu queria me vingar porque Mercy roubou Jon de mim. Eu o criei do dia em que ele nasceu até quando tinha quase quatro anos. Mercy me processou para recuperar a guarda permanente em janeiro de 2011, um ano depois do acidente de carro.

— Foi assim que ela ficou com a cicatriz no rosto? — arriscou Will.

Delilah assentiu.

— Eu acho que aquilo colocou temor a Deus nela. Fez com que ela reexaminasse a vida, decidisse crescer um pouco. Eu estava em dúvida. Heroína é um fardo e tanto nas costas de alguém, e a sobriedade dela me pareceu frágil. A batalha pela custódia foi uma briga de rua. A coisa se arrastou por meio ano. Nós nos destruímos. Eu fiquei de coração partido quando ela ganhou. Disse a Mercy nos degraus do tribunal que esperava que ela morresse. Ela me cortou da vida de Jon. Escrevi cartas, tentei telefonar. Pitica me ameaçava sempre, e tenho certeza de que Mercy sabia que ela estava fazendo aquilo. Então esse é meu motivo, se acredita que levei treze anos para explodir.

— Onde estava Dave durante tudo isso?

— Mercy estava com ele. Aí não estava. Aí estava. Aí ela estava no hospital e tinha acabado tudo. Então ela saiu do hospital e tinha voltado.

Delilah revirou os olhos.

— Dave nunca compareceu a nenhuma visita supervisionada. Sempre bêbado ou chapado, imaginei. Ou com medo de mim. O que ele não deveria sentir. Se fosse Dave morto no lago agora, você me colocaria no topo de sua lista com razão.

— O que vai acontecer com Jon?

— Não tenho ideia. Ele não me conhece mais. Acho que é melhor que fique com Cecil e Pitica. Dos males, o menor. Ele perdeu a mãe. Vai perder o pai se existir alguma justiça. Jon precisa que as coisas sejam o mais familiares possível.

Talvez um dia eu possa ter um relacionamento com ele, mas isso é o que eu quero. No momento, trata-se do que Jon precisa.

Will se perguntou se aquela era a resposta real dela ou uma que ela achava que a fazia parecer bem.

— Onde você estava hoje entre dez horas e meia-noite?

Ela arqueou uma sobrancelha, mas respondeu:

— Li no meu quarto até umas 21h30 ou dez horas. Não tenho álibi. Estava na cama dormindo quando o sino começou a tocar. Na minha idade, a bexiga é uma desgraça.

Will ouviu um carro. O delegado tinha finalmente chegado. O veículo marrom parou no estacionamento bem quando Sydney e Max estavam levando as malas para o Mercedes. Se notaram o delegado, não reagiram. Estavam ocupados demais caindo fora dali. Will achou que o fato de não terem oferecido a ninguém uma carona de volta à cidade dizia muito sobre o casal.

Delilah soltou um gemido de repulsa quando o delegado saiu do carro. Ambos o observaram se esticar no banco de trás para pegar um guarda-chuva grande.

Delilah murmurou:

— Não tema, Biscoito está aqui.

— Biscoito?

— Apelido.

Ela levantou os olhos para Will.

— Agente seja-qual-for-seu-nome, não o conheço, mas não confiaria naquele homem nem até onde consigo jogá-lo. E eu sou muito boa em jogar coisas.

Will sentiu mais gotas de chuva caírem no topo da cabeça enquanto observava o delegado atravessar o complexo. O homem tinha cerca de 1,70 metro, levemente atarracado sob o uniforme marrom de delegado. O corte não caía bem em ninguém, mas o delegado parecia particularmente desconfortável usando calça apertada e colarinho duro. Ele também não tinha pressa. Parou para abrir o guarda-chuva quando a chuva começou a cair de verdade. Will pegou a camisa dobrada e subiu a escada correndo. Ele a jogou sobre uma cadeira de balanço. Esperou com Delilah debaixo da cobertura da varanda.

O oficial subiu lentamente a escada, então parou no topo olhando para o complexo enquanto chacoalhava o guarda-chuva. Ele se encostou na parede ao lado da porta da frente e olhou para Will.

— Delegado? — Will precisou gritar acima do barulho da chuva batendo no teto de metal. — Sou Will Trent, do Departamento de Investigação da Geórgia.

— Douglas Hartshorne.

Em vez de pedir um resumo para Will, ele fez uma careta para Delilah.

— Depois de dez anos, você aparece bem na noite em que Mercy é morta a facadas? É isso mesmo?

Will não deixou Delilah responder.

— Como sabe que ela foi esfaqueada?

O sorriso dele tinha uma qualidade arrogante.

— Pitica me ligou quando eu estava na estrada.

— Que surpresa — disse Delilah. — Eles a chamam de Pitica porque ela tem os tontos como ele na ponta do dedinho pitico dela.

O delegado a ignorou, perguntando a Will:

— Onde está o corpo?

— Lá nos chalés dos solteiros — falou Delilah.

— Eu perguntei a você?

— Pelo amor de Deus, Biscoito. Não é como se você fosse fazer uma investigação detalhada.

— Não me chame de Biscoito! — gritou ele. — E se fosse você, Delilah, eu fecharia minha boca. Você é a única pessoa aqui com histórico de esfaquear as pessoas.

— Era um maldito garfo! — gritou e, virando para Will, explicou: — Isso foi antes de Jon nascer. Mercy estava morando na minha garagem. Eu a peguei tentando roubar meu carro.

— Assim você diz — retrucou o delegado.

Will sentiu a mandíbula contrair enquanto eles discutiam. Aquela besteira estava gastando um tempo que não tinham. O delegado parecia mais concentrado em ganhar pontos do que com o fato de que tinha um assassinato nas mãos. Will olhou para o relógio. Mesmo se Amanda tivesse acordado para ler a mensagem de emergência, levaria no mínimo duas horas para vir de carro de Atlanta.

— Vá se foder! — Delilah desceu a escada, alheia à chuvarada. — Vou ficar com minha sobrinha.

— Não toque em nada! — gritou o delegado.

Ela levantou o dedo do meio para mostrar a ele o que achava da ordem.

— Algumas coisas não melhoram com a idade — falou o oficial.

Will precisava que aquele homem se concentrasse no que importava.

— Devo chamá-lo de delegado ou...

— Todo mundo me chama de Biscoito.

Will contraiu a mandíbula de novo. Ninguém naquele lugar usava o nome verdadeiro.

Ainda assim, ele resumiu as últimas duas horas para o delegado.

— Lá pela meia-noite, eu estava no lago com minha esposa. Ouvimos três gritos. O primeiro separado por uns dez minutos dos outros dois, que foram perto um do outro. Corri para a mata e cheguei à área dos três chalés dos solteiros. O último estava pegando fogo. Mercy foi localizada na margem do lago. A parte de cima de seu corpo estava na água, mas os pés estavam na terra seca. Descobri que ela tinha sido esfaqueada múltiplas vezes. A perda de sangue foi severa. Conversamos, mas a única preocupação dela era Jon, o filho. Não consegui nenhuma informação sobre o agressor. Tentei fazer ressuscitação cardiopulmonar, mas a lâmina da faca ainda estava dentro do peito dela. Aliás, em seguida, perfurou minha mão. O cabo deve ter quebrado durante o ataque. Não fui capaz de localizá-lo na cena. Não parece faltar nenhuma faca na cozinha comercial. Deveríamos verificar a cozinha da casa e todos os chalés. Assim que o sol nascer, podemos começar uma busca. Recomendo iniciar pelo complexo principal e ir na direção da cena do crime. Tem alguma pergunta?

— Não, você cobriu tudo. Isso foi uma instrução ótima. O investigador forense vai querer ouvir quando chegar aqui. Não vai levar mais do que meia hora.

Biscoito olhou para a mão enfaixada de Will.

— Estava imaginando o que tinha acontecido com sua pata.

Will queria enfiar alguma urgência naquele homem. Mercy estava morta. O filho dela estava dentro da casa sofrendo.

— Posso levá-lo para ver o corpo.

— Ela ainda vai estar morta quando a chuva passar e o sol sair.

Biscoito olhou para o complexo de novo.

— Delilah não está errada sobre nada para investigar. Mercy tem um ex. Dave McAlpine. Longa história sobre o motivo de terem o mesmo nome, mas os dois se batem desde que eram adolescentes. Minha irmã mais nova via um socando as costas do outro no Ensino Médio. O que aconteceu dessa vez foi que eles foram longe demais e ela terminou morta.

Will precisou respirar fundo antes de responder. Parecia muito que o delegado estava culpando Mercy por ser vítima de assassinato.

— Minha chefe...

— Wagner? É esse o nome dela? — Ele não esperou a confirmação. — Ela se ofereceu para mandar os agentes de campo dela para assumirem, mas eu disse a ela para segurar a onda. Dave vai acabar aparecendo.

Amanda não segurava a onda.

— Nós deveríamos fazer uma busca no quarto de Mercy.

— Quem é esse "nós" aqui, camarada? — Biscoito estava sorrindo, mas não de verdade. — Meu condado, meu caso.

Will sabia que ele estava certo.

— Quero me oferecer para ajudar a procurar Dave.

— Não perca seu tempo. Já mandei meu subdelegado passar no trailer dele e em todos os bares que ele frequenta. Ele não está por aí. Provavelmente, está dormindo em alguma vala até a bebedeira passar.

Will se virou.

— Ele pode estar escondido em um dos chalés vazios. Não estou com minha arma, mas posso dar apoio na busca.

— Não se preocupe — disse Biscoito. — Dave não tem permissão para ficar aqui depois das seis da tarde. Papai o proibiu de entrar no complexo há um tempo. A única razão para estar aqui desde o mês passado foi para trabalhar nos chalés dos solteiros.

Will se perguntou se o homem entendia as palavras saindo da própria boca. Dave era um suspeito de assassinato. Ele não seguiria um toque de recolher. Ele, então, tentou outra abordagem:

— Que tipo de veículo ele dirige?

— Ele não tem permissão para dirigir. Bêbado ao volante. Acho que ele tem uma mulher que o leva para cima e para baixo na montanha. Dave é muito bom em convencer as pessoas a fazer coisas para ele.

Will esperou que o homem sugerisse que falassem com essa mulher, ou considerasse outros lugares possíveis para busca, ou até levasse em conta o fato de que Dave poderia dirigir sem carteira de motorista, mas Biscoito parecia contente em ver a chuva cair.

— Filhote. — O homem se virou de novo para Will. — Eu deveria entrar e ver como está Pitica. Foram uns anos difíceis para a pobre garota.

Will manteve a boca fechada e se obrigou a aceitar o óbvio. O delegado era muito próximo da família. Estava cego pelo mesmo descaso deles pela vida de Mercy e não estava interessado em procurar o suspeito principal, coletar provas ou falar com as testemunhas.

Não que as possíveis testemunhas fossem ajudar. Duas delas já tinham ido embora de Mercedes. Outras duas se recusavam a serem entrevistadas. Duas agiam de modo suspeito enquanto andavam por aí de roupa de baixo. Duas das menos importantes estavam ansiosas para ajudar. Uma era um enigma envolto em um roupão de pato. A família da vítima se comportava como se um estranho tivesse morrido. O suspeito principal deles estava desaparecido. O corpo estivera parcialmente submerso na água. O chalé era só cinzas. O restante da cena do crime estava sendo lavado naquele minuto.

Talvez Biscoito estivesse certo sobre Dave acabar aparecendo. O delegado contava com a crença de um júri rural em que policiais eram os caras bons que só prendiam pessoas se elas fossem culpadas, e Dave não era o réu típico. Ele saberia como manipular o júri. Apresentaria uma defesa vigorosa.

Contudo, Will não deixaria um homem chamado Biscoito ser o motivo de Dave se livrar de um assassinato. Nem ficaria ali parado enquanto esperava que a próxima coisa ruim acontecesse.

— Will?

Sara abriu a porta da frente.

— Jon deixou um bilhete na cama dele. Ele fugiu.

16 de janeiro de 2011

Querido Jon,

    Talvez seja estúpido escrever uma carta que nem tenho certeza de que você vai ler, mas aqui estou eu escrevendo uma. O pessoal do AA diz que é bom colocar os pensamentos no papel. Eu comecei a fazer isso quando tinha doze anos, mas parei porque Dave pegou meu diário e tirou sarro. Não deveria ter deixado ele tirar aquilo de mim, mas as pessoas vêm tirando coisas de mim a vida inteira. Acho que o que me fez voltar a escrever é querer algum tipo de registro para o caso de alguma coisa ruim acontecer comigo. O que vou lhe dizer primeiro é o seguinte: hoje dei entrada num processo para conseguir você de volta, assim posso começar a ser o que eu deveria ter sido desde o começo. Sua mãe.

    A Delilah não tem muito dinheiro, mas ela disse na minha cara que gastaria até o último centavo só para ficar com você. Ela tem os motivos dela e não vou entrar nisso. Um dia você vai saber a história da minha cara feia e entender por que ela me odeia tanto. Acho que todo mundo me odeia. E reforço aqui que nunca disse que eles não têm motivo.

    Eu fodi cada dia dos meus dezoito anos neste planeta, a não ser um, que foi o dia em que eu te dei à luz. No momento, pegando você de volta, estou tentando desfoder a minha vida. Desculpe os palavrões. Sua avó Pitica me pegaria pelo pescoço, mas estou falando com você como um homem porque não vai ler isso enquanto ainda é menino.

    Eu abri mão de você. Essa é a verdade. Estava passando por abstinência e acorrentada à cama do hospital, pois estava presa por dirigir bêbada de novo. Delilah estava lá e não me custa admitir que fiquei feliz quando a vi. Os médicos não me davam remédio algum porque eu era viciada. O policial não soltava a algema, ele era esse tipo de filho da puta. Até parece que eu conseguiria fugir com um bebê saindo de mim, mas esse é o mundo em que você nasceu.

    Acho que você poderia dizer que é um mundo que eu criei para mim, e não estaria errado. É por isso que dei você para Delilah naquele dia. Não estava pensando em como seria solitária sem você. Estava pensando em onde conseguiria minha bebida ou acharia uns comprimidos para me manter até que eu conseguisse comprar alguma coisa, essa é a verdade honesta. Quando eu era criança, comecei a beber para afogar meus demônios, mas o que fiz foi criar uma prisão para mim mesma, enclausurada com os demônios lá dentro.

    Mas isso acabou de verdade agora. Estou há seis meses sem nada, e isso é um fato. Parei de sair para festas e até estou fazendo aulas noturnas para conseguir diploma do supletivo, assim, quando você estiver na escola, não vai poder usar o fato de eu não ter terminado o colégio para também cair fora. Seu pai anda me enchendo o saco por passar o dia estudando quando deveria tomar conta dele, mas estou tentando mudar a minha vida. Vou deixar as coisas melhores porque você vale a pena. Ele vai perceber isso um dia. Ele só não conhece você ainda como eu.

    Acho que nesta carta parece que estou sendo dura com o seu pai. Não vou dizer nada de ruim sobre ele, mas só uma coisa. Sei aqui dentro que ele vai pegar dinheiro da Delilah para se virar contra mim no julgamento de custódia. Ele é desse jeito porque nunca vai existir dinheiro ou amor suficiente para ele. E tenho bastante certeza de que o resto da minha família vai se virar contra mim também, mas não por dinheiro, e sim para deixar as coisas mais fáceis para eles. Eles não me odeiam de verdade. Pelo menos, acho que não. É só que eles todos tendem a se enfiar na terra quando as coisas ficam uma bagunça, feito coelhos quando cavam suas tocas. É por sobrevivência, não por despeito. Ao menos é nisso que me seguro, porque, se fosse levar para o lado pessoal, não acho que conseguiria me levantar da cama toda manhã.

    É o que estou fazendo agora. Saindo da cama toda manhã. Indo ao motel nas montanhas para limpar os quartos. A mesma coisa que sempre fiz na pousada desde que me entendo por gente, mas sem ninguém para me castigar se for muito devagar. E sem ninguém para me dizer que o teto sobre a minha cabeça e a comida sobre a mesa eram minha única recompensa pelo trabalho duro.

O motel não paga muito bem, mas, se conseguir continuar guardando, vou ter o suficiente um dia para alugar um apartamentinho pra gente morar. Não vou criar você no trailer de seu pai no vale, onde metade do mundo aparece toda noite para fazer festa. Você e eu vamos morar em uma cidade, e você vai ver o mundo. Ou, pelo menos, mais do mundo do que eu vi.

Essa é a primeira vez na minha vida que tenho no bolso dinheiro que é meu. Eu sempre precisava implorar um trocado para Papai e Pitica para poder comprar um pacote de chicletes ou ir ao cinema. E, depois, seu pai me fez implorar. Mas agora não preciso implorar para quem quer que seja. Só trabalho no motel, eles me pagam, e isso é uma vida honesta. Nem seu pai pode me tirar isso. Deus sabe que ele tenta. Se ele soubesse quanto ganho de verdade, eu não teria um centavo.

Como eu disse, não vou falar que seu pai é um homem ruim, mas vou dizer que, mesmo ele não tendo nascido na família, ele é um McAlpine, com certeza. Talvez até pior, porque ele tem peles diferentes que usa dependendo do que ele precisa tirar de alguém. Você vai precisar decidir sozinho quando crescer se isso é um problema. Você também é um McAlpine, então, quem sabe? Pode terminar exatamente igual ao resto deles.

Querido, se isso acontecer, ainda vou te amar. Não importa o que você faça ou se Delilah vai ganhar e eu vou precisar aceitar somente duas horas com você no centro comunitário a cada quinze dias. Se é tudo o que vou ter, sempre estarei lá. Não me importo se você terminar sendo o pior McAlpine de todos. Até pior que eu, uma pessoa que tem sangue nas mãos. Sempre vou perdoar você, e sempre vou ficar do seu lado. Nunca vou ser um coelho escondido na toca. Pelo menos, quando é algo que diz respeito a você. A pele que você vê em mim, até as partes feias, talvez especialmente as partes feias, é a mesma pele até meu coração.

Te amo para sempre,
Mamãe

9

SARA LEU EM VOZ alta o curto bilhete que Jon tinha deixado em cima da cama:

— "Preciso de um tempo. Não venham atrás de mim."

— Bem, droga — disse o delegado. — Talvez ele encontre Dave e nos poupe o trabalho.

Ela observou a lateral da mandíbula de Will se projetar como um caco de vidro. Sara imaginou que ele estava tendo uma experiência tão bizarra na varanda com o delegado quanto ela tivera dentro da casa com a família fria e calculista de Mercy. Nenhum deles parecia afetado pela morte dela. Só falavam, gritavam e insultavam a respeito de dinheiro.

Sara perguntou ao delegado:

— Acha que Jon foi ver Mercy?

— Não mencionou no bilhete — disse o homem, como se fosse possível confiar em um menino de dezesseis anos para escrever suas intenções. — A velha caminhonete ainda está ali. Jon precisaria passar por aqui se estivesse a pé. A trilha para os chalés dos solteiros fica naquele lado.

Sara tentou:

— Ele tem uma namorada? Alguém na cidade que ele possa...

— O menino é tão popular quanto uma cobra no saco de dormir. Logo vamos saber se ele for visto por alguém na cidade. A caminhada vai levar umas duas horas, e isso depois que a chuva parar. Não tem como seguir de bicicleta com esse tempo. Vai terminar feito Papai, caindo de um penhasco.

Nada que ele disse trouxe algum alívio para Sara, que teve a impressão de que tentar fazer o delegado se importar com um menino desaparecido era a mesma coisa que gritar para a chuva.

— Se ele foi ver Mercy, Delilah vai estar lá. Ela quis ficar com o corpo — disse Will para Sara.

Ela sentiu os olhos arderem com a ameaça de lágrimas. Pelo menos, alguém de fato se importava.

— Senhora, sou Douglas Hartshorne, a propósito. — O delegado estendeu a mão. — Pode me chamar de Biscoito.

— Sara Linton.

A mão dele parecia fraca e úmida quando Sara a apertou. Ela olhou para Will, que parecia querer jogar o homem para fora da grade. Não fazia sentido que os dois policiais estivessem na varanda conversando enquanto Mercy jazia brutalmente assassinada à beira do lago. Deviam estar procurando Dave, coletando depoimentos de testemunhas, tomando providências a respeito do corpo de Mercy. Ela percebeu, pelo modo como Will apertava a mão esquerda, que ele sentia mais dor com a falta de iniciativa do que com o ferimento na mão direita.

Ela não podia desistir, então perguntou ao delegado:

— É possível que Jon tente se vingar de Dave?

Biscoito deu de ombros.

— No bilhete não há nada sobre vingança.

Sara tentou mais uma vez:

— Ele ainda é um menor de idade que perdeu a mãe em um assassinato brutal. Precisamos ir atrás dele.

— Posso ajudar na busca — falou Will.

— Não, o menino foi criado nessa mata. Vai ficar bem. Agradeço muito por oferecer, de qualquer jeito. Daqui para a frente fica comigo.

Biscoito começou a andar para a porta, então pareceu se lembrar de Sara. Ele fez mesura com o chapéu.

— Senhora.

Will e Sara ficaram sem palavras enquanto Biscoito fechava delicadamente a porta. Will acenou com a cabeça para que Sara fosse para o canto da varanda. Eles só conseguiam olhar um para o outro. Nenhum deles conseguia articular seus sentimentos.

Por fim, Will disse:

— Venha cá.

Sara apoiou o rosto no peito de Will enquanto ele a abraçava. Ela sentiu o corpo se livrar de um pouco da angústia que vinha carregando desde que saíra do lago. Queria chorar por Mercy, gritar com a família dela, encontrar Dave, trazer Jon de volta, sentir que de fato tinha feito alguma coisa em nome da mulher morta dentro de um chalé abandonado.

— Desculpe — disse Will. — Não está sendo muito uma lua de mel para você.

— Para nós — corrigiu ela, pois aquela deveria ser uma semana especial para ele também. — O que podemos fazer agora? Me diga como ajudar.

Will parecia relutante em soltá-la. Sara se encostou em um dos pilares. Finalmente seu corpo reagia ao horário avançado. Ambos começaram a se olhar de novo. O único som era da chuva escorrendo do telhado e batendo no chão duro.

— O que aconteceu lá dentro? — perguntou Will.

— Eu me ofereci para fazer café, assim poderia vasculhar a cozinha. Não consigo dizer se há uma faca faltando. Parece que vêm guardando talheres desde que a pousada abriu. Vamos ter que encontrar o cabo quebrado antes de tentar uma combinação.

— Tenho certeza de que Biscoito vai cair em cima disso.

Ele pousou a mão ferida no peito. No momento em que a adrenalina baixava, a dor estava se mostrando.

— Quando Pitica falou com o delegado?

Sara sentiu a surpresa se registrar no rosto.

— Não a vi no telefone. Provavelmente quando eu estava na cozinha.

— Não havia nada que você pudesse fazer, de qualquer modo.

Will moveu a mão para cima, como se pudesse colocá-la fora do alcance da ardência.

— Preciso encontrar Dave. Ele ainda poderia estar na propriedade.

Pensar nele indo atrás de Dave, ferido e sem apoio, fez com que ela sentisse um calafrio percorrer sua espinha.

— Ele pode ter outra arma.

— Se ele ainda estiver por aqui, quer ser apanhado.

— Não por você.

— O que é que você sempre diz? A vida faz você pagar pela sua personalidade?

Sara sentiu a garganta fechar.

— O delegado...

— Não vai ajudar — completou Will. — Ele me disse que o investigador forense deve chegar em trinta minutos. Talvez ele trate esse assassinato com alguma urgência. Conseguiu alguma coisa da família?

— Estavam preocupados com os hóspedes que estão indo embora e com os que vão chegar na quinta-feira. Vão manter os depósitos? As pessoas ainda vão vir? Quem vai pedir a comida, lidar com os empregados e marcar os guias? — Sara ainda não conseguia acreditar que nenhum deles tinha falado sobre Mercy. — Aí as coisas esquentaram e começaram a gritar sobre os investidores.

— Sabe da venda?

— Fiquei atenta aos detalhes da discussão sobre quem ficaria com o voto de Jon por procuração, especialmente se Dave for preso. — Ela cruzou os braços. Sentia uma vulnerabilidade estranha em nome de Mercy. — Em algum momento no meio disso, o menino foi para o andar de cima. Tentei ir atrás, mas Pitica me disse para dar tempo a ele.

— É o que o bilhete dizia, que ele precisava de tempo.

Sara se lembrou:

— Entrei no wi-fi. Abra o telefone, assim posso compartilhar a conexão — lembrou-se Sara.

Will digitou o código com o dedão. Por sorte era canhoto, então não foi difícil. Sara certificou-se de que ele tinha entrado na rede antes de pegar a camisa dele da cadeira de balanço. Ela começou a desabotoar o paletó do chef ridiculamente apertado.

— Sabe que posso fazer isso — falou Will.

— Eu sei.

Sara o ajudou a tirar o paletó.

Ele fez questão de mostrar que estava brincando quando ela abriu as mangas da camisa, para que ele pudesse vestir. As mãos dela pareciam desajeitadas nos botões. Os acontecimentos da noite a tinham abalado. Ela fechou o último deles, então pousou a mão no coração de Will. Havia muitas coisas que poderia dizer para impedi-lo de sair. Contudo, Sara sabia que ele queria trabalhar.

Ela também.

Poucas pessoas se importaram com Mercy quando ela estava viva, mas duas pessoas, pelo menos, importavam-se muito por ela estar morta.

— Vai precisar disso. — Ela tirou os fones do bolso da calça e os colocou no bolso dele.

Will conseguia ler, mas não rápido. Era mais fácil para ele usar o aplicativo de texto-fala no telefone.

— Mandei mensagens com os nomes dos empregados da cozinha junto com os números dos telefones. Consegui tirá-los de uma lista presa na porta da cozinha. Elas devem entrar quando suas mensagens carregarem.

Ele olhava na direção do estacionamento. Estava pronto para ir.

— Vou começar com os chalés, depois quero dar uma olhada na pilha de madeira. Delilah me disse que Christopher e Chuck estavam juntos por lá mais cedo. Pode existir um esconderijo.

— Posso falar com Gordon e Landry, tentar descobrir o que a tatuagem significa.

— Landry respondeu ao nome Paul, então é como deve chamá-lo até que ele dê uma explicação melhor.

Will apontou para um dos chalés, as luzes estavam ligadas.

— Os caras estão ali. Drew e Keisha estão no deles, mas se recusam a falar. Não que eu ache que tenham muita coisa a dizer. Eles ficaram realmente bravos porque mentimos sobre quem somos.

Sara sentiu uma tristeza pela semana perdida deles. Sabia que Will tinha gostado de Drew, e ela ficara animada para passar um tempo com Keisha.

— Teve alguma coisa estranha que Drew disse a Pitica antes de sair. Algo do tipo "esqueça aquele outro negócio. Faça o que quiser aqui".

— Talvez tivessem uma reclamação sobre o chalé?

— Talvez.

Ele continuou com o resumo:

— Monica e Frank estão aqui. Chuck saiu. Max e Sydney estavam lá, mas já foram embora.

— Ótimo — disse Sara.

A cena do crime tinha sido lavada, e as testemunhas estavam desaparecendo com ela.

— Que merda. Alguém se importa com a morte de Mercy?

— Delilah se importa. Ao menos, acho que se importa. — Ele olhou para o telefone. As mensagens tinham começado a entrar. — De acordo com ela, Christopher teve alguns relacionamentos fracassados. Uma mulher engravidou de outro cara e o deixou, outra se perdeu. Não sei se isso significa morta ou desaparecida, ou se isso importa. As pessoas escondem as coisas por seus próprios motivos.

Sara sentiu uma luz se acender em sua cabeça, mas não sobre a vida amorosa de Christopher.

— Lembra da discussão que os caras do aplicativo tiveram do lado de fora do nosso chalé?

— O que tem?

— Paul disse: "Não me importo com o que você pensa. É a coisa certa a fazer". Então Gordon disse: "Desde quando você se importa com a coisa certa?", e Paul falou: "Desde que vi como é a porra da vida dela".

Will dava a ela sua atenção total.

— Quando disse ela, ele estava querendo dizer Mercy?

— Só há duas mulheres vivendo neste lugar, e a outra é Pitica.

Ele coçou o queixo.

— Gordon respondeu?

Sara fechou os olhos, tentando lembrar. Os dois homens tinham passado talvez quinze segundos discutindo na frente do chalé antes de descerem a trilha.

— Acho que Gordon disse "Você precisa deixar isso de lado". Aí Paul desceu para o lago, e não consegui ouvir mais nada.

— Por que Paul daria importância para como Mercy está vivendo?

— Ele pareceu se ressentir com isso.

A tela do telefone de Will se acendeu. Ele olhou para baixo.

— Faith me mandou uma localização há meia hora. Ela está na 75, quase chegando na 575.

Sara sentiu uma desconexão total entre a noiva feliz em lua de mel que tinha feito a mesma viagem de carro no dia anterior e a mulher no meio de uma investigação de assassinato daquele instante.

— Ela tem mais duas horas até chegar aqui.

— Meu plano é ter Dave sob custódia até ela chegar, assim Faith pode fazer o interrogatório.

— Ainda tem certeza de que foi ele?

— Podemos falar sobre quem mais poderia ser, ou posso ir encontrar Dave e resolver isso de uma vez.

Sara teve a impressão de que Will tinha mais coisas para resolver do que estava dizendo.

— E o delegado? Ele deixou claro que não quer nossa ajuda.

— Amanda não mandaria Faith se não tivesse um plano. — Will colocou o telefone de volta no bolso. — Preciso que fique na casa enquanto vou verificar os chalés vazios.

Sara não conseguiria voltar para a casa deprimente.

— Vou falar com Gordon e Paul. Talvez eu consiga descobrir o que está acontecendo lá. Você se lembra de alguma coisa da tatuagem?

— Muitas flores, uma borboleta, uma escrita cheia de volteios, definitivamente uma palavra. Faz um arco no peito dele aqui.

Ele tocou o mesmo local de seu peito, bem sobre o coração.

— Ele colocou uma camiseta antes de sair. Não sei se isso significa que não quer que ninguém mais veja ou se é apenas o que se faz depois de tomar banho.

Essa era a parte frustrante de uma investigação. As pessoas mentiam. Escondiam coisas. Mantinham seus segredos. Contavam outros. E, às vezes, nada daquilo tinha a ver com o crime que você estava tentando resolver.

— Vou ver o que consigo descobrir — disse Sara.

Will assentiu, mas não se moveu. Ele não sairia de fato até que ela estivesse em segurança dentro do chalé 5.

Sara pegou o guarda-chuva grande encostado do lado da casa. As botas de caminhada eram à prova d'água, mas não havia como impedir a chuva de bater em suas pernas. Quando chegou à varandinha coberta, a calça estava encharcada dos joelhos para baixo. Belo material resistente à água. Ela fechou o guarda-chuva, então bateu à porta.

Era difícil saber se havia algum som dentro do chalé com o barulho da chuva. Felizmente, Sara não precisou esperar muito até Gordon abrir a porta. Ele usava cueca preta e pantufas peludas.

Em vez de perguntar a Sara por que estava ali e o que ela queria, ele escancarou a porta, dizendo:

— O sofrimento adora companhia.

— Bem-vinda à nossa festinha triste — disse Paul de seu lugar no sofá.

Ele usava samba-canção e uma camiseta branca. Os pés descalços estavam pousados sobre a mesinha de centro.

— Estamos só sentados de roupa de baixo enchendo a cara.

— Me lembra da faculdade — disse Sara, tentando se enturmar.

Gordon riu enquanto entrava na cozinha.

— Sente onde quiser.

Sara escolheu uma das poltronas fundas de couro. O chalé era menor que o dela, com móveis no mesmo estilo. Ela conseguia ver o quarto. Não havia malas sobre a cama, o que entendeu como um sinal de que não estavam planejando ir embora. Ou talvez apenas tivessem prioridades diferentes. Havia uma garrafa de bourbon aberta sobre a mesinha de centro. Ao lado, dois copos vazios. A garrafa estava na metade.

Gordon colocou um terceiro copo sobre a mesa.

— Que porra de noite. Manhã. Porra, vai amanhecer logo.

Sara podia sentir que Paul a observava.

— Casada com um policial, hein? — perguntou ele.

— É.

Sara não mentiria mais.

— Eu também trabalho para o Estado. Sou médica-legista.

— Não conseguiria tocar um corpo morto. — Gordon pegou o bourbon sobre a mesinha de café. — Esse negócio tem gosto de terebintina, mas não dava para saber pelo preço.

— Sara reconheceu o rótulo de luxo. Não se lembrava da última vez que tinha tomado uma bebida forte. Will tinha uma aversão a álcool que vinha da infância, e ela se tornara abstêmia sem querer.

Paul disse:

— É a altitude, não é? Muda nossas papilas gustativas.

— Amor, isso é nos aviões. — Gordon colocou doses duplas nos três copos. — Não estamos a trinta mil pés agora.

— Qual a altitude aqui? — questionou Paul.

Ele olhava para Sara quando fez a pergunta, então ela respondeu.

— Estamos acerca de setecentos metros acima do nível do mar.

— Graças a Deus não vamos ser atingidos por um avião. Isso seria a cereja no topo do sundae de merda.

Gordon entregou um copo a Sara.

— O que faz uma médica-legista? É como aquela que, não lembro do nome, estava naquele seriado?

— Que seriado? — perguntou Paul.

— Aquela com o cabelo. A que escutamos em *Mountain Stage*. E depois ela estava em *Madam Secretary*.

Paul estalou os dedos.

— *Crossing Jordan*.

— Essa. — Gordon bebeu metade do copo. — Kathryn Hahn estava nela. A gente ama ela.

Sara imaginou que a pergunta original tinha se perdido. Ela deu um gole no bourbon e tentou não perder a cor. Chamar aquilo de terebintina era um elogio.

— Não é? — Paul havia notado a reação dela. — Você precisa segurar na boca para não dar ânsia de vômito.

Gordon riu do duplo sentido.

— Acho que não tem nada disso para o casal em lua de mel nesta noite.

— O que o Agente McSexy está fazendo? — perguntou Paul. — Parece que ninguém está interessado em dar depoimento.

Sara sentiu um frio na espinha ao pensar em Will procurando Dave sozinho.

— Nenhum de vocês viu Mercy depois do jantar hoje?

— Ah, perguntas de policial — ironizou Gordon. — Não deveria ler nossos direitos antes?

Sara não tinha obrigação de ler o que quer que fosse para eles.

— Não sou policial. Não posso prender vocês.

Ela deixou de fora a parte em que poderia contar como testemunha qualquer coisa que dissessem.

— Paul viu Mercy — admitiu Gordon.

Sara imaginou que aquilo significava que a história de Landry tinha acabado de vez.

— Onde ela estava?

— Bem na frente do nosso chalé. Isso foi lá pelas 22h30. Por acaso estava olhando pela janela.

Paul colocou o copo na boca, mas não bebeu.

— Mercy andou mais um pouco, então subiu a escada do chalé de Frank e Monica.

— Monica devia querer mais bebida — observou Gordon. — Frank disse que ela tinha deixado um bilhete na varanda.

— Não sei como ela conseguiu segurar uma caneta. — Aquela vadia estava mamada — completou Paul.

— Ao fígado da Monica.

Gordon levantou o copo em um brinde.

Sara fingiu pegar mais bebida. Achou interessante que Paul soubesse aonde Mercy tinha ido. Não dava para ver o chalé de Frank e Monica da janela deles. Era preciso ir até a varanda, o que significava que ele tinha ficado de olho bem atento em Mercy.

— Então — disse Gordon. — Como ela estava?

Sara balançou a cabeça como se voltasse à realidade.

— Quem?

— Mercy — respondeu Gordon. — Ela foi esfaqueada, não foi?

— Uma coisa medonha — disse Paul. — Aposto que ela ficou apavorada.

Sara olhou para o copo. Os dois estavam tratando aquilo como um reality show.

Paul perguntou:

— Sabe se ainda vai ter nossa caminhada amanhã?

— Amor... — disse Gordon. — Isso é meio cruel.

— Mas também é válido. Pagamos uma caralhada de dinheiro para vir pra cá. — Ele olhou para Sara. — Você sabe?

— Vai precisar perguntar para a família.

Sara não conseguia mais manter o fingimento. Ela colocou o copo de volta na mesinha.

— Paul, Will me disse que viu uma tatuagem no seu peito.

O riso em seguida pareceu forçado.

— Não se preocupe, querida. Ele é completamente apaixonado por você.

Sara não estava preocupada.

— Aprendi no meu trabalho que toda tatuagem tem uma história. Qual é a da sua?

— Ah, é uma história estúpida — confessou. — Um pouco de tequila demais. Um pouco de melancolia demais.

161

Sara olhou para Gordon. Ele deu de ombros.

— Não sou uma pessoa que faz tatuagem. Odeio agulha. E você? Alguma tribal acima da bunda pra contar?

— Nenhuma. — Ela tentou abordar a coisa por um ângulo diferente. — Vocês já tinham vindo aqui?

— Primeira vez — disse Gordon. — Não sei se não vamos virar fregueses cativos.

— Não sei, amor. A gente provavelmente consegue um desconto se reservar agora.

Paul esticou o braço para pegar o bourbon e se endireitou no sofá. Serviu outra dose dupla, então perguntou a Sara:

— Quer mais?

— Ela mal bebeu o primeiro. — Gordon esticou a mão. — Posso?

Sara observou Gordon jogar o conteúdo do copo dela no dele.

— E a Mercy? — questionou Sara.

Paul se recostou de novo devagar.

— O que tem ela? — perguntou Gordon.

— Pareceu que vocês a conheciam. Ou tinham ouvido falar dela.

Ela se dirigiu a Paul.

— E não parecia que você estava feliz por ver que ela tinha uma vida boa aqui na pousada.

Sara percebeu um lampejo de algo nos olhos de Paul, mas não sabia se era raiva ou medo.

— Ela era uma mulher estranha, não acha? Um pouco tosca — disse Gordon.

— E aquela cicatriz na cara dela? — perguntou Paul. — Aposto que tem uma história.

— Eu não gostaria de escutar — disse Gordon. — A família inteira é meio suspeita, se quer saber. A mãe me lembra aquele filme com aquela menina, mas o cabelo era escuro, não branco e duro feito pentelho de bruxa.

Paul perguntou:

— Samara, de *O chamado*?

— Isso, mas com uma vozinha maligna de criança.

Gordon olhou para Sara.

— Você assistiu?

Sara não deixaria que eles a passassem para trás.

— Então nunca tinha encontrado Mercy antes de se registrarem?

— Posso dizer honestamente que hoje foi a primeira vez que botei os olhos naquela pobre mulher — respondeu Gordon.

— Isso foi ontem — disse Paul. — Já é amanhã.

Sara pressionou um pouco mais.

— Por que mentiu sobre seu nome?

— A gente estava só se divertindo um pouco — afirmou Gordon. — Como você e Will, não é? Vocês também mentiram.

Sara não tinha como contra-argumentar com aquela lógica. Era um dos vários motivos pelos quais odiava mentir.

— Vamos brindar.

Paul levantou o copo.

— A todos os mentirosos no topo da montanha. Que eles não tenham todos o mesmo destino.

Sara sabia que era inútil perguntar se ele estava incluindo Mercy no clube dos mentirosos. Ela observou a garganta de Paul trabalhar enquanto ele engolia toda a bebida. Ele bateu o copo sobre a mesa só por garantia. O som ecoou no silêncio. Ninguém falou. Sara ouvia o som de pingos lá fora. A chuva havia parado por enquanto, e esperava que Will tivesse mantido o curativo seco. Esperava que ele não estivesse deitado de costas com uma faca enfiada no peito.

Sara estava a ponto de se despedir quando Gordon quebrou a tensão com um bocejo alto.

— Melhor ir para a cama antes de virar abóbora — falou ele.

Sara se levantou.

— Obrigada pela bebida.

Não houve despedidas agradáveis, apenas um silêncio incisivo enquanto Sara saía do chalé. Ela olhou para o céu, a lua cheia se moveu em direção ao cume da montanha. Restavam apenas algumas nuvens. Sara deixou o guarda-chuva na varanda e desceu as escadas. Examinou o complexo procurando por Will. Os holofotes ainda brilhavam, mas a luz só chegava até certo ponto.

Um movimento perto do estacionamento chamou sua atenção. Dessa vez, não houve nenhum falso avistamento do Pé-Grande. Ela reconheceu Will pela silhueta. Ele estava de costas para ela. As mãos abaixadas ao lado do corpo. Ela presumiu que o curativo dele estava encharcado. Não havia sinal de Dave, o que não deveria trazer alívio para ela, mas trouxe mesmo assim. Achou que o marido deveria estar olhando para a pilha de lenha que Delilah havia mencionado, mas então um conjunto de faróis rompeu a escuridão.

Sara levantou a mão para bloquear a luz. Não um carro, mas uma van Sprinter de cor escura. Imaginou que o investigador forense havia chegado. Esperava que o homem ficasse feliz por já ter uma médica-legista no local, mas, considerando as reações inesperadas que tinha testemunhado naquela noite, nada era garantido.

No mínimo, esperava que o investigador forense conhecesse as limitações do seu trabalho.

Muitas vezes as pessoas confundiam o papel do médico-legista com o do investigador forense do condado. Somente o primeiro cargo exigia um médico. O segundo poderia ser, e tendia a ser, tudo menos isso. O que era lamentável, porque os investigadores legistas do condado eram os guardiões da morte. Eram encarregados de supervisionar a coleta de provas e decidir, oficialmente, se uma morte era ou não suspeita o suficiente para solicitar ao médico-legista do estado que realizasse uma autópsia.

Geórgia fora o primeiro estado a reconhecer o cargo de investigador forense, em sua constituição estadual de 1777. O profissional era eleito e havia apenas alguns requisitos para concorrer ao cargo: ter pelo menos 25 anos, estar inscrito para votar no município em que concorriam, ter diploma do Ensino Médio e não ser fichado.

Nos 154 condados do estado, apenas um investigador forense era médico de verdade. Os outros eram agentes funerários, agricultores, aposentados, pastores e, em um caso, reparador de barco a motor. O cargo pagava 1.200 dólares por ano e exigia que a pessoa estivesse de plantão 24 horas por dia, sete dias por semana. Às vezes, você recebia o que pagava. Era assim que um suicídio poderia ser considerado homicídio e um caso de violência doméstica poderia ser anotado como escorregão e queda.

As botas de caminhada de Sara atolavam na lama enquanto ela caminhava em direção ao estacionamento. A porta do lado do motorista se abriu, e ela ficou surpresa ao ver uma mulher sair. Ficou ainda mais surpresa ao ver que ela vestia um macacão e um boné de caminhoneiro. Sara esperava um agente funerário por causa da van. Os holofotes capturaram o logotipo no painel traseiro. Moushey Aquecimento e Ar. Sara sentiu seu estômago se contrair.

— É — dizia a mulher a Will. — Biscoito me disse que vocês estavam tentando se enfiar no caso.

Sara precisou morder o lábio para manter a boca fechada.

— Não se preocupe.

A mulher tinha percebido a expressão dela.

— Facadas múltiplas, certo? Vou dizer que homicídio é uma opção fácil nesse caso. O estado vai ficar com o corpo. Não tem problema em começar com vocês aqui. Sou Nadine Moushey, investigadora forense do Condado de Dillon. Você é a dra. Linton?

— Sara. — A mulher tinha um aperto forte e desconfortável. — O que passaram a você?

— Mercy foi morta a facadas, provavelmente foi Dave. Ouvi dizer que é a lua de mel do casal, certo?

Sara sentiu a surpresa de Will. Ele ainda não sabia como as cidades pequenas funcionavam. Todas as pessoas em um raio de uns 25 quilômetros, provavelmente, sabiam do assassinato àquela altura.

Nadine continuou:

— Isso é uma droga. Se bem que, se for olhar para minha lua de mel, eu teria tido sorte se alguém tivesse matado o filho da puta.

— Parece que você conhece a vítima e o suspeito principal — insinuou Will.

— Meu irmão mais novo foi para a escola com Mercy. Eu conheço Dave do Tastee Freeze. Ele sempre foi um babaca violento. Mercy tinha seus problemas, mas ela era bacana. Não era ruim como o resto deles. O que não a ajuda, imagino. Você não quer ser jogado num covil de serpentes se não tiver as presas mais afiadas.

— Há outra pessoa além de Dave que gostaria de ver Mercy morta? — perguntou Will.

— Pensei nisso durante toda a viagem até aqui — disse Nadine. — Não via Mercy desde o acidente com Papai há um ano e meio e, na época, só a encontrei uma vez no hospital. A cidade é um lugar difícil para ela. Ela fica quase sempre aqui em cima da montanha. E é muito isolado. Não tem muita gente para fofocar sobre sua vida se você não se mistura um pouco na cidade.

— E aquela cicatriz no rosto dela? — perguntou Sara.

— Acidente de carro. Embriagada ao volante. Bateu na mureta de proteção. O metal abriu no meio e cortou fora um lado do rosto dela. Tem uma história longa e triste por trás disso, Biscoito pode contar os detalhes. Foi o pai dele, delegado Hartshorne, quem cuidou do caso, mas ele também trabalhou na cena. As famílias sempre foram amigas.

Sara não ficou surpresa com a informação. Ajudava a explicar por que Biscoito não tinha pressa.

— O delegado me disse que a carteira de motorista de Dave foi tirada por causa de embriaguez ao volante — disse Will. — Ele mencionou que Dave tem uma motorista que o traz para a pousada e o leva de volta para que ele possa trabalhar.

Nadine deu uma gargalhada.

— Essa motorista seria Pitica. Dave se queimou com todas as mulheres na área dos três condados. Ninguém sairia da cama por ele. Ou entraria na cama, se quer saber. Eu já criei dois meninos. Não quero tomar conta de outro. O que aconteceu com a sua mão, se posso perguntar?

Will olhou para a mão enfaixada.

— Não soube da arma do crime?

— Will tentou fazer ressuscitação cardiopulmonar. Não percebeu que a lâmina tinha quebrado dentro do peito de Mercy — detalhou Sara.

— Localizar o cabo da faca deveria ser uma prioridade. Não vi qualquer coisa pelo chão quando fiz a busca por Dave nos chalés, mas vale uma busca mais detalhada — falou Will.

— Porra, isso é horrível. Vamos descendo enquanto conversamos.

Nadine se esticou para dentro da van e tirou uma lanterna e uma caixa de ferramentas.

— O dia não vai nascer por mais umas duas horas. Vamos ter mais chuva no meio da manhã, mas não vou tentar tirar o corpo dela até o sol nascer. Por enquanto, vamos ver o que é o quê.

Nadine foi à frente com a lanterna. Ela manteve a luz apontada para o chão, iluminando poucos metros por vez. Will esperou até que estivessem na parte de baixo da Trilha Circular para começar a informar os detalhes da noite para a investigadora forense. A briga no jantar. Os gritos. Mercy em seus últimos segundos de vida na margem do lago.

Ouvir tudo aquilo dito em voz alta colocou Sara no local outra vez. Em silêncio, ela adicionou a própria perspectiva. Correndo pela floresta. Desesperada para encontrar Will. Encontrando-o ajoelhado sobre Mercy. A expressão de angústia em seu rosto. Ele ali tão dominado pela dor que nem a tinha notado, muito menos a lâmina espetada na mão direita.

A lembrança ameaçou trazer lágrimas à tona novamente. Quando os dois ficaram sozinhos na varanda da frente dos McAlpine, Sara ficou muito aliviada ao sentir os braços dele ao seu redor, mas agora percebia que Will provavelmente também precisava de conforto.

Ela se abaixou para segurar a mão esquerda dele enquanto começavam a descer por um caminho sinuoso. Sara tinha visto a Trilha da Viúva Perdida claramente marcada no mapa, mas seu cérebro lógico falhou quando tinha saído correndo para a floresta, descalça e em pânico, ao ouvir os pedidos de ajuda de Will.

O terreno plano mudou para uma descida vertiginosa. A trilha serpenteava para a frente e para trás enquanto desciam em espiral. O caminho não era tão bem conservado quanto a Trilha Circular. Nadine murmurou uma maldição quando um galho baixo derrubou seu boné, e ela levantou a lanterna mais alto para evitar que isso acontecesse novamente. Seguiram em fila única enquanto desciam em zigue-zague até a ravina abaixo do salão de jantar. As luzes dos fios ao redor da grade estavam apagadas. Sara imaginou que a equipe tivesse saído logo depois do jantar. Tentou não pensar sobre estar no deque de observação com Will. Parecia que tinha sido havia muito tempo.

Will diminuiu o passo à medida que a trilha se alargava. Sara também ficou para trás. Ela sabia que ele estava curioso sobre os caras do aplicativo. Se fossem mesmo caras do aplicativo. Os dois haviam provado ser mentirosos hábeis.

Até aí, Sara e Will também.

Ela manteve a voz baixa, dizendo a ele:

— Paul viu Mercy andando até a varanda de Frank e Monica por volta das 22h30.

— Ele não pensou em mencionar isso?

— Ele não mencionou um monte de coisas — contou Sara. — Não consegui arrancar nada dele a respeito da tatuagem, por que deu um nome falso, se ele conhecia ou não Mercy ou sobre o motivo da discussão deles na trilha. Não acho que fosse apenas o álcool. Eles pareceram incrivelmente blasé sobre tudo.

— Combina com o tema da noite. — Will segurou o cotovelo dela enquanto desciam uma ladeira particularmente íngreme. — Não encontrei nada na pilha de madeira. Nenhum sinal de Dave nos chalés. Nada do cabo de faca quebrado. Nada de roupas com sangue. Nós já passamos três horas nisso. Dave já deve ter cruzado as fronteiras estaduais.

— Você falou com Amanda?

— Ela não atendeu.

Sara levantou o olhar para ele. Amanda sempre atendia quando Will ligava.

— E Faith?

— Ela ficou presa em um engavetamento na interestadual. Mais uma hora, no mínimo, até liberarem o trecho do acidente e abrirem a estrada.

Sara mordeu o lábio com tanta força que sentiu gosto de sangue. Não havia como persuadir Will a esperar Faith. Assim que Nadine assumisse o cuidado com o corpo de Mercy, ele encontraria um jeito de conseguir um carro e descer as montanhas para encontrar Dave.

— Nadine — chamou Sara.

Ela não poderia mudar a mente de Will, mas ao menos podia fazer seu trabalho.

— Há quanto tempo você é investigadora forense?

— Três anos — respondeu Nadine. — Antes era meu pai, mas os problemas do velho o pegaram. Insuficiência cardíaca congestiva, insuficiência renal, enfisema.

Sara conhecia o trio de comorbidades.

— Sinto muito.

— Não sinta. Ele se divertiu para consegui-los. — Nadine parou para se virar para eles. — Vocês estão acostumados com um pouco de anonimato lá em Atlanta, mas aqui todo mundo sabe da vida de todo mundo.

Nem Will nem Sara disseram a ela que ao menos um deles conhecia muito bem cidades pequenas.

— A verdade é que é chato pra caralho, e, quando você é jovem, se enfia em coisas.

Nadine pousou a mão em uma árvore. Ela claramente tinha pensado nisso durante a descida.

— A coisa sobre Mercy é que ela era mais doida do que todos nós juntos. Virando bebida. Tomando pílulas. Injetando droga. Roubando coisa das lojas. Quebrando janelas de carros. Jogando papel higiênico nas casas. Arremessando ovos na escola. Pense num pequeno delito, ela estava envolvida.

Sara tentou encaixar a mulher perturbada com quem tinha conversado no banheiro da cozinha com a figura selvagem que Nadine pintava. Era uma conexão difícil de fazer.

— Sabem quando os pais dizem que o filho deles é bom e que só está andando com a pessoa errada? Essa era Mercy. A pessoa errada de todas as crianças da cidade.

Nadine deu de ombros.

— Talvez eles estivessem certos na época, mas as coisas não eram mais assim. O problema de cidades pequenas é que a reputação que você tinha quando jovem fica grudada em você para o resto da vida. Então, embora Mercy tivesse largado as drogas, começado a fazer a coisa certa para Jon e tornado este lugar lucrativo após o pai cair de um penhasco, ela ainda estava presa à sua reputação. Vocês me entendem?

Sara assentiu. Ela sabia exatamente do que a mulher estava falando. A própria irmã mais nova dela tivera uma vida sexual ativa no Ensino Médio que ainda rendia a ela olhares enviesados, mesmo depois de Tessa ter se casado, dado à luz uma filha linda e servido como missionária no exterior.

— De qualquer jeito, acho que era uma inquietação que vocês tinham, digo, por que o pessoal não está chateado com o assassinato dela. Eles acham que Mercy merecia.

— Isso foi exatamente o que senti no delegado — confessou Will.

— Você acha que um homem chamado de Biscoito por quase vinte anos de sua vida infeliz entenderia que as pessoas podem mudar? — Nadine não parecia fã do delegado. — Dave deu esse apelido a ele no Ensino Médio. O pobre era rechonchudo na época. Dave falava que a barriga dele saía da calça feito uma lata de biscoito.

Nadine se virou de novo para a trilha. Sara observou a luz da lanterna dançar entre as árvores. Andaram em silêncio por mais cinco minutos até chegarem a uma área escalonada. Nadine foi primeiro, então se virou para iluminar para os demais.

— Cuidado, o caminho é difícil — falou.

Sara sentiu a mão de Will na parte de baixo de suas costas enquanto descia cuidadosamente. O vento mudou, trazendo o cheiro enfumaçado do chalé queimado. Ela sentia a névoa na pele. A temperatura tinha caído com a tempestade. O ar mais frio era tomado por condensação saindo da superfície do lago.

— Soube que Dave estava consertando os chalés velhos — disse Nadine. — Parece que estava fazendo o trabalho excelente de costume.

Sara observou a luz da lanterna de Nadine saltar sobre cavaletes de serra e ferramentas descartadas, latas de cerveja vazias, pontas de baseado e guimbas de cigarro. Tendo aprendido bastante coisa sobre Dave McAlpine, não ficou surpresa por ele emporcalhar o próprio local de trabalho. Homens assim só sabiam tirar. Nunca reconheciam o que deixavam para os outros.

— Olá? — chamou uma voz tensa. — Quem está aí?

— Delilah — disse Will. — É o agente Trent. Estou aqui com a investigadora forense e...

— Nadine.

Delilah estava sentada nos degraus do segundo chalé. Ela ficou de pé quando se aproximaram, limpando a terra da parte de trás de sua calça de pijama.

— Você assumiu o lugar do Bubba.

— Estou por aí o tempo inteiro consertando compressores, de qualquer jeito — disse Nadine. — Eu sinto muito por Mercy.

— Eu também.

Delilah usou um lenço de papel para limpar debaixo do nariz.

— Você achou Dave? — perguntou ela a Will.

— Fiz uma busca nos chalés vazios. Nada... — Will olhou ao redor. — Você viu Jon? Ele fugiu.

— Deus — sibilou Delilah. — Tem como as coisas ficarem piores? Por que ele fugiu? Deixou ao menos um bilhete?

— Sim — respondeu Sara. — Disse que precisava de tempo e que não deveríamos tentar achá-lo.

Delilah balançou negativamente a cabeça.

— Não tenho ideia de para onde ele possa ter ido. Dave ainda está morando naquele mesmo estacionamento de trailers?

— Está — respondeu Nadine. — Minha avó mora em frente. Disse a ela para ficar de olho em Dave. Tenho certeza de que está sentada na cadeira ao lado da janela. Ela presta atenção naquele lugar como se fosse um de seus programas de TV. Se Jon aparecer, ela vai me ligar.

— Obrigada. — Os dedos de Delilah brincavam com o colarinho da blusa do pijama. — Estava esperando que Dave fosse aparecer aqui. Eu afogaria o maldito com alegria.

— Não seria uma grande perda, mas você não teria chance — disse Nadine. — Esses tipos valentões bocudos, eles matam as esposas, depois normalmente se matam. Estou certa, doutora?

Sara não diria que ela estava completamente errada.

— Acontece.

Will não parecia feliz com a perspectiva de Dave cometer suicídio. Ele queria arrastá-lo algemado. Talvez estivesse certo. Todos estavam tratando como uma conclusão já precedente que Dave tinha matado Mercy.

— Companheira — disse Nadine. — Pode não ser uma boa ideia falar na frente de um policial que você queria matar alguém que pode aparecer morto. Vamos começar?

Will a levou para a margem. Sara ficou com Delilah porque eles não precisavam de mais um par de pegadas numa cena que já estava comprometida. Ela tentou conjurar qualquer lembrança do que o lugar parecera quando tinham acabado de chegar. A lua estava parcialmente obscurecida pelas nuvens, mas ainda oferecia um pouco de luz.

Havia uma grande poça de sangue na base da escada. Mais sangue se acumulara quando ela fora arrastada, formando uma linha reta em direção à margem. O sangue tinha manchado a água de vermelho enquanto a vida de Mercy se esvaía. A calcinha e a calça jeans dela estavam abaixadas. Provavelmente foi agredida antes de ser esfaqueada. Havia muitos ferimentos para contar.

Sara preparou-se mentalmente para a autópsia. Mercy fora estrangulada no início do dia por Dave. Tinha cortado o polegar por acidente em um pedaço de vidro quebrado durante o jantar. Sara imaginou que haveria vários sinais de lesões passadas e presentes. Mercy contara a Sara que havia se casado com o pai. Sara imaginou que isso significava que Dave não era o primeiro homem a abusar dela.

Ela se virou para olhar a porta fechada do chalé. O corpo já havia começado a se decompor. Havia o odor familiar de bactérias desmanchando a carne. A porta ainda estava fechada com o pedaço de madeira que Will tirara de uma pilha perto do canteiro de obras. Tinham colocado o corpo de Mercy no centro da sala. Não havia nada para cobri-la, exceto a camisa ensanguentada de Will. Sara resistiu à necessidade de deixá-la mais apresentável — alisar o cabelo molhado e emaranhado. Fechar as pálpebras. Endireitar as roupas dela. Subir a calcinha rasgada e a calça jeans. Mercy McAlpine era uma mulher complicada, problemática e vibrante. Merecia respeito, mesmo que só viesse na morte. Mas cada centímetro do corpo dela poderia ser uma testemunha contra a pessoa que a assassinara.

— Devia ter brigado mais para ficar na vida dela — disse Delilah.

Sara se virou para olhar a mulher. Delilah apertava o lenço de papel na mão. As lágrimas escorriam desenfreadamente.

— Depois que perdi a guarda de Jon, disse a mim mesma que me afastei porque ele precisava de estabilidade. Não queria que ele se sentisse dividido entre mim e Mercy. — Delilah olhou para o lago. — Na verdade, foi meu orgulho. A batalha pela guarda se tornou profundamente pessoal. Parou de ser a respeito de Jon e começou a ser sobre vencer. Meu ego não conseguia aceitar a perda. Não para Mercy. Eu a via como uma viciada imprestável. Se eu tivesse dado a ela tempo para provar que era mais que isso, poderia ter sido um porto na tempestade para ela. Mercy precisava disso. Ela sempre precisou disso.

— Sinto muito que as coisas tenham terminado mal — falou Sara com cuidado, sem querer cutucar uma ferida recente. — Criar o filho de outra pessoa é muita coisa. Você devia ser próxima de Mercy quando Jon nasceu.

— Eu fui a primeira pessoa que pegou Jon no colo — confessou. — Mercy foi levada para a prisão no dia em que ele nasceu. A enfermeira o colocou nos meus braços, e eu... eu não tinha a mínima ideia do que fazer.

Sara não ouviu amargura no riso seco dela.

— Precisei parar no Walmart a caminho de casa. Segurava um bebê em uma mão e um carrinho na outra. Graças a Deus uma mulher me viu perplexa e me ajudou a pensar no que eu precisava. Passei a primeira noite inteira lendo em fóruns sobre como tomar conta de um bebê. Nunca planejei criar um filho. Não queria. Jon era — é um presente. Nunca amei ninguém como amei aquele menino. Ainda amo, na verdade. Eu não o via há treze anos, mas tem um buraco gigante no meu coração que é dele.

Sara percebia que a perda pesava sobre Delilah, mas ela ainda tinha perguntas.

— Os avós de Jon não quiseram ficar com ele?

Delilah soltou um riso cortante.

— Pitica me disse que eu deveria largar Jon na frente do Corpo de Bombeiros. O que é irônico, considerando que Dave foi abandonado pela própria mãe na frente de um Corpo de Bombeiros.

Sara tinha visto evidências da frieza de Pitica com a própria filha, mas era uma coisa irracional dizer isso sobre um bebê.

— É estranho, não é? — perguntou Delilah. — Você escuta todo esse papo sobre a santidade da maternidade, mas Pitica sempre detestou bebês. Especialmente os dela. Deixava Mercy e Christopher por aí cobertos de mijo e cocô. Tentei interferir, mas Cecil deixou claro que eu não deveria me meter.

Sara não tinha achado que era possível ficar com mais nojo da família de Mercy.

— Você morava aqui quando Christopher e Mercy eram bebês?

— Até Cecil me expulsar — respondeu Delilah. — Um dos meus muitos arrependimentos foi não ter levado Mercy quando tive a oportunidade. Pitica teria me deixado ficar com ela com alegria. Ela é uma daquelas mulheres que dizem que se dão melhor com os homens porque não gostam de outras mulheres, mas a verdade é que as outras mulheres não suportam ficar perto dela.

Sara conhecia bem o tipo.

— Você parece convencida de que o culpado é Dave.

— O que foi que aquele Drew disse? Já vi esse *Dateline* antes? É sempre o marido. Ou o ex-marido. Ou o namorado. E, no caso de Dave, minha única surpresa é que ele demorou muito para chegar a esse ponto. Ele sempre foi um bandidinho raivoso, violento. Ele culpava Mercy por tudo de ruim na vida dele, quando, na verdade, ela era honestamente a única coisa boa.

Ela dobrou o lenço de papel antes de limpar o nariz de novo.

— Além disso, quem mais poderia ser?

Sara não sabia, mas precisava perguntar:

— Algum dos hóspedes pareceu conhecido?

— Não, mas eu não vinha para cá há muito tempo — disse Delilah. — Se está pedindo minha opinião, os donos de bufê eram bacanas, mas não tão relaxados como eu gosto. Não falei muito com os dois caras do aplicativo. Não são meu tipo de gay. Os investidores, bem, não são meu tipo de babaca. Monica e Frank eram ótimos. Falamos de viagens, música e vinho.

Sara deve ter parecido surpresa, porque Delilah riu.

— Deveria perdoar Monica por beber tanto. Eles perderam um filho ano passado.

Sara sentiu uma pontada de culpa por seus pensamentos pouco generosos.

— Que coisa horrível.

— É, é devastador perder um filho — disse Delilah. — Não foi a mesma coisa quando perdi Jon, mas ter algo tão precioso tirado de você...

Sara ouviu a voz dela parar. Ela viu Will andando com Nadine na direção do chalé queimado. Estavam em uma conversa profunda. Sara ficou aliviada por ver que a investigadora forense, pelo menos, estava levando a investigação a sério.

Delilah continuou de onde havia parado:

— A questão de perder um filho é que separa um casal ou os deixa mais próximos. Eu estraguei um relacionamento de 26 anos quando Jon foi tirado de mim. Ela era o amor da minha vida. Foi minha própria culpa maldita, mas certamente gostaria de voltar no tempo e fazer as coisas de outro modo.

— Sara? — Will acenou para ela. — Venha cá ver isso.

A esposa não conseguiu pensar em um jeito de evitar que Delilah a seguisse, mas, pelo menos, a mulher manteve distância. Nadine estava direcionando a luz da lanterna sobre os restos chamuscados do terceiro chalé. Uma parede ainda estava de pé, mas a maior parte do teto tinha caído. Fumaça saía dos pedaços de madeira queimada. Mesmo com a chuvarada, Sara ainda sentia calor saindo dos escombros.

Will apontou para uma pilha de destroços no canto de trás.

— Está vendo?

Sara via.

Havia vários tipos de mochila, desde aquelas que toda criança carrega para a escola até aquelas projetadas para trilheiros experientes. A segunda categoria tendia a oferecer recursos específicos para atividades externas. Algumas eram extremamente leves, para caminhadas diurnas ou escaladas. Outras tinham estruturas internas para deixá-las rígidas para cargas mais pesadas. Umas tinham estruturas metálicas externas que podiam ser usadas para transportar itens maiores, como barracas e colchonetes.

Todas as variações eram feitas de náilon, material classificado pelo denier, unidade de densidade baseada no comprimento e no peso da fibra. O corolário mais próximo seria a contagem de fios nos lençóis. Quanto maior o denier, mais durável seria o tecido. Acrescente a isso os vários revestimentos para tornar o material resistente às intempéries, à água e, às vezes, se usada uma mistura de silicone e fibra de vidro, ao fogo.

O que era, aparentemente, o caso da mochila no canto do chalé queimado.

10

WILL USOU A CÂMERA do telefone para documentar a posição e o estilo da mochila. Parecia funcional e cara, o tipo de equipamento que um trilheiro de verdade usaria. Havia três zíperes, todos fechados: um para o compartimento principal, outro para a seção menor na frente e um para um bolso na parte de baixo. O material parecia estendido até o limite. Ele via dois cantos nítidos pressionando o náilon que indicavam que havia uma caixa ou um livro pesado dentro. A chuva tinha tirado parte da fuligem negra do fogo. O náilon era cor de lavanda, num tom quase idêntico aos tênis Nike de Mercy.

— Vi a mesma mochila na casa mais cedo — informou Delilah, se aproximando.

— Onde estava? —perguntou Will.

— No andar de cima — respondeu. — A porta do quarto de Mercy estava aberta. Vi a mochila encostada na cômoda dela, mas não assim cheia. Todos os zíperes estavam abertos.

Will olhou para Sara. Eles sabiam o que *deveria* ser feito. A mochila era uma prova valiosa, e estava entre outras provas valiosas. O investigador de incêndio ia querer tirar fotos, vasculhar os escombros, coletar amostras, fazer testes, procurar o acelerador, porque claramente algo tinha sido usado para garantir que o chalé pegasse fogo. Will esteve lá dentro enquanto estava em chamas. Fogo não se espalha daquele jeito sozinho.

— Pode segurar para mim? — perguntou Nadine, estendendo a lanterna para Will.

Ele apontou a luz para baixo enquanto Nadine abria a caixa de ferramentas de aparência pesada que tinha levado até a cena. Ela vestiu um par de luvas. Colocou a mão no bolso de trás do macacão e tirou um alicate de ponta fina.

Ele a seguiu com o facho da lanterna. Felizmente, ela não pisoteou os restos fumegantes do incêndio. Caminhou até a parte de trás e estendeu a mão em direção à mochila cor de lavanda. Com uma precisão delicada, pegou o fecho de metal do zíper com o alicate e o puxou com cuidado. A bolsa abriu cerca de cinco centímetros antes que os dentes enroscassem.

Will aumentou a luz para que ela pudesse ver melhor o interior.

— Parece que tem um caderno de notas, roupas, produtos de higiene pessoal feminina. Ela estava indo a algum lugar.

— Que tipo de caderno de notas? — questionou Sara.

— Do tipo de redação que as crianças levam para a escola. — Ela virou a cabeça para conseguir um ângulo diferente. — A capa parece ser de plástico. Derreteu com o calor. O fundo está cheio de água. Deve ter entrado água da chuva. As páginas estão grudadas feito cola.

— Consegue ler alguma coisa? — perguntou Will.

— Não — respondeu. — E não vou tentar. Precisamos de alguém bem mais esperto que eu para manejar essa coisa sem destruir as páginas.

Will já tinha lidado com aquele tipo de prova. O laboratório precisaria de dias para processar o caderno. Para piorar, a luz da lanterna mostrara uma carcaça queimada de metal e plástico ao lado da mochila.

Nadine também tinha visto.

— Parece um iPhone de modelo antigo. Essa coisa está torrada. Ilumine aqui.

Will direcionou a lanterna para o lugar que ela tinha apontado. Viu os restos queimados de uma lata metálica de gasolina. Dave provavelmente a tinha usado para encher o gerador e para queimar a cena do crime depois de assassinar a ex-esposa.

— Sabe se Mercy disse alguma coisa sobre ir embora? — perguntou Sara a Delilah.

— Pitica tinha dado a ela até domingo para sair da montanha. Não sei para onde ela poderia ir, ainda mais no meio da noite. Mercy é uma trilheira experiente. Nessa época do ano, temos ursos-negros jovens tentando estabelecer território. Você não quer topar com um por acidente.

— Sem ofensa, Dee — disse Nadine —, mas Mercy não era conhecida pela lógica. Na metade das vezes em que terminou com problemas, foi porque saiu do controle e fez alguma coisa estúpida.

— Mercy não estava com raiva depois da briga com Jon — falou Sara, entrando na conversa. — Estava preocupada. De acordo com Paul, ela fez a ronda das dez da noite e pegou o pedido de Monica na varanda da frente deles por volta das 22h30. Ele não mencionou que ela estava agindo de modo estranho. Mesmo assim, não acho que Mercy partiria durante a noite sem conversar com Jon.

— Não — disse Delilah. — Também não acho que ela faria isso. Mas por que vir até aqui? Não há encanamento nem eletricidade. Ela poderia ter ficado na casa. Deus sabe que aquelas pessoas conseguem olhar umas para as outras com ódio em silêncio.

Todos estudaram a mochila como se ela pudesse dar uma explicação.

— Isso é um hotel, gente. Se Mercy estivesse de saco cheio da família, iria para um dos chalés de hóspedes — falou Nadine como se fosse óbvio.

— Algumas das camas estavam desfeitas quando fiz a busca nos chalés vazios. Achei que ainda não tivessem sido limpos depois dos últimos hóspedes — disse Will.

— Penny é a camareira. Ela também é a bartender. Pode valer a pena perguntar a ela. — Nadine ergueu o olhar para o policial. — Você fez a busca por Dave nos chalés?

— Eu poderia ter dito que era perda de tempo — disse Delilah. — Dave teria muito medo para ficar em um dos chalés. Meu irmão chutaria a bunda dele.

Will não comentou que o irmão dela não conseguia sair da própria casa sem ajuda.

— Se Dave quisesse sair daqui rápido sem ser visto, não voltaria ao complexo principal. Ele seguiria o riacho até a Trilha McAlpine, certo?

— Em teoria — disse Delilah. — O Riacho da Viúva Perdida é muito fundo para atravessar no lago. Você precisa passar pela grande cachoeira, e mesmo assim é difícil. Melhor descer mais uns 180 metros e cruzar pela ponte de pedra que fica na minicachoeira. É mais um pedaço de corredeira do que as Cataratas do Niágara. Dali, dá para seguir em linha reta e pegar a Trilha McAlpine. Você consegue descer a montanha em três ou quatro horas. A não ser que seja parado por um urso.

— Não sei — respondeu Nadine. — Não vejo Dave saindo para uma caminhada quando a caminhonete da família está parada bem ao lado da casa. Ele já roubou um ou dois veículos quando lhe convinha.

Will sabia tão bem quem Dave era quando criança que não pensara em pedir a ficha criminal dele de adulto.

— Ele já foi preso?

— Começou cedo — respondeu Nadine. — Dave entrou e saiu da prisão do condado por dirigir embriagado, furto, esse tipo de coisa, mas nunca foi para uma prisão de gente grande, não que eu saiba.

Will podia imaginar por que Dave nunca tinha sido mandado para uma prisão do estado, mas tentou ser cuidadoso.

— Os McAlpine são próximos da família do delegado.

— Bingo — disse Nadine. — Se quer saber com que se preocupar, a especialidade de Dave é briga de bar. Ele enche a cara, então começa a alfinetar as pessoas, só que, quando elas estouram, ele está esperando com uma faca automática.

— Uma faca automática? — A voz de Sara subiu em alarme. — Ele já esfaqueou alguém antes?

— Esfaqueou uma perna uma vez e arranhou uns braços. Abriu o peito de um cara até o osso — disse Nadine. — As pessoas aqui nem piscam por causa de briga de bar. Dave tomou suas surras. Deu algumas. Ninguém morreu. Ninguém prestou queixa. Isso é uma noite de sábado.

— Achei que Dave só atazanava mulheres — falou Delilah.

— Você ainda o vê como aquele cachorrinho perdido procurando uma casa — disse Nadine. — A ruindade de Dave ficou pior. Todos aqueles demônios que ele trouxe de Atlanta tornaram-se mais velhos e malvados. Não sei como ele vai se livrar dessa, se é algum consolo. Assassinato é assassinato. É prisão perpétua. Deveria ser pena de morte, mas ele usa a carta de pobre órfão abandonado melhor do que os outros.

— Vou acreditar nisso quando ele estiver atrás das grades — respondeu Delilah. — Ele sempre foi liso feito cobra. Desde que subiu esta montanha. Cecil devia ter deixado ele naquele acampamento velho para apodrecer.

Will sabia que tudo o que estavam dizendo de Dave era verdade, mas não conseguia deixar de se sentir na defensiva ao ouvir falar de abandonar uma criança de treze anos. Ele tentou ver os olhos de Sara, mas ela estava examinando a mochila.

— Meu Deus, é onde ele está escondido! — exclamou Delilah. — Acampamento Awinita. Dave dormia lá quando as coisas ficavam ruins na casa. Tenho certeza de que ele está lá agora.

Will se sentiu um idiota por não ter pensado no acampamento.

— Quanto tempo leva para chegar até lá?

— Você parece um homem resistente. Vai levar cinquenta minutos, talvez uma hora. Passe pelos Baixios, então faça a curva na parte de trás da seção do meio do lago. O acampamento fica a um ângulo de 45 graus da plataforma de mergulho, mais ou menos.

— Estivemos na área antes do jantar — disse Will. — Encontramos um círculo de pedras, como uma velha fogueira de acampamento.

— É o círculo das meninas escoteiras. Fica a mais ou menos 350 metros do acampamento. Muitos escoteiros estavam indo escondidos até lá no meio da noite, então colocaram mais longe. O que você precisa fazer é seguir direto da plataforma de mergulho. Vai encontrar uns alojamentos que estão lá desde os anos 1920. Tenho certeza de que ainda estão lá. Dave deve estar em um deles.

— Se me der um momento para trocar de roupa, levo vocês direto para lá —, falou Delilah, com as mãos na cintura.

— Isso não vai acontecer — falou Will.

— Concordo — Nadine entrou na conversa. — Já temos uma mulher morta a facadas.

— Na verdade — disse Delilah —, agora que estou pensando nisso, ir de canoa seria mais rápido.

Will gostou da ideia de se aproximar de fininho pela água.

— Tem uma trilha até o galpão de equipamentos, não tem?

— Pegue a Solteiro Velho, logo depois dos cavaletes de serrar. Vire à esquerda na Trilha Circular, depois de volta na bifurcação na direção do lago. O galpão fica atrás de uns pinheiros.

— Vou com você — avisou Sara.

Will estava a ponto de dispensá-la, mas então se lembrou de que tinha só uma mão boa.

— Você vai precisar ficar na canoa.

— Entendido.

Eles começaram a sair, mas Nadine subitamente bloqueou o caminho dele.

— Espere aí, grandão. Estou feliz em deixar vocês dois participarem até agora, mas Biscoito deixou bem claro que não vai transferir a investigação. Podem ficar com o corpo, mas o Departamento de Investigação da Geórgia não tem autorização para caçar um suspeito de assassinato no Condado de Dillon.

— Você está certa — disse Will. — Diga ao delegado que minha esposa e eu estamos preparados para dar nossos depoimentos quando ele tiver tempo. Por ora, vamos para nosso chalé.

Nadine sabia que ele estava mentindo, mas teve o bom senso de sair do caminho. Ela deu um passo para o lado, com um suspiro profundo.

— Boa sorte — desejou Delilah.

Will seguiu Sara. Ela usava a lanterna para complementar a lua minguante. Em vez de seguir as instruções de Delilah em direção à trilha, ela se manteve na margem do lago, provavelmente porque a rota era mais direta até o galpão. Will tentou planejar como iriam lidar com a canoa. Ele conseguiria usar a base da mão machucada como ponto de apoio e depois puxar para trás com a mão boa, o que significava que a maior parte do trabalho precisaria vir dos bíceps e ombros. Ele testou a mão com o curativo. Os dedos poderiam se mover se ele ignorasse a dor lancinante.

— Quer a minha opinião? — perguntou Sara.

Will não tinha achado que a opinião dela era diferente da dele.

— Qual o problema?

— Nenhum — respondeu, soando como se houvesse muito problema. — Minha opinião, se você está interessado, é a de que deveria esperar Faith.

Will tinha esperado o suficiente.

— Eu disse que ela parou num congestionamento. Se Dave estiver no acampamento...

— Você está desarmado, e ferido. O terreno está encharcado. Seu curativo está imundo, e a ferida, provavelmente, infeccionando. É nítido que está sentindo muita dor. Fora que não tem autorização e nunca remou numa canoa na vida.

Will escolheu o ponto mais fácil de derrubar.

— Consigo descobrir como remar uma canoa.

Sara usou a luz para encontrar um caminho além da margem rochosa. Ele percebeu o olhar fixo no rosto dela. Ela estava mais brava do que ele tinha pensado.

— Sara, o que quer que eu faça?

A cabeça dela começou a tremer quando ela entrou na água rasa.

— Nada.

Will não tinha resposta para "nada". O que sabia era que Sara era incrivelmente lógica e não ficava chateada sem motivo. Relembrou a conversa na cena do crime. Sara ficara quieta quando Nadine contou que Dave carregava uma faca automática. E que a tinha usado em outros homens.

Ele estudou as costas rígidas de Sara enquanto ela atravessava uma inclinação rochosa. Os movimentos eram espasmódicos, como se a ansiedade tentasse sair do corpo.

— Sara — chamou Will.

— Você precisa das duas mãos para remar para a frente numa canoa — ensinou. — Sua mão dominante é a mão de controle, que vai acima no remo, a força está na palma. Sua mão de movimento vai no cabo. Você precisa enfiar o remo na água quando empurra e girar o controle se quiser manter a canoa reta. Consegue girar e empurrar com as duas mãos?

— Prefiro quando é você quem faz.

Sara girou em torno dele.

— Eu também, amor. Vamos voltar para o chalé e dar umazinha.

Ele riu.

— Isso é um truque?

Ela sussurrou um palavrão obsceno, então continuou em frente.

Will nunca fora de quebrar longos silêncios. Ele não discutiria com ela. Manteve a boca fechada enquanto atravessavam um pedaço de vegetação densa. A explosão súbita de Sara não era a única coisa deixando aquela caminhada desconfortável. Ele estava suando. A bolha no pé começava a reclamar. A mão ainda pulsava a cada batida do coração. Quando ele tentou ajustar a gaze, água pingou no chão.

— Você precisa me escutar — disse Sara.

— Estou escutando, mas não sei o que quer dizer.

— Estou dizendo que vou precisar remar esse bote sozinha até o outro lado do lago, assim não vamos andar em círculos pelo resto da nossa vida.

— Ao menos vamos estar juntos.

Ela parou de novo, virando-se de frente para ele. Não havia nem sinal de sorriso em seu rosto.

— Ele anda com uma faca automática. Cortou o peito de um homem até o osso. Preciso dizer a você que órgãos estão no seu peito?

Ele sabia que não deveria fazer brincadeiras dessa vez.

— Não.

— Você está pensando agora que Dave é patético, que é um perdedor. Tudo isso é verdade. Mas ele também é um criminoso violento e não vai querer voltar para a cadeia. De acordo com você e todo mundo por aqui, ele já tem um assassinato na consciência. Mais um não vai ser um problema.

Will ouvia o medo evidente na voz dela. Naquele momento, entendeu. O primeiro marido dela tinha sido policial. O homem havia subestimado um suspeito e acabara morto por causa disso. Não havia uma boa maneira de Will dizer a ela que não teria o mesmo destino. Ele crescera de forma diferente. Tinha passado os primeiros dezoito anos da vida esperando que as pessoas fizessem coisas brutais e violentas, e os anos subsequentes tentando impedi-las.

Ela pegou a mão boa dele, segurando com tanta força que ele sentiu os ossos mexerem.

— Meu amor — disse ela. — Sei qual é seu trabalho, que faz essas escolhas de vida e morte quase todo dia, mas precisa entender que não é mais só sua vida e só sua morte. É a *minha* vida. É a *minha* morte.

Will passou o dedão na aliança de casamento. Precisava haver um jeito para que os dois conseguissem o que queriam.

— Sara...

— Não estou tentando mudar você. Só estou dizendo que estou com medo.

— Que tal isto: assim que estiver com Dave sob custódia, vou ao hospital com você. Um lugar aqui, não em Atlanta. E aí você pode cuidar da minha mão. Faith pode tirar uma confissão de Dave e vai ser o fim disso.

— Que tal depois disso tudo você me ajudar a procurar Jon?

— Parece razoável.

Will aceitou a barganha prontamente. Não tinha se esquecido da promessa que fizera a Mercy. Havia coisas que Jon precisava escutar.

— E agora?

Sara estudou a água, e Will seguiu o olhar dela. Estavam perto do galpão de equipamento. A lua banhava o trampolim no deque flutuante.

Ela disse:

— Não tenho certeza do tempo que vou levar para cruzar o lago. Vinte minutos? Trinta? Não remo uma canoa desde quando era escoteira.

Will imaginou que naquela época ela não estava arrastando o peso morto de um homem adulto que não conseguia segurar um remo. Na viagem de volta, com sorte, seriam dois homens adultos. O que o levou a seus próprios problemas. A fantasia de ataque pela água de Will não tinha passado por levar Dave. Precisaria levar o assassino para fora do acampamento, em vez de levá-lo de volta pela água. De jeito nenhum colocaria Sara em um barco com Dave.

— Quero ver se tem corda dentro do galpão — falou Will.

Sara não perguntou para que servia a corda. Ficou em silêncio enquanto retomavam a caminhada, o que de alguma forma era pior do que quando gritou com ele. Will tentou pensar em algo para dizer que a deixasse menos preocupada, mas havia aprendido da maneira mais difícil que dizer a uma mulher para não sentir algo não era a melhor maneira de impedi-la de sentir aquilo. Na verdade, isso tendia a deixá-la ainda mais furiosa.

Felizmente, a caminhada não demorou muito mais. A lanterna de Sara foi a primeira a mostrar as canoas, todas guardadas de cabeça para baixo num suporte. O galpão de equipamentos tinha mais ou menos o tamanho de uma garagem para dois carros. As portas duplas possuíam uma trava imensa, considerando que o local era tão isolado. A tranca de deslizar com corrente tinha uma barra de metal de 30 centímetros que precisava ser virada para liberar a trava. Uma trava de mola passava pela extremidade da barra, prendendo-a a uma tranca com cadeado na porta.

— Ursos também conseguem abrir portas — tentou explicar Sara.

Will deixou que ela abrisse a fechadura, então começou a empurrar a barra de metal. O mecanismo era duro. Precisou usar o ombro, mas, por fim, as portas se abriram. Will sentiu uma mistura estranha de fumaça de madeira e peixe.

Sara tossiu com o cheiro, abanando a mão na frente do rosto enquanto andava pelo galpão. Ela encontrou um interruptor de luz na parede. As lâmpadas fluorescentes revelaram uma oficina minuciosamente organizada, com ferramentas penduradas em um painel azul. Varas de pescar estavam em ganchos. Redes e cestas cobriam uma parede inteira. Havia uma bancada de pedra com pia e uma tábua de cortar bastante usada. Duas tesouras e quatro facas de comprimentos variados estavam presas em uma tira magnética. Todas as lâminas, exceto uma, eram finas e sem serrilha.

Will era um cara de armas de fogo, não de facas.

— Tem alguma coisa faltando? — perguntou a Sara.

— Não que eu tenha percebido. É um conjunto-padrão para limpar peixe.

Sara conferiu uma a uma.

— Faca de isca. Faca de tirar espinhas. Faca de filetar. Tesoura de limpeza. Tesoura de cortar fio.

Will não encontrou corda alguma. Começou a abrir gavetas. Tudo era organizado em seções, nada estava solto. Reconheceu alguns dos fechos da própria oficina, mas imaginou que não eram usados em carros. Encontrou o que precisava na última gaveta. O responsável pelo galpão era meticuloso demais para não ter o básico: rolo de fita adesiva e braçadeiras plásticas resistentes.

As braçadeiras estavam cuidadosamente presas por uma tira elástica. Will não conseguiu arrumá-las como estavam com uma mão. Sentiu culpa por deixar as braçadeiras soltas na gaveta, mas havia coisas mais importantes com que se preocupar. Seis das maiores foram para o bolso de trás dele. Will enfiou o rolo de fita adesiva em um bolso mais fundo na perna da calça cargo.

Will estava fechando a gaveta quando pensou nas facas na parede. Pegou a menor, a faca para isca, e a enfiou por dentro da bota. Não sabia quanto a lâmina era afiada, mas qualquer coisa podia furar um pulmão se fosse enfiada com força suficiente no peito de um homem.

— O que é isso? — perguntou Sara.

Ela colocou as mãos em torno dos olhos enquanto tentava enxergar por entre as ripas da parede de trás.

— Parece mecânico. Um gerador, talvez?

— Vamos verificar com a família. — Will encontrou um cadeado debaixo de umas cestas de metal penduradas. Ele puxou o fecho, mas estava firme. — Ursos?

— Hóspedes, provavelmente. Não tem internet nem TV. Imagine a bebedeira até tarde da noite. Me ajude com isso.

Sara tinha localizado os remos. Estavam perto do teto, pendurados como espingardas em um suporte.

— O azul parece ter o tamanho certo.

Will ficou surpreso com a leveza quando tirou o remo do gancho.

— Traga dois, para o caso de um se perder na água. Vou pegar os coletes salva-vidas — ordenou Sara.

Will não achava que era uma boa ideia usar laranja brilhante ao se aproximar do acampamento, mas não compraria aquela briga.

Fora do galpão, ele seguiu o exemplo de Sara, tirando uma das canoas do suporte. Não havia nada que Will pudesse fazer a não ser ficar parado enquanto ela colocava os remos no casco e jogava os coletes salva-vidas para dentro. Ela apontou as alças de transporte ao redor da canoa e disse a ele onde ficar e como levantá-la. Sara ficou em silêncio novamente enquanto carregavam a canoa para o lago. Will tentou não perceber a ansiedade dela. Precisava se concentrar num único propósito: levar Dave à Justiça.

Sara caminhou devagar pela água rasa, tentando levantar o mínimo de respingos. Will baixou o barco quando ela mandou. Ela alinhou a parte traseira para que ficasse ancorada na lama. Ele estava prestes a entrar quando Sara o impediu.

— Fique parado.

Ela o ajudou a vestir um dos coletes salva-vidas, então se certificou de que os fechos estavam presos. Depois se inclinou para a frente e segurou a canoa para que ele pudesse subir.

Will sentiu-se desnecessariamente paparicado, mas subir com uma mão só foi mais difícil do que esperava. Ele sentou-se no banco na parte traseira da embarcação, o peso levantando a proa. Já o de Sara só fez a canoa descer um pouco quando ela subiu. Porém, ela não sentou no outro banco. Ficou de joelhos e usou o remo para empurrá-los para a água. Começou com remadas superficiais até que houvesse alguma distância entre eles e a margem.

Quando chegaram em águas abertas, Sara já havia estabelecido um ritmo constante. Na hora de deixar os Baixios e navegar até a parte maior do lago, ela mudou de um lado para o outro da canoa para fazer a curva. Will tentou lembrar-se de onde ficava a plataforma de mergulho enquanto o barco deslizava. O galpão de equipamentos desapareceu de vista. Depois a margem. Logo, tudo o que conseguia ver era escuridão, e tudo o que ouvia era o remo trabalhando e o som da respiração de Sara.

A lua espiou por trás das nuvens quando chegaram ao meio do lago. Will aproveitou a oportunidade para verificar o curativo na mão. Sara estava certa ao dizer que a gaze estava suja e provavelmente também estava certa sobre a infecção. Se alguém dissesse a ele que havia um pedaço de carvão aceso dentro da pele entre o indicador e o polegar, ele acreditaria. A queimação diminuiu um pouco quando ele levantou a mão até a altura do peito, apoiando-a no suporte do colete salva-vidas.

Ele estendeu a mão para a bota, verificando a faca. O cabo era grosso o suficiente para evitar que a lâmina deslizasse até o tornozelo. Ele puxou a arma, testando o movimento. Esperava desesperadamente que Dave não estivesse acompanhando o progresso deles pela água. Will queria que a faca fosse uma surpresa se as coisas dessem errado. Os coletes laranja néon pareciam brilhar. Ele examinou o horizonte, procurando a margem, que aparecia lentamente. Primeiro, algumas manchas mais claras em meio à escuridão, depois conseguiu distinguir rochas e, por fim, o que parecia ser uma praia arenosa.

Sara olhou para ele. Ela não precisava falar. Uma praia de areia significava que haviam encontrado o acampamento. Estava em péssimo estado. Will viu os restos de um deque apodrecido, um píer parcialmente submerso. Uma corda pendia de um carvalho imponente, mas o assento de madeira que a transformava em balanço caíra na água havia muito tempo. Havia algo assustador naquele lugar. Will não acreditava em fantasmas, mas sempre confiou em seu instinto, e seu instinto lhe dizia que coisas ruins tinham acontecido ali.

A canoa começou a desacelerar. Sara inverteu as remadas conforme se aproximavam da praia. De perto, Will via mato crescendo na areia, garrafas quebradas, bitucas de cigarro. A lateral do barco fez um som de raspar ao bater na margem. Will soltou o colete salva-vidas e o deixou cair. Mais uma vez pensou na faca para isca na bota, dessa vez como proteção para Sara. A melhor coisa a fazer era mandá-la de volta para o galpão. Ele poderia caminhar até a pousada, com ou sem Dave.

— Não. — Ela tinha mania de ler a mente dele. — Vou esperar você a uns dez metros no máximo.

Will saiu do barco antes que ela avisasse que iria supervisionar a busca. Ninguém teria chamado seu desembarque de gracioso. Ele tentou fazer o mínimo de barulho enquanto se endireitava em terra firme. Depois usou a biqueira de aço da bota para empurrar Sara com firmeza de volta para a água.

Ele esperou até que ela começasse a remar antes de examinar a floresta. Ainda não havia amanhecido, mas o terreno estava mais visível do que quando saíram do galpão de equipamentos. Ele se virou para ver Sara de novo. Ela remava para trás, mantendo o olhar fixo em Will. Ele pensou em quando a vira nadar em direção ao deque flutuante nos Baixios apenas algumas horas antes. Ela ia de costas, num convite para que ele se juntasse a ela. Will sentira tanta alegria que parecia haver mais de cem borboletas em seu estômago.

Enquanto isso, do outro lado do lago, Dave estuprava e assassinava a mãe do filho dele.

Will se virou e entrou na floresta. Tentou se orientar. Nada parecia familiar de sua busca anterior pelo acampamento. Não era apenas a falta de luz. Antes, haviam se aproximado pelos fundos do Baixios e pararam quando chegaram ao círculo de pedras. Will tirou o telefone do bolso e abriu o aplicativo de bússola enquanto se dirigia para o que esperava ser a direção certa.

A floresta era densa, mais do que as áreas não desmatadas ao redor da pousada. Usar o aplicativo de lanterna seria equivalente a acender um farol. Então diminuiu o brilho da tela enquanto seguia a bússola. Depois de um tempo, Will percebeu que não precisava daquilo. Havia um cheiro bolorento de fumaça no ar. Fresco, como o de uma fogueira acesa, mas com um toque revoltante de cigarro.

Dave.

Will não se moveu imediatamente em direção ao alvo. Ficou absolutamente imóvel, concentrando-se em regular a respiração e acalmar a mente. Qualquer preocupação com Sara, a dor na mão, até Dave, tudo foi deixado de lado. A única coisa em que pensava era na pessoa que realmente importava.

Mercy McAlpine.

Apenas algumas horas antes, Will tinha encontrado a mulher agarrada aos últimos momentos de vida. Ela sabia que era o fim. Recusou-se a deixar Will sair para pedir ajuda. Ele estava de joelhos na água, implorando a Mercy que contasse quem era o responsável pelo ataque, mas ela balançou a cabeça como se nada daquilo importasse. E estava certa. Naqueles momentos finais, nada daquilo realmente importava. A única pessoa com quem ela se importava era a pessoa que ela trouxe ao mundo.

Will repetiu silenciosamente a mensagem que transmitiria a Jon...

Sua mãe quer que você fique longe daqui. Ela disse que você não pode ficar. Ela queria que você soubesse que está tudo bem. Que ela te ama muito. Que ela te perdoa pela briga. Prometo que você vai ficar bem.

Will avançava num ritmo deliberado, tomando cuidado para não pisar em galhos caídos ou em pilhas de folhas que pudessem alertar Dave de sua presença. Conforme se aproximava, o silêncio da floresta era quebrado pela batida suave de "1979", dos Smashing Pumpkins. A música estava baixa, mas oferecia cobertura suficiente para que Will se movesse com mais liberdade em direção à fonte.

Ele alterou a trajetória, aproximando-se de Dave pela lateral. Viu o contorno de alguns alojamentos. Com apenas um andar, talhados de modo rústico, erguiam-se a cerca de meio metro de altura, no que pareciam ser postes telefônicos.

Havia quatro casas agrupadas em um semicírculo. Will olhou pelas janelas, examinando o interior para ter certeza de que Dave estava sozinho. No último alojamento viu um saco de dormir, algumas caixas de cereais, pacotes de cigarros e caixas de cerveja. Dave tinha planejado ficar ali por um tempo. Will se perguntou se isso o ajudaria a defender a premeditação do crime. Havia uma diferença entre um assassinato repentino e aquele em que a fuga era planejada cuidadosamente com antecedência.

Will permaneceu abaixado enquanto se aproximava cuidadosamente do alvo. A fogueira que Dave fez não estava alta, mas era generosa o suficiente para iluminar o ambiente ao redor. Ele também dera a Will a cortesia de trazer uma lanterna Coleman que emitia mais de oitocentos lúmens, quase o mesmo que uma lâmpada de oitenta watts.

Dave sempre teve medo do escuro.

A grande clareira circular não estava tão coberta de vegetação quanto o resto do terreno. Havia pedras ao redor de um espaço para fogueira. Tocos de árvore tinham sido posicionados como assento. Havia uma grelha encostada no local da fogueira. Will sabia que havia mais aglomerados de alojamentos e mais fogueiras espalhadas pelo acampamento. No orfanato, tinha ouvido histórias sobre noites assando marshmallows, canções improvisadas e histórias assustadoras. Esses dias eram passado. O círculo dava uma sensação estranha, mais como um local de sacrifício do que de alegria.

Will encontrou um lugar atrás de um grande carvalho para se agachar. Dave estava encostado em um tronco derrubado que tinha cerca de 1,20 metro de comprimento e talvez quarenta centímetros de circunferência. Will ponderou estratégias. Surpreender Dave pela retaguarda? Saltar sobre o inimigo antes que ele pudesse pensar em agir? Will precisava de mais informações.

Avançou com cuidado, joelhos dobrados e músculos tensos, caso Dave se virasse. O cheiro de fumaça se intensificou. A chuva recente fazia a madeira fumegar. Quando Will se aproximou, ouviu um clique metálico familiar. Um polegar girando rapidamente uma roda de fricção, destinada a criar uma faísca que queima o gás butano, destinado a alimentar a chama que acende a ponta de um cigarro.

Ele ouviu o barulho metálico repetidamente.

Era típico de Dave continuar tentando acender um isqueiro claramente vazio. Ele continuou girando a roda, na esperança de arrancar mais uma faísca.

Por fim Dave desistiu, murmurando:

— Porra.

O fato de haver uma fonte de fogo a meio metro de distância não deu nenhuma ideia a Dave. Mesmo depois de ter jogado o isqueiro de plástico no fogo. A cuspida de chamas que se seguiu fez Dave levantar as mãos para proteger o rosto. Will aproveitou a distração para diminuir a distância entre eles. Dave tirou o plástico derretido dos antebraços. A dor não pareceu ser registrada. Não era preciso ser Sherlock Holmes para descobrir o porquê.

Latas de cerveja amassadas estavam espalhadas pelo chão. Will parou de contar depois de dez. Ele não se preocupou em catalogar os baseados e as pontas de cigarro, todos fumados até o filtro. Uma vara de pescar estava apoiada num tronco caído. A grelha estava virada para fora. Havia pedacinhos de carne carbonizada colados nela. Dave tinha usado a superfície de um toco de árvore para preparar o peixe. Cabeças decapitadas, rabos e ossos apodreciam numa poça de sangue escuro. Uma faca de tirar espinhas longa e fina estava ao lado de uma embalagem com seis cervejas.

Will calculou que a lâmina curva de dezoito centímetros estava ao alcance de Dave. Se o homem ouvisse o estalar de um galho ou o farfalhar de folhas, ou tivesse um mau pressentimento de que alguém estava vindo por trás, bastava estender a mão até o toco da árvore e teria uma arma letal à disposição.

A questão era: Will estaria à altura dele com sua própria faca? Ele tinha o elemento surpresa, além de não estar bêbado ou chapado. Em geral, Will conseguiria prever com segurança que poderia prender Dave no chão antes que o homem soubesse o que o tinha atingido.

Normalmente, Will tinha duas mãos funcionando.

O "1979" deu lugar à guitarra alta de "Tales of a Scorched Earth". Will aproveitou a oportunidade para se reposicionar. Ele não se aproximaria furtivamente de Dave. Viria pela frente como se tivesse seguido a trilha ao redor dos Baixios e terminado ali. Felizmente, Dave estava muito chapado para perceber que o encontro não era coincidência.

A hora de ser furtivo havia terminado. Will avistou um galho caído no chão da floresta, levantou o pé e pisou nele. A bota com biqueira de aço soava como um bastão de alumínio abrindo uma cabaça. Para garantir, Will soltou um palavrão alto. Então tocou no telefone para ligar a lanterna.

Quando Will ergueu os olhos, Dave já estava com a faca de tirar espinhas na mão. Tocou no telefone para pausar a música. Levantou-se lentamente, examinando a floresta com olhos atentos.

Will deu mais alguns passos barulhentos, balançando o telefone como se fosse um homem das cavernas que não entendia como a luz funcionava.

— Quem está aí?

Dave brandiu a faca. Ele tinha trocado de roupa desde que Will o encontrara na Trilha Circular. A calça jeans estava rasgada e tinha manchas de alvejante. Uma mão ensanguentada havia se arrastado no meio da camiseta amarela. Ele agitou a lâmina afiada pelo ar, exigindo:

— Apareça.

— Merda — falou Will num tom de desgosto. — Que porra está fazendo aqui, Dave?

O homem deu um sorrisinho, mas manteve a faca levantada.

— O que *você* está fazendo aqui, Lata de Lixo?

— Procurando o acampamento. Não que seja da sua conta.

Dave sufocou uma risada. Contudo, baixou a faca.

— Você é tão patético, cara.

Will entrou na clareira para que Dave pudesse vê-lo.

— Só me diz como chegar lá, e eu vou embora.

— Volte pelo caminho que veio, idiota.

— Acha que não tentei isso? — Will continuou a andar na direção dele. — Estou nesta mata maldita há mais de uma hora.

— Se eu fosse você, nunca deixaria a ruivinha sozinha. — Os lábios molhados de Dave se torceram num sorrisinho. — Como é o nome dela mesmo?

— Se algum dia escutar você pronunciar o nome dela, vou bater na sua cara até os dentes saírem por trás da sua cabeça.

— Merda — disse ele, mas recuou com facilidade demais. — Apenas pegue a esquerda no círculo de pedras, então vire à direita em torno do lago, depois à esquerda de volta à Trilha Circular.

Will demorou um segundo para descobrir que Dave não havia recuado. Dizer a um disléxico para ir para a esquerda e depois para a direita equivalia a mandá-lo se foder.

Dave começou a rir enquanto voltava para seu lugar em frente ao fogo. Apoiou-se no tronco derrubado e recolocou a faca de tirar espinhas no toco da árvore. Will percebia que ele esperava que aquilo fosse o fim. Dave tinha passado a vida inteira entendendo tudo errado. A única questão era: em que momento Will diria ao homem que ele era um agente especial do Departamento de Investigação da Geórgia? Tecnicamente, nada do que Dave dissesse antes desse momento, mesmo que confessasse abertamente ter matado Mercy, poderia ser usado contra ele no tribunal. Se Will quisesse fazer aquilo direito, teria que estabelecer um relacionamento e, em seguida, lentamente levar Dave à verdade.

— Sobrou alguma cerveja? — perguntou.

Dave levantou uma sobrancelha em surpresa. O Will que ele conhecia da infância não bebia.

— Quando cresceram pentelhos nas suas bolas?

Will sabia jogar aquele jogo.

— Depois que sua mãe chupou minhas bolas até secar.

Dave riu, esticando-se para trás para pegar uma cerveja da embalagem.

— Puxe uma cadeira.

Will queria manter alguma distância entre eles. Em vez de sentar em frente ao fogo, ao lado de Dave, apoiou as costas em uma pedra. Pousou o telefone ao lado da mão machucada. Dobrou o joelho para manter a faca na bota perto da mão boa. Precisava estar preparado se Dave decidisse resistir.

O homem não parecia estar pensando em lutar. Estava muito ocupado procurando maneiras de ser um idiota. Poderia ter jogado a lata de cerveja para Will, mas a rolou como uma bola de futebol.

Will a capturou com uma mão. Também a abriu com uma mão, evitando que os respingos atingissem o fogo.

Dave assentiu, claramente impressionado.

— O que aconteceu com sua mão? Você anda pegando meio pesado com a sua mulher? Ela parece ser do tipo que morde.

Will conteve a resposta que queria dar. Precisava deixar tudo de lado, inclusive a sensação de traição e fúria que existia desde a infância. A repulsa pelo tipo de homem que Dave havia se tornado. A maneira brutal como ele assassinara a ex-esposa. O fato de ele ter largado o filho para juntar os cacos.

Em vez disso, Will levantou a mão enfaixada, dizendo:

— Cortei num pedaço de vidro quebrado no jantar.

— Quem te remendou? Foi Papai?

Dave claramente gostou da crueldade da piada. Olhou para o fogo com um sorrisinho no rosto. Quando colocou a mão por baixo da camisa para coçar a barriga, Will pôde ver marcas profundas onde alguém o arranhara. Havia outro arranhão na lateral do pescoço. Ao que tudo indicava, ele tinha estado recentemente em uma briga violenta.

Will colocou a lata de cerveja sobre o chão, ao lado da bota. Pousou a mão ao lado dela, certificando-se de que a faca para isca estava ao alcance. O melhor cenário seria deixá-la dentro da meia. Muitos policiais pensavam que o modo de enfrentar violência era com violência. Will não era um desses policiais. Não estava ali para punir Dave. Ele faria muito pior que isso. Queria prendê-lo e colocá-lo na cadeia. Para fazê-lo sofrer com o estresse e o desamparo de ser réu em um julgamento criminal. Para deixá-lo ter aquela sensação ilimitada de esperança de que poderia escapar impune. Ver a expressão esmagadora no rosto dele quando percebesse que aquilo não aconteceria. Para saber que ele teria que lutar todos os dias pelo resto da vida, porque, dentro dos muros da prisão, homens como Dave sempre estiveram na base da pirâmide.

E nada disso levava em conta a pena de morte.

Dave soltou um suspiro doloroso para preencher o silêncio. Pegou um graveto. Avivou o fogo. Olhava para Will, esperando que ele dissesse alguma coisa.

Will não diria uma palavra sequer.

Dave esperou menos de um minuto antes de soltar outro suspiro sofrido.

— Você mantém contato com alguém daquele tempo?

Will balançou negativamente a cabeça, embora soubesse que muitos dos antigos colegas de orfanato tinham terminado na prisão ou enterrados.

— O que aconteceu com Angie?

— Não sei. — Will sentiu as mãos querendo se fechar, mas manteve as duas pousadas no chão. — Ficamos casados por alguns anos. Não deu certo.

— Ela traiu você?

Will sabia que Dave já tinha a resposta.

— E você e Mercy?

— Merda. — Dave cutucou o fogo até soltar faíscas. — Ela nunca me traiu. Gostava do que tinha em casa.

Will forçou um sorriso.

— Claro.

— Acredite no que quiser, Lata de Lixo. Eu é que larguei dela. Fiquei cansado das merdas dela. Tudo o que Mercy faz é reclamar deste lugar, então ela tem a chance de ir embora e...

Will esperou que ele continuasse falando, mas Dave soltou o galho e pegou outra cerveja. Não voltou a falar até que a lata estivesse vazia e amassada no chão.

— Precisaram fechar este lugar. Muitos supervisores transando com as criancinhas.

Will não deveria ter ficado surpreso. Não era a primeira vez que o local idílico que tinha imaginado quando criança fora estragado por um predador.

— Por que veio até aqui, Lata de Lixo? — perguntou Dave. — Você nunca quis ver o acampamento quando era criança. Era melhor decorando os versículos da Bíblia do que eu.

Will deu de ombros. Ele não diria a verdade a Dave, mas precisava se sair com uma história plausível. Então, lembrou o que Delilah tinha dito sobre o círculo de pedras.

— Minha esposa vinha aqui quando era escoteira. Ela queria ver o lugar de novo.

— Você se casou com uma escoteira? Ela ainda tem o uniforme? — Ele grunhiu uma risada. — Jesus Cristo, como é que a porra do Lata de Lixo está vivendo num filme pornô enquanto tenho sorte quando encontro uma xoxota que não foi esticada feito um ursinho de goma?

Will levou a conversa de volta para Mercy.

— Sua ex deu um filho para você. Isso é algo.

Dave abriu outra cerveja.

— Jon parece um bom menino. Mercy fez um bom trabalho com ele — continuou Will.

— Não foi só trabalho dela. — O homem chupou a espuma do topo da lata, mas não engoliu o conteúdo como na última vez. Estava se segurando. — Jon sempre soube onde me encontrar. Ele vai dar um belo homem um dia. Bonito também. Provavelmente pegando mulher dos outros, como o pai dele nessa idade.

Will ignorou a provocação, que claramente tinha a intenção de evocar Angie.

— Algum dia você achou que terminaria casado? — perguntou Will.

— Porra, não. — O riso de Dave tinha um toque de amargura. — Para ser honesto, achei que estaria morto a esta altura. Foi sorte conseguir vir de Atlanta até aqui sem nenhum pervertido me pegar na beira da estrada e me traficar para a Flórida.

Will sabia que ele estava tentando contar vantagem por ter fugido.

— Você pediu carona?

— Claro que pedi.

— Não é um lugar ruim para se esconder. — Will exagerou ao olhar em torno do acampamento. — Quando você sumiu, eu falei para eles que era para onde você iria.

— É, bem.

Dave colocou o cotovelo para trás, apoiando-o no tronco.

Will tentou não reagir. Dave tinha posicionado a mão mais perto da faca. Se aquilo era intencional, ele saberia em breve.

— Eu soube quem eu era quando vim para cá naquele ônibus da igreja, sabe? Tipo, eu conseguia pescar, caçar e me alimentar. Não precisava de ninguém cuidando de mim. Não era feito para morar numa cidade. Lá eu era um rato. Aqui eu sou um leão da montanha. Faço e falo o que quero. Fumo o que quero. Bebo o que quero. Ninguém pode foder comigo.

Parecia ótimo até você entender que a liberdade dele vinha com um preço que Mercy tinha pagado.

— Você teve sorte por ter sido abrigado pelos McAlpine.

— Dias bons e dias ruins — disse Dave, sempre lembrando de uma história triste. — Pitica, ela é um anjo. Mas Papai? Ele é um filho da puta. Me espancava com o cinto de couro.

Will não se surpreendeu ao ouvir que Cecil McAlpine tinha sido fisicamente abusivo.

— Ele não dava a mínima se o cinto escapasse e eu apanhasse com a fivela. Ficava com umas marcas enormes na bunda e nas pernas, e não podia usar short porque não queria que os professores vissem. Tudo que eu não precisava era que me arrastassem de volta para Atlanta.

— Eles poderiam ter encontrado um lugar para você por aqui.

— Não queria — falou Dave. — Pitica precisava do dinheiro do Estado só para colocar comida na mesa. Eu não podia abandoná-la. Especialmente com ele.

Will conhecia crianças abusadas que precisavam ajudar todo mundo, menos elas mesmas.

— Enfim. — Dave deu de ombros. — E você, Lixo? O que aconteceu depois que deixei sua bunda patética em paz?

— Fiquei velho para o sistema. Fiz dezoito e recebi cem dólares e um bilhete de ônibus. Terminei no Exército da Salvação.

Dave assoviou entre os dentes. Ele provavelmente achava que sabia como as coisas podiam ser duras para um adolescente desacompanhado dormindo num abrigo de sem-teto.

Ele não sabia.

— E depois? — quis saber Dave.

Will evitou a verdade, que era que tinha dormido na rua, depois numa cela.

— Consegui dar um jeito. Fui para a faculdade. Consegui um emprego.

— Faculdade? — Ele deu uma risada abafada. — Como fez para entrar se mal conseguia ler?

— Trabalho duro — disse Will. — É nadar ou afundar, certo?

— Você está certíssimo nisso. E toda aquela merda ruim que a gente passou quando era pequeno, aquilo nos tornou sobreviventes.

Will não gostou daquele tom de camaradagem compartilhada, mas Dave era suspeito de assassinato. Ele poderia usar o tom que quisesse, desde que terminasse confessando.

— Os McAlpine não viram problema em você ficar com Mercy?

— Com certeza. Papai usou a porra de uma corrente em mim quando ela engravidou. Me chutou da montanha. Ela também.

O risinho abafado de Dave se transformou em tosse.

— Eu cuidei de Mercy. Fiz ela ficar limpa quando o Jon nasceu. Ajudei a Delilah a acomodá-lo. Dava o dinheiro que conseguia guardar para ajudar.

Will sabia que ele estava mentindo.

— Você não quis criar o menino?

— Merda. O que eu sei de cuidar de um bebê?

Will imaginava que, se você era homem suficiente para fazer um filho, deveria ser homem suficiente para descobrir como cuidar de um.

— Você tem filhos? — perguntou Dave.

— Não.

Sara não era capaz, e Will conhecia coisas horríveis demais que poderiam acontecer a uma criança.

— Parece que ainda tem muito rancor entre Mercy e a família.

— Você acha?

Dave bebeu o resto da cerveja, amassou a lata e jogou-a para junto das outras.

— É difícil aqui em cima da montanha. Você fica isolado. Não tem muita coisa para fazer. Tem umas vadias ricas, metidas, que esperam que você limpe a bunda magra delas. Papai pressionando você. Levando você ao celeiro para dar uma surra porque não colocou as toalhas no lugar certo.

Will sabia que Dave não estava somente desabafando. Estava atrás da medalha de ouro das Olimpíadas das Crianças Abusadas.

— Parece muito ruim.

— Era o inferno de ruim — afirmou Dave. — Você e eu aprendemos do jeito difícil que só é preciso contar os minutos até acabar, certo? Por fim eles ficam cansados.

Will olhou para o fogo. Ele estava chegando a um ponto dolorido.

— É por isso que mentimos — disse Dave. — Se você diz uma merda dessas para uma pessoa normal, ela não aguenta.

Will manteve o olhar nas chamas. Não conseguia encontrar palavras para mudar de assunto.

— Você contou para sua mulher as merdas pelas quais passou?

Will balançou negativamente a cabeça, mas aquilo não era a verdade toda. Ele contara algumas coisas para Sara, mas jamais relataria todas elas.

— E como é? — Dave esperou que Will erguesse o olhar. — Sua mulher, ela é normal, não é? Como é?

Will não conseguia trazer Sara para aquele momento.

— Acho que eu não ia conseguir ficar com uma mulher normal — admitiu Dave. — Mercy, ela chegou para mim ferida. Eu sabia o que fazer com aquilo.

Mas, porra, uma escoteira? E professora de escola? Como é que você faz isso dar certo?

Will balançou a cabeça novamente, mas, na verdade, as coisas foram difíceis com Sara no começo. Ele esperou os jogos, a manipulação emocional. Não conseguia aceitar que ela o escutava e tentava entendê-lo, em vez de coletar seus segredos, como lâminas de barbear que poderia usar para cortá-lo mais tarde.

— Ela é muito gostosa. Isso eu admito. Mas, porra, eu não conseguiria ficar com alguém tão perfeito assim. Ela peida?

Will não conseguiu evitar uma risada, mas não respondeu.

— Precisa ser um cavalheiro, hein? — Dave se esticou para pegar o maço de cigarros. — É a outra parte que eu não encararia. Preciso de uma mulher que sabe gritar quando eu puxo o cabelo dela.

Will fingiu beber da lata de cerveja. As palavras de Dave trouxeram-no de volta à margem do lago, perto dos chalés dos solteiros. A forma como o cabelo de Mercy se espalhava na água. O sangue boiando em torno do corpo dela como tinta. Mercy puxando o colarinho da camisa de Will, fazendo-o ficar ao lado dela em vez de procurar ajuda.

Jon.

Will apoiou as duas mãos no chão, ajeitando-se.

— Por que veio me encontrar na trilha ontem?

Dave deu de ombros enquanto procurava outro isqueiro no bolso.

— Não sei, cara. Eu faço as merdas, depois olho para trás e não sei dizer o motivo.

— Você me perguntou se eu ainda tinha mágoa de você.

— E?

— Honestamente, nunca pensei em você depois que fugiu.

— Isso é bom, Lixo, porque também nunca pensei em você.

— Para ser honesto, teria me esquecido completamente de você de novo. — Will testou a temperatura da água. — A não ser pelo que fez com Mercy.

Dave não reagiu no começo. Ele balançou o isqueiro. A chama surgiu. Ele a encostou na ponta do cigarro e soprou a fumaça na direção de Will.

— Você me seguiu? — perguntou Dave.

Ele só tinha visto Dave uma vez antes da morte de Mercy, quando ele o esperara na Trilha Circular. Will havia dito que contaria até dez para ele sumir.

— Você quer saber se segui você depois que fugiu com o rabo entre as pernas?

— Eu não fugi, babaca. Eu escolhi me afastar.

Will ficou em silêncio, mas fazia sentido que Dave se afastasse de Will e encontrasse Mercy para descontar a raiva.

— Merda, eu sei que você me seguiu, seu babaca patético — disse Dave. — Tenho certeza de que Mercy não contou para ninguém. Ela é muitas coisas, mas não é dedo-duro.

Will notou que ele ainda estava falando de Mercy no presente.

— Tem certeza disso?

— Porra, se tenho. — Dave fumou. Estava nervoso. — O que acha que viu?

Will imaginou que ele estava preocupado sobre as estrangulações.

— Vi você sufocando Mercy.

— Ela não desmaiou — afirmou, como se isso fosse uma defesa. — Ela caiu em cima de uma árvore, depois bateu a bunda no chão. Eu não tive nada a ver com aquilo. As pernas dela não aguentam. É só isso.

Will olhou incrédulo para ele.

— Olha, cara, seja o que for que você acha que viu, isso é entre mim e ela. — Dave levantou as mãos para o ar, então as pousou no colo. Ele bateu na ponta do cigarro, derrubando a cinza. — Por que está perguntando? Você parece a porra de um policial.

Will imaginou que era um bom momento para dar a notícia a ele.

— Eu sou, na verdade.

— Você *sou* o quê?

— Sou agente especial no Departamento de Investigação da Geórgia.

Ele soltou fumaça pela boca enquanto ria. Então parou.

— De verdade?

— De verdade — assumiu Will. — Foi o que me fez continuar na faculdade. Queria ajudar as pessoas. Meninos como nós. Mulheres como Mercy.

— Isso é besteira, cara. — Dave apontou para ele com o cigarro. — Policial algum jamais ajudou crianças como nós. Olha o que está fazendo agora, me perguntando umas merdas particulares que aconteceram duas ou três horas atrás. Duvido que Mercy tenha registrado queixa. Vocês só estão atrás dos meus negócios porque é o que vocês filhos da puta fazem.

Will moveu lentamente a mão ferida pelo chão até sentir a lateral do telefone.

— Você está certo. Mercy não registrou queixa. Não posso te prender por estrangulá-la.

— Não pode mesmo.

— Mas, se quiser admitir que abusa dela, fico feliz em receber sua confissão.

Dave riu de novo.

— Claro, cara, faça seu melhor.

Will forçou o polegar a clicar duas vezes no botão lateral do telefone, ligando o aplicativo de gravação.

— Dave McAlpine, você tem o direito de permanecer em silêncio. Qualquer coisa que fale pode ser usada contra você em um tribunal.

Dave riu de novo.

— Isso, vou ficar em silêncio.

— Você tem direito a um advogado.

— Não tenho dinheiro para um.

— Se não puder pagar um advogado, um será indicado pelos tribunais.

— Os tribunais podem chupar o meu pau grosso.

— Com esses direitos em mente, está disposto a falar comigo?

— Claro, mano, vamos falar do tempo. A chuva passou bem rápido, mas vamos ter mais. Vamos falar sobre os bons tempos no orfanato. Vamos falar da xoxotinha apertada que você tem lá no seu chalé. Por que está aqui vagabundeando com o velho Dave quando poderia estar carcando aquela boqueteira?

— Sei que estrangulou Mercy na trilha hoje à tarde.

— E daí? Mercy gosta de levar umas porradas de vez em quando. E não tem a menor chance de ela me botar na cadeia por isso. — Dave parecia ter uma confiança arrogante. — Fique longe da minha vida ou vai descobrir logo que tipo de homem eu virei.

Will não estava satisfeito somente com a admissão de violência doméstica. Ele queria mais.

— Conte o que aconteceu hoje à noite.

— O que aconteceu hoje à noite?

— Onde você estava?

Dave fumou seu cigarro, mas algo tinha mudado. Ele tinha conversado com policiais suficientes para saber quando um deles procurava um álibi.

— Onde você estava, Dave? — perguntou Will.

— Por quê? O que aconteceu hoje à noite?

— Me diga você.

— Merda. — Ele deu uma tragada no cigarro. — Alguma coisa ruim aconteceu, né? Você não estava só andando por aqui feito um trouxa. Do que estamos falando? Crime estadual, certo? Venda de drogas que terminou mal? Você tá atrás de algum traficante?

Will permaneceu em silêncio.

— É por isso que é você e não a porra do Biscoito. — Dave fumou até o filtro. — Merda do caralho, cara.

Will seguiu calado.

— E agora? — questionou Dave. — Você acha que vai me prender, filho da puta? Com uma mão e sua mentira sobre eu ter estrangulado minha esposa?

— Mercy não é mais sua esposa.

— Ela é minha, seu merdinha. Mercy me pertence. Posso fazer a porra que quiser com ela.

— O que você fez com ela, Dave?

— Não é da sua conta. Isso é besteira.

Ele atirou o cigarro no fogo, mas não pegou outra cerveja da embalagem. E não pousou a mão sobre o colo. Ele se inclinou para trás de novo, apoiando o cotovelo no tronco e deixando a faca de tirar espinhas a seu alcance.

Dessa vez, o movimento era claramente deliberado.

Dave tentou fingir que não era.

— Cai fora daqui com suas merdas.

— Por que não sai daqui comigo?

Dave bufou de novo. Ele limpou o nariz com a mão, mas era só uma desculpa para ficar mais perto da faca.

Will ignorou a dor lancinante na mão ferida ao fechá-la. Usou a mão boa para puxar a perna da calça, de modo que o cabo da faca para isca ficasse aparente.

Dave não disse uma palavra sequer. Ele apenas lambeu os lábios, ansioso para começar as coisas. Era o que ele vinha querendo desde que vira Will na Trilha Circular. Na verdade, talvez Will também tivesse desejado aquilo.

Ambos ficaram de pé ao mesmo tempo.

O primeiro erro que as pessoas cometiam em uma briga de faca era se preocuparem demais com a faca. O que era justo. Ser esfaqueado doía como o inferno. Feridas na barriga podiam mandá-lo direto para o túmulo. Um golpe certeiro no coração podia mandar você para lá ainda mais rápido.

O segundo erro que as pessoas cometiam em uma luta de faca era o mesmo que a maioria comete em qualquer tipo de luta. Imaginam que vai ser justa. Ou, pelo menos, que a outra pessoa vai jogar limpo.

Dave entrara em brigas de faca antes. E, claramente conhecia os dois erros. Manteve a faca de tirar espinhas bem à frente enquanto pegava a faca automática no bolso de trás. O plano era bastante inteligente. Distrair Will com uma faca enquanto ataca com a outra.

Felizmente, Will tinha seu próprio plano inteligente. Sabia que a principal preocupação de Dave era a faca para isca. Não estava pensando na mão machucada de Will. Não tinha percebido que o inimigo pegara um punhado de terra. Foi por isso que ficou tão surpreso quando Will o jogou na cara dele.

— Porra!

Dave cambaleou para trás. Derrubou a faca de tirar espinhas, mas a memória muscular manteve a mão dominante dele em movimento.

Nadine estava errada sobre a faca automática, que exigia apenas um aperto no botão para liberar a lâmina. Dave carregava um canivete borboleta. Servia tanto como arma letal quanto como distração. Dois cabos de metal dobrados como uma concha em torno da lâmina afiada e estreita. Abri-lo com uma mão exigia um movimento rápido do pulso em forma de oito. Você apertava um dos cabos com o polegar e os demais dedos enquanto girava o outro sobre os nós dos dedos. Então girava o primeiro, movia o segundo sobre os nós dos dedos novamente, fechava e acabava empunhando uma faca de 25 centímetros de comprimento.

Will não dava a mínima para as armas.

Ele tomou impulso na perna e enfiou a biqueira de aço bem na virilha de Dave.

16 de janeiro de 2014

Querido Jon,

    Você está comigo há três anos agora, o que significa que vai haver mais anos de nós juntos do que anos em que estivemos separados. Sei que faz muito tempo desde que escrevi uma carta, mas talvez seja mais fácil se eu disser para mim mesma que só vai ser uma vez por ano, especialmente porque parece que janeiro é o mês em que minha vida sempre vira de cabeça para baixo. Escolho dezesseis de janeiro porque penso nele como seu dia da chegada. Vou ser sincera e contar que tirei a frase da tia Delilah. Ela tem uma montanha de cachorros e quem sabe qual é o aniversário deles de verdade, mas chama o dia em que eles foram morar com ela de "dia da chegada". Então, há três anos é seu dia da chegada, o dia em que trouxe você de volta para o cume da montanha para morar comigo, assim eu poderia ser sua mãe em tempo integral.

    Não que você seja um vira-lata, mas eu estava pensando nisso porque estou com saudades dela nesta manhã. Sei que é uma coisa estúpida de dizer, já que Delilah foi quem tirou você de mim para começo de conversa, e eu precisei lutar muito para conseguir você de volta, mas Delilah sempre foi a pessoa para quem eu corria quando as coisas ficavam ruins. E as coisas estão bem ruins agora.

    A verdade é que não passa um dia sem que eu pense em beber e usar drogas, mas aí lembro de você e da nossa vida juntos e não faço isso. Mas algo ruim aconteceu com seu pai no feriado, e, antes que eu me desse conta, estava na loja de bebida comprando uma garrafa de Jack. Não consegui nem esperar chegar em casa. Simplesmente abri a tampa no estacionamento e engoli quase tudo em duas goladas. É engraçado como você nem sente o gosto depois de um tempo. Você só sente a queimação e então sua cabeça voa, e não tenho vergonha de dizer que fazia tanto tempo desde a última vez que tinha bebido que vomitei tudo.

Houve um tempo, talvez, em que as coisas estavam ruins o bastante para que eu enfiasse aquele álcool de volta em mim de um jeito ou de outro, mas não era mais esse tempo. Joguei a garrafa no lixo. Então me sentei no carro por um tempão e pensei no que me trouxe até aqui.

Seu pai ter quase me matado é o jeito simples de contar isso. Era noite de Ano-Novo, e ele fez uma festona e fumou um monte de metanfetamina, o que ele tinha feito antes, mas dever ter sido um lote ruim. Ele estava possuído pelo demônio e quase me matou de susto. Estava rasgando as coisas, destruindo o trailer, e eu estava gritando de volta pra ele, o que eu não deveria ter feito, mas, amor, estou tão cansada.

Seu pai não é um homem ruim, mas ele pode fazer umas coisas ruins. Ele consegue um dinheirinho no bolso, aposta em vitórias milagrosas ou festeja a semana inteira e acabou. Aí me culpa por não ter impedido que ele gastasse todo o dinheiro. Ele me perturba até que eu dê para ele qualquer dinheiro que tenha guardado, mesmo se isso significar que não podemos comprar comida ou manter a energia ligada, e nada disso é o pior, porque além de tudo isso ele andou me traindo.

Quero dizer, ele já tinha me traído, mas dessa vez escolheu uma garota que trabalha comigo. Que eu achava que fosse minha amiga. Não uma amiga como Gabbie, mas uma amiga de qualquer jeito, com quem eu podia conversar e passar o tempo. Os dois pensaram que eram espertos saindo de fininho debaixo do meu nariz, mas eu percebi que tinha alguma coisa acontecendo. Segurei a língua, porque achei que seu pai só estava fazendo aquilo para me machucar, e Deus sabe que já estivemos nesse ponto antes, mas eu não queria passar pela mesma coisa de novo, com ele me traindo e depois me implorando para voltar e, quando eu voltasse, ele me trairia de novo.

O que ele fez dessa vez foi: ele fez questão de trepar com ela em um dos quartos do motel que eu deveria limpar. Ele vê o cronograma na nossa geladeira toda vez que vai pegar uma cerveja, então eu sabia que ele sabia. Ela sabia também, porque o nome dela está no maldito cronograma. E eles estavam trepando naquele mesmo quarto quando entrei com um monte de toalhas e lençóis nas mãos. Sei que seu pai estava esperando que eu perdesse a calma, mas eu não perdi. Não encontrei nada para falar. Nunca o tinha visto tão chocado como quando simplesmente saí do quarto e fechei a porta como se não tivesse importância.

E, para ser honesta, não tinha.

Eu disse a você que isso já tinha acontecido, mas foi só dessa vez que percebi que as coisas tinham mudado. E, quando eu digo mudado, quero dizer dentro de mim. Você verá quando ficar mais velho que, às vezes, você olha para trás e consegue ver um padrão. O padrão com seu pai é: ele trai, eu descubro, temos uma briga e levo uma surra, e então ele fica amoroso para o caso de eu ter ideias sobre ir embora. Dessa vez, pulamos a briga e a surra e fomos direto para seu pai ficando amoroso. Tirando o lixo, pegando as roupas do chão, até ligando o meu carro de manhã, para ficar aquecido para mim. Um dia o peguei cantando para você e foi muito lindo, mas ele parou assim que saí do quarto.

Você vê, não dei a ele a reação que ele queria, que era me jogar aos pés dele e implorar para ele ficar. Não sei o que tem em seu pai que ele é tão destruído por dentro, e é difícil de explicar, mas o que ele mais quer no mundo é que as pessoas fiquem tão desesperadas que só reste a elas se prenderem a ele.

E então, quando elas estão presas, ele as odeia por isso.

O que me fez continuar dessa vez foi que prometi a mim mesma que você e eu cairíamos fora daquele trailer esquecido até o fim de janeiro. Mas eu não seria fingida a respeito disso. Ser fingido é território de seu pai. Pensei muito nisso, e tinha colocado na cabeça que a coisa certa a fazer era contar para ele que estávamos indo embora em vez de empacotar todas as nossas coisas e mudar quando ele estivesse fora. De qualquer jeito, não é como se eu pudesse ficar longe dele, já que moramos na mesma maldita cidade. Além disso, tem você. Não suporto mais ficar perto dele, mas Dave ainda é seu pai e não vou tirar você dele, não importa que coisas terríveis ele faça comigo.

De qualquer modo, ele vai lhe dizer que eu fui uma vaca por largar ele, mas quero que saiba que não tinha planos de ser uma vaca. Queria manter as coisas civilizadas. Então trouxe uma cerveja para ele, sentei-o no sofá e disse que ele precisava me escutar porque eu tinha uma coisa importante para contar.

Ele não deu um pio, mesmo quando eu mencionei o apartamento na cidade. Acho que foi quando a coisa ficou real para ele, e, olhando para trás, acho que foi quando ele percebeu que eu não tinha contado a ele sobre todo o dinheiro. Ele me perguntou de quanto era o depósito, se vinha mobiliado, onde eu estacionaria, se você teria seu próprio quarto, esse tipo de coisa. O que eu estupidamente achei, na época, era que ele queria ter certeza de que era seguro para você e para mim. Fiz questão de prometer que ele poderia visitar e ver você quando quisesse. Disse duas ou três vezes como ele é importante para você, que quero sempre que você tenha seu pai na sua vida. O que é verdade, porque estou dizendo a mesma coisa para você nesta carta.

O que ele quis saber a seguir foi sobre pensão alimentícia e esse tipo de coisa. O que eu, juro por Deus, nem tinha considerado. Não há um juiz em vida que consiga arrancar dinheiro do bolso de Dave. Ele vai para a prisão ou para o túmulo antes de se separar de um centavo, até se for para alguém que ama. Mesmo se esse alguém for você. De qualquer modo, ele estava realmente calmo durante tudo isso, fumando, assentindo e bebendo e sem falar muito além dessas perguntas. Então, quando fiquei quieta, ele me perguntou se eu tinha acabado de falar. Eu disse que tinha. Ele apagou o cigarro. E aí ficou completamente louco.

Não vou mentir. Estava esperando que ele fosse me punir, então estava preparada para a surra que viria. Seu pai não é criativo quando se trata de me machucar, mas há umas coisas que ele nunca tinha feito antes do que fez naquela noite. Uma foi puxar a faca dele. A outra foi me sufocar.

Quando leio isso de novo, parece que ele usaria a faca em mim. Isso não é verdade. Ele ia usar nele mesmo. E, mesmo que não queira mais ser casada com ele, não quero que seu pai morra, especialmente por suicídio. O Senhor virou as costas para mim há muito tempo, mas eu tenho certeza de que ele não perdoa quem tira a própria vida, e eu jamais desejaria o inferno eterno para o seu pai.

Foi por isso que quase perdi a cabeça quando vi aquela lâmina tirar sangue do pescoço dele. Estava ajoelhada no chão, implorando para ele não fazer aquilo. Ele ficou dizendo que me amava, que eu era a única pessoa do mundo que fazia com que ele sentisse que pertencia a algum lugar, que ele tinha perdido tanta coisa no orfanato e que eu era a única pessoa que poderia compensar isso.

Não sei se algo disso é verdade, mas sei que estávamos os dois chorando muito quando ele finalmente colocou a faca sobre a mesinha de centro. Tudo o que a gente conseguiu fazer foi se abraçar por um bom tempo. Eu teria dito qualquer coisa para evitar que ele se matasse. Fiquei dizendo que o amava, que nunca o deixaria, que nós sempre seríamos uma família.

Depois que essa parte acabou, nos sentamos no sofá apenas olhando para a parede, tão exaustos de nossas próprias emoções, mas então ele me disse: "Estou feliz que você não vai embora". E essa parte eu não consegui aguentar, porque tive ainda mais certeza, depois daquela demonstração emocional, de que precisava ir. O que disse foi que sempre estaria lá para ajudá-lo. Que sempre o amaria e que só queria que ele fosse feliz.

Então, acho que o engano que cometi foi que deveria ter parado ali, mas precisei abrir minha boca estúpida e dizer que eu também queria ser feliz, que não havia como nenhum de nós ser feliz enquanto ainda estávamos juntos.

Nunca tinha visto seu pai se mexer tão rápido como ele fez naquela hora. As mãos dele estavam em volta do meu pescoço. A coisa assustadora é que ele nem estava gritando. Nunca o vi tão quieto. Ele estava só me olhando, os olhos esbugalhados enquanto me estrangulava. Tive a sensação de que ele queria me matar. E talvez ele tenha me matado. Não quero ser metida a entendedora a respeito disso, porque não sou médium nem nada, mas poderia jurar para você sobre a Bíblia que, mesmo depois que desmaiei, sabia o que estava acontecendo.

A coisa mais próxima para descrever isso é que eu estava flutuando perto do teto, e olhei para baixo e me vi lá deitada sobre aquele tapete verde feio que nunca conseguia limpar. Eu me lembro de sentir vergonha porque minha calça parecia mijada, o que não acontecia havia muito tempo, desde que larguei a bebida e as drogas. De qualquer jeito, seu pai ainda estava me sufocando enquanto eu olhava lá do teto. Então ele me sacudiu pela última vez e ficou de pé. Em vez de sair pela porta, ele só ficou ali me olhando.

E olhou. E olhou.

Foi o olhar no rosto dele que mais me atingiu, porque não havia expressão. Apenas alguns minutos antes ele estava chorando todo emocionado, ameaçando se matar, e aí não deu em nada. Absolutamente nada. E percebi que aquela talvez fosse a primeira vez que realmente o via como ele é. Que o Dave choroso ou o Dave risonho ou o Dave drogado ou o Dave zangado ou o Dave que finge que me ama não é o Dave que ele é.

O verdadeiro Dave é vazio por dentro.

Não sei o que todos aqueles pais adotivos tiraram dele, ou o professor de educação física que abusou dele, mas todos cavaram tão fundo na alma dele que não sobrou mais nada. Com certeza não sobrou nada para mim. Para ser sincera, nem sei se ele tem alguma coisa para você.

Vou ser bem sincera com você: fiquei abalada por vê-lo assim. Mais do que perder o fôlego, algo que me assusta desde que era pequena. E isso me fez pensar o que mais Dave está escondendo.

Deus sabe que ele ama sua avó Pitica de um jeito feroz, mas será que ele realmente me amou? Alguma vez se importou? À sua maneira, ele me deu tempo para descobrir. Está na prisão agora por ter se envolvido em outra briga de bar depois que acabou comigo. Que é o que ele merece, mas ainda estou preocupada com ele. A prisão é um lugar difícil para homens como o seu pai. Ele tem o hábito de irritar as pessoas. E estou com muito medo de que ele saia, se quer saber a verdade. Estou com medo daquele homem vazio que estava olhando para mim como uma mosca da qual tinha acabado de arrancar as asas.

E tudo isso me deixa preocupada com você, querido. Você sabe que não há nada que possa fazer que eu não perdoaria, mas seu pai não está feliz sendo do jeito que é. Ninguém poderia ficar feliz com isso. Ele está tão vazio que a única coisa que o preenche é tirar as emoções das outras pessoas. Às vezes isso é bom, como quando ele está pagando rodadas de bebida e sendo o grande homem da cidade. Às vezes isso é ruim, como quando ele está fumando metanfetamina e destruindo o trailer. E, às vezes, é muito ruim, como quando ele me sufoca com tanta força que acho que vou morrer. E então estou olhando para o rosto dele e o que vejo é que a única coisa que ele já desfrutou na vida foi transferir a infelicidade dele para outras pessoas.

Senhor, esta é a história sombria de um homem. Talvez você nunca veja esse lado dele. Espero que nunca faça isso, porque é como olhar para a boca do inferno. Seu pai pode fazer o que quiser comigo, mas ele nunca, jamais, vai levantar a mão para você. Porém, não serei o tipo de ex-esposa que vira o filho contra o pai. Se você concluir que ele é um homem mau, será porque viu com seus próprios olhos.

Então, vou terminar esta carta contando três coisas boas sobre seu pai.

Uma é: sei que isso é nojento e venho dizendo desde o início que não é verdade, mas seu pai é família para mim. Não como seu tio Peixe, no sentido de que é como um irmão, mas é próximo disso, e não vou negar isso para você, entre todas as pessoas.

A segunda é: ele ainda consegue me fazer rir. Pode não parecer muito, mas não tive muita alegria na minha vida, e é por isso que é tão difícil ficar longe dele. Dave e eu não começamos assim. Houve um tempo em que seu pai era tudo para mim. Era para ele que eu corria quando Papai vinha atrás de mim. Era nele que eu confiava. Era a ele que eu queria agradar. Dave era muito mais velho do que eu e tinha passado por tantas coisas ruins que senti que ele me entendia. Eu nunca o quis de verdade. Só queria que ele me quisesse. Mas não sinta pena do seu pai. Ele sabia o que estava acontecendo e estava bem com isso. Até feliz. Espero que nunca precise sentir isso por si mesmo, estar em uma situação em que prefere ser tolerado a amado.

De qualquer modo, chega disso.

A terceira é: seu pai salvou minha vida quando sofri aquele acidente de carro. Sei que parece dramático, mas ele realmente me salvou. Me visitou no hospital. Segurou minha mão. Me disse que eu ainda era bonita quando nós dois sabíamos que isso nunca seria verdade. Disse que não era minha culpa quando nós dois sabíamos que isso também não era verdade. Eu só o vi tratar outra pessoa com tanta gentileza, e essa pessoa é Pitica. Honestamente, acho que tenho perseguido essa versão de Dave desde então. De qualquer forma, não quero me aprofundar muito nessa parte da minha infelicidade, mas digamos apenas que seu pai estava lá.

É isso que quero que conheça sobre ele, especialmente a terceira coisa. E é provavelmente por isso que uma parte de mim sempre vai amá-lo, mesmo quando estou certa de que um dia ele vai me matar.

Te amo para sempre.

Mamãe.

11

FAITH MITCHELL MIROU o relógio na parede.
5h54.
A exaustão atingiu seu corpo como um tanque em chamas. Ela tinha sido alimentada por um senso de urgência enquanto lutava para abrir caminho no trânsito horrível para chegar até ali, mas tudo aquilo fora interrompido bruscamente dentro da sala de espera da delegacia do Condado de Dillon.

A porta da frente estava destrancada, mas não havia ninguém na recepção. Ninguém respondeu à batida na divisória de vidro trancada nem apareceu quando ela tocou a campainha. Não havia nenhum carro de polícia estacionado na frente do prédio. Ninguém atendia o telefone.

Pela milionésima vez ela olhou para o próprio relógio, que estava 22 segundos adiantado em relação ao da parede. Faith subiu na cadeira para mover o ponteiro dos segundos para a frente. Se alguém a estivesse observando pela câmera de segurança no canto, esperava que chamasse a polícia.

Não teve essa sorte.

Douglas "Biscoito" Hartshorne tinha dito a Faith para encontrá-lo na delegacia, mas isso fora 23 minutos antes. Ele não respondeu às várias ligações e mensagens de texto. O telefone de Will estava fora de alcance ou sem bateria. O de Sara a mesma coisa. Ninguém atendia o telefone na Pousada Familiar McAlpine. Segundo o site, a única forma de entrar no local era subir uma montanha, o que soava como um castigo dado aos jovens Von Trapp antes de Maria aparecer com seu violão.

Tudo o que Faith podia fazer era andar de um lado para o outro da sala. Não tinha certeza de qual era seu trabalho no momento. Seu único telefonema com

Will ficou estático por causa da chuva torrencial, mas ele passara informações suficientes para que ela soubesse que algo ruim havia acontecido por causa de um bandido. Faith ouvira os áudios que ele mandara durante a viagem interminável até as montanhas, e, pelo que tinha percebido, parecia que Will havia praticamente resolvido o caso.

O primeiro áudio era como uma história secundária do pior episódio de *Três é demais*. Delilah tinha dado um resumo dos relacionamentos de merda de Mercy McAlpine, do pai abusivo à mãe fria, passando pelo irmão esquisito e pelo amigo ainda mais esquisito do irmão. Havia a coisa nojenta sobre Dave e Mercy, que não era exatamente incesto, mas não era também *não* incesto. Então o delegado Biscoito entrou devagar depois dos comerciais, sem dar nenhuma importância para a mulher brutalmente assassinada e o filho adolescente desaparecido. A única informação pertinente que Faith tinha tirado de toda a conversa com Will foi exatamente como ele encontrou o corpo de Mercy McAlpine. E terminou com uma faca enfiada na mão.

O segundo áudio era como um episódio de *24 Horas*, mas com Jack Bauer seguindo a Constituição que tinha jurado proteger. Começou com Will lendo o Aviso de Miranda para Dave McAlpine; depois ele admitindo que tinha estrangulado a mulher naquele dia; então um impasse que levou a uma briga na qual — se Faith conhecia seu parceiro — Will chutara Dave no saco com tanta força que o homem acabou vomitando em jatos.

Um aviso nesta última parte teria sido bom. Faith ouvira aquilo no rádio de seu Mini, conectado via Bluetooth com seu celular. Estava presa no trânsito, no meio do nada, na escuridão total, sob uma chuva torrencial, e teve que abrir a porta para tentar vomitar no asfalto.

Ela olhou para o relógio novamente.

5h55.

Mais um minuto, menos um minuto. Não poderia ter muitos mais para passar. Ela fuçou na bolsa procurando um mix de castanhas e frutas secas. A cabeça de Faith doía como se estivesse com uma ressaca leve, o que fazia sentido considerando que apenas algumas horas antes estava sendo uma mulher que não era esperada para viver a vida adulta.

Na verdade, Faith estava tomando uma cerveja gelada na banheira quando o telefone fez um barulho estranho. O chilreio triplo era como se um pássaro tivesse pousado sobre a pia do banheiro. O primeiro pensamento foi que o filho de 22 anos era velho demais para ter trocado o toque do telefone. O segundo pensamento a fez suar muito, mesmo dentro d'água. A filha de 2 anos tinha descoberto como alterar as configurações do telefone. A vida digital de Faith nunca mais estaria segura. Uma caminhada da vergonha virtual passou diante de seus olhos: as selfies, as mensagens eróticas, as fotos aleatórias de pau que ela solicitara. Faith quase deixou cair a cerveja na água ao sair correndo da banheira.

O texto era tão estranho que ela olhou para a tela como se nunca tivesse visto palavras.

INFORME SOS EMERGÊNCIA
Crime
INFORMAÇÃO ENVIADA
Questionário de Emergência
Localização atual

Repasse mentalmente padrões e situações: o primeiro pensamento dela foi em Jeremy, que estava em uma viagem desaconselhável para Washington, D.C., se *desaconselhável* significasse que a mãe dele não queria que ele fosse. O segundo pensamento foi em Emma, que estava com uma amiga em sua primeira festa do pijama. Era por isso que Faith sentia o coração na garganta enquanto passava pela resposta do retransmissor do satélite. De todas as coisas que esperava ler, desde um tiroteio em massa até um acidente catastrófico e um ataque terrorista, o que leu foi tão inesperado que ela se perguntou se seria algum tipo de *phishing*.

Agente especial do Departamento de Investigação da Geórgia Will Trent pede assistência imediata com investigação de assassinato.

Faith de fato olhou-se no espelho para verificar se estava tendo outro sonho maluco de trabalho. Dois dias antes, dançara loucamente no casamento de Will e Sara. Eles deveriam estar em lua de mel. Não deveria haver um assassinato, muito menos uma investigação, muito menos uma mensagem de texto via satélite pedindo assistência. Faith estava tão fora de si que pulou de susto quando o telefone começou a tocar. Para piorar, o identificador de chamadas mostrava o nome de sua chefe, exatamente com quem você queria falar quando estava se olhando nua no espelho do banheiro com uma cerveja na mão à 1h15.

Amanda não se preocupou em dizer "desculpa por incomodá-la em sua semana de folga", como um ser humano que se preocupa com outros seres humanos. Tudo o que ela deu a Faith foi uma ordem...

— Quero você saindo pela porta em dez minutos.

Faith abrira a boca para responder, mas a chefe já tinha encerrado a ligação. Não havia nada a fazer a não ser tirar o sabão do corpo e procurar roupas de trabalho no Everest de roupa suja empilhada ao lado da máquina de lavar.

E lá estava ela cinco horas depois fazendo porra nenhuma.

Faith olhou para o relógio de novo. Tinha se livrado de mais um minuto.

Ela pensou em todas as coisas que poderia estar fazendo naquele momento. Lavar as roupas, por exemplo, porque a camisa dela estava fedida. Beber outra cerveja no banho. Reorganizar o armário de temperos enquanto ouvia NSYNC no volume que quisesse. Jogar *Grand Theft Auto* sem ter que explicar as mortes indiscriminadas. Não se preocupar que Emma estivesse com medo de dormir numa cama diferente. Não se preocupar que Emma estivesse adorando dormir numa cama diferente. Não se preocupar com Jeremy numa viagem para Quantico na esperança de entrar no FBI. Não se preocupar que o agente do FBI que acompanhava Jeremy até lá era o homem com quem Faith estava dormindo havia oito meses, o mesmo que ela ainda não conseguia chamar de outra coisa a não ser o homem com quem estava dormindo.

E esses eram apenas os problemas dela naquele momento. Faith tinha planejado usar a semana de férias para dar à sua santa mãe uma folga de Emma. E para lembrar à filha que ela de fato tinha mãe. Faith tinha preenchido demais o tempo, como se estivesse se preparando para uma prova, reservou chá da tarde no Four Seasons, fez inscrições em aulas de pintura facial e em cerâmica, comprou ingressos para o Centro de Artes de Marionetes, baixou um tour de áudio infantil sobre os jardins botânicos, deu uma olhada em aulas de trapézio, tentou encontrar...

O telefone dela começou a tocar.

— Graças a Deus! — gritou Faith no cômodo vazio. Não era uma boa hora para ficar presa com seus pensamentos. — Mitchell.

— Por que você está na delegacia? — perguntou Amanda.

Faith reprimiu um palavrão. Não ficou feliz pela chefe poder rastrear seu telefone.

— O delegado me pediu para encontrá-lo na delegacia.

— Ele está no hospital com o suspeito. — O tom de voz de Amanda indicava que aquilo era um fato bem conhecido. — Fica bem do outro lado da rua. Por que está demorando?

De novo Faith abriu a boca para responder no exato momento em que Amanda encerrou a ligação.

Ela pegou a bolsa e saiu da sala de espera apertada. Nuvens rosa tingiam o céu. O sol finalmente tinha começado a nascer. As luzes da rua começavam a ser desligadas. Ela inspirou o ar da manhã enquanto caminhava entre os trilhos ferroviários que cortavam a pequena área central. A cidade de Ridgeville não era muita coisa. Uma galeria de um andar dos anos 1950 ia de uma ponta à outra do quarteirão e estava cheia de lojas para enganar turistas, como as de antiguidades e as de velas.

O Ridgeville Medical era uma construção de concreto e vidro de dois andares, o prédio mais alto até onde a vista alcançava. O estacionamento estava cheio de picapes e carros mais velhos que o filho de Faith. Ela viu o veículo do delegado na porta da frente.

— Faith.

— Porra!

Faith deu um pulo tão grande que quase derrubou a bolsa. Amanda tinha saído do nada.

— Olha a boca — disse a chefe. — Não é profissional.

Faith imaginou que aquela era sua história original para dizer "porra" para o resto da vida.

— Por que demorou tanto?

— Fiquei presa em um acidente por duas horas. Como você passou?

— Como você não passou?

O telefone de Amanda vibrou. Ela mostrou a Faith o topo da cabeça enquanto olhava para a tela. O cabelo grisalho perfeitamente arrumado e preso como de costume. Não havia vincos na saia e no blazer combinando. Os polegares eram um borrão enquanto ela respondia a uma das milhares de mensagens que tinha recebido naquele dia. Amanda era vice-diretora do Departamento de Investigações da Geórgia, responsável por centenas de funcionários, quinze departamentos regionais, seis departamentos de combate às drogas e mais de seis unidades especializadas que atuavam em todos os 159 condados da Geórgia.

O que obrigava Faith a perguntar:

— O que está fazendo aqui? Sabe que posso cuidar disso.

O telefone de Amanda voltou para o bolso do blazer.

— O nome do delegado é Douglas Hartshorne. O pai dele ficou no cargo por cinquenta anos até ser forçado a se aposentar por causa de um derrame há quatro anos. Júnior disputou o cargo sem concorrência. Ele parece ter herdado a aversão do pai pela agência. Recebi uma negativa total quando ofereci ficarmos com o caso.

— Eles o chamam de Biscoito — informou Faith.

Ela seguiu Amanda até a sala de espera, que estava repleta de sofrimento. Todas as cadeiras estavam ocupadas. As pessoas encostavam-se nas paredes enquanto oravam silenciosamente para que seus nomes fossem chamados. Faith teve um flashback de suas próprias idas matinais ao pronto-socorro com seus filhos. Jeremy era o tipo de bebê que conseguia gritar até ter febre alta. Felizmente, Emma nasceu na época em que Will conheceu Sara. Não tem preço ter uma amiga próxima pediatra.

O que fez Faith se lembrar de perguntar:

— Onde está Sara?

— No mesmo passo que Will, como de costume.

Não era bem uma resposta, mas Faith tinha passado da fase de cutucar aquele urso. Além disso, Amanda já estava abrindo a porta dos fundos, apesar da placa que dizia SOMENTE FUNCIONÁRIOS.

As duas foram recebidas por mais infelicidade ainda. Os pacientes estavam estacionados sobre macas ao longo do corredor, mas Faith não viu enfermeiras nem médicos. Provavelmente estavam atrás das áreas fechadas com cortinas que serviam de quartos.

Faith ouvia os saltos altos de Amanda batendo nos ladrilhos laminados, se sobrepondo aos bipes dos monitores cardíacos e respiradores. Ela tentou decifrar, em silêncio, por que Amanda havia dirigido duas horas à 00h30 para chegar a uma cidadezinha insignificante e tratar de um caso de assassinato já resolvido que estava bem abaixo de seu salário. Inferno, estava até abaixo do salário insignificante de Faith. O Departamento de Investigação da Geórgia só intervinha depois que uma investigação corria mal e, mesmo assim, seus serviços precisavam ser solicitados. Biscoito tinha deixado claro que não estava interessado.

Amanda parou no posto de enfermagem vazio e tocou a campainha. O toque mal foi registrado acima dos sons de gemidos e máquinas.

Faith perguntou:

— Por que você está aqui de verdade?

Amanda estava ao telefone de novo.

— Will devia estar em lua de mel. Não vou deixar esse emprego sugar a vida dele — falou Amanda.

Faith suprimiu um choramingo de "E eu?". Amanda sempre tivera uma conexão íntima com Will. Fazia patrulha pelo Departamento de Polícia de Atlanta quando encontrou o bebê Will numa lata de lixo. Até recentemente, ele não tinha ideia de que a mão invisível de Amanda o guiara por toda a vida. Faith estava morrendo de vontade de saber mais que o resumo, mas nenhum deles era dado a compartilhar segredos profundos e obscuros, e Sara era irritantemente leal ao marido.

Amanda levantou os olhos do telefone.

— Acha que Dave cometeu o assassinato?

Faith não tinha considerado a questão porque parecia óbvio.

— Ele admitiu ter estrangulado Mercy. Não tem álibi. A tia documentou uma longa história de violência doméstica. O cara estava escondido no mato e resistiu à prisão. Se é que se pode chamar de resistência dez segundos de valentia e trinta segundos de vômito.

— A família parece estranhamente não ter sido afetada pela perda.

Faith imaginou que isso significava que Amanda também tinha ouvido os áudios de Will. Ela passara tanto tempo escutando-os no carro que havia praticamente decorado algumas observações de Delilah.

— A tia diz que há motivação financeira sólida. Ela descreveu o irmão de Mercy como recluso-assassino-em-série-colecionando-calcinhas. Chamou o próprio irmão de babaca abusivo. Disse que Pitica era fria e que ameaçou enfiar uma faca nas costas de Mercy poucas horas antes de ela ter uma faca quebrada no corpo.

— Delilah também falou alguma coisa sobre os exibicionistas no chalé 5 — insinuou Amanda.

Faith queria saber mais sobre aquela parte, mas só porque era intrometida como Delilah.

— Parece que seria interessante falar com Chuck. Ele é amigo próximo do irmão. Pode saber alguns segredos. E aí tem os babacas ricos que estavam tentando comprar a pousada.

— Nunca vamos chegar a eles. Vão ter advogados em cima de advogados — disse Amanda. — Quantos hóspedes estavam na pousada?

— Não tenho certeza. O site diz que não permitem mais do que vinte hóspedes de uma vez. Se você gosta de suar ao ar livre, o lugar parece fantástico. Também não descobri quanto custa, mas estou achando que bilhões de dólares. Will deve ter gastado o salário de um ano inteiro naquele lugar.

— Outro motivo para deixá-lo de fora disso — disse Amanda. — Quero que cuide do interrogatório de Dave. Ele foi transportado para cá de ambulância. Sara queria descartar torção testicular.

Faith sabia que não era engraçado, mas ela achou um pouco engraçado.

— Que código eu devo usar no relatório? Oito-oito?

Amanda passou direto por Faith. Tinha avistado Sara no fim do corredor. De novo, ela se viu correndo para acompanhar. A médica usava uma camiseta de mangas curtas e uma calça cargo. O cabelo estava preso em um coque no topo da cabeça. Ela parecia exausta quando apertou o braço de Faith.

— Faith, desculpe por você ter sido enfiada nisso. Sei que tinha a semana inteira planejada com Emma.

— Ela vai ficar bem — disse Amanda, porque crianças pequenas eram muito sossegadas a respeito de mudanças de plano inesperadas. — Onde está Will?

— Está se limpando no banheiro. Fiz ele enfiar a mão numa solução diluída de Betadine antes de receber os pontos. A lâmina não pegou os nervos, mas ainda estou preocupada com infecção.

— E Dave? — perguntou Amanda.

— Os epidídimos dele sofreram o impacto do golpe. É um tubo enrolado preso à parte posterior dos testículos por onde o esperma passa durante o processo ejaculatório.

Amanda pareceu irritada. Ela odiava papo médico.

— Dra. Linton, em termos simples, por favor.

— As bolas dele estão machucadas na parte de trás. Ele vai precisar descansar, elevar a área e colocar gelo, mas deve ficar bem em uma semana.

Já que Faith iria interrogar Dave, ela perguntou:

— Ele está tomando algum remédio para dor?

— O médico passou Tylenol. A decisão não é minha, mas eu teria prescrito Tramadol, uma rodada de ibuprofeno para o inchaço e algo para as náuseas. O cordão espermático sai dos testículos através do canal inguinal até o abdômen, depois volta para trás da bexiga para se fixar na uretra e na próstata e, por fim, a uretra vai até o pênis. O que é um longo caminho para dizer que Dave passou por um trauma horrível. Mas aí... — Ela deu de ombros. — Isso é o que ele ganha por ameaçar Will com um canivete borboleta.

Faith farejou outra acusação criminal.

— Cadê o canivete?

— Will deu para o delegado.

Sara sabia no que ela estava pensando.

— A lâmina tem menos de 30 centímetros, então é legal.

— Não se você a levar escondida com o propósito de usá-la para agressão — disse Amanda.

— Isso é só contravenção penal, mas se conseguirmos ligá-la ao assassinato... — ponderou Faith.

— Dra. Linton — interrompeu Amanda. — Onde está Dave agora?

— Foi internado para observação. O delegado está no quarto com ele. Devo dizer que Dave estava usando uma camiseta com a marca de uma mão com sangue na frente. O delegado está cadastrando roupas e objetos pessoais como evidência. Ele também deve tirar fotos dos arranhões no torso e no pescoço de Dave. O nome da investigadora forense local é Nadine Moushey. Ela já fez um pedido oficial ao Departamento de Investigação da Geórgia para cuidar da autópsia de Mercy. — Sara olhou para o relógio. — Nadine deve estar retirando o corpo de Mercy do chalé agora. Ela me disse para encontrá-la no necrotério às oito da manhã.

— Alertei a agente especial encarregada da região oito que ela precisa supervisionar o transporte do corpo para a sede — avisou Amanda.

— Está dizendo que deveríamos nos afastar?

— Sua contribuição é totalmente necessária?

— Quero dizer, se uma legista certificada que viu a vítima *in situ* deveria oferecer sua opinião de especialista durante um exame físico preliminar?

— Você pegou a mania de fazer perguntas em vez de dar respostas.

— Peguei?

A expressão de Amanda era indecifrável. Ela era tecnicamente a chefe de Sara, mas a médica sempre a tinha tratado mais como colega. E naquele momento, por causa de Will, Amanda era, de certa maneira, a sogra de Sara, mas também não era.

Faith quebrou o impasse.

— Há mais alguma coisa que devemos saber?

— Havia uma mochila na cena do crime. Delilah a identificou como sendo de Mercy. Por sorte, o náilon era coberto por uma substância química resistente ao fogo. O conteúdo pode ser interessante. Mercy colocou produtos de higiene e roupas, além de um caderno — relatou Sara.

A energia de Faith voltou.

— Que tipo de caderno?

— Caderno de redação, como os que as crianças levam para a escola.

— Você o leu?

— As páginas estavam encharcadas, então vai precisar ir para o laboratório para ser processado. Estou mais interessada em saber para onde Mercy estava indo. Ela teve uma discussão horrível com o filho na frente dos hóspedes naquela noite. Por que estava indo embora? Para onde iria? Como foi parar no lago? Nadine observou que havia muitos chalés vazios se Mercy precisasse de um tempo da família.

— Quantos? — perguntou Faith.

— O número é irrelevante — disse Amanda. — Concentre-se em conseguir uma confissão de Dave. É assim que vamos terminar isso rápido. Correto, dra. Linton?

— A parte de Dave, pelo menos.

Sara olhou novamente para o relógio.

— Delilah deve estar lá fora. Vamos procurar Jon.

— Isso parece uma boa maneira de passar sua lua de mel? — perguntou Amanda.

— Parece.

Amanda manteve o olhar em Sara por um momento, então se virou e saiu andando.

— Faith?

A agente imaginou que fosse a deixa dela para que saíssem. Então levantou o punho em solidariedade a Sara, antes de correr de novo para alcançar a chefe.

— Você precisa saber que Sara não vai deixar um adolescente que acabou de perder a mãe sumir do radar — falou Faith.

— Jeremy era autossuficiente com dezesseis anos.

Aos dezesseis anos, Jeremy tinha comido tanto queijo que Faith foi forçada a procurar intervenção médica.

— Meninos adolescentes não são tão resilientes quanto você pensa.

Amanda contornou os elevadores e subiu as escadas. Os lábios pressionados formavam uma linha fina. Faith se perguntou se ela pensava em Will naquela idade, mas então se recordou de que não adiantava tentar entrar na cabeça de Amanda. Focou, então, o cérebro no interrogatório de Dave.

Durante as duas horas que esteve estacionada na interestadual, Faith aproveitou para pesquisar a ficha criminal de David Harold McAlpine. O arquivo juvenil dele estava selado, mas havia muitas acusações na ficha de adulto, todas que se esperaria de um viciado que bate na mulher. Dave entrou e saiu da prisão por vários crimes, de brigas em bares, roubo de carros até furto de leite em pó para bebê, direção sob efeito de álcool e violência doméstica. Poucas acusações foram mantidas, o que era curioso, mas não surpreendente.

Assim como Amanda e a própria mãe, Faith tinha começado a carreira como policial de ronda no Departamento de Polícia de Atlanta. Sabia ler nas entrelinhas de uma ficha. A explicação por trás dos repetidos fracassos dos processos de violência doméstica era óbvia: Mercy se recusava a testemunhar. A curiosa falta de consequências graves nos demais delitos apontava para um homem que delatava indiscriminadamente seus companheiros de cela para sair da cadeia ou evitar ir para a prisão de gente grande.

É aí que entra a parte nada surpreendente. Muitos homens que batiam nas mulheres eram covardes.

Amanda abriu a porta no topo da escada. Faith se juntou a ela segundos depois. As luzes do corredor estavam apagadas. Não havia ninguém no posto de enfermagem em frente ao elevador. Faith encontrou um quadro na parede que listava os nomes dos pacientes e as atribuições das enfermeiras. Eram dez quartos, todos ocupados, mas apenas uma enfermeira.

— Dave McAlpine — leu Faith. — Quarto 8. Quais as chances?

As duas se viraram quando as portas do elevador se abriram. Will estava vestindo uma camisa xadrez de botões e calça de uniforme curta demais para suas pernas longas. Faith podia ver as meias pretas aparecendo por cima das botas. Ele segurava a mão direita enfaixada contra o peito. Havia pequenos arranhões no pescoço e no rosto.

Amanda deu a ele a recepção afetuosa de costume.

— Por que está vestido como um cirurgião numa banda de ska?

— Dave vomitou na minha calça — respondeu Will.

— É, ele vomitou. — Ela guardou o "bate aqui" para depois. — Sara nos contou que você enfiou as bolas dele na bexiga.

Amanda soltou um suspiro curto.

— Vou informar o delegado que ele vai aceitar nossa assistência nessa investigação.

— Boa sorte — disse Will. — Ele está decidido a manter o caso só para ele.

— Imagino que ele também esteja decidido a não querer cada comércio no condado dele examinado atrás de trabalhadores sem documentos e violações de trabalho infantil.

Faith observou Amanda sair andando, o que era o tema de sua manhã.

— Vou cuidar do interrogatório. Alguma coisa que eu deveria saber? — disse a Will.

— Eu dei voz de prisão para ele por agressão e resistência. Biscoito concordou em não dizer qualquer coisa sobre o assassinato, e, até onde sei, Dave não sabe que encontramos o corpo. A maior preocupação dele é que acha que eu o vi estrangular Mercy na trilha ontem.

— O cara achou que você ficaria lá parado enquanto ele estrangulava uma mulher? — Faith gostava de um suspeito ingênuo. — Parece que posso estar de volta em casa a tempo de levar Emma para a Escola de Palhaços.

— Não contaria com isso — disse Will. — Não subestime Dave. Ele finge ser um caipira estúpido, mas é manipulador, esperto e cruel.

Faith estava tendo dificuldades em entender o que o amigo vinha tentando lhe dizer.

— A ficha dele está cheia de crimes idiotas. A pior pena que ele recebeu foi um tempinho na prisão do condado por roubo de carro. O juiz deu a ele autorização de saída para trabalho.

— Ele é um delator — falou Will.

— Exatamente. Delatores não costumam ser gênios do crime, e ele foi pego muitas vezes para alguém que você está chamando de esperto. O que não estou percebendo?

— Que eu o conheço. — Will baixou o olhar para a mão enfaixada. — Dave estava no orfanato na mesma época que eu. Ele fugiu quando tinha treze anos e veio para cá. Tem um velho acampamento. É uma longa história, mas Dave vai mencionar que temos um passado, então esteja pronta para isso.

Faith teve a impressão de que as sobrancelhas iam subir até a entrada do cabelo. Naquele momento, fez sentido.

— O que mais?

— Ele me maltratava — confessou Will. — Nada físico, mas ele era um babaca. A gente o chamava de O Chacal.

Faith não conseguia imaginar Will sendo maltratado. Tirando o fato de que ele era um gigante, havia a diferença de idade.

— Dave é quatro anos mais novo que você. Como isso rolava?

— Ele não é quatro anos mais novo que eu. De onde tirou isso?

— Da ficha criminal dele. A data de aniversário está em todo lugar.

Will balançou a cabeça com uma mistura de negação com aversão.

— Ele é dois anos mais novo que eu. Os McAlpine devem ter diminuído a idade dele.

— O que isso significa?

— Não é fácil fazer isso agora porque tudo é digitalizado, mas, na época, nem todas as crianças tinham uma certidão de nascimento válida. Pais adotivos podiam pedir ao tribunal para mudar a idade de uma criança. Se a criança era ruim, eles aumentavam a idade para que ela saísse mais cedo do sistema. Se a criança era tranquila, ou se estivesse recebendo benefícios aumentados, então diminuíam a idade para que o dinheiro continuasse rolando.

Faith sentiu o estômago embrulhar.

— O que é benefício aumentado?

— Mais problemas, mais dinheiro. Talvez a criança tivesse questões emocionais, ou tivesse sofrido abuso sexual e precisasse de terapia, o que significava que você precisava levá-la para as consultas e talvez ela desse mais trabalho em casa. Então, o Estado dá mais dinheiro por seus problemas.

— Jesus Cristo. — Faith não conseguia evitar que a voz saísse embargada. Ela não tinha ideia se algo daquilo tinha acontecido com Will. Ficava triste só de pensar no assunto. — Então Dave era uma criança problemática?

— Ele sofreu abuso sexual de um professor de educação física no primário. Durou uns anos... — Will deu de ombros, mas a violação era aterrorizante. —

Ele vai tentar isso para conseguir causar pena. Deixe que ele fale, só fique consciente de que ele sabe como é ser indefeso e cresceu para ser o tipo de homem que bateu na mulher por anos e, por fim, estuprou-a e a matou.

Faith percebia a raiva na voz dele. Will realmente odiava aquele cara.

— Amanda sabe que você conhece Dave?

Will contraiu a mandíbula, o que era o jeito dele de dizer sim. Também explicava muita coisa dos motivos pelos quais Amanda tinha dirigido duas horas para chegar até ali. E por que ela queria Will o mais longe possível daquele caso.

No que dizia respeito a Faith, ela tinha mais perguntas.

— Dave é um homem adulto. Por que ficou aqui com os McAlpine se eles exploraram a infância problemática dele por dinheiro?

Will levantou ombros de novo.

— Antes de fugir, Dave tentou suicídio e foi colocado em uma unidade psiquiátrica. Depois que você entra em uma instituição, é difícil sair. Do lado da unidade psiquiátrica, há um incentivo em dinheiro para manter a criança em tratamento. Do lado da criança, você se sente realmente furioso e suicida porque está trancado em uma ala psiquiátrica, o que meio que é o rabo abanando o cachorro. Eles deixaram Dave trancado por seis meses, e tinha voltado para o orfanato havia menos de uma semana quando fugiu. Os McAlpine tinham seus problemas, mas entendo por que Dave sentiria que eles o salvaram. Ele definitivamente seria enviado de volta para Atlanta sem a adoção.

Faith guardou tudo aquilo no coração para poder chorar depois.

— Um menino de treze anos sabe que não tem onze. O juiz deveria ter perguntado a ele.

— Eu te disse que ele é sorrateiro — explicou Will. — Dave estava sempre mentindo sobre coisas estúpidas. Roubando pertences das pessoas ou os quebrando porque sentia inveja por você ter algo que ele não tinha. Era um daqueles meninos que estava sempre tentando competir. Tipo, você ganhava um punhado a mais de bolinhos de batata fritos no almoço, então ele deveria receber um punhado a mais no jantar.

Faith conhecia o tipo. Ela também sabia como era difícil para Will falar da infância.

— Bolinhos de batata fritos são deliciosos.

— Estou realmente com fome.

Faith fuçou na bolsa atrás de uma barra de chocolate.

— Imagino que queira alguma coisa com amendoim?

Will sorriu quando ela passou a ele uma barra de Snickers.

— A propósito, Sara não tinha cem por cento de certeza de que Dave era o assassino.

Aquilo era uma informação nova.

— Certo, mas você tem?

— Totalmente. Mas o instinto de Sara é, em geral, muito bom.

Will rasgou a embalagem com os dentes.

— Mercy foi vista pela última vez do lado de fora do chalé 7 por volta de 22h30.

Faith encontrou o caderno de anotações e uma caneta.

— Repasse comigo a linha do tempo.

Will já tinha enfiado metade da barra de Snickers na boca. Ele mastigou duas vezes, engoliu e disse:

— Sara e eu estávamos no lago. Olhei para o relógio antes de entrar. Eram 23h06. Acho que foi por volta das 23h30 que ouvimos o primeiro grito.

— Mais como um uivo.

— Correto — confirmou Will. — Não sabíamos de onde tinha vindo, mas achamos que vinha do complexo. É onde ficam a casa e a maioria dos chalés. Sara e eu andamos juntos por um tempo, então nos separamos, assim eu poderia pegar um caminho mais curto. Corri pela floresta. Aí parei porque achei que era estúpido, certo? Decidi procurar Sara. Foi quando ouvi o segundo grito. Estimaria o tempo entre o uivo e esse grito em uns dez minutos.

Faith recomeçou a escrever.

— Mercy gritou uma palavra: "Socorro".

— Certo. Depois ela gritou "por favor". Houve um intervalo muito menor entre o segundo e o terceiro grito, talvez um ou dois segundos. Mas era claro que os dois tinham vindo dos chalés dos solteiros perto do lago.

— Chalés dos solteiros. — Faith anotou o nome. — É onde vocês estavam nadando?

— Não, estávamos na ponta oposta. É chamada de Baixios. O lago é bem grande. Você precisa pegar o mapa. Os Baixios estão em uma ponta e os chalés dos solteiros, na outra. O complexo fica bem acima, então eu subi um lado de uma colina, depois desci do outro lado.

Faith realmente precisava ver aquele mapa.

— Quanto tempo depois do segundo e do terceiro gritos você chegou onde estava Mercy?

Will balançou a cabeça e deu de ombros.

— Difícil dizer. Eu estava na adrenalina, cercado de árvores no meio da noite, tentando não cair de cara. Não prestei muita atenção no tempo. Talvez mais uns dez minutos?

— Quanto tempo leva para ir do complexo aos chalés dos solteiros?

— Tomamos uma trilha com a investigadora forense até a cena do crime. Levou uns vinte minutos, mas estávamos andando em grupo e não saímos da trilha.

Ele deu de ombros de novo.

— Talvez dez minutos?

— Você vai só dizer que tudo levava dez minutos?

Will deu de ombros pela terceira vez e disse:

— Sara olhou no meu relógio quando pronunciou a morte de Mercy. Era meia-noite em ponto.

Faith escreveu aquilo.

— Então foram mais ou menos vinte minutos entre o uivo no complexo e quando encontrou Mercy na água, mas ela precisava de dez daqueles minutos para ir do lugar do uivo para o lugar do grito onde morreu.

— Dez minutos é bastante tempo para assassinar uma mulher e depois colocar fogo num chalé. Especialmente se já tinha planejado tudo — refletiu Will. — Em seguida, você anda em torno do lago até o antigo acampamento e espera o delegado local estragar a investigação.

— Tem certeza de que a pessoa que uivou era a mesma que gritou?

Will pensou naquilo.

— Tenho. Mesmo tom de voz. Além do mais, quem poderia ser?

— Vamos terminar andando por toda a propriedade com cronômetros, não vamos?

— Exato.

Ele parecia muito mais feliz com aquilo do que Faith.

— Então por que Sara acha que Dave não é nosso cara?

— A última vez que tinha visto Dave foi por volta das três da tarde. Sara falou com Mercy mais ou menos quatro horas depois. Ela viu hematomas no pescoço da mulher. Mercy disse que tinha sido estrangulada por Dave. Contudo, parecia mais preocupada com a família indo atrás dela, acho que por causa de um possível veto na venda da pousada. Mercy não estava preocupada com Dave. Na verdade, ela disse que todo mundo na montanha a queria morta.

— Incluindo os hóspedes?

Will levantou os ombros.

— Quero dizer... — Faith tentou não se antecipar. Sempre tinha desejado trabalhar em um enigma de *escape room* na vida real.

— Você tem um número limitado de suspeitos presos em uma locação remota. Essa merda é digna do Scooby Doo.

— Havia seis membros da família no jantar: Papai e Pitica, Christopher e Mercy, Delilah, e acho que pode incluir Chuck. Jon apareceu depois da entrada, caindo de bêbado e gritando com Mercy. Entre os hóspedes: Sara e eu, Landry e Gordon, Drew e Keisha, Frank e Monica. Também os investidores, Sydney e Max. Estávamos todos juntos em uma mesa de jantar comprida.

Faith levantou os olhos do caderno.

— Tinha candelabros na mesa?

Ele assentiu.

— Fora um chef, uma bartender e dois garçons.

— *E não sobrou nenhum.*

Ele enfiou o resto da barra de Snickers na boca.

— Atenção.

Amanda estava andando de volta na direção deles, o delegado ficando para trás dela. Biscoito tinha a aparência exata que Faith havia imaginado quando ouviu a voz dele na gravação. Um pouco rechonchudo, pelo menos dez anos mais velho que ela e muitos pontos de QI abaixo. Ela percebia, pela cara pálida do homem, que ele tinha alcançado o terceiro estágio de lidar com Amanda, ignorando a raiva e a aceitação e indo diretamente para ficar emburrado.

— Agente especial Faith Mitchell — Amanda fez a apresentação. — Este é o delegado Douglas Hartshorne. Ele gentilmente concordou em nos deixar ficar com a investigação.

Biscoito não parecia gentil. Parecia puto da vida.

— Vou estar na sala quando você falar com Dave — avisou o delegado.

Faith não queria a companhia, mas compreendeu, pelo silêncio de Amanda, que não tinha escolha.

— Delegado, o suspeito disse alguma coisa sobre o crime?

Biscoito balançou a cabeça.

— Ele não quer falar.

— Ele pediu um advogado?

— Não, e não vai te dar nada, e não acho que a gente precise. Vocês já têm provas para prendê-lo. Sangue na camiseta. Marcas de arranhão. Histórico de violência. Dave gosta de usar facas. Leva sempre uma no bolso de trás da calça.

— Ele normalmente leva alguma outra além do canivete borboleta? — perguntou Faith.

Biscoito claramente não gostou da pergunta.

— Isso é uma questão local, precisa ser resolvida localmente.

Faith sorriu.

— Quer me acompanhar ao quarto 8?

O delegado fez um grande gesto com os braços para dizer "depois de você". Ele seguiu Faith pelo corredor tão de perto que ela sentia o cheiro de suor e da colônia de barbear dele.

— Olhe, querida, sei que está só cumprindo ordens, mas precisa entender uma coisa.

Faith parou, virando-se para ficar de frente para ele.

— E o que é?

— Vocês, agentes do Departamento de Investigação da Geórgia, vão da sala de aula para a sala de reuniões. Não sabem o que é fazer o policiamento de rua. Esse tipo de crime é o dia a dia do policial de verdade. Eu poderia ter dito a você vinte anos atrás que um deles acabaria morto e o outro terminaria no camburão.

Faith fingiu que não tinha passado dez anos da vida fazendo patrulha antes de conseguir a vaga na equipe de homicídios de Atlanta.

— Me explique.

— Os McAlpine são uma boa família, mas Mercy sempre deu trabalho. Entrando e saindo de problemas. Bebendo e usando drogas. Dormindo com todo mundo. A menina engravidou quando tinha quinze anos.

Faith tinha engravidado aos quinze anos, mas falou:

— Nossa.

— Nossa está certo. E estragou a vida do Dave — disse Biscoito. — O pobre nunca conseguiu se endireitar depois que Jon nasceu. Entrando e saindo da cadeia. Sempre se enfiando em brigas. Dave lutava contra seus demônios ainda antes de Mercy engravidar. Passou uma época ruim no orfanato e foi abusado sexualmente por um professor. É um milagre que ainda não tenha explodido o cérebro.

— Parece que sim — disse Faith. — Vamos falar com ele sobre o assassinato?

Faith não esperou a resposta do delegado e abriu a porta de um pequeno vestíbulo. Banheiro à direita. Pia e armário à esquerda. As luzes estavam diminuídas. Ela ouvia o murmúrio suave de uma televisão. O ar estava impregnado do cheiro rançoso de um fumante. Um conjunto de roupas estava empilhado na pia. Ela viu um saco de papel vazio com a inscrição EVIDÊNCIA sobre o balcão. O delegado havia chegado ao ponto de tirar um par de luvas, mas, na verdade, não tinha ensacado e etiquetado os itens pessoais do suspeito: um maço de cigarros, uma carteira de velcro, um tubo de protetor labial e um celular Android.

Dave McAlpine desligou a televisão quando Faith acendeu as luzes. Ele não parecia preocupado em estar preso ou ter dois policiais em seu quarto de hospital. Reclinara-se na cama com um braço sobre a cabeça. O pulso esquerdo estava algemado à grade lateral. A bata do hospital escorregava do ombro. A metade inferior do corpo estava coberta por um lençol, mas ele devia estar apoiado em um travesseiro, porque a pélvis estava para cima, como se fosse Magic Mike no centro do palco.

Se Biscoito era como ela tinha imaginado na gravação de Will, Dave McAlpine era exatamente o oposto. Faith, de alguma forma, imaginara-o como algo entre Moriarty, de Sherlock Holmes, e o Coiote do Papa-Léguas. Pessoalmente Dave era bonito, mas de uma forma desgrenhada, do tipo rei-do-baile-de-formatura--do-Ensino-Médio-que-envelheceu-mal. Ele devia ter dormido com todas as outras mulheres da cidade, além de ter um equipamento de jogos de 20 mil dólares no trailer alugado. Este era exatamente o tipo de Faith.

— Quem é essa? — perguntou Dave.

— Agente especial Faith Mitchell. — Ela abriu a carteira para mostrar as credenciais. — Trabalho com o Departamento de Investigação da Geórgia. Estou aqui para...

— Você é mais bonita pessoalmente. — Ele apontou para a foto do documento de identificação. — Gosto do seu cabelo mais comprido.

— Ele está certo. — Biscoito entortou o pescoço para olhar para a foto.

Faith fechou a carteira enquanto resistia ao impulso de raspar a cabeça.

— Sr. McAlpine, meu parceiro já leu os seus direitos.

— Merda, Lata de Lixo contou que a gente se conhece há um tempão?

Faith mordeu a ponta da língua. Já tinha ouvido Will ser chamado por aquele nome antes. A sordidez não diminuía com a repetição.

— O agente especial Trent me disse que vocês estiveram juntos no orfanato — respondeu ela.

Dave projetou a língua contra a bochecha enquanto a observava.

— Por que o Departamento de Investigação da Geórgia se importa com isso, de qualquer modo?

— Me conte o que é *isso*. — Faith devolveu a pergunta para ele.

Ele soltou um riso rouco de fumante.

— Já falou com Mercy? Porque duvido que ela tenha me dedurado.

Faith o deixou levar a conversa.

— O senhor admitiu que a estrangulou.

— Prove — desafiou. — Lata de Lixo é uma testemunha de merda. Ele sempre quis me pegar. Espere até meus advogados pegarem ele no tribunal.

Faith se recostou na parede e cruzou os braços.

— Me fale de Mercy.

— O que sobre ela?

— Ela tinha quinze anos quando ficou grávida. Quantos anos você tinha?

O olhar de Dave foi para Biscoito, então de volta para Faith.

— Dezoito. Veja a minha certidão de nascimento.

— Qual delas? — perguntou Faith, porque as contas dela não fechavam.

Dave tinha vinte anos quando engravidara uma menina de quinze, o que significava que tinha cometido estupro de vulnerável.

— Sabe que agora é tudo digitalizado, certo? Todos os registros antigos estão na nuvem.

Dave coçou nervosamente o peito. A bata caiu mais pelo ombro dele. Faith podia ver os sulcos fundos onde ele tinha sido arranhado.

— Biscoito, chama uma enfermeira para mim. Diz que preciso de algum maldito remédio para dor. Minhas bolas estão pegando fogo.

Biscoito pareceu confuso.

— Pensei que queria eu que ficasse.

— Bom, não quero mais.

Biscoito bufou de exasperação antes de sair.

Faith esperou que a porta se fechasse.

— Deve ser bom ter o delegado local na coleira.

— Claro que é.

Dave enfiou a mão debaixo do lençol. Ele soltou o ar entre os dentes ao puxar uma bolsa de gelo e a jogou na mesinha de cabeceira.

— O que está procurando, querida?

— O senhor me diga.

— Não tenho ideia do que aconteceu ontem à noite. — Ele puxou para cima o ombro da bata. — Se me deixar sair daqui, posso perguntar. Conheço muita gente. Se o que aconteceu é grande o bastante para interessar o Departamento de Investigação, imagino que deve valer alguma coisa.

— O que deveria valer?

— Bem, para começar, tirar essa porra de algema do meu braço. — Ele bateu a corrente na grade da cama. — Depois, talvez, de você deixar algum dinheiro. Imagino uns mil para começar. Mais ainda se eu der uma prisão grande a vocês.

— E Mercy? — perguntou Faith.

— Merda — disse ele. — Mercy não sabe das coisas que acontecem fora da pousada, e ela não vai falar com vocês, de qualquer jeito.

Faith notou a melhora na gramática dele. O caipira estúpido tinha sumido.

— É difícil para uma mulher falar quando foi estrangulada.

— É disso que se trata? — perguntou. — Mercy está no hospital?

— Por que ela estaria no hospital?

Ele chupou os dentes.

— É por isso que está aqui? Lata de Lixo deu um escândalo depois de me ver na trilha? Eu deixei Mercy exatamente onde ela caiu. Isso foi por volta das três da tarde. Fale com Lata de Lixo. Ele pode confirmar.

— O que aconteceu depois que você estrangulou Mercy?

— Nada — respondeu Dave. — Ela estava bem. Até mandou eu me foder. É como ela fala comigo. Sempre tentando me provocar. De qualquer forma, eu a deixei sozinha e não voltei. Então, o que aconteceu com Mercy depois disso, foi ela mesma que fez.

— O que acha que aconteceu com ela?

— Inferno, sei lá. Talvez ela tenha caído quando estava andando de volta na trilha. Ela já fez isso. Tropeçou e caiu de cara no mato. Bateu o pescoço num galho com tanta força que machucou o esôfago. Levou umas horas para inchar, mas ela terminou na emergência dizendo que não conseguia respirar. Pergunte aos médicos. Eles vão ter um registro.

A única surpresa de Faith foi por ele não conseguir inventar uma história melhor.

— Quando isso aconteceu?

— Faz um tempo. Jon ainda era pequeno. Foi um pouco antes de me divorciar dela. Ela mesma vai te dizer que estava exagerando. Ela conseguia respirar tranquilamente. Os médicos disseram que tinha um inchaço na garganta dela. Como eu disse, ela caiu com força naquele tronco. Foi um acidente. Não teve nada a ver comigo. — Dave deu de ombros. — Se a mesma coisa aconteceu, é culpa de Mercy. Fale com ela. Tenho certeza de que ela vai te dizer a mesma coisa.

Faith estava confusa. Will a tinha avisado para não subestimar Dave, mas aquilo não era esperto nem inteligente.

— Me conte para onde foi depois que deixou Mercy na trilha.

— Pitica não tinha tempo para me levar de carro para a cidade. Então, desci até o velho acampamento e tomei minha bebida.

Faith pesou suas opções em silêncio. Aquilo não estava levando a nada. Ela precisava mudar de tática.

— Mercy está morta.

— Merda. — Ele riu. — Certo.

— Não estou mentindo — assegurou Faith. — Ela está morta.

Ele a encarou por um longo momento antes de desviar o olhar. Faith viu lágrimas encherem os olhos dele. A mão foi para a boca.

— Dave?

— Quan... — A palavra ficou presa na garganta dele. — Quando?

— Por volta da meia-noite passada.

— Ela... — Dave engoliu em seco. — Ela sufocou?

Faith observou o perfil dele. Essa era a parte astuta. Ele era realmente muito bom naquilo.

— Ela sabia o que estava acontecendo? Que ela estava morrendo?

— Sabia — disse Faith. — O que fez a ela, Dave?

— Eu... — A voz dele ficou embargada. — Eu a estrangulei. Foi minha culpa. Eu a sufoquei com muita força. Ela ia desmaiar, e achei que tinha parado a tempo, mas... Jesus. Ah, Jesus.

Faith tirou alguns lenços de papel da caixa e os entregou a ele.

Dave assoou o nariz.

— Ela... ela sofreu?

Faith cruzou os braços.

— Ela sabia o que estava acontecendo.

— Ah, porra! Porra! O que tem de errado comigo?

Dave apoiou a cabeça nas mãos. A algema chacoalhava na grade da cama conforme ele chorava.

— Mercy Mac. O que eu fiz com você? Ela tinha pavor de sufocar. Desde que a gente era criança, ela sempre tinha esses sonhos em que não conseguia respirar.

Faith tentou descobrir para onde ir dali. Estava acostumada com longas negociações com suspeitos que parcelavam a verdade. Às vezes eles se colocavam próximos à cena, em vez do lugar de verdade, em outras, admitiam uma parte do crime, mas não tudo.

Aquilo era totalmente diferente.

— Jon. — Dave ergueu o olhar para Faith. — Ele sabe o que fiz?

Faith assentiu.

— Porra! Ele nunca vai me perdoar.

Dave pousou a cabeça nas mãos.

— Ela tentou me ligar. Não vi a ligação porque não tinha sinal na montanha. Eu poderia ter salvado ela. Pitica sabe? Eu preciso ver Pitica. Preciso explicar...

— Espere — pediu Faith. — Volte. Quando Mercy telefonou para você?

— Não sei. Vi as mensagens quando Biscoito tomou meu telefone. Devem ter entrado enquanto descíamos a montanha.

Faith encontrou o Android de Dave sobre a pia perto da porta. Usou o canto de seu bloco de notas para ligar a tela. Havia ao menos meia dúzia de notificações, todas com horário, todas, a não ser uma, com a mesma mensagem.

LIGAÇÃO PERDIDA 22:47 – Mercy Mac

LIGAÇÃO PERDIDA 23:10 – Mercy Mac

LIGAÇÃO PERDIDA 23:12 – Mercy Mac

LIGAÇÃO PERDIDA 23:14 – Mercy Mac

LIGAÇÃO PERDIDA 23:19 – Mercy Mac

LIGAÇÃO PERDIDA 23:22 – Mercy Mac

Faith desceu até a última.

MENSAGEM DE VOZ 23:28 – Mercy Mac

Faith abriu o bloco de notas e olhou para a linha do tempo.
Pela estimativa de Will, o uivo ocorrera às 23h30, dois minutos depois de Mercy deixar uma mensagem de voz para Dave. Faith enfiou o caderno de volta no bolso. Colocou as luvas do delegado antes de pegar o telefone de Dave e andar até a cama dele.
— Você não conseguia sinal no seu telefone, mas Mercy, sim?
— Tem wi-fi na área da casa principal e no salão de jantar, mas você não consegue cobertura de celular até estar na metade do caminho descendo a montanha.
Ele limpou os olhos.
— Posso escutar? Quero ouvir a voz dela.
Faith tinha achado que precisaria pedir um mandado de busca para hackear o telefone.
— Qual sua senha?
— Meu dia da chegada — ele disse. — Zero-oito-zero-quatro-noventa-e--dois.
Faith digitou os números e desbloqueou o aparelho. Ela sentiu um tremor indesejado enquanto o dedo pairava sobre o ícone do correio de voz. Antes de tocar, ela tirou o próprio telefone para gravar o que a mensagem dizia. A mão dela suava dentro da luva quando finalmente apertou "play".
— Dave! — gritou Mercy, quase histérica. — Dave! Ah, meu Deus, onde você está? Por favor, por favor, me liga de volta. Não acredito... ah, Deus, não consigo... Por favor, me ligue. Por favor. Preciso de você. Sei que você nunca esteve

aqui para mim, mas eu realmente preciso de você agora. Preciso de sua ajuda, amor. Por favor, li-ligue…

Houve um som abafado, como se Mercy tivesse apertado o telefone contra o peito. A voz dela era de partir o coração. Mercy parecia tão desesperadamente sozinha. Faith sentiu um nó na garganta.

— Falhei com ela — sussurrou Dave. — Ela precisou de mim, e eu falhei com ela.

Faith olhou para a barra de progressão abaixo da mensagem. Restavam mais sete segundos. Ela ouviu os gritos baixos de Mercy enquanto a barra ficava cada vez menor.

— *O que está fazendo aqui?*

A voz de Mercy soava diferente, com raiva, medo.

— *Não!* — gritou. — *Dave vai chegar logo. Eu contei a ele o que aconteceu. Ele está…*

Era só. A barra havia chegado ao fim.

— O que aconteceu? — perguntou Dave. — Mercy disse o que aconteceu? Tem outra mensagem? Um texto?

Faith olhou para o telefone. Não havia mais nenhuma mensagem de voz. Não havia outro texto. Só as notificações com o horário e as últimas palavras gravadas de Mercy.

— Por favor — implorou Dave. — Me diga o que isso significa.

Faith pensou no que Delilah tinha dito a Will. O motivo financeiro. O irmão babaca. A cunhada ruim. O irmão com ar de assassino serial de Mercy. O amigo esquisito dele. Os hóspedes. O chef. A bartender. Os dois garçons. O mistério do *escape room*.

— Significa que você não a matou — declarou ela a Dave.

12

Sara ficou na beira do deque de carga do hospital enquanto observava a chuva cair. A busca por Jon não tinha dado resultado. Verificaram na escola, no estacionamento de trailers onde Dave morava e alguns lugares de que Delilah se lembrava de seus tempos de adolescente. Estavam subindo a montanha para verificar a pousada e revistar os velhos alojamentos quando nuvens negras começaram a aparecer. Sara só podia esperar que Jon tivesse encontrado um lugar quente e seco para se abrigar antes que o céu se abrisse. Tanto ela quanto Delilah foram inflexíveis ao dizer que não deixariam que o tempo as impedisse de procurar, mas a visibilidade diminuiu e os trovões sacudiram o ar, e ambas decidiram voltar para a cidade porque, se uma ou as duas fossem atingidas por um raio, aquilo não faria bem algum a Jon.

O aplicativo de previsão do tempo no telefone de Sara dizia que a chuva não pararia por mais duas horas. O dilúvio era implacável, transbordando a água do riacho sobre as margens, caindo pelas calhas e transformando o centro da cidade num rio. Delilah tinha ido para casa alimentar seus animais, mas não havia como saber se conseguiria voltar para a cidade.

Sara olhou para o relógio. Mercy estaria pronta para ela em breve. O técnico de raio X do hospital dissera a elas que levaria pelo menos uma hora para resolver o acúmulo de pacientes. Nadine tinha saído para atender um chamado para consertar um ar-condicionado enquanto Biscoito ficava com o corpo. Sara se sentiu aliviada quando o delegado recusou sua oferta para ficar no lugar dele. Precisava de tempo para se preparar mentalmente para o exame. A ideia de ver Mercy McAlpine deitada sobre uma mesa a encheu de uma sensação familiar de pavor.

No passado, Sara havia sido investigadora forense do condado de sua cidadezinha natal. O necrotério ficava no porão do hospital local, muito parecido com aquele usado pela investigadora forense do Condado de Dillon. Naquela época, as vítimas eram todas conhecidas de vista, se não pessoalmente. Era assim que funcionavam as cidades pequenas. Todos se conheciam ou conheciam alguém que conhecia a pessoa. O trabalho de investigadora forense era de uma tremenda responsabilidade, mas também poderia ser de grande tristeza. Naquela função, Sara tinha perdido de vista o que era ser pessoalmente ligada a uma vítima.

Algumas horas antes, estava costurando o polegar ferido de Mercy no banheiro do fundo da cozinha da pousada. A mulher parecia esgotada e abatida. Estava preocupada com a discussão com o filho. Aflita com o que estava acontecendo com sua família. A última coisa em que estava pensando era no ex-marido. O que fazia sentido, considerando o que Faith havia descoberto. Sara perguntou-se o que Mercy teria pensado ao saber que um de seus últimos atos na terra foi dar um álibi ao ex abusivo.

— Você estava certa.

— Estava.

Sara virou-se para Will. Ela percebeu, pela expressão dele, que ele já se culpava pelo erro. Ela não aumentaria aquilo.

— Não teria mudado nada. Você ainda precisava encontrar Dave. Ele era o suspeito mais óbvio, era quem mais se encaixava.

— Você está sendo muito mais legal do que Amanda foi — falou. — A estrada de acesso à pousada alagou. Não há como entrar ou sair de carro até o riacho baixar. Precisamos de um veículo off-road para atravessar o barro.

Sara percebeu a irritação na voz dele. Will odiava ficar de bobeira. Ela viu o osso da mandíbula dele se projetar enquanto apertava os dentes. Ele levou ao peito a mão com curativos novos. Elevá-la acima do coração fazia a pulsação parar, mas a dor continuaria porque Will se recusava a tomar qualquer coisa mais forte que Tylenol.

— Como está a mão? — perguntou Sara.

— Melhor — respondeu, embora a tensão em seus ombros dissesse outra história. — Faith me deu uma barra de Snickers.

Sara enlaçou o braço com o dele. A mão dela roçou na arma debaixo da camisa. Ele estava de volta ao trabalho. Sabia o que vinha a seguir.

— Como vai voltar para a pousada?

— Estamos esperando o departamento local trazer uns quadriciclos. É o único jeito de conseguir chegar lá em cima.

Sara tentou não pensar em todos os pacientes que vira ao longo da vida com ferimentos traumáticos no cérebro por terem capotado um veículo desse tipo.

— Os telefones e a internet ainda estão funcionando na pousada?

— Por ora — respondeu. — Mandamos vir telefones via satélite em todo caso. De qualquer forma, é bom que todo mundo ainda esteja preso lá. Ninguém sabe que Dave tem um álibi. Quem matou Mercy está pensando que se livrou dessa.

— Quem ainda está na pousada?

— Frank, para começar. Não sei por quê, mas ele se encarregou de atender o telefone principal na cozinha comercial. Parece que Monica está dormindo. Drew e Keisha não conseguiram sair antes de a tempestade cair. Aparentemente, não estão muito felizes com isso. Os caras do aplicativo não estão interessados em ir embora. Chuck e a família permaneceram também, com exceção de Delilah. O chef e os dois garçons chegaram às cinco da manhã, que é o horário normal deles. A bartender não entra antes do meio-dia. Ela também é a faxineira, mas quero conversar com ela sobre aquelas camas desfeitas no chalé vago. Faith foi procurá-la enquanto esperamos os quadriciclos. Ela mora na periferia da cidade.

Sara não estava surpresa por Faith ter escapado. Ela odiava autópsias.

— Você não foi com ela?

— Amanda me disse para ficar aqui e fazer verificações de antecedentes.

— Como está se sentindo com isso?

— Como esperado. — Ele deu de ombros, mas estava claramente irritado. Will não gostava de ficar à toa enquanto as outras pessoas estavam ocupadas. — E os exames forenses do Dave?

— O teste da mancha no peito da camiseta voltou como não humano. Pelo cheiro, imagino que Dave tenha secado as mãos na camiseta enquanto limpava peixe. As marcas de arranhões no peito dele poderiam ter vindo do ataque anterior a Mercy. Ele admitiu que a estrangulou, e ela teria lutado. Dave alegou que ele mesmo causou o arranhão no pescoço. Picada de mosquito. Não há como saber se está mentindo, então a picada de mosquito vence. Vai conseguir pegá-lo por alguma coisa?

— Eu poderia fazer acusações por resistir à prisão e me ameaçar com uma faca. Ele poderia me acusar de uso excessivo da força e de atacá-lo por causa do nosso passado. Destruição mútua assegurada. Ele é livre para sair daqui quando quiser. — Will deu de ombros novamente, mas ela percebeu que ele não estava feliz com a situação. — É só mais um monte de merda pelo qual Dave consegue sair ileso.

— Se serve de consolo, andar é excepcionalmente difícil para ele no momento.

Will não pareceu satisfeito. Ele olhou para a chuva. Sara não precisaria esperar muito tempo até que ele contasse o que realmente o incomodava.

— Amanda não está feliz por termos nos enfiado nisso.

— Também não estou feliz — admitiu Sara. — Porém, não tínhamos muita escolha.

— Poderíamos ir para casa.

Ela podia sentir Will estudando seu rosto, procurando um sinal de hesitação.

— Jon ainda está desaparecido, e você prometeu a Mercy que iria dizer a ele que a mãe o perdoa — falou Sara.

— Eu prometi, mas é provável que Jon por fim apareça, e Faith já está com o caso.

— Ela sempre quis resolver um mistério de *escape room*.

Will assentiu, mas não continuou. Estava esperando Sara decidir.

Ela sentiu no âmago que aquele era um momento definidor do casamento. O marido estava colocando um grande poder nas mãos dela. Sara não seria o tipo de mulher que abusa dele.

— Vamos atravessar o dia, então podemos tomar uma decisão juntos sobre o que vamos fazer amanhã.

Ele assentiu, mas perguntou:

— Diga por que você não achou que fosse Dave.

Sara não tinha certeza de que havia uma coisa exata.

— Vendo como a família de Mercy a tratou no jantar, não sei. Olhando para trás, parece que todos tinham rancor dela. Certamente, não pareciam chateados por ela ter sido assassinada. E tem o que Mercy disse sobre alguns dos hóspedes terem raiva dela também.

— De que hóspedes você acha que ela estava falando?

— É estranho que Landry tenha dado um nome falso, mas quem sabe se havia um motivo sinistro. Você e eu mentimos sobre nossos empregos. Algumas pessoas mentem só porque querem mentir.

— Você não pegou o sobrenome de Chuck, pegou?

Ela balançou a cabeça em negativa. Sara tinha evitado falar com Chuck o máximo possível.

— Houve alguma coisa que Drew disse sobre ele e Keisha chamarem advogados — falou Will. — Ele estava falando com Pitica e Cecil, e disse algo do tipo "Esqueça aquele outro negócio. Faça o que quiser aqui".

— Que outro negócio?

— Não tenho ideia, e ele deixou claro que não vai falar comigo.

Sara não conseguia ver Keisha ou Drew assassinando alguém. Mas essa era a questão com assassinos. Eles não anunciavam a si mesmos.

— Mercy não levou só uma facada. Tinha feridas múltiplas. O corpo dela é um exemplo clássico de excesso. O agressor devia conhecê-la muito bem.

— Drew e Keisha estiveram na pousada três vezes.

Will deu de ombros.

— Keisha irritou Mercy no jantar, pedindo outro copo.

— Não é um motivo pelo qual você cometeria assassinato — completou Sara. — Mas, até aí, há vários documentários criminais sobre mulheres que surtam.

— Vou tomar isso como um aviso. — Will estava brincando, mas não por muito tempo. — Dave fazia mais sentido. Deve ter alguma coisa que te fez olhar de forma diferente.

— Não consigo explicar, a não ser que foi por instinto. Na minha experiência, alguém que sofreu abuso por algum período de tempo sabe quando sua vida está mais em risco. Quando Mercy e eu conversamos, Dave mal era um sinal no radar.

— A checagem das finanças dele não trouxe surpresas. A conta bancária estava sessenta dólares negativa, ele tem dois cartões de crédito sendo cobrados, a caminhonete foi tomada e ele tem um monte de dívidas médicas.

— Tenho certeza de que todo mundo aqui tem dívidas médicas.

— Não Mercy — disse Will. — Até onde sei, ela nunca teve um cartão de crédito, um financiamento de carro, uma conta no banco. Não há registro de que tenha feito declaração de imposto de renda algum dia. Não tem carteira de motorista. Nunca votou. Não tem uma conta de celular ou um número no nome dela. Sem Facebook, Instagram, TikTok ou qualquer outra conta em rede social. Não está nem no site da pousada. Já vi umas verificações de antecedentes irregulares antes, mas nada assim. Ela é um fantasma digital.

— Delilah disse que ela esteve num acidente de carro feio. Foi assim que ganhou aquela cicatriz.

— A ficha criminal dela é limpa. Imagino que ajude se sua família é amiga do delegado local — falou Will. — O que nos leva aos pais de Mercy. Cecil e Imogene McAlpine. O seguro pagou uma grande soma depois do acidente do patriarca. Os dois recebem aposentadoria social e têm por volta de um milhão em um fundo de aposentadoria privado. Além de outro meio milhão no mercado financeiro e quatrocentos mil em fundos de índice. Os cartões de crédito são pagos todos os meses. Sem dívidas pendentes. O irmão também está bem. Christopher pagou os débitos estudantis dele há um ano. Tem licença de pesca, carteira de motorista, dois cartões de crédito e uma conta bancária com mais de duzentos mil.

— Meu Deus. Ele é só alguns anos mais velho que Mercy.

— Imagino que seja fácil guardar dinheiro se não precisa pagar por hospedagem e alimentação, mas Mercy está no mesmo barco que ele. Por que ela não tem coisa alguma?

— Parece deliberado. Talvez estivessem usando dinheiro para controlá-la.

Sara não queria pensar em como Mercy devia ter se sentido indefesa.

— Tinha algum dinheiro na mochila dela?

— Só roupas e o caderno — respondeu Will. — O investigador de incêndio está processando as evidências, depois vai entregá-las ao laboratório. A capa plástica do caderno derreteu e as páginas estão empapadas de chuva. Se não tiverem cuidado, a coisa toda pode se perder. Precisamos esperar, mas eu queria saber o que Mercy escreveu.

Sara também estava ansiosa quanto a isso. Mercy tinha colocado o caderno na mochila por um motivo.

— E o celular dela?

— Destruído pelo fogo, mas rastreamos o número pelo identificador de chamadas de Dave. Ela estava usando VoIP. Estamos esperando a assinatura num mandado para a conta. Ela provavelmente usou cartão de crédito pré-pago para fazer o pagamento. Se conseguirmos o número do cartão, podemos descobrir se ela o usava para outras coisas.

Sara se sentia mais ansiosa a cada novo detalhe sobre a vida claustrofóbica de Mercy.

— Você descobriu alguma coisa sobre Delilah?

— Ela é dona da própria casa, mas parece que a maior fonte de renda é um negócio on-line de velas e o que ela recebe do fundo da família. A pontuação de crédito é razoável e o carro está quase pago. Ela tem mais trinta mil em uma poupança, o que é bom, mas não é rica como o resto da família.

— Ela está melhor que Mercy.

— Sim.

Will esfregou o queixo enquanto observava um carro passar por uma poça. O corpo dele estava tenso, quase encurvado. Se o quadriciclo não chegasse logo, era provável que subiria a trilha da montanha sozinho.

— O chef está limpo. Os garçons são adolescentes.

— Qual o plano? — perguntou Sara.

— Precisamos encontrar aquele cabo de faca quebrado, mas é uma agulha no palheiro. Ou na floresta. Quero falar com cada homem que estava na pousada naquela noite. Mercy foi estuprada antes de ser assassinada.

— Não sabemos com certeza que ela foi estuprada. A calça pode ter sido abaixada durante a luta.

Sara também tinha um trabalho a fazer. Bastava seguir a ciência.

— Eu vou notar se tiver qualquer sinal de trauma sexual. Vou tirar as amostras, e tenho certeza de que quem fizer a autópsia vai inspecionar de perto a cavidade vaginal, mas você sabe que o ataque nem sempre aparece no *post-mortem*.

— Não diga isso para Amanda. Ela odeia quando você fala como médica.

— Por que acha que eu faço isso? — Sara sabia que isso arrancaria um sorriso dele.

Infelizmente, também não durou muito dessa vez.

— Onde está esse cara? — Will olhou para o relógio. — Preciso voltar para a pousada e começar a fazer perguntas. Eles tiveram tempo demais para alinhar as histórias. Preciso que Faith me ajude a separá-los. Também quero o registro de hóspedes para jogar no sistema.

— Acha que os McAlpine vão exigir um mandado?

Ele tinha um sorriso malicioso no rosto.

— Mencionei a Frank que poderia ser bom dar uma fuçada no escritório.

— Ele vai querer um distintivo de policial iniciante antes que isso acabe — disse Sara. — Pobre Mercy. Ela era uma prisioneira aqui. Sem carro. Sem dinheiro. Sem apoio. Totalmente sozinha.

— O chef está definitivamente no topo da minha lista. Ele tinha a interação mais consistente com Mercy.

Sara havia notado como o chef seguira Mercy pela cozinha com o olhar.

— Acha que ela não era tão sozinha?

— Talvez — disse Will. — Vou conversar primeiro com os garçons, para ver se eles notaram alguma coisa. A bartender tem quatro casos de embriaguez ao volante, mas são dos anos 1990. Por que embriaguez é tão frequente por aqui?

— Cidade pequena. Não tem muita coisa para fazer além de ficar bêbado e se enfiar em confusão.

— Você cresceu numa cidade pequena.

— Sim, cresci.

A atenção de Will foi atraída para o estacionamento de novo. Dessa vez, ele ficou aliviado.

O motor a diesel de uma F-350 roncou sob o dilúvio. A caminhonete trazia duas Kawasaki Mule com o distintivo do Departamento de Investigação da Geórgia, com assentos e pneus para todos os terrenos. O estômago de Sara deu um nó com o pensamento de Will voltar para a montanha. Alguém na pousada havia assassinado brutalmente Mercy McAlpine. Provavelmente, sentia-se seguro no momento. E Will estava a ponto de mudar aquilo.

Sara precisava fazer alguma coisa além de se preocupar. Ela se esticou para beijar o rosto dele.

— Vou entrar. Nadine provavelmente está esperando por mim.

— Me ligue se alguma coisa aparecer.

Ela observou Will pular do deque de carga e correr na direção da caminhonete. Através de chuva. A mão machucada ao lado do corpo. O curativo ficando molhado de novo.

Enquanto voltava para dentro do prédio, Sara fez uma anotação mental de encontrar algum antibiótico. As portas pesadas de metal deixaram a tempestade do lado de fora. O silêncio súbito fez os ouvidos dela zumbirem. Ela andou pelo longo corredor que levava ao necrotério. As luzes do teto bruxuleavam. A água tinha se infiltrado sob o piso laminado. Equipamentos da extinta maternidade ladeavam os corredores.

Ela presumiu que o hospital seria um dos muitos centros médicos rurais que fechariam antes do fim do ano. Havia poucos funcionários disponíveis, apenas um médico e duas enfermeiras cobrindo toda a emergência. Se fosse o dobro, ainda seria pouco. Depois da faculdade de medicina, Sara tivera uma sensação tremenda de orgulho por servir sua comunidade local. Naquele momento, hospitais rurais não conseguiam encontrar funcionários, muito menos mantê-los. Muita política e pouca sanidade faziam com que fossem embora em bando.

— Dra. Linton?

Amanda esperava por ela do lado de fora da porta fechada do necrotério. Ela estava com o telefone na mão e uma cara feia.

— Precisamos conversar.

Sara se preparou para mais uma batalha.

— Se está procurando uma aliada para tirar Will do caso, está perdendo tempo.

— Ser equilibrada não significa estar pronta para a briga. — Sara ficou em silêncio, e Amanda continuou: — Muito bem. Resuma a condição da vítima para mim.

Sara levou um momento para ativar o cérebro de trabalho.

— Mercy McAlpine, mulher caucasiana de 32 anos. Encontrada na propriedade da família com vários ferimentos de faca no peito, nas costas, nos braços e no pescoço. A calça tinha sido puxada para baixo, o que pode indicar agressão sexual. A arma do crime estava quebrada dentro da parte superior do torso.

Ela foi encontrada viva, mas não deu informações sobre o assassino. Morreu por volta da meia-noite.

— Ela usava as mesmas roupas do jantar?

Sara não tinha pensado naquilo até o momento, mas respondeu:

— Usava.

— E todos os outros? Como eles estavam vestidos quando os viu depois de encontrar Mercy?

Sara sentiu-se lenta na compreensão. Amanda obviamente a estava interrogando como testemunha.

— Cecil estava sem camisa, de cueca samba-canção. Pitica usava um robe azul-escuro de tecido atoalhado. Christopher, um roupão com peixes. Chuck estava com coisa parecida, mas com patos de borracha. Delilah estava de pijama verde, calça e uma camisa de abotoar. Frank usava cueca samba-canção e camiseta. Monica estava com um *negligée* preto até o joelho. Não vi Drew e Keisha, nem Sydney e Max. Os caras do aplicativo estavam com roupa de baixo. Will pegou Paul saindo do banho.

— Paul é o que estava no chuveiro à uma da manhã?

— É — respondeu Sara. — Se vale alguma coisa, não acho que eles sejam do tipo que vai cedo para a cama.

— Nada pareceu suspeito? Ninguém se destacou?

— Não diria que a reação da família foi normal, mas não.

— Descreva para mim.

— *Fria* é a palavra que fica voltando à mente, mas não posso dizer que tive uma boa impressão deles mesmo antes que soubessem da morte de Mercy.

Sara tentou pensar no jantar.

— A mãe é bem miúda e submissa ao marido. Ela foi má quando a filha foi humilhada em público. O pai estava claramente fazendo um teatro para os hóspedes, mas imagino que ele teria me tratado de um jeito muito diferente se soubesse que sou médica, e não professora de química do Ensino Médio. Ele dá a impressão de que só gosta de mulheres em posições tradicionais do século passado.

— Meu pai era assim — contou Amanda. — Ele ficou tão orgulhoso quando entrei para a polícia, mas, no minuto em que o superei, começou a me destruir.

Sara não teria percebido o lampejo de tristeza se não estivesse olhando diretamente para o rosto de Amanda.

— Sinto muito. Deve ter sido difícil.

— Bom, ele está morto agora — disse Amanda. — Preciso de todas as suas observações por escrito enviadas por e-mail. Qual seu plano para o corpo?

— Hum... — Sara estava acostumada com essas mudanças bruscas com Will, mas Amanda poderia dar uma aula magna. — Nadine vai me ajudar a fazer o exame físico. Vamos coletar raspagens das unhas, das fibras e dos cabelos, sangue, urina e sêmen. Vão para o laboratório para análise imediata. A autópsia completa vai ser feita na sede amanhã à tarde. O agendamento foi para cima da lista quando notifiquei que não temos mais um suspeito sob custódia.

— Encontre provas para remediar isso, dra. Linton.

Amanda abriu a porta.

Sara sentiu os olhos arderem por causa das luzes fluorescentes fortes. O necrotério era como qualquer necrotério de hospital de cidade pequena construído depois da Segunda Guerra Mundial. Tetos baixos. Azulejos amarelos e marrons nos pisos e nas paredes. Caixas de luz na parede. Luzes de exame ajustáveis sobre uma mesa de autópsia de porcelana. Pia de aço inoxidável com balcão longo e fixo. Um computador e um teclado sobre uma carteira escolar de madeira. Um banquinho com rodinhas e uma mesa de instrumentos cirúrgicos com vários utensílios para o exame físico. Uma câmara fria com doze gavetas mortuárias refrigeradas empilhadas, com quatro na horizontal e três na vertical. Sara verificou se tinha tudo de que precisava para o exame: equipamento de proteção, câmera, tubos de amostra, bolsas coletoras, raspadores de unhas, pinças, tesouras, bisturis, lâminas, kit de estupro.

— Nenhuma sorte em achar o filho? — questionou Amanda.

Sara balançou negativamente a cabeça.

— Jon deve estar de ressaca, dormindo até passar a bebedeira. Depois do exame, vou com a tia procurá-lo novamente.

— Diga a ele que vai precisar fazer uma declaração em algum momento. Ele pode ser importante para confirmar a linha do tempo, descobrir quem foi a última pessoa a ver Mercy com vida. Jon estava com você quando ouviu o segundo e o terceiro gritos, certo?

— Correto — disse Sara. — Eu o vi sair da casa com uma mochila. Imagino que estivesse planejando fugir. A briga com Mercy no jantar tinha sido séria.

— Veja o que consegue arrancar da tia enquanto estão fazendo a busca — disse Amanda. — Delilah sabe de alguma coisa.

— Sobre o assassinato?

— Sobre a família — respondeu a chefe. — Você não é a única da equipe que tem intuição.

Antes que Sara pudesse pressioná-la para saber mais, as engrenagens do elevador de carga começaram a fazer um rangido agourento. Escorria água por baixo das portas quando deslizaram.

Amanda disse:

— Se você precisasse adivinhar agora, quem seria seu suspeito principal?

Sara não precisou de tempo para pensar.

— Alguém da família. Mercy estava barrando a venda da propriedade.

— Você parece Will — disse Amanda. — Ele ama um motivo financeiro.

— Por uma boa razão. Fora da família, diria que é Chuck. Ele é perturbador. O irmão também.

Amanda assentiu antes de checar o telefone.

Sara percebeu que tinha demorado para entender novamente. Só naquele momento lhe ocorria como era estranho que a vice-diretora participasse de um exame preliminar. A autópsia completa, na qual o corpo seria aberto para exame, seria realizada na sede e por outra pessoa da equipe. Provavelmente, prova alguma seria encontrada durante o exame externo de Sara. Fazia aquilo apenas para começar a coletar sangue, urina e vestígios de evidências que seriam enviados ao laboratório para processamento. O corpo de Mercy tinha sido encontrado parcialmente submerso na água. A probabilidade de Sara encontrar naquela manhã qualquer informação que exigisse ação imediata era próxima de zero.

Então por que a chefe estava aqui?

As portas do elevador se abriram com um gemido antes que ela tivesse tempo de fazer a pergunta em voz alta. Mais água escorreu. Nadine estava de pé ao lado de uma maca do hospital. Biscoito estava do outro. O olhar de Sara encontrou a bolsa *post-mortem*. Vinil branco, bordas seladas com calor, zíper reforçado com grossos dentes de plástico. O contorno do corpo de Mercy era leve, como se tivesse conseguido, na morte, o que as pessoas tentaram fazer com ela durante toda a sua vida: sumir.

Sara deixou todo o resto desaparecer. Pensou na última vez que tinha visto Mercy viva. A mulher ficara envergonhada, mas era orgulhosa. Estava acostumada a fazer tudo sozinha e deixara Sara cuidar do polegar machucado. Dessa vez, Sara ajudaria a cuidar do corpo dela.

— Delegado Hartshorne, obrigada por se juntar a nós — falou Amanda.

O tom pseudogracioso dela não o desarmou totalmente.

— Tenho o direito de estar aqui.

— E é bem-vindo para exercer esse direito.

Sara ignorou o olhar estupefato no rosto do delegado. Então, pegou a maca e ajudou Nadine a conduzir o corpo até o necrotério. Trabalharam juntas em silêncio, colocando o saco para cadáveres sobre a mesa de porcelana e afastando a maca. Em seguida, ambas vestiram aventais, respiradores, protetores faciais, óculos de segurança e luvas de exame. Sara não iria fazer uma autópsia completa, mas

Mercy ficara horas no calor e na umidade. Seu corpo havia se transformado em uma mistura tóxica de patógenos.

— Talvez a gente devesse colocar máscaras também — disse Biscoito. — Um monte de fentanil aí. Mercy tem um longo histórico de vício em drogas. Poderíamos morrer só de respirar os gases.

Sara o fitou.

— Não é assim que fentanil funciona.

Ele apertou os olhos.

— Vi homens adultos derrubados por essa coisa.

— Vi enfermeiras espirrarem na mão por acidente e rirem.

Sara virou-se para Nadine.

— Pronta?

Ela assentiu antes de começar a abrir o zíper.

Nos primeiros anos de trabalho de Sara como legista, os sacos para cadáveres tinham um desenho semelhante aos de dormir, com um reforço na parte inferior. Eram sempre feitos de plástico preto, e os zíperes eram de metal. Naquele momento, os sacos eram brancos e vinham em diversos materiais e formatos, dependendo do uso. Ao contrário da versão anterior, os zíperes industriais formavam uma vedação completa. As melhorias valiam o custo extra. A cor branca auxiliava a identificação visual das evidências. O fato de ser impermeável evitava que os fluidos escapassem. Ambos eram necessários no caso do cadáver de Mercy McAlpine. Ela havia sido esfaqueada diversas vezes. O intestino tinha sido perfurado. Alguns de seus órgãos ocos foram abertos. O corpo havia entrado em estado de putrefação, e fluidos começavam a vazar por todas as aberturas.

— Porra! — Biscoito colocou as mãos sobre o nariz e a boca para bloquear o cheiro. — Jesus Cristo.

Sara ajudou Nadine a liberar a metade superior do saco. O delegado abriu a porta e ficou com os pés na soleira. Amanda não se mexeu, mas começou a digitar no telefone.

Sara se controlou antes de voltar a atenção para o corpo.

Mercy tinha sido deixada dentro da bolsa e totalmente vestida para o raio X. Manusear um cadáver pode ser perigoso. As roupas podem esconder armas, agulhas e outros objetos pontiagudos. Ou, no caso de Mercy, uma faca alojada dentro do peito.

A camisa de Will ainda se encontrava presa na parte superior do tronco. O material estava amontoado na ponta da lâmina quebrada, que se projetava do peito de Mercy como a barbatana de um tubarão. Sangue e tendões haviam secado em fios ao redor da borda serrilhada. Sara imaginou que o raio X mostraria a lâmina em ângulo entre o esterno e a escápula. O assassino, provavelmente, era destro. Com sorte, encontrariam impressões digitais no cabo perdido.

Sara estudou o corpo de cima a baixo. Os olhos de Mercy estavam entreabertos, as córneas nubladas. A boca estava aberta. Sangue seco e detritos cobriam a pele pálida. Várias facadas superficiais haviam arrancado a carne do pescoço. A parte branca do osso da clavícula direita estava exposta onde a lâmina tinha esfolado a pele. As feridas na parte inferior das costas e na parte superior das coxas soltavam fluidos dentro do saco de cadáveres. Cada centímetro de pele exposta mostrava a brutalidade da morte dela.

— Deus abençoe a alma dela — sussurrou Nadine. — Ninguém merece isso.

— Não, ninguém. — Sara não se permitiria sentir que estava indefesa. Ela perguntou a Nadine: — Você grava ou transcreve?

— Sempre me sinto esquisita falando com um gravador — afirmou Nadine. — Normalmente só escrevo as coisas.

Sara normalmente gravava, mas tinha consciência de que aquele era o território de Nadine.

— Você poderia anotar? — pediu Sara.

— Sem problemas.

Nadine pegou o caderno e uma caneta, e não esperou a instrução de Sara para começar a escrever. A médica de Atlanta leu as letras de forma dela de cabeça para baixo. Nadine anotara a data, o horário e então incluiu o nome de Sara, o de Hartshorne e o próprio. Por fim, perguntou a Amanda:

— Desculpe, querida, pode me lembrar seu nome?

Sara mal registrou a resposta de Amanda enquanto olhava para o corpo devastado de Mercy. A calça jeans ainda estava abaixada até os tornozelos, mas a calcinha roxa escura, estilo biquíni, estava no local correto. Havia terra grudada no cós. Lama havia escorrido pelas pernas e se acumulado na calça jeans. Havia um grupo de cicatrizes redondas na parte superior da coxa esquerda. Sara as reconheceu como queimaduras de cigarro. Will tinha marcas semelhantes no peito.

Ela sentiu um nó na garganta ao pensar no marido. Seu cérebro se lembrou de quando acariciou o ombro dele no banco de observação. Naquela hora, Sara tinha pensado que a pior coisa que aconteceria em sua lua de mel seria ver Will lutando contra os pensamentos sobre a mãe perdida.

Mercy também era uma mãe perdida. Tinha um filho de dezesseis anos que merecia saber quem a tinha tirado dele.

— Certo. — Nadine virou uma folha limpa do caderno. — Podemos.

Sara continuou o exame, relatando suas descobertas. O corpo de Mercy havia passado dos estágios máximos do *rigor mortis*, mas os membros ainda estavam rígidos. Os músculos do rosto haviam se contraído, dando a aparência de dor intensa. A parte superior do corpo não tinha ficado submersa no lago por muito tempo, mas a pele da nuca e dos ombros encontrava-se solta e manchada pela água. O cabelo estava emaranhado. Havia um tom rosado na pele pálida devido ao sangue na água.

Um flash espocou. Nadine havia começado a tirar fotografias. Sara a ajudou a alinhar as réguas em escala. Havia detritos sob as unhas de Mercy. Um longo arranhão descia pela parte de trás do braço direito. O polegar direito ainda estava enfaixado onde Sara costurara o corte feito pelo copo d'água quebrado. Manchas escuras de sangue indicavam que as suturas haviam se rompido, provavelmente durante o ataque. As marcas vermelhas de estrangulamento que Sara tinha visto no pescoço de Mercy no banheiro estavam mais pronunciadas, mas não havia passado tempo suficiente para que virassem hematomas.

Sara virou o braço direito de Mercy, verificando a parte de baixo. Então verificou o esquerdo. Os dedos estavam curvados, mas Sara conseguia ver as palmas. Nenhum corte de faca. Sem edema.

— Ela não parece ter feridas defensivas.

— Só não estão aparecendo — contradisse Nadine. — Mercy era uma lutadora. Não é possível que ela tenha ficado ali apanhando.

Sara não desabonaria a narrativa. O fato é que ninguém sabia como responderia a uma agressão até ser agredido.

— Os sapatos dela nos contam parte da história. Mercy estava de pé durante parte do ataque. A mancha é de sangue arterial. Pode ser respingo da faca entrando e saindo. Tem terra sobre a área dos dedos. Vimos marcas de algo sendo arrastado do chalé até o lago. Mercy estava olhando para baixo quando isso aconteceu. Também há terra no cós da calcinha dela, nos joelhos e dentro das dobras da calça jeans.

— A terra parece ser do mesmo tipo que há na margem do lago. Vou voltar lá e coletar amostras para comparação — falou Nadine.

Sara assentiu enquanto Nadine continuava a fotografar as descobertas. Por vários minutos, a única coisa que a médica conseguia ouvir acima do zumbido do compressor nos armários refrigerados era o estalo do flash da câmera e Amanda digitando em seu telefone.

Quando a investigadora forense finalmente terminou, Sara a ajudou a espalhar papel branco por baixo da mesa. Então ela pegou a lupa da bandeja. Trabalharam em conjunto, examinando cada centímetro das roupas de Mercy em busca de vestígios. Sara encontrou fibras de cabelo, pedaços de sujeira e detritos, que foram para sacos de coleta. Nadine foi discretamente eficiente, rotulando cada evidência e anotando no registro onde cada uma havia sido encontrada.

A próxima etapa era exponencialmente mais difícil do que as anteriores. Precisavam tirar as roupas de Mercy. Nadine colocou papel novo sobre o chão e sobre a mesa longa ao lado da pia, para que pudessem examinar as roupas novamente depois de tirá-las.

Despir um cadáver era algo demorado e tedioso, ainda mais quando o corpo ainda estava rígido. Normalmente, um ser humano tem aproximadamente a mesma quantidade de bactérias que células. A maior parte das bactérias está no intestino, onde é usada para processar nutrientes. Em vida, o sistema imunológico mantém o crescimento sob controle. Na morte, as bactérias assumem o controle, alimentando-se de tecidos e liberando metano e amônia. Esses gases incham o corpo, o que por sua vez faz a pele se expandir.

O material da camiseta do Mercy estava tão esticado que a única opção foi cortá-la. A armação do sutiã precisou ser arrancada da caixa torácica e deixou uma marca de mais de meio centímetro de profundidade sob os seios. Sara seguiu a costura da calcinha para cortá-la. O cós tinha deixado sua marca, e o material fino precisou ser removido. Pedaços de pele vieram junto. Sara colocou delicadamente cada tira no papel branco, como se fossem peças de um quebra-cabeça.

Elas não conseguiriam remover a calça jeans sem tirar, primeiro, os sapatos. Nadine desamarrou os cadarços, e Sara a ajudou a puxar os tênis. As faixas na parte superior das meias esportivas de algodão da Mercy estavam soltas, o que as tornava mais fáceis de serem removidas. Ainda assim, o material deixou fios grudados na pele. Tirar a calça jeans foi uma odisseia. O material era espesso e estava rígido devido ao sangue e outros fluidos que haviam secado. Sara cortou cuidadosamente um lado, depois o outro, para retirá-los como uma concha. Nadine levou a peça até o balcão. Embrulhou as duas metades em papel para evitar contaminação cruzada.

Todos ficaram em silêncio enquanto Nadine trabalhava. Ninguém olhava para o corpo. Sara via o rosto sombrio de Amanda enquanto ela observava o telefone. Biscoito ainda estava à porta, mas a cabeça encontrava-se virada, como se tivesse ouvido alguém chamar no fim do corredor.

Sara sentiu um aperto na garganta enquanto estudava o corpo. Pelas suas contas, havia pelo menos vinte facadas. O torso recebera a maior parte dos golpes, mas havia um corte na coxa esquerda e outro na parte externa do braço direito. A lâmina afundara até o cabo em alguns lugares, a pele estava marcada com o contorno do cabo perdido.

As feridas recentes não eram os únicos sinais de violência.

O corpo de Mercy revelava uma vida inteira de abusos. A cicatriz no rosto havia perdido a cor, mas não era páreo para as outras que crivavam sua pele. Marcas profundas e escuras pela barriga, onde ela tinha sido chicoteada com algo pesado e texturizado, talvez uma corda. Sara reconheceu a impressão de uma fivela de cinto no quadril de Mercy. A coxa esquerda fora tostada por um ferro. Havia múltiplas queimaduras de cigarro ao redor do mamilo do seio direito. Um corte fino e reto dividia o pulso esquerdo.

— Sabe de alguma tentativa de suicídio? — perguntou Sara.

— Mais que algumas — respondeu Biscoito. — Ela teve overdoses. A cicatriz que está olhando é da época do Ensino Médio, de uma briga com Dave. Abriu o pulso no armário de suprimentos do ginásio. Se o treinador não a tivesse encontrado, teria sangrado até morrer.

Sara olhou para Nadine, buscando confirmação. A mulher tinha lágrimas nos olhos, mas assentiu e pegou a câmera para documentar o estrago.

Novamente, Sara alinhou a régua em escala. Ela se perguntou quanto tempo levaria para esfaquear uma mulher tantas vezes. Vinte segundos? Trinta? Havia mais facadas nas costas e nas pernas. Quem tinha assassinado Mercy McAlpine queria muito que ela morresse.

O fato de a pessoa não ter conseguido instantaneamente, de Mercy ainda estar viva depois que o chalé fora incendiado, depois de Will ter corrido pela floresta para encontrá-la, era uma prova da determinação dela.

Nadine finalmente largou a câmera. Ela respirou fundo para se preparar. Sabia o que estava por vir.

O kit de estupro.

Nadine abriu a caixa de papelão que continha tudo o que era necessário para coletar provas de uma agressão sexual: recipientes estéreis, cotonetes, seringas, lâminas de vidro, envelopes autovedantes, palitos de unha, rótulos, soro fisiológico, espéculo de plástico, pente. Sara podia ver as mãos dela tremendo enquanto colocava cada item na bandeja. Nadine usou as costas do braço para enxugar as lágrimas sob os óculos de segurança. O coração de Sara estava com a mulher, pois já estivera na posição de Nadine muitas vezes.

— Vamos fazer um intervalo? — perguntou Sara.

Nadine balançou a cabeça em negação.

— Não vou falhar com ela dessa vez.

Sara carregava sua própria culpa por Mercy. Seu cérebro a levava de volta àquele momento no banheiro ao lado da cozinha. Mercy tinha dito a Sara que quase todos na montanha queriam matá-la. Sara tentou pressioná-la, mas, quando Mercy recuou, ela deixara passar facilmente.

— Vamos começar — encorajou Sara.

Como Mercy ainda estava em *rigor mortis*, elas precisaram forçar a abertura das pernas. Sara pegou uma perna, Nadine, a outra. Elas puxaram até que as juntas do quadril cederam com um barulho de estouro terrível.

Na porta, Biscoito limpou a garganta.

Sara colocou um pedaço quadrado de papelão branco debaixo do púbis de Mercy. Usou o pente primeiro, passando os dentes com cuidado nos pelos pubianos. Pelos soltos, terra e outros detritos caíram sobre o papelão. Sara ficou feliz em ver raízes em alguns dos pelos. Raízes significavam DNA.

Ela passou o papelão e o pente para Nadine, para que ela pudesse colocá-los em um saco de coleta.

Em seguida, Sara usou vários comprimentos diferentes de cotonetes para verificar se havia sêmen na parte interna das coxas de Mercy. No reto. Nos lábios. Nadine a ajudou a forçar a abertura da boca. Mais uma vez, houve um estalo alto de uma junta se rompendo. Sara ajustou a luz acima. Não viu contusões dentro da boca. Tirou amostras de dentro das bochechas, da língua, da parte de trás da garganta.

O espéculo plástico estava lacrado numa embalagem. Nadine a abriu, oferecendo o instrumento a Sara. Mais uma vez, a médica ajustou a luz acima. Precisou forçar o espéculo para dentro do canal. Nadine entregou os cotonetes.

— Parece que há traços de fluido seminal — disse Sara.

Biscoito limpou a garganta de novo.

— Então ela foi estuprada.

— O fluido sugere intercurso sexual. Não vejo sinais de edema ou contusões.

Sara entregou a Nadine o último cotonete para ser processado. Enquanto esperava, ela colocou luvas novas. Seus pensamentos estavam em todos os homens que estiveram na pousada na noite anterior. O chef. Os dois jovens garçons. Chuck. Frank. Drew. Gordon e Paul. Max, o investidor. Até o irmão de Mercy, Christopher. Sara tinha sentado à mesa de jantar rodeada por eles. Qualquer um poderia ser o assassino.

Nadine voltou até a mesa. Sara retirou sangue do coração com uma seringa grande. Usou uma agulha de calibre 25 para tirar a urina da bexiga. Entregou as duas a Nadine para serem rotuladas. Então, segurou um pequeno pedaço de papelão branco sob os dedos de Mercy e usou o palito de madeira para raspar sob as unhas.

— Isso pode ser pele — disse Sara. — Ela pode ter arranhado o agressor.

— Boa menina, Merce. — Nadine pareceu aliviada. — Espero que você tenha arrancado sangue dele.

Sara também esperava. Haveria uma chance maior de isolar o DNA.

Ela estava a ponto de pedir ajuda a Nadine para virar o corpo quando um celular vibrou.

— É o meu. Os raios X provavelmente estão prontos — disse Nadine.

Sara sentiu que todos eles precisavam de uma pausa.

— Vamos dar uma olhada.

A investigadora ficou visivelmente aliviada. Ela baixou a máscara e tirou as luvas enquanto caminhava em direção à mesa. Sara esperou até que a mulher se conectasse ao computador para se posicionar atrás dela. Alguns cliques trouxeram as radiografias de Mercy para a tela. Eram pouco mais que miniaturas, porém, mais uma vez, o histórico de abusos era grande.

Sara não ficou surpresa com as fraturas antigas, mas o número era chocante. O fêmur direito de Mercy tinha sido fraturado em dois lugares diferentes, mas não ao mesmo tempo. Alguns ossos da mão esquerda pareciam ter sido deliberadamente martelados em dois. Havia parafusos e placas em vários locais. O topo do crânio e o osso occipital apresentavam fraturas. O nariz. A pélvis. Até o osso hioide mostrava sinais de lesões antigas.

— Um hioide quebrado é sinal de estrangulamento. Não sabia que era possível viver com ele quebrado — falou Nadine, aumentando a imagem.

— É uma lesão potencialmente fatal — confirmou Sara.

O osso era ligado à laringe e estava envolvido em muitas funções das vias aéreas, desde a produção de som até a tosse e a respiração.

— Isso parece uma fratura isolada no corno maior. Pode ter sido entubada ou colocada em repouso na cama, dependendo de como estava.

— Quando Faith estava interrogando Dave, ele disse que Mercy foi dirigindo sozinha até o hospital depois de um episódio de estrangulamento. Estava com dificuldades para respirar e foi internada — interveio Amanda.

— Eu cuidei dessa denúncia!— gritou Biscoito da porta. — Aconteceu há pelo menos dez anos. Mercy não falou sobre ter sido estrangulada. Ela me disse que tropeçou num tronco e bateu o pescoço na queda.

Amanda deu um olhar aguçado para Biscoito.

— Então por que foi chamado para cuidar da denúncia?

Biscoito ficou em silêncio.

— Pode me mostrar essa fratura? — perguntou Sara, voltando aos raios X.

Nadine selecionou a imagem do osso do fêmur.

— Quero a opinião de um técnico em radiologia forense, mas isso parece ter décadas. — Ela apontou para uma linha fina dividindo a parte de baixo do osso. — Uma fratura adulta geralmente tem bordas afiadas, mas, se for mais antiga, digamos que da infância, o osso se remodela e arredonda as bordas.

— Isso é incomum? — perguntou Amanda.

— As fraturas do fêmur em crianças tendem a ser diafisárias. Esse é o osso mais forte do corpo, por isso é necessário um choque de alta intensidade para quebrá-lo. — Sara voltou à imagem. — Mercy sofreu uma fratura metafisária distal. Tem havido muito debate sobre se esse tipo de fratura indica ou não abuso, mas as pesquisas recentes não são definitivas.

— O que isso quer dizer? — Biscoito perguntou.

— Cecil quebrou a perna dela quando era bebê — respondeu Nadine.

— Ei, ela não disse quem fez isso! — retrucou o delegado. — Não vá falando coisas que não pode provar.

Nadine expirou longamente enquanto clicava em mais duas imagens em miniatura.

— Essa placa de metal no braço dela é do acidente de carro de que falei. E essa, vê aqui onde precisaram reconstruir a pélvis dela? Foi uma boa coisa que ela já tinha tido Jon.

Sara olhou para a radiografia abdominal. Os ossos pélvicos de Mercy eram de um branco intenso contra o preto, as vértebras subiam até a caixa torácica. Os órgãos estavam na sombra. O contorno tênue dos intestinos delgado e grosso. O fígado. O baço. O estômago. O borrão fantasmagórico de uma pequena massa, talvez com cinco centímetros de comprimento, mostrando sinais iniciais de ossificação.

Sara teve que limpar a garganta antes de poder falar:

— Nadine, você poderia me ajudar a terminar o exame de estupro antes de virarmos ela?

Nadine pareceu confusa, mas pegou outro par de luvas antes de se juntar a Sara em frente à mesa.

— O que precisa que eu faça?

Sara não precisava que ela fizesse qualquer coisa além de voltar a seu silêncio reconfortante. Havia um aparelho de ultrassom no corredor, mas Sara não o pediria com Biscoito na sala. Nadine fizera uma breve palestra na Trilha do Velho Solteiro sobre a vida em uma cidade pequena, mas havia esquecido de uma lição muito importante: não existiam segredos.

Sara precisaria de um exame pélvico para confirmar o que tinha visto no raio X.

Mercy estava grávida.

13

— Porra-porra-porra.

Faith tentou não bater a cabeça no volante de seu Mini. A tempestade tinha finalmente passado, mas a estrada de cascalho tornara-se um pesadelo enlameado. Pedras ressoavam nas laterais do carro. A direção parecia escorregadia. Ela olhou para o céu. O sol era brutal, como se quisesse sugar de volta das nuvens o máximo de água que pudesse.

Ela dera um tiro no pé ao se oferecer para interrogar Penny Danvers, a faxineira e bartender da pousada, mas Faith odiava autópsias. Ela as acompanhava porque era seu trabalho, só que cada parte do exame lhe causava repugnância. Nunca tinha conseguido se acostumar a ficar perto de cadáveres. Por isso acabou dirigindo pelas estradinhas de Onde Judas Perdeu as Botas, norte da Geórgia, em vez de dar a volta olímpica para comemorar seu excelente trabalho de detetive com Dave McAlpine.

Ela se repreendeu em silêncio. Um resultado melhor teria sido uma confissão ou uma pista gigante que apontasse para o assassino, assim Jon teria um encerramento. Não era um jogo de mocinhos contra bandidos. Mercy era mãe. Não apenas uma mãe, mas uma mãe como Faith. Ambas deram à luz filhos quando eram pouco mais que crianças. Faith teve sorte de ter tido o apoio da família. Sem a ajuda deles, poderia facilmente ter acabado como Mercy McAlpine. Ou talvez até presa com um agressor condenável como Dave. Homens de merda eram como menstruação. Depois da primeira vez, sua vida era consumida por pavor ou pânico de quando apareceria novamente.

Faith olhou para o caderno aberto sobre o banco do carona. Antes de deixar o hospital, trabalhara com Will para comparar as ligações de Mercy para Dave com os horários aproximados de Will sobre o que ele tinha ouvido e onde. Conseguiram construir o que era um palpite aproximado da última hora e meia da vida de Mercy McAlpine:

22h30: Vista fazendo ronda (Paul: testemunha)

22h47, 23h10, 23h12, 23h14, 23h19, 23h22: Ligações perdidas para Dave

23h28: Mensagem de voz para Dave

23h30: Primeiro grito ouvido do complexo (uivo)

23h40: Segundo grito dos chalés dos solteiros (socorro)

23h40: Terceiro grito dos chalés dos solteiros (por favor)

23h50: Corpo encontrado

Meia-noite: Morte declarada (Sara)

Faith ainda não estava satisfeita com os múltiplos de dez. Precisava ir até a propriedade e encontrar aquele mapa. O primeiro objetivo era estabelecer as áreas onde o wi-fi funcionava para descobrir onde Mercy estava quando as ligações foram feitas. A partir daí, Faith poderia traçar os diferentes caminhos que Mercy poderia ter tomado para chegar aos chalés dos solteiros. Will poderia estar errado por até cinco minutos para mais ou para menos, o que não parecia muito, mas, quando você estava construindo um caso de assassinato, cada minuto importava.

Pelo menos, Mercy fizera o favor de ligar várias vezes. A mensagem de voz já havia sido enviada ao laboratório para análise de som, mas demoraria, no mínimo, uma semana para voltar. Faith pegou o telefone no porta-copos. Tocou na gravação que fez da última mensagem de Mercy para Dave. A voz da mulher parecia desesperada enquanto ecoava dentro do Mini.

Dave! Ah, meu Deus, onde você está? Por favor, por favor, me liga de volta. Não acredito... ah, Deus, não consigo... Por favor, me ligue. Por favor. Preciso de você. Sei que você nunca esteve aqui para mim, mas eu realmente preciso de você agora. Preciso de sua ajuda, amor. Por favor, li-ligue...

Faith não notara, mas Mercy tinha começado a soluçar quando abafara o telefone. No carro, Faith contou silenciosamente os sete segundos dos gritos suaves da mulher.

— *O que está fazendo aqui? Não! Dave vai chegar logo. Eu contei a ele o que aconteceu. Ele está...*

Faith olhou para a linha do tempo. Trinta e dois minutos depois, Mercy era declarada morta.

— O que aconteceu com você, Mercy? — perguntou Faith ao carro vazio. — No que você não conseguia acreditar?

A mulher tinha visto ou ouvido algo que a aterrorizara o suficiente para enfiar roupas e o caderno na mochila para fugir. Não tinha levado Jon, o que significava que o que quer que tivesse acontecido era uma ameaça apenas para ela. Ameaça suficiente para que ela precisasse que Dave aparecesse depois de anos sem estar lá. Ameaça suficiente para que ela não pedisse ajuda à própria família.

A aposta de Faith era a de que a coisa ruim tinha começado durante o intervalo de treze minutos entre a primeira ligação para Dave e as cinco ligações frenéticas perdidas que começaram às 23h10. Mercy teria entrado em casa em algum momento para arrumar a mochila. Faith não tinha certeza de quais itens levaria se precisasse sair de casa para sempre, mas o principal seria a carta que seu pai havia escrito para ela antes de morrer de câncer no pâncreas. Mercy não levaria o caderno, a menos que tivesse um valor incrível.

E não havia como o laboratório terminar a análise em menos de uma semana.

Dave vai chegar logo. Eu contei a ele o que aconteceu.

Faith pensou em todas as vezes em que tinha dito a um homem que outro estava a caminho. Geralmente acontecia quando estava tentando aproveitar uma noite sozinha. Sempre havia algum cara que se aproximava para flertar. A única maneira de se livrar dele era deixar claro que alguém já havia mijado no hidrante que ele estava farejando.

O que trouxe Faith de volta ao mistério do quarto trancado. Um dos princípios do gênero dizia que a pessoa que você achava que não tinha cometido o crime era, na verdade, o criminoso. Dave era tão óbvio que estava com uma flecha de néon apontando para sua cabeça. O momento mais perigoso para uma sobrevivente de violência doméstica era quando ela deixava o agressor. O estrangulamento era um sinal clássico de uma escalada de violência. Contudo, ser um idiota condenável não faz de você um assassino. E Faith continuou voltando para a mensagem de voz. Mercy não estava dizendo a Dave que ele mesmo estava a caminho. Havia apenas um punhado de homens na pousada que poderiam ter feito Mercy invocar o nome dele.

Chuck. Frank. Drew. Max, o investidor. Alejandro, o chef. Gregg e Ezra, os dois garçons da cidade. Gordon e Paul, porque nunca se sabe. Christopher, porque ele e Mercy tinham sido criados dentro de um romance de V. C. Andrews nas montanhas do norte da Geórgia.

Faith soltou um suspiro pesado. Precisava de mais informações. Com sorte, Penny Danvers, a bartender e faxineira, seria tão perspicaz e falante quanto Delilah tinha sido na gravação de Will. Os faxineiros do hotel viam seu personagem sob a luz mais dura, e só Deus sabia que Faith tinha lançado algumas bombas-da-verdade sobre bartenders desavisados em outros tempos. O que, provavelmente, não era um buraco no qual precisaria se enfiar naquele momento. Em vez disso, Faith concentrou-se na interminável estrada de cascalho. Olhou pelo espelho retrovisor. Depois, para a estrada. Em seguida, pelas janelas laterais. Tudo parecia igual.

— Puta merda.

Ela estava completa e totalmente perdida.

Faith diminuiu a velocidade do carro em busca de sinais de civilização. Tudo o que vira nos últimos quinze minutos foram campos e vacas e um ou outro pássaro voando baixo. O GPS a orientara para virar à esquerda na bifurcação da estrada, mas estava começando a pensar que ele havia mentido. Checou seu telefone. Sem sinal. Faith deu meia-volta e retornou por onde tinha vindo.

De alguma forma os campos, as vacas e os pássaros ocasionais pareciam diferentes no caminho de volta. Ela baixou as duas janelas e procurou por barulho de carros e tratores ou alguma indicação de que não era a última mulher na Terra. Tudo o que ouviu foi um pássaro estúpido grasnando. Ela girou o botão do rádio, esperando ouvir vozes alienígenas ou um programa sobre agricultura, mas foi recompensada com Dolly Parton cantando "Purple Rain".

— Graças a Deus — murmurou Faith.

Pelo menos alguma coisa ainda era boa no mundo. O vento soprou no carro, secando um pouco do suor nas costas dela. Ela ouviu o telefone fazer barulho. Faith olhou para a tela. O sinal estava de volta. Havia duas mensagens de texto.

Faith digitou sua senha, dizendo a si mesma que não havia problema em enviar mensagens de texto e dirigir porque a única pessoa que poderia matar era ela mesma. O que ela quase fez quando viu a mensagem do filho.

Ele estava em Quantico. E estava adorando.

Faith tivera esperanças secretas de que Jeremy odiasse aquilo. Ela não queria que o filho fosse policial. Não queria que ele fosse um agente do FBI. Não queria que ele fosse um agente do Departamento de Investigação da Geórgia. Queria que ele usasse seu diploma incrível da Georgia Tech e trabalhasse em um escritório, vestisse um terno e ganhasse muito dinheiro para que, quando a mãe dele batesse o carro na beira da estrada por mandar mensagens de texto dirigindo, pudesse mandá-la para uma boa clínica.

A outra mensagem era só um pouco melhor. Sua mãe tinha enviado uma foto de Emma com o rosto pintado como Pennywise, o palhaço de It. Faith descobriria mais tarde se a homenagem tinha sido intencional. Ela respondeu com um monte de corações antes de colocar o telefone no porta-copos.

— Porra! — gritou.

Um pássaro tinha voado quase diretamente no para-brisa dela. Faith virou o volante e acabou indo para o acostamento. O carro começou a aquaplanar fora da pista e tudo desacelerou. Ela sabia que você derrapava quando estava no gelo, mas era a mesma coisa com a lama? Você deveria girar a roda na direção oposta ou isso o jogaria em uma vala?

A resposta veio logo. O Mini se transformou em uma patinadora artística, fazendo um giro de 360 graus, saindo do chão e deslizando pela estrada até acabar na vala oposta.

O carro estremeceu violentamente ao parar. Faith estava muito ofegante para proferir uma maldição, mas prometeu a si mesma que o faria assim que seu cu se abrisse. Não havia muitas maneiras de aquele dia ficar pior.

Então ela saiu do carro e viu a roda traseira enterrada em cinco centímetros de lama.

— Filho da...

Faith colocou o punho na boca. Ela conseguia lidar com aquilo. Tinha trabalhado como policial de patrulha. Seus turnos eram rotineiramente preenchidos ajudando idiotas a retirar seus veículos das valas. Ela encontrou o kit de emergência no porta-malas, com cobertores, comida, água, um rádio de emergência, uma lanterna e uma pá dobrável.

"Purple Rain" atingiu seu crescendo. Ela precisava pensar que Dolly Parton apreciaria uma mãe de dois filhos exasperada saindo da lama no meio do nada enquanto ouvia o cover do Prince. As mãos de Faith começaram a doer enquanto cavava. Ela sofreu por minutos sem trégua. Para garantir, pegou punhados de cascalho e colocou-os na base do pneu. Estava respingada de lama quando terminou. Limpou as mãos na calça antes de voltar para o carro.

Ela pisou no acelerador, rezando por tração. O carro avançou lentamente e depois balançou para trás. Ela continuou assim, balançando lentamente para a frente e para trás até que as rodas encontraram apoio no cascalho.

— Sua rainha da porra — disse a si mesma.

— Isso mesmo.

— Porra!

Faith pulou, batendo a cabeça no teto. Uma mulher estava parada do outro lado da vala. O rosto dela era desgastado pelo sol inclemente e por uma vida igualmente difícil. Um cão bluetick estava sentado ao lado dela, que tinha uma espingarda pendurada nos ombros como um espantalho perigoso. As mãos pendiam de cada extremidade.

— Não achei que você fosse conseguir— disse a mulher. — Nunca conheci um de vocês da cidade que não fosse incompetente.

Faith conseguiu um momento para conter seu surto desligando o rádio. Ela se perguntou há quanto tempo a criatura estava ali. Tempo suficiente para ver a placa do Condado de Fulton no Mini, que a identificava como residente de Atlanta.

— Trabalho para o…

— Departamento de Investigação da Geórgia — disse ela. — Você está com aquele cara alto. Will, certo? Casado com Sara.

Faith achou que a mulher era uma bruxa.

— Não peguei seu nome.

— Eu não dei.

Ela levantou o queixo em um gesto desafiador.

— Quem está procurando?

— Você — adivinhou Faith. — Penny Danvers.

Ela assentiu uma vez.

— Você é mais inteligente do que parece.

Faith passou a língua pela parte interna dos dentes.

— Quer uma carona de volta para sua casa?

— O cachorro também?

Faith não achava que o carro poderia ficar mais imundo. Então se esticou e abriu a porta.

— Espero que ele goste de cereal. Minha filha adora jogá-los na minha cabeça.

O cachorro esperou que Penny estalasse a língua antes de passar dois bancos traseiros com um pulo, as patas enlameadas, então imediatamente começou a aspirar o chão, o que foi única coisa boa que aconteceu naquele dia. Penny entrou na frente. A porta bateu. Ela apoiou a espingarda entre as pernas, o cano apontado para o teto. Outra coisa boa. Ela poderia ter apontado para Faith.

— Fica a uns três quilômetros para a esquerda. A estrada fica meio esburacada, então se segure — disse a mulher com a espingarda carregada que não usava o cinto de segurança. — Vai ver o celeiro antes de avistar a casa.

Faith colocou a primeira marcha e iniciou a viagem. Ambas as janelas ainda estavam abertas. Ela manteve o velocímetro abaixo dos cinquenta para que a poeira da estrada de cascalho não os sufocasse dentro do carro. E também porque o cachorro cheirava a cachorro.

— Então — disse Faith. — Estava caçando ou...

— Um coiote pegou uma das minhas galinhas. — Penny fez um gesto de cabeça para o rádio. — Você ouviu o cover dela de "Stairway to Heaven"?

Dolly Parton. A quebradora de gelo universal. E uma pista enorme de que Penny estivera perto daquela vala por muito mais tempo do que Faith tinha percebido. Ela tentou não demonstrar o desconforto quando perguntou:

— É de *Halos and Horn* ou de *Rockstar*?

Penny deu uma risadinha.

— De qual você acha?

Faith não sabia, e Penny não parecia interessada em contar voluntariamente. Tinha tirado um pedaço de bacon do bolso e ofereceu ao cachorro. Ela viu Faith olhando e ofertou um pouco de bacon para ela também.

— Estou bem — disse Faith.

— Como quiser.

Penny deu uma mordida, olhando em silêncio para a estrada enquanto mastigava.

Faith estava se esforçando para pensar em fatos aleatórios sobre Dolly Parton para quebrar o gelo quando se lembrou de que, às vezes, era melhor manter a boca fechada. Ela deixou os campos vazios passarem. As vacas. O ocasional picanço voando baixo.

Como prometido, a estrada ficou acidentada, e Faith teve que lutar com o volante para não cair novamente na vala. Havia buracos na cidade, mas esses pareciam fendas. Ficou grata quando avistou o celeiro a distância. A coisa era enorme, vermelho vivo e provavelmente nova, porque não a tinha visto no Google Earth. Uma bandeira dos Estados Unidos tinha sido pintada na lateral voltada para a estrada. Dois cavalos levantaram a cabeça para ver o Mini passar.

— Somos patriotas aqui. Meu pai serviu no Vietnã — disse Penny.

O irmão de Faith estava na Força Aérea no momento, mas ela disse:

— Sou grata pelo serviço dele.

— Não gostamos de gente de Atlanta aqui em cima dos nossos negócios — continuou Penny. — Temos nosso jeito de fazer as coisas. Vocês ficam fora das nossas vidas. Nós ficamos fora das suas.

Faith sabia que a mulher a estava testando. Também sabia que a Geórgia seria o Mississippi sem os dólares dos impostos da área metropolitana de Atlanta. Todo mundo romantizava a vida no campo até precisar de internet e de assistência médica.

— É ali em cima. — Penny apontou para a única entrada por cinquenta quilômetros como se fosse fácil não reparar nela.

Faith desacelerou para virar na ampla entrada. Ela viu o nome na caixa de correio, e o tribalismo de Penny fez muito mais sentido.

— D. Hartshorne. Esse não seria o delegado?

— Era — disse. — É meu pai. Ele mora no trailer atrás. Trouxemos ele para cá depois do derrame porque ele não consegue subir escada. Biscoito é meu irmão.

Faith seguiu com cuidado.

— Vocês são próximos?

— Quer saber se ele me contou que Dave não é o assassino de Mercy?

Faith imaginou que tinha a resposta.

— Se está se perguntando, Biscoito ligou para a pousada para contar a eles, mas não conseguiu completar a ligação. O telefone e a internet não deixaram. — Ela olhou com intensidade para Faith. — Ele está ajudando a patrulha da estrada a limpar a área de Ellijay em que o caminhão de galinhas tombou. Me pediu para contar para eles quando for trabalhar.

— Você vai contar?

— Não sei.

Faith não podia controlar o que Penny iria fazer, mas pretendia tirar o máximo de informação possível dela.

— Biscoito disse ao meu parceiro que vocês viram Mercy e Dave batendo um no outro na época do Ensino Médio.

— Não era uma briga muito justa. — Penny tinha contraído a mandíbula com tanta força que os lábios mal se moviam quando ela falou: — Mercy conseguia levar um soco, vou lhe dizer isso.

— Até que não conseguiu.

Penny segurou a espingarda com as mãos, mas não porque quisesse usá-la. abaixou o queixo até o peito enquanto se dirigiam para a casa da fazenda. Pela primeira vez desde que a mulher se anunciara na estrada, ela parecia vulnerável.

Faith desejou muito que Will estivesse ali. Ele poderia manter um silêncio por mais tempo do que qualquer pessoa que conhecia. A policial teve que morder o lábio para não fazer uma pergunta. Estavam quase chegando na casa quando seu esforço valeu a pena.

Penny voltou a falar:

— Mercy era uma boa pessoa. Isso nem sempre é bom, mas é verdade.

Faith parou ao lado de uma caminhonete Chevrolet enferrujada. A casa era tão desgastada quanto Penny; pintura descascando, varanda apodrecida, telhado tombado e faltando telhas. Havia um cavalo amarrado a um poste ao lado da casa. A cabeça dele mergulhou no bebedouro, mas seus olhos permaneceram no carro. Faith suprimiu um estremecimento. Tinha pavor de cavalos.

— O que você precisa saber? — perguntou Penny — Aqui em cima, as meninas entendem bem rápido a mensagem de que você recebe o que merece.

Faith não achava que aquela mensagem se limitava a uma região específica.

— Foi uma confusão imensa quando Mercy ficou grávida durante o colégio. Todo tipo de telefonema e reunião. O pastor entrou no meio. Não me leve a mal, ela não era uma boa aluna, mas tinha o direito de ficar na escola, e não deixaram. Disseram que seria mau exemplo. E talvez fosse, mas ainda assim o jeito como a trataram não foi certo.

Faith mordeu o lábio. Não tinha sido impedida de entrar no primeiro colegial depois de dar à luz Jeremy, mas todo mundo na escola deixou claro que não a queria lá. Ela precisava almoçar na biblioteca.

— Mercy sempre foi descontrolada, mas o jeito como a tia dela roubou o menino foi errado. Ela é lésbica. Você soube?

— Eu soube.

— Delilah é uma bruxa malvada. Nada a ver com o que ela faz no quarto. Ela é só ruim. — Penny apertou a espingarda de novo. — Ela fez Mercy passar por todo tipo de dificuldade só para visitar o próprio filho. Foi errado. Ninguém ficou do lado de Mercy. Todos pensaram que ela fracassaria, mas ela ficou longe da bebida e da heroína para conseguir Jon de volta. Foi necessária muita determinação. É preciso admirá-la por lutar contra aqueles demônios. Especialmente porque não teve nenhuma ajuda.

— E Dave?

— Merda — murmurou Penny. — Ele estava trabalhando na fábrica de jeans. Era um bom trabalho, antes de eles mudarem tudo para o México. O cara estava cheio de dinheiro, comprando bebidas no bar, aproveitando.

— O que Mercy fazia na época?

— Chupava pau na esquina para poder pagar um advogado e conseguir a guarda de Jon.

Penny observou Faith com cuidado, procurando uma reação.

Faith permaneceu impassível. Não havia coisa no mundo que ela não fizesse pelos filhos.

— O único emprego que Mercy conseguiu foi no motel, e o único motivo de isso ter acontecido é que o dono queria irritar Papai. Ninguém mais a empregaria. Ela era veneno por aqui. Papai fez questão que fosse assim.

— Quer dizer Cecil?

— É, o próprio maldito do pai dela. Tudo o que ele fez foi castigá-la a vida inteira. Eu vi acontecer. Limpo os quartos da pousada desde que tinha dezesseis anos. Vou lhe dizer uma coisa. — Penny apontou o dedo para Faith como se aquela parte fosse importante. — Mercy tomou conta do lugar depois que Papai teve aquele acidente de bicicleta, certo? O que sei é que, antes de Mercy estar no comando, eles mal conseguiam pagar os empregados. Então, ela começou a tocar o lugar e contratam um chef chique de Atlanta e outro garçom da cidade, e aí Mercy me diz que posso começar em tempo integral porque precisam de um bartender para os coquetéis antes do jantar. O que acha disso?

— Me diga você.

— Papai nunca entendeu que as pessoas querem beber quando estão de férias. Ele servia uma taça daquele vinho de amora barato, e, se os hóspedes quisessem mais, precisavam pagar cinco dólares em dinheiro vivo na hora. — Ela soltou uma risada. — Mercy trouxe bebida de boa qualidade, começou a anunciar coquetéis especiais, deixando as pessoas colocarem na conta. Alguns dos hóspedes corporativos pagam em dinheiro vivo, porque não querem que os chefes percebam que são alcoólatras. Só faça as contas. Se cheios, eles têm vinte adultos pedindo cachaça toda noite para justificar um bartender.

Faith era ótima em matemática. Os restaurantes, em geral, dobravam o preço das bebidas alcoólicas em comparação com as lojas, mas as compravam no atacado. Dois coquetéis por noite vezes vinte pessoas poderiam gerar algo entre quatrocentos e seiscentos dólares de lucro em um único dia. E isso não incluía as vendas de vinho e tudo o que levavam para os chalés.

— Mercy subiu a tarifa cheia em vinte por cento e ninguém piscou. Ela consertou os banheiros, para que você não pegasse fungo tomando banho. Estava trazendo hóspedes cheios da grana de Atlanta. Papai não suportava isso. — Penny olhou de volta para a casa. — Qualquer outro pai ficaria orgulhoso, mas o desgraçado odiava Mercy por causa disso.

Faith se perguntou se Penny estava oferecendo outro suspeito.

— Cecil ficou muito ferido com o acidente de bicicleta, não ficou?

— É, ele não pode mais andar por aí, mas, com certeza, abre aquela boca odiosa dele. — A raiva de Penny aumentou. Ela encostou a espingarda no painel do carro. — Vou ser sincera com você, até porque vocês já devem ter puxado minha ficha, mas minha carteira de motorista foi suspensa de modo permanente.

Faith sabia sobre o que ela estava realmente dizendo. Penny tivera tantos flagrantes de embriaguez ao volante que um juiz havia dado uma proibição para a vida toda.

— Sei o que está pensando. Faz sentido que uma bêbada velha como eu seja bartender. Estou sóbria há doze anos, então pode sair desse pedestal.

— Não era o que eu estava pensando — disse Faith. — Doze anos atrás, seu pai ainda era delegado. Ele tinha muito poder. Deve ter sido difícil para ele não interferir para ajudar você.

— Era de se pensar isso, não é? Mas ele adorou. Fez questão de que eu não pudesse ir a lugar algum sem a permissão dele. Precisava implorar para ele me levar para o trabalho. Para a loja. Ou para o médico. Inferno, eu deveria agradecer a ele. Me fez aprender a andar a cavalo.

Faith leu nas entrelinhas de novo.

— O único trabalho que conseguiu foi na pousada.

— Você entendeu — disse Penny. — Papai me colocou lá, assim me tinha sob o controle dele.

— Ele é amigo de Cecil?

— Os dois filhos da puta são farinha do mesmo saco. — O tom dela era amargo. — Cecil e meu pai só se preocupavam em ser o filho da puta no comando. Todo mundo pensa que eles são tão legais. Pilares da comunidade. Mas te digo uma coisa, eles te botam sob controle e...

Faith esperou que ela terminasse o "e".

— Eles veem uma mulher alegre, talvez goste de uma bebida, talvez queira se divertir um pouco, e a derrubam no chão. Meu pai destruiu minha mãe com tanta força que ela acabou morrendo cedo. Ele tentou me destruir também. Talvez tenha conseguido. Ainda estou aqui, mas vivendo nesta merda. Cozinhando o jantar dele. Limpando a bunda magra dele.

Faith viu o olhar assombrado de Penny enquanto ela estudava a casa. O cachorro se virou no banco de trás e pousou o focinho no console.

Penny abaixou a mão para acariciá-lo enquanto continuava.

— Quer saber por que os velhos desta cidade estão tão bravos? Porque eles controlavam tudo. Quem tinha que abrir as pernas. Quem não tinha. Quem ficava com os empregos bons. Quem não podia ganhar uma vida honesta. Quem podia morar na parte boa da cidade e quem ficava preso do lado errado dos trilhos. Quem podia bater na mulher. Quem podia ir para a cadeia por beber e dirigir e quem podia terminar no gabinete do prefeito.

— E agora?

Ela bufou uma risada.

— Agora, tudo o que eles têm é o canal de culinária e fraldas para adultos.

Faith olhou para o rosto desgastado de Penny. Depois que você deixava a máscara cair, havia um nível deprimente de derrota.

— Merda — murmurou Penny. — Não importava o que eu fizesse, sempre ia terminar assim. A mesma coisa com Mercy. O pai escreveu a primeira página da vida dela antes que a coitada tivesse tempo de descobrir a própria história.

Faith deixou que ela continuasse reclamando. Normalmente era a favor de uma boa sessão de "homens são babacas", mas precisava encontrar um jeito de levar a conversa de volta para a investigação. Com Dave fora do quadro, aquilo deixava apenas um punhado de suspeitos na pousada que poderiam ter estuprado e assassinado Mercy.

Ela esperou que Penny baixasse a bola antes de perguntar:

— Mercy estava saindo com alguém?

— Ela quase nunca saía da montanha. Não consigo me lembrar da última vez que ela desceu. Não podia dirigir. Não gostava de mostrar a cara, especialmente depois do que precisou fazer para conseguir Jon de volta. Aquela bruxa velha que cuida da loja de velas cuspiu na cara dela uma vez, chamou Mercy de puta. As pessoas aqui têm memória de elefante.

— Mercy estava ficando com alguém na cidade?

— Nossa, não, isso teria saído na primeira página do jornal. Você não consegue guardar segredo aqui. Todo mundo se mete na sua vida. Estão sempre esperando um acontecimento, uma surpresa.

— E os empregados da pousada? Mercy estava vendo alguém lá?

— Onde se ganha o pão não se come a carne. Alejandro é muito certinho, e aqueles dois garçons não têm um pentelho somando os dois. Ela pode ter jogado um osso para um hóspede aqui e ali — disse Penny, dando de ombros.

Faith não conseguiu controlar sua surpresa.

Penny riu.

— Muitos daqueles casais, eles acham que ficar isolados em um resort de luxo vai consertar o casamento deles. Então os homens dão uma olhada, talvez façam um comentário, e você sabe que eles estão dispostos a se divertir um pouco.

Faith pensou em Frank e Drew. Dos dois, Frank parecia um alvo melhor para uma rapidinha nas montanhas.

— Aonde eles vão?

— Aonde você puder ficar sozinho por uns cinco minutos. — Os lábios dela tremeram de novo. — Dez, se você tiver sorte, depois eles voltam para a cama com as esposas.

Faith imaginou que ela estava falando por experiência própria.

— Mercy já teve alguma coisa com Chuck?

— De jeito nenhum. O pobre esquisitão tem uma queda por Mercy desde que Peixe o trouxe para casa na época da faculdade, num feriado de Natal. — Ela explicou: — Eles chamam Christopher de Peixetopher porque ele é obcecado por peixes. Chuck e ele foram para a Universidade da Geórgia juntos. Farinha do mesmo saco. Ambos são supernerds e não têm muita sorte com as mulheres.

— Soube que Mercy gritou com Chuck durante a hora dos coquetéis ontem à noite.

— Ela estava nervosa, só isso. Merce não me contou o que estava acontecendo, mas percebi que a merda da família a tinha deixado mais irritada que de costume. Chuck estava no lugar errado na hora errada. O que é a especialidade dele, aliás. Sempre chegando de fininho perto das pessoas, em especial das mulheres.

— Penny terminou com a conclusão óbvia: — Se Chuck fosse um estuprador, teria estuprado Mercy há muito tempo. E ela teria rasgado a garganta dele. Isso posso garantir.

Faith trabalhara em muitos casos de estupro. Ninguém sabia como reagiria. A opinião dela era de que o que uma vítima fizesse para sobreviver era exatamente o que a vítima deveria ter feito para sobreviver.

— Vou te contar com quem Mercy estava preocupada — disse Penny. — Aquela hóspede, Monica, já estava fora de si quando apareceu para os coquetéis. A mulher me deu vinte dólares em dinheiro na primeira bebida. Me disse para seguir mandando, mas vou ser honesta, coloquei água naquela merda. Então Mercy me disse para colocar mais água.

— O que ela estava bebendo?

— Old Fashioned com uísque Uncle Nearest. Vinte dólares cada copo.

— Puta merda.

Faith reajustou a matemática nos ganhos com bebida. A pousada podia faturar mil dólares em algumas noites.

— Alguém mais estava bebendo?

— Só a quantidade normal. O marido dela não bebeu um gole sequer.

— Frank — disse Faith. — Ele teve alguma interação com Mercy?

— Não que eu tenha visto. Confie em mim, com o que terminou acontecendo, eu teria contado ao Biscoito se tivesse visto um cara tentando qualquer coisa.

Não sobrava nada para perguntar além do aspecto V. C. Andrews daquilo tudo. Faith tentou abordar o assunto com cuidado.

— Peixe já se envolveu alguma hóspede?

Penny gargalhou.

— A única coisa que ele consegue pegar é truta.

Faith lembrou-se de um detalhe da gravação de Will.

— E aquele negócio horrível entre Christopher e Gabbie?

— Gabbie? Nossa, isso é uma viagem ao passado. Tem muito tempo. Eu ainda bebia quando ela morreu. Mercy também, abençoada seja.

Faith sentiu os pelos da nuca arrepiarem. Delilah tinha feito parecer que tinha sido outro relacionamento fracassado de Christopher.

— Você se lembra do sobrenome de Gabbie?

— Droga, isso aconteceu há anos. — Os lábios de Penny tremeram enquanto pensava. — Não consigo me lembrar, mas ela é um belo exemplo do que eu estava falando antes. Gabbie tinha vindo de Atlanta para trabalhar na pousada durante o verão. Lindíssima, cheia de vida. Todos os homens no topo da montanha apaixonaram-se por ela.

— Incluindo Christopher.

— Especialmente Christopher. — Ela balançou a cabeça. — Ele ficou destruído quando ela morreu. Ainda não sei se superou. Ficou de cama por semanas. Não queria comer e não conseguia dormir.

Faith estava desesperada para enchê-la de perguntas, mas se segurou.

— O problema é que Gabbie prestava atenção nele — disse Penny. — Na vida de Peixe, ele é quase sempre invisível. Mais ainda para mulheres. E aí vem Gabbie sorrindo e fingindo que estava interessada em gestão hidroviária ou seja lá o que ele estivesse falando na mesa de jantar. Quero dizer, não é culpa dele se não consegue ler as pessoas. Gabbie só estava sendo bacana. Você sabe como alguns homens acham que gentileza significa interesse.

Faith sabia.

— A pessoa de quem Gabbie era realmente muito próxima era Mercy. Elas tinham mais ou menos a mesma idade. Amizade instantânea, eu diria, tipo, um dia depois de se conhecerem, já estavam grudadas. Preciso admitir que fiquei com inveja. Nunca tive alguém tão próximo para conversar. E elas tinham todo tipo de plano para quando o verão acabasse. O pai de Gabbie era dono de um restaurante em Buckhead. Mercy se mudaria para Atlanta e trabalharia como garçonete, e elas arranjariam um apartamento juntas, ganhariam um monte de dinheiro e viveriam a vida.

Faith ainda conseguia ouvir a inveja na voz de Penny.

— As duas escapavam da pousada quase todas as noites. Rolavam raves na velha pedreira. Lugar mais estúpido do condado para ficar chapado. A estrada até lá é mais torcida que xoxota de freira. Tem penhascos de ambos os lados, sem mureta de proteção até chegar à curva. Eles chamam aquele pedaço de Curva do Diabo, porque você desce uma colina e sacode até outra curva feito uma montanha-russa. Eu saía com elas algumas vezes, mas alguma coisa nos meus ossos me disse que a gente terminaria morta se continuasse. Comecei meu caminho até a sobriedade, especialmente depois que aquilo aconteceu.

— O que aconteceu?

Penny soltou um longo suspiro por entre os dentes.

— Mercy saiu com o carro para fora da Curva do Diabo. Caiu direto no penhasco. Ela foi jogada pela janela da frente, cortou metade da cara fora e quebrou metade dos ossos. Gabbie foi esmagada. Meu pai disse que os pés dela estavam em cima do painel de controle quando aconteceu. O investigador forense contou a ele que os ossos da perna dela devem ter pulverizado o crânio. Precisaram usar registros dentários para identificá-la na autópsia. Parecia que alguém marretara a cara dela.

Faith sentiu o estômago revirar. Já tinha trabalhado nesse tipo de acidente.

— Diga o que quiser de Cecil, mas ele manteve Mercy fora da prisão. Por todos os ângulos, ela deveria ter enfrentado uma acusação de homicídio com grau atenuado de culpa, no mínimo. Os exames de sangue mostraram que ela estava cheia de droga quando aconteceu. Mercy ainda estava chapada quando Biscoito foi com ela na ambulância até o hospital. Os paramédicos precisaram amarrá-la. Ele me disse que metade do rosto dela estava pendurado e ela ria feito uma hiena.

— Ria?

— Ria — confirmou Penny. — Ela pensou que Biscoito estava pregando uma peça nela. Achou que ainda estava na pousada. Que tinha sofrido uma overdose e estavam parados na frente da casa. Os paramédicos também a ouviram rindo, então a notícia se espalhou rápido. Não havia uma pessoa nesta cidade que não fosse condená-la em um julgamento. Mas não houve julgamento. Mercy saiu impune. Outro motivo para as pessoas da cidade a odiarem. Eles dizem que ela se livrou de um assassinato.

Faith não conseguia entender como aquilo tinha acontecido.

— Ela fez um acordo?

— Você não está me escutando. Não tinha acordo para ser feito. Mercy não foi acusada de nada. Não recebeu nem uma multa de trânsito. Desistiu da carteira de motorista voluntariamente. Nunca mais dirigiu até onde eu sei, mas foi escolha dela, não de um juiz.

Penny assentiu, como se concordasse com o choque de Faith.

— Você estava perguntando sobre abuso de poder? É o que meu pai usou para isso, para colocar Mercy sob o controle de Cecil pelo resto dos dias dela.

Faith estava pasma.

— Ela simplesmente se livrou daquilo? Nenhuma consequência?

— Quero dizer, o rosto dela é uma consequência. Ela me disse que toda vez que se olhava no espelho, aquela cicatriz a lembrava de como ela era uma pessoa ruim. Ela era assombrada por isso. Nunca se perdoou. Talvez não devesse.

Faith não conseguia entender como tudo aquilo tinha acontecido. Havia tantas alavancas que precisaram ser acionadas para que Mercy escapasse de um processo criminal por homicídio veicular... E não apenas do lado da aplicação da lei. O condado tinha um Ministério Público. Um juiz regional. Um prefeito. Um conselho de comissários.

Ela imaginou que o discurso de Penny contra os homens furiosos que controlavam a cidade tinha sido útil, por fim. Mercy não tinha sido punida porque todos se reuniram e decidiram que não seria punida.

— Acho que a única coisa boa disso tudo é que Mercy começou a tentar ficar sóbria — disse Penny. — Levou algum tempo, mas, assim que a cabeça dela ficou clara, ela só conseguia pensar em Jon. Ela me disse que, sem ele, teria entrado no lago e nunca mais saído.

Faith não sabia como Mercy tinha conseguido evitar. A culpa de ser responsável pela morte da melhor amiga devia ser esmagadora.

— Para ser sincera, acho que Mercy teria ficado melhor cumprindo pena na prisão. O jeito como Cecil e Pitica a tratavam era pior que qualquer coisa que pudesse acontecer com ela lá dentro. É ruim o suficiente quando um estranho te destrói todos os dias de sua vida, mas quando é o próprio pai e a própria mãe...

Faith ficou surpresa com seus sentimentos de tristeza por Mercy McAlpine. Ela sempre voltava a algo que Penny havia dito: "O pai dela escreveu a primeira página da vida dela antes que a coitada tivesse tempo de descobrir a própria história". Isso não era inteiramente verdade. Cecil podia ter começado, mas Dave continuou a mesma narrativa abusiva e outro homem terminou. Faith não acreditava em destino, mas parecia que a mulher nunca teve uma chance.

O telefone dela começou a tocar. O identificador mostrava DIG SAT.

— Preciso atender — falou para Penny.

Ela assentiu, mas não saiu do carro.

Faith abriu a porta do carro. A sola da bota dela afundou na lama. Ela aceitou a ligação.

— Mitchell.

— Faith. — A voz de Will era fraca na conexão por satélite. — Pode falar?

— Espere.

Faith patinou na lama para se afastar do carro. Penny observava abertamente seu progresso. O cavalo levantou a cabeça quando Faith passou por ele. Os olhos a seguiram como os de um assassino em série. Ela andou mais alguns metros e disse a Will:

— Vá em frente.

— Mercy estava grávida.

O coração de Faith quase saiu pela boca com a notícia. Ela só conseguia pensar em Mercy. A mulher não tinha um minuto de paz. Então o cérebro de detetive de Faith assumiu o comando, porque aquilo mudava tudo. Não havia uma época mais perigosa para uma mulher do que a gravidez. Homicídio era a causa principal de morte maternal dos Estados Unidos.

— Faith?

A agente ouviu a porta do carro bater. Penny tinha saído. O cachorro estava sentado aos pés dela. Faith manteve a voz baixa, perguntando a Will:

— De quanto tempo?

— Sara estima doze semanas.

Faith ouviu o telefone chiar em silêncio. Ela virou as costas para o carro.

— Mercy sabia?

— Não está claro — respondeu Will. — Se serve de ajuda, ela não mencionou isso para Sara.

— Penny me disse que Mercy saiu com hóspedes algumas vezes.

Will deixou o silêncio durar mais um pouco.

— A estrada está totalmente alagada. Deixamos um quadriciclo para você no hospital. Encontre Sara e a traga com você. Ela pode conseguir fazer Drew e Keisha falarem com ela.

— Acha que Drew...

— Eles já tinham estado duas vezes na pousada — ele a lembrou. — Drew disse alguma coisa estranha para Pitica hoje de manhã. Sara pode te dar os detalhes.

— Estou indo para o hospital agora.

Faith encerrou a ligação. O cavalo bufou em sua direção, apesar de ela ter passado longe dele. Penny estava com a espingarda pendurada nos ombros e olhava para o chão.

Faith seguiu a linha de visão dela. O pneu traseiro direito do Mini estava furado.

— Porra.

Penny perguntou:

— Você tem estepe?

— Na minha garagem. Meu filho o tirou quando transportou os equipamentos da banda dele.

Faith esperava que o FBI soubesse que Jeremy era um tonto. Então, fez um gesto com a cabeça em direção à caminhonete Chevy.

— Pode me dar uma carona até o hospital? Meu parceiro precisa de mim na pousada.

— Eu não dirijo, e aquela caminhonete não funciona. Mas o Malandro aqui é cheio de gás.

— Malandro?

Penny fez um gesto com a cabeça na direção do cavalo.

14

WILL EXAMINAVA A FLORESTA enquanto subia a Trilha Circular em direção à casa principal. Sua mão ferida latejava, embora a segurasse contra o peito em um juramento permanente de lealdade. O curativo tinha molhado de novo. Ele tinha se lavado com uma mangueira e vestido uma calça limpa enquanto Kevin Rayman, o agente emprestado pelo escritório local do Departamento de Investigação da Geórgia, processava as evidências do quarto de Mercy.

Não que houvesse muito que processar. Tal como acontecia com a situação financeira dela, Mercy não tinha muita coisa em seu nome. O pequeno armário estava cheio de itens utilitários. Nada em cabides, apenas camisas dobradas, calças jeans e roupas para atividades ao ar livre. Havia dois pares de tênis gastos e botas de caminhada caras, mas velhas. Will foi atingido por um sentimento familiar. Cada peça de roupa que ele teve quando criança tinha sido doada por outra pessoa. As roupas de Mercy eram desbotadas e gastas, e em vários tamanhos. Ele teria apostado que ela não as comprou novas.

Na verdade, nada parecia novo. Havia cartazes desbotados de O-Town, New Kids on the Block e Jonas Brothers nas paredes. Alguns dos desenhos de infância de Jon estavam colados ao lado da porta. Fotografias documentavam os dezesseis anos da vida dele. Fotos da escola e algumas feitas ao ar livre: Jon abrindo o embrulho de uma girafa de pelúcia no Natal; Jon parado com Dave perto de um trailer; Jon deitado no sofá onde tinha adormecido com o telefone apoiado no queixo.

O quarto de Mercy parecia ter a única estante de livros da casa. Ela tinha um globo de neve de Gatlinburg, no Tennessee, e pelo menos cinquenta livros de romance muito lidos. Tudo estava limpo e arrumado, o que de alguma forma tornava seus escassos pertences ainda mais comoventes. Não havia documentos secretos escondidos debaixo do colchão. A gaveta de cabeceira tinha o que você esperaria que uma mulher tivesse. Não havia banheiro conectado ao quarto dela. Mercy compartilhava o que ficava no final do corredor com o resto de sua família. Não havia levado o iPad quando fez as malas para ir. A tela estava bloqueada, e precisariam enviá-lo ao laboratório para tentar decifrar o código.

Segundo Sara, Mercy não tinha DIU. Eles não tinham como saber se Mercy sabia da gravidez. Se ela estava tomando anticoncepcional, as pílulas provavelmente estariam em sua mochila. Preservativos não pareciam ser o tipo de coisa que uma mulher pegaria se estivesse saindo com pressa. As grandes questões permaneciam: o que a fizera partir? Para onde ela planejava ir? Por que tinha ligado para Dave?

Não acredito... ah, Deus, não consigo... Por favor, me ligue. Por favor. Preciso de você.

A voz de Mercy tinha uma espécie de esperança ligada ao desespero quando ela disse as palavras "preciso de você", como se estivesse rezando para que aquela fosse a única vez que Dave não a decepcionasse.

Will colocou o telefone no bolso e continuou subindo a trilha. Ele seguiu reproduzindo a mensagem na cabeça. Não entendia como Dave havia chegado ali. Nenhum deles teve escolha sobre suas infâncias de merda, mas ambos decidiram que tipo de homem seriam. Will não estava julgando Dave por lutar contra seus demônios. O álcool e as drogas faziam certo sentido. Contudo, Dave tinha escolhido bater na mulher, estrangulá-la, aterrorizá-la, decepcioná-la continuamente.

Aquela parte era só dele.

Will repreendeu-se por ter se concentrado no cara errado. Precisava deixar de ficar bravo com Dave. O ex-marido inútil de Mercy tinha sido deixado de lado na investigação. Identificar o assassino, localizar Jon; essas eram as únicas duas coisas com as quais Will precisava se preocupar naquele momento.

A luz do sol banhou seu rosto quando ele entrou no complexo principal. Will ajustou o pesado telefone via satélite que estava preso na parte de trás do cinto, onde ele também trazia um coldre, só que na lateral. Amanda havia emprestado a ele a arma reserva dela, um Smith & Wesson de cano curto e cinco tiros que era mais velho que Will. Ele se sentia como um fora da lei andando pela cidade num antigo filme de faroeste espaguete. Uma cortina tremeu no chalé de Drew e Keisha. Cecil o fitou de sua cadeira de rodas na varanda da frente. Os dois gatos olharam para ele de seus assentos separados na escada. Paul estava na rede do lado de fora de seu chalé. Ele tinha um livro encostado no peito e uma garrafa de bebida sobre a mesa. A boca dele se transformou em um sorriso malicioso quando viu Will. Então, pegou a garrafa e tomou um gole.

Will iria deixá-lo cozinhar um pouco mais. Paul estava na lista de pessoas com quem ele precisava conversar, mas não no topo. Os interrogatórios geralmente se enquadram em duas categorias: de confronto ou informativos. Os dois garçons, Gregg e Ezra, eram adolescentes e poderiam ser uma boa fonte de informação. Will não tinha certeza da categoria de Alejandro. Mercy estava grávida de doze semanas. Os hóspedes entravam e saíam da pousada. O foco principal de Will eram os homens que estavam perto de Mercy.

Isso não queria dizer que os outros no complexo não fossem ter a vez deles. Os McAlpine suspenderam todas as atividades planejadas, mas Chuck tinha ido pescar com Christopher assim que a tempestade passara. Drew estava escondido no chalé 3 com Keisha. Gordon parecia contente em passar o dia inteiro bebendo com Paul. Frank estava interpretando a Miss Marple.

Will estava esperando Amanda entregar o mandado para que pudesse revistar a propriedade em busca de roupas ensanguentadas e do cabo da faca desaparecido. O quadriciclo carregava, no cofre, uma impressora térmica que, com sorte, funcionaria com o telefone via satélite para que Will pudesse imprimir o documento e entregar fisicamente o mandado. Os McAlpine haviam concedido acesso ao quarto de Mercy a Will e Kevin, mas ele tinha a sensação de que iriam recuar a respeito do resto do lugar, especialmente considerando que ainda tentavam manter os hóspedes pagantes.

Pitica havia contado a Will que ela e o marido estavam muito abalados pela dor para responder a qualquer pergunta. O que era justo, mas a mulher não parecia dominada por qualquer coisa além de raiva. Sara já revistara a cozinha em busca do cabo quebrado da faca, então a casa estava no final de sua lista. Em algum momento, o lago poderia precisar de uma busca com rede. Essa decisão estava acima do salário de Will. Por enquanto, o melhor uso de seu tempo era conversar com as pessoas e tentar descobrir quem tinha motivo para assassinar Mercy.

Will examinou as árvores, tentando descobrir que caminho seguir. Na noite anterior, conseguiram ir ao jantar caminhando pela metade inferior da Trilha Circular. Sara os levara por outra trilha até o salão de jantar, mas Will estava prestando mais atenção em Sara do que no caminho.

Pelo canto do olho, ele viu a porta do chalé de Frank se abrir. Uma mão se estendeu, acenando para Will. Ele podia ver Frank escondido nas sombras, o que teria sido engraçado em qualquer outra circunstância. Will estava exposto. Todos podiam vê-lo atravessando o complexo em direção ao chalé 7. Ele percebeu que aquele era um momento tão bom quanto qualquer outro para interrogar Frank. Na noite anterior, Monica estava completamente bêbada, e o marido poderia ter saído para um encontro. Ele poderia facilmente ter tomado banho para limpar o sangue de Mercy e voltado para a cama sem que a mulher percebesse.

Frank manteve o mistério enquanto Will subia a escada. A porta se abriu mais. Lá dentro, os olhos do agente levaram um momento para se ajustarem à escuridão. As cortinas das janelas e das portas francesas estavam fechadas, assim como a porta do quarto. Havia um cheiro de doença no ar.

— Consegui os nomes que você pediu. — Frank passou a Will uma folha de papel dobrada. — Encontrei o registro de hóspedes em um escritório nos fundos da cozinha.

Will abriu a folha. Felizmente, Frank tinha escrito em letra de forma, o que deixava a leitura mais fácil para ele. Enfiou o papel no bolso da camisa para mais tarde. No momento, Frank estava na berlinda.

— Obrigado por me ajudar. Como você passou pelos empregados?

— Dei um chilique de branco rico e exigi usar o telefone. Ninguém me disse que não estava funcionando. — Ele parecia empolgado. — Precisa que eu faça mais alguma coisa, chefe?

— Sim. — Will estava a ponto de desanimar o cara. — Ouviu alguma coisa na noite passada?

— Nada, o que é esquisito, porque tenho uma audição ótima. Eu não dormi muito. Fiquei levantando e deitando com Monica a noite inteira. Se alguém tivesse gritado nas proximidades, eu teria ouvido.

A pergunta seguinte de Will foi cortada pelo som de alguém vomitando do outro lado da porta fechada do quarto. Frank se retesou enquanto ambos ouviam. O barulho parou. A privada foi acionada. O silêncio voltou.

— Ela vai ficar bem. — A voz de Frank tinha a cadência ensaiada de um homem que estava acostumado a dar desculpas em nome da mulher alcoólatra. — Sente-se.

Will estava feliz por Frank estar facilitando as coisas para ele. A mobília era do mesmo estilo do sofá e das poltronas do chalé dele, mas parecia mais desgastada. Havia uma mancha no carpete com uma toalha de papel absorvendo o líquido escuro. Era daí que vinha o cheiro. Will levou a cadeira para o mais longe possível.

— Que dia. — Frank esfregou o rosto enquanto afundava no sofá. Ele parecia envergonhado. Também parecia exausto. Ele não havia se barbeado. O cabelo estava despenteado. Claramente tinha tido uma noite difícil antes mesmo que Will tivesse acordado o complexo inteiro. — Como vai sua mão?

A mão de Will latejava a cada batida de seu coração.

— Está melhor, obrigado.

— Fico pensando em Mercy no jantar na noite passada. Queria ter ajudado ela, mas não sei o que poderia ter feito.

— Não havia muita coisa que alguém pudesse fazer.

— Tipo, eu poderia ter feito o que você fez. Ajudou a limpar o vidro quebrado. Em vez disso, comecei a falar da comida. Queria que não tivesse feito isso, porque acho que deu a todo mundo permissão para ignorar o que tinha acontecido.

Não havia cadência ensaiada na voz dele, mas Will percebeu que a necessidade dele de sempre suavizar as coisas era algo recorrente.

— Quero fazer alguma coisa agora — disse Frank. — Mercy está morta, e ninguém parece se importar. Deveria ter visto as pessoas no café da manhã. Gordon e Paul ficaram fazendo piadas sombrias. Drew e Keisha mal falavam. Chuck e Christopher poderiam ter se fechado em uma caixa de acrílico. Tentei falar com Pitica e Cecil, mas... você percebe uma vibração ruim neles?

Will não compartilharia suas vibrações. Frank estava no fim da lista de suspeitos, mas ainda estava nela.

— Você me disse que já esteve na pousada?

— Não, foram Drew e Keisha. Terceira vez aqui, acredita? Embora duvide que voltem.

— Você e Monica viajam bastante. Qual foi a última viagem de vocês?

— Ah, Deus, deve ter sido para a Itália. Fomos para Florença há três meses por duas semanas. Tinha muito vinho. Talvez tenha sido um engano de minha parte, mas precisamos viver, certo?

— Certo. — Will fez uma nota mental para confirmar a linha do tempo, mas isso deixaria Frank fora de suspeita da gravidez de Mercy, se não do assassinato.

— Quais foram suas impressões de Mercy?

Frank se recostou no sofá com um suspiro profundo. Ele pareceu perdido em pensamentos por um momento.

— Meus pais eram ambos alcoólatras. Não sei o que tem comigo, mas consigo perceber quando alguém é perturbado. É como um sexto sentido.

Will entendia. Crescera cercado por viciados. A primeira mulher dele ainda tinha uma paixão por opiáceos. Ele era hiperconsciente de qualquer um que demonstrasse os mesmos padrões.

— De qualquer jeito, foi o que meu sentido de Homem Aranha me disse. Que Mercy era perturbada.

Monica tossiu do quarto. A cabeça de Frank virou-se enquanto ele ouvia de novo. Will sentiu pena do homem. Era uma maneira incrivelmente estressante de viver. O agente ainda ficava ansioso se os lábios de Sara apenas tocassem uma garrafa de vinho.

Frank continuou:

— Talvez seja por isso que me mantive tão afastado. De Mercy, quero dizer. Eu não queria me envolver no drama dela. Acho que tenho o suficiente em mãos.

Você sabe, Monica não era assim quando nosso filho estava vivo. Ela era engraçada e descontraída e me tolerava, o que quer dizer muito. Eu sei que sou difícil. Nicholas era nosso raio de sol. Aí a leucemia o tirou de nós e... Nosso terapeuta diz que cada um lida com o luto a seu modo. Eu realmente pensei que vir aqui nos daria um reinício, sabe? Acredite ou não, antes de Nicholas morrer, Monica raramente bebia. Ela gostava de uma margarita de vez em quando, mas sabia sobre meus pais, então...

Will sabia que a coisa mais piedosa a fazer era deixar o homem falar. Frank estava claramente sozinho dentro do vício da esposa. Mas aquela era uma investigação de assassinato, não uma terapia. Ele tinha deixado Frank fazer um trabalho intenso, mas isso não o tirava da lista de suspeitos de Will.

— Desculpe. — O sentido de Homem Aranha de Frank captara a impaciência de Will. Ele se levantou do sofá. — Eu sei que falo demais. Obrigado por ouvir. Me diga o que posso...

Monica tossiu do outro cômodo de novo. O agente notou a preocupação no rosto de Frank. Era certo que o homem já tinha visto uma ressaca antes, mas havia algo que dizia a Will que dessa vez era diferente.

— O que está acontecendo, Frank? — perguntou.

O homem olhou para a porta do quarto, mantendo a voz baixa.

— Acredite ou não, a noite passada não foi tão ruim. Ela bebeu muito, mas não como nos outros dias.

— E?

— Não acho que seja uma emergência, mas — Frank deu de ombros — ela fica vomitando. Acabei com toda a Coca-Cola da geladeira, trouxe um pouco de torrada da cozinha, mas ela não consegue manter nada no estômago.

Will queria que aquela conversa tivesse acontecido vinte minutos antes. Sara já tinha saído do hospital no segundo quadriciclo.

— Minha esposa é médica. Vou me certificar que ela dê uma olhada em Monica assim que chegar aqui.

— Eu ficaria feliz. — Frank estava muito aliviado para perguntar como Sara tinha ido de professora de química a médica. — Como disse, não acho que seja uma emergência.

A tranquilidade dele atiçou o lado bom de Will. Ele colocou a mão sobre o ombro de Frank.

— Vamos conseguir ajuda para ela. Prometo.

— Obrigado. — Frank deu um sorriso desajeitado. — Sei que é maluco, mas talvez você entenda. Acho que entende. Eu vi você e Sara juntos e isso me lembrou, sabe? Vale a pena lutar por ela. Eu realmente amo minha esposa.

Will viu os olhos de Frank ficarem marejados. Ele foi salvo de se sair com alguma coisa profunda para dizer quando Monica tossiu de novo. Os passos dela avisaram que corria para o banheiro.

— Desculpe — falou Frank já saindo em direção ao quarto.

Will não foi embora. Ele olhou ao redor. O sofá e as cadeiras. A mesinha de centro. Frank havia limpado o chalé. Nada parecia fora do lugar. Will fez uma busca rápida, verificando embaixo das almofadas, vasculhando as prateleiras e gavetas da pequena cozinha, porque o homem parecia um cara legal, mas também era um marido solitário e angustiado que estava procurando salvar seu casamento — exatamente o tipo de convidado com quem Mercy teria ficado.

Frank havia deixado a porta do quarto entreaberta. Will usou a ponta da bota para empurrá-la completamente. O quarto estava vazio. Frank estava no banheiro com Monica. Will entrou. As roupas deles ainda estavam dobradas nas malas. Ele encontrou uma pilha de livros, principalmente thrillers. Os dispositivos digitais habituais. A cama estava desfeita. O lençol com elástico estava encharcado de suor. Havia uma lata de lixo usada no chão ao lado da cama.

Nada de roupas ensanguentadas. Nenhum cabo de faca com a lâmina quebrada.

Will saiu do quarto e olhou para o relógio. Não se sentiria bem até que Sara estivesse na frente dele. No mínimo, ela poderia dar aquele olhar de que ele era um idiota por não tomar analgésicos para a mão.

O que era um olhar válido, mas não mudaria a situação.

Cecil ainda estava olhando feio quando Will saiu do chalé. O agente viu uma placa com um prato e talheres ao lado de uma flecha. Devia ser a Trilha do Rango. Will reconheceu o formato em zigue-zague da noite anterior. A pedra britada tinha sido achatada em fileiras paralelas pela cadeira de rodas de Cecil.

Will saiu do caminho entre ele e a casa antes de olhar a lista de hóspedes que recebera de Frank. Conseguia distinguir facilmente alguns dos nomes, mas só porque já os conhecia. Os sobrenomes eram uma história diferente. Encontrou um toco de árvore para sentar. Apoiou o papel no colo e colocou os fones de ouvido. Usou a câmera do telefone para escanear os nomes e, em seguida, carregou a digitalização no aplicativo de conversão de texto em fala.

Frank e Monica Johnson

Drew Conklin e Keisha Murray

Gordon Wylie e Landry Peterson

Sydney Flynn e Max Brouwer

Will montou um ponto de acesso com o telefone via satélite e enviou a lista para que Amanda pudesse verificar antecedentes criminais. O upload demorou quase um minuto. Ele esperou até que ela respondesse com uma marca de verificação informando que a informação tinha sido recebida. Então aguardou para ver se ela mandava mais alguma mensagem. Uma parte dele ficou aliviada quando os três pontos dançantes desapareceram.

Amanda estava extremamente furiosa com ele no momento. Mais do que o normal, o que dizia muito. Ela tentara tirar o caso de Will, que havia dito a ela que trabalharia nele de qualquer maneira. Isso se transformou em uma questão. Tudo o que podia fazer era esperar pelo momento, num futuro próximo, em que ela enfiaria as garras afiadas pela garganta dele e arrancaria seus intestinos.

Por enquanto, ele tinha um chef e dois garçons para interrogar. Will dobrou a lista e a colocou de volta no bolso da camisa. Enfiou o telefone e os fones de ouvido no bolso da calça. Prendeu o aparelho via satélite no cinto e retomou sua jornada, pressionando a mão ferida contra o peito.

A Trilha do Rango fazia outra curva antes de voltar em direção ao salão de jantar. O desenho fazia sentido, considerando que a cadeira de Cecil não aguentaria uma inclinação acentuada, mas Will diria a Faith para ajustar a linha do tempo dela. Mercy não teria se incomodado em seguir as curvas, especialmente se estivesse correndo para salvar sua vida.

Will esperou até estar na plataforma de observação para olhar a trilha. Achou que podia ver o telhado da casa principal. Foi até a beira que dava para o lago. As copas das árvores obscureciam a costa, mas os chalés dos solteiros ficavam em algum lugar lá embaixo. Ele se inclinou sobre a grade e olhou diretamente para baixo. A descida era acentuada, mas imaginava que alguém que tivesse crescido naquela propriedade saberia como descer rapidamente. Will tinha a sensação de que seria ele quem terminaria escorregando pela encosta de um penhasco enquanto Faith segurava o cronômetro.

Ele caminhou pelos fundos da construção em direção à cozinha, olhando pela janela no caminho. O chef usava um liquidificador. Os dois garçons carregavam grandes sacos plásticos pretos de lixo pela porta dos fundos.

Will estava prestes a entrar quando o telefone via satélite vibrou em seu cinto. Ele se afastou alguns passos do prédio antes de atender.

— Trent.

— Você ainda está fazendo isso? — perguntou Amanda.

Ele ouviu o aviso claro no tom irritado dela.

— Sim, senhora.

— Muito bem — falou ela. — Estou tentando contatar um juizado aqui que tenha serviço telefônico. Aparentemente, a tempestade destruiu os principais transformadores que atendem a parte noroeste do estado, mas vou fazer o mandado acontecer. A equipe de mergulho está no momento procurando um corpo no lago Rayburn. Vamos manter isso como último recurso. Como você sabe, é muito caro vasculhar um lago, especialmente um tão fundo, então preciso que encontre o cabo da faca rapidamente, e em terra firme.

— Entendido.

— Localizei a certidão de casamento de Gordon Wylie. Ele é casado com um homem chamado Paul Ponticello.

— Alguma coisa nas fichas deles?

— Nada. Wylie é dono de uma companhia que desenvolveu um aplicativo para o mercado de ações. Ponticello é um cirurgião plástico com consultório em Buckhead.

Will imaginou que os dois homens não precisassem de dinheiro.

— E os outros?

— Monica Johnson foi pega embriagada ao volante há seis meses.

— Faz sentido. E Frank?

— Achei uma certidão de óbito do filho deles, vinte anos. Leucemia. Ambos têm uma situação financeira sólida. A mesma coisa com todos os outros. Ricos, profissionais bem-sucedidos na maior parte. Drew Conklin é a exceção. Ele tem uma acusação de quinze anos atrás por agressão qualificada.

A informação o surpreendeu.

— Você tem os detalhes?

— Estou atrás do relatório da prisão para as especificações. Conklin não foi para a cadeia, então um acordo foi feito.

— Sabe se havia uma arma envolvida?

— Não seria uma arma de fogo — disse Amanda. — Ele teria recebido prisão obrigatória.

— Pode ter sido uma faca.

— Acha que foi ele?

Will tentou colocar os sentimentos pessoais de lado, mas era difícil. Ele precisava saber qual era o *negócio* sobre o qual Drew queria conversar com Pitica.

— Isso definitivamente o coloca no topo da minha lista, mas não sei.

— Kevin Rayman é um agente altamente talentoso e condecorado.

Ela estava falando do agente local do Departamento de Investigação da Geórgia.

— Ele está fazendo um ótimo trabalho aqui.

— Faith é uma investigadora persistente.

— Isso não parece um elogio.

— Wilbur, era para você estar na sua lua de mel. Sempre vai ter casos de assassinato. Não pode trabalhar em todos. Não vou deixar esse trabalho dominar sua vida.

Ele estava cansado de ouvir o mesmo sermão.

— Ninguém se importa que Mercy esteja morta, Amanda. Todos eles a abandonaram. Os pais dela não fizeram nenhuma pergunta. O irmão foi pescar.

— Ela tem um filho que a ama.

— Minha mãe também tinha.

De modo atípico, Amanda não teve uma resposta imediata.

Em silêncio, Will observou um dos garçons empurrando um carrinho de mão carregado de sacos de lixo por uma trilha. Ele imaginou que fosse um atalho para a casa. Faith definitivamente precisaria do mapa. E de tênis de corrida. Os passos de Will eram duas vezes mais longos que os de Mercy. Seria Faith quem correria pela floresta.

— Certo — disse Amanda por fim. — Vamos fechar isso rápido, Wilbur. E não espere tempo de compensação. Você deixou bem claro que é assim que escolheu passar seus dias de férias.

— Sim, senhora. — Will terminou a ligação e prendeu o telefone de novo no cinto.

O agente olhou pela janela da cozinha. O chef tinha ido até o fogão. Will caminhou até a parte de trás do prédio. A trilha até a casa também descia em direção ao riacho que dava no lago. Faith teria algumas belas palavras para ele quando o dia terminasse.

Um freezer ficava sob uma cobertura inclinada do outro lado da trilha. A porta da cozinha estava fechada. O segundo garçom ainda encontrava-se do lado de fora. Ele empilhava latas em um saco de papel de supermercado. O cabelo caía sobre os olhos. Ele parecia mais jovem que Jon, talvez uns quatorze anos.

— Merda! — O menino tinha visto Will e derrubado o saco. Latas rolaram em todas as direções. Ele correu para juntá-las, lançando olhares furtivos a Will como um criminoso flagrado no ato, o que era obviamente correto. — Senhor, eu não…

— Está tudo bem. — Will o ajudou com as latas. O menino não tinha pegado muita coisa. Ervilhas, leite condensado, milho, feijão-fradinho. Ele sabia o que era estar desesperado e faminto. Jamais impediria alguém de roubar comida.

— Você vai me prender? — perguntou o jovem, tenso.

Will imaginou quem teria dito ao rapaz que ele era policial. Provavelmente todo mundo.

— Não, não vou te prender.

O menino parecia pouco convencido enquanto colocava as latas de volta no saco.

— Você tem coisa boa aí.

— O leite condensado é para minha irmãzinha — explicou. — Ela adora doce.

— Você é o Ezra ou o Gregg?

— Sou o Gregg, senhor.

— Gregg. — Will passou a última lata para ele. — Viu Jon?

— Não, senhor. Soube que ele fugiu. Delilah já me perguntou se havia algum lugar para onde ele iria. Conversei com Ezra sobre isso, e nenhum de nós sabe para onde ele fugiria. Eu contaria ao senhor se a gente soubesse, claro. Jon é um cara legal. Ele deve estar destruído por causa da mãe.

Will observou o menino abraçar o saco de mantimentos contra o peito. Ele estava mais preocupado com perder a comida do que falar com um policial.

— Pode ficar — disse Will. — Não vou contar para ninguém.

O alívio inundou o rosto do garoto. Ele caminhou ao redor do freezer e ajoelhou-se enquanto escondia a sacola no que era claramente seu esconderijo habitual. Will viu que uma mancha escura de óleo havia se espalhado pelo chão de madeira. Não parecia haver um tanque de reciclagem, o que significava que o óleo estava indo para o ralo, seguindo para o sistema séptico e, talvez, atingindo as águas subterrâneas, algo que a Agência de Proteção Ambiental desaprovaria. Will guardou a informação, caso precisasse pressionar Pitica e Cecil mais tarde.

— Obrigado, senhor. — Gregg limpou as mãos no avental ao ficar de pé. — Preciso voltar ao trabalho.

— Espere um minuto.

Gregg pareceu assustado de novo. O olhar dele foi até a comida escondida.

— Você não está encrencado. Só estou tentando ter uma ideia de como era a vida de Mercy antes que ela morresse. Pode me falar sobre ela?

— Tipo o quê?

— Tipo o que vier à cabeça. Qualquer coisa.

— Ela era justa — falou, testando o terreno. — Quero dizer, ela podia te esculachar às vezes, mas não vinha do nada. Você sabia onde pisava com ela. Não como acontece com o restante deles.

— Como o restante deles é?

— Cecil é ruim feito uma cobra. Ele te pegava assim que te via. Ele não consegue mais se mexer daquele jeito, mas antes do acidente era assustador. — Gregg encostou-se no freezer. — Peixe, ele não fala muito. Acho que ele é

OK, mas é esquisito. Pitica, ela já me jogou na fogueira feio. Fingiu que era minha amiga, aí eu não fiz alguma coisa rápido o suficiente e ela se virou contra mim totalmente.

— Como ela se virou contra você?

— Ela me cortou — respondeu. — Dava uma ajuda para mim e Ezra às vezes. Tipo, se você fosse legal com ela, me dava uma nota de dez ou vinte dólares. Mas, agora, eu passo e ela nem me olha nos olhos. Para ser honesto, sem Mercy, vou procurar trabalho na cidade. Eles já falaram para todos que vão cortar nosso salário porque não sabem o que vai acontecer.

Aquilo ia ao encontro do que Will sabia sobre os McAlpine e dinheiro.

— Você já viu Mercy conversando com algum dos hóspedes homens?

Ele soltou uma risada.

— É um jeito engraçado de perguntar.

— O que estou perguntando?

O rosto do menino ficou vermelho.

— Está tudo bem — disse Will. — Isso é só entre nós. Você viu Mercy com algum dos hóspedes?

— Em geral, se Mercy estava conversando com um hóspede, ele estava pedindo alguma coisa ou reclamando. — Gregg deu de ombros. — Estamos aqui às seis toda manhã, então descemos a montanha às nove da noite. Tem muito trabalho para fazer entre as refeições. Lavar pratos, preparar a comida, limpar. Não sobra muito tempo para ver o que as pessoas estão fazendo.

Will não perguntou quando ele encontrava tempo para ir à escola. O menino, provavelmente, estava ajudando a sustentar a família.

— Qual foi a última vez que viu Mercy?

— Acho que por volta das 20h30 da noite passada. Ela nos deixou ir embora bem cedo. Disse que terminaria as coisas.

— Alguém estava na cozinha quando você foi embora?

— Não, senhor. Ela estava sozinha.

— E o chef?

— Alejandro foi embora junto com a gente.

Will não tinha visto outro carro no estacionamento.

— O que ele dirige?

— Nós todos subimos e descemos a cavalo. Tem um cercado depois do estacionamento. Ezra e eu vamos juntos, já que é o cavalo dele. Alejandro foi por outro caminho porque ele mora do outro lado da montanha.

Will checaria o cercado.

— O que você acha de Alejandro?

— Ele é bacana. Leva o trabalho dele muito a sério e não faz muitas brincadeiras. — Ele deu de ombros de novo. — Melhor que o cara que estava aqui antes. Ele sempre olhava pra gente de um jeito esquisito.

— Alejandro passava tempo com Mercy?

— Claro, ela precisava repassar as coisas com ele umas duas vezes por dia por causa de hóspedes que são muito exigentes com a comida.

— Mercy e Alejandro tinham essas conversas na frente de vocês?

As sobrancelhas de Gregg se levantaram, como se ele tivesse acabado de ligar as coisas.

— Eles iam para o escritório de Mercy e fechavam a porta. Nunca pensei nos dois juntos. Quero dizer, Mercy era meio velha.

Will imaginou que 32 anos era anciã para um menino de quatorze anos.

— Senhor — disse. — Desculpe, mas é isso? Preciso ligar a máquina de lavar ou vão arrancar meu couro.

— É isso. Obrigado.

Will esperou até que a porta se fechasse antes de ir até o freezer. A fechadura estava aberta. Ele olhou dentro. Nada além de carne. Caminhou pelos fundos e viu o estoque de Gregg encostado na parede da cobertura. As latas de lixo estavam vazias. A área estava limpa.

Nenhuma roupa ensanguentada. Nenhum cabo de faca quebrado.

Will ficou de joelhos e usou a lanterna do telefone para olhar debaixo do freezer.

No mesmo momento, ouviu vozes vindas da floresta. Will se escondeu atrás do freezer. Estava oculto pelas ripas na lateral da cobertura. Christopher e Chuck andavam na parte inferior da trilha, abaixo do salão de jantar. Carregavam varas de pesca e caixas de equipamento. Chuck levava o mesmo galão de água que usara no jantar da noite anterior. Ele bebeu tão alto do recipiente de plástico transparente que Will pôde ouvir seus goles a vinte metros de distância.

— Merda — disse Christopher. — Esqueci a porcaria do meu arpão.

Chuck limpou a boca com a manga da camisa.

— Você encostou o arpão na árvore.

— Merda. — Christopher olhou para o relógio. — Temos uma reunião de família. Você pode…

— Reunião de família sobre o quê?

— Sei lá. Provavelmente sobre a venda.

— Acha que os investidores ainda estão interessados?

— Passe suas coisas. — Christopher juntou a caixa de equipamentos e a vara de Chuck ao lado das suas. — Mesmo que eles não estejam interessados, acabou.

Estou fora desse negócio. Nunca quis fazer isso, para começo de conversa. E, sem Mercy, simplesmente não vai funcionar. A gente precisava dela.

— Peixe, não fale assim. Podemos dar um jeito. Não podemos abrir mão disso. — Chuck estendeu os braços para mostrar os arredores. — Deixa disso, amigo. A gente tem uma coisa boa rolando aqui. Muita gente depende de nós.

— Eles podem depender de outra pessoa. — Christopher se virou e começou a voltar pela trilha. — Eu já me decidi.

— Peixe!

Will se abaixou para que Christopher não o visse quando passasse.

— Peixetopher McAlpine. Volte aqui. Não pode me abandonar. — Chuck ficou em silêncio por tempo demais antes de perceber que Christopher não voltaria. — Droga.

Will esticou a cabeça de trás do freezer. Ele podia ver Christopher indo na direção da casa principal. Chuck estava voltando para o riacho.

Uma decisão precisava ser tomada.

Alejandro provavelmente ficaria na cozinha o resto do dia. Ao contrário do resto dos homens da propriedade, Chuck era um completo mistério. Eles não sabiam o sobrenome dele. Não conseguiram fazer uma verificação de antecedentes. Mais importante ainda, Mercy envergonhou o homem na frente de um grupo de pessoas. Cerca de oitenta por cento dos assassinatos investigados por Will tinham sido cometidos por homens que estavam furiosos com sua incapacidade de controlar as mulheres.

Will seguiu pela trilha. Se é que aquilo poderia ser chamado de trilha. A faixa estreita em direção ao riacho não era revestida de cascalho como as outras. Will percebeu por que ela não era destinada aos hóspedes. O caminho era perigosamente íngreme e poderia resultar em alguns processos judiciais. O agente precisou se concentrar no equilíbrio para superar a pior parte. Chuck estava indo com mais facilidade. Ele balançava o jarro de água enquanto caminhava pela floresta. O homem tinha um jeito estranho de andar, como se seus pés pronados chutassem bolas de futebol imaginárias. Parecia uma imitação de Mr. Bean. As costas estavam inclinadas. Ele usava chapéu e colete de pesca. As bermudas cargo marrons batiam abaixo dos joelhos. Meias pretas estavam enroladas nas botas amarelas de caminhada.

A trilha ficou ainda mais íngreme. Will se segurou em um galho para não cair de bunda. Então agarrou uma corda que estava amarrada a uma árvore como se fosse um corrimão. Ouviu o barulho da corredeira antes de ver o riacho. O som era suave, mais parecido com ruído branco. Devia ser a área que Delilah chamou de cachoeira, que não era realmente cachoeira. O terreno descia cerca de três metros numa extensão de doze metros. Algumas pedras planas tinham sido colocadas na água para criar uma passarela no topo das minicachoeiras.

Will lembrou-se de ter visto uma fotografia da área no site da pousada. Mostrava Christopher McAlpine parado no meio do riacho jogando uma linha de pesca. A água batia na cintura dele. Will imaginou que a chuva tinha dobrado a profundidade. A margem do lado oposto estava quase totalmente submersa. A copa das árvores era mais espessa no alto. Ele podia ver claramente, mas não tanto quanto gostaria.

Chuck tinha a mesma visão, mas de uma perspectiva inferior. Estava massageando as costas com o punho enquanto olhava para o outro lado do riacho. Will catalogou as maneiras pelas quais Chuck poderia machucá-lo se houvesse algum tipo de luta. Os ganchos e as iscas no colete do homem doeriam infernalmente, mas, por sorte, Will só tinha uma mão que seria destroçada. Não tinha certeza do que era um arpão, embora tivesse notado que a maioria dos instrumentos de pesca poderia facilmente ser transformada em arma. O galão de plástico estava com água até a metade, mas seria como um martelo se Chuck usasse força suficiente.

Will manteve a distância, chamando:

— Chuck?

Chuck se virou, assustado. Os óculos estavam embaçados nas extremidades, mas os olhos dele viram com facilidade o revólver na cintura de Will. Ele perguntou:

— Você é Will, certo?

— Isso mesmo. — Will desceu a parte final da trilha.

— A umidade está um horror hoje. — Chuck limpou os óculos com a ponta da camisa. — Foi por pouco que não pegamos outra tempestade.

Will manteve uma distância de três metros entre eles.

— Desculpe por não ter tido a chance de conversar com você no jantar de ontem.

Chuck empurrou os óculos para cima do nariz.

— Acredite em mim, se eu tivesse uma mulher tão gostosa quanto a sua, eu também não conversaria com quem quer que fosse.

— Obrigado. — Will se forçou a sorrir. — Não peguei seu nome.

— Bryce Weller. — Ele esticou a mão para apertar a mão de Will, então viu os curativos e apenas acenou. — As pessoas me chamam de Chuck.

Will manteve a resposta neutra.

— É um apelido e tanto.

— É, precisa perguntar a Dave como ele se saiu com essa. Ninguém lembra mais. — Chuck estava sorrindo, mas não parecia feliz. — Há treze anos, subi a montanha como Bryce e desci como Chuck.

Will se perguntou por que o cara subitamente começou a falar com sotaque, mas não pressionou.

— Preciso te dizer que estou aqui a trabalho. Estava imaginando se não se importaria em falar comigo sobre Dave.

— Ele não confessou?

Will balançou a cabeça em negação, feliz porque a notícia ainda não tinha se espalhado.

— Não estou surpreso, inspetor — disse Chuck, com outra voz esquisita. — Ele é um canalha sorrateiro. Não deixe ele escapar dessa. Ele deveria ir para a cadeira elétrica.

Will não disse a ele que usavam injeção letal na verdade.

— O que pode me contar sobre Dave?

Chuck não respondeu imediatamente. Ele abriu o galão de água e engoliu metade do que restava. Estalou os lábios enquanto colocava a tampa de volta no lugar. Então soltou um arroto tão pútrido que Will quase sentiu o gosto a três metros de distância.

— Dave é o típico assediador. — A voz brincalhona de Chuck havia sumido. — Não me pergunte por quê, mas as mulheres não conseguem resistir a ele. Quanto mais horrível ele é, mais elas o querem. Dave não tem um emprego de verdade. Vive dos restos que Pitica joga para ele. Fuma feito uma chaminé. É viciado. Ele mente, trapaceia e rouba. Mora num trailer. Não tem carro. Não tem qualquer coisa para amar, certo? Enquanto isso, todos os caras bacanas são jogados para a zona de amizade.

Will não ficou surpreso por Chuck ser incel, mas ficou surpreso por ele ser tão aberto sobre aquilo.

— Mercy te colocou na zona de amizade?

— Eu me coloquei lá, amigo. — Chuck parecia realmente acreditar naquilo. — Deixei que ela chorasse no meu ombro algumas vezes, mas então percebi que nada mudaria. Por mais que Dave a machucasse, ela sempre voltava para ele.

— Você sabia do abuso?

— Todo mundo sabia. — Chuck tirou o chapéu e limpou o suor da testa. — Dave não tentava esconder. Às vezes, ele batia em Mercy na frente da gente. Um golpe de mão aberta, nunca um soco, mas todo mundo via.

Will segurou o julgamento.

— Deve ter sido difícil ver isso.

— Eu falei no início, mas Pitica me puxou de lado. A madame deixou claro que um cavalheiro não interfere no casamento de outro cavalheiro. — A voz estúpida tinha voltado. Chuck inclinou-se na direção de Will, fingindo confidenciar:

— Até o rufião mais duro não consegue dizer "não" para o pedido de uma pessoa tão pequena e delicada.

Will, por fim, entendeu o que Sara quis dizer quando tinha dito que Chuck era esquisito.

— Mercy se divorciou dele há mais de uma década. Por que Dave continuava aqui?

— Pitica.

Em vez de se explicar, Chuck decidiu tomar outro gole do galão. Will estava começando a se perguntar se havia só água ali. Chuck bebeu tudo, sua garganta emitindo sons parecidos com um vaso sanitário lento.

Antes de continuar, Chuck arrotou de novo.

— Para todos os efeitos, Pitica é a mãe de Dave. Ele tem o direito de vê-la. E é claro que Pitica tem o direito de convidá-lo para todos os feriados. Natal, Ação de Graças, Quatro de Julho, Dia das Mães, Kwanzaa. Seja qual for a ocasião, Dave está aqui. Ela estala os dedos e ele aparece.

Will entendeu, com aquilo, que Chuck também estava sempre na propriedade.

— Como Mercy se sentia por Dave ser incluído em todos os eventos de família?

Chuck balançou o galão vazio na mão.

— Às vezes, ela ficava feliz. Às vezes, não. Acho que ela tentava deixar as coisas fáceis para Jon.

— Ela era uma boa mãe?

— Era. — Chuck assentiu brevemente. — Ela era uma boa mãe.

A admissão pareceu extrair algo de Chuck. Ele tirou o chapéu novamente. Jogou-o no chão, ao lado de uma haste de fibra de vidro preta que estava encostada em uma árvore.

Foi assim que Will aprendeu que um arpão é uma vara de mais de 1,5 metro com um gancho grande e desagradável na ponta.

— A propriedade é enorme — disse Chuck. — Mercy podia evitar Dave. Podia se esconder no quarto dela. Ficar fora do caminho. Mas ela nunca fazia isso. Em todas as refeições, ela estava à mesa. Em todas as reuniões de família, ela estava lá. E, invariavelmente, os dois terminavam gritando um com o outro ou batendo um no outro, e, para ser franco, ficou chato depois de um tempo.

— Aposto que sim — concordou Will.

Chuck colocou o galão vazio ao lado do chapéu. Will teve uma sensação de *déjà vu*, levando-o de volta para Dave e a faca de tirar espinhas. Chuck estava liberando as mãos ou só cansado de carregar coisas?

— A pior parte foi observar como tudo isso afetou Peixetopher. — Chuck começou a massagear as costas novamente. — Ele odiava o jeito como Dave tratava Mercy. Sempre dizia que ia fazer algo a respeito. Cortar os cabos dos freios de Dave ou jogá-lo nos Baixios. Dave é um péssimo nadador. É incrível que nunca tenha se afogado. Porém, Peixe não fez coisa alguma, e agora Mercy está morta. Você percebe como isso pesa sobre ele.

Will não percebia.

— Christopher é um homem difícil de ler.

— Ele está devastado — disse Chuck. — Ele amava Mercy. Amava de verdade.

Will pensou que ele tinha um jeito engraçado de demonstrar.

— Vocês voltaram para o chalé depois do jantar ontem à noite?

— Peixe e eu tomamos uma saideira, depois fui para o meu chalé para ler um pouco.

— Você escutou alguma coisa entre dez e meia-noite?

— Caí dormindo no livro. Isso explica o mau jeito nas costas. Parece que levei um soco nos rins.

— Não ouviu um grito, um uivo ou algo do tipo?

Chuck balançou a cabeça.

— Quando foi a última vez que viu Mercy viva?

— No jantar. — A irritação transparecia na voz dele. — Você testemunhou o que aconteceu entre nós no coquetel. É um belo exemplo de como Mercy me tratava. Só estava tentando me certificar de que ela estava bem, e ela gritou comigo como se eu a tivesse estuprado.

Will observou o rosto dele mudar, como se ele se arrependesse de ter escolhido a palavra *estupro*. Antes que Will pudesse prosseguir, Chuck pegou o chapéu que estava no chão. Ele sibilou o ar entre os dentes.

— Jesus, minhas costas. — Ele deixou o chapéu no chão e se endireitou lentamente. — O corpo diz quando você precisa de uma pausa, certo?

— Certo. — Will estava pensando no fato de Mercy não ter ferimentos defensivos. Talvez ela tivesse dado alguns socos antes que a faca a dominasse. — Você quer que eu dê uma olhada nisso?

— Minhas costas? — Chuck parecia alarmado. — O que você iria ver?

Contusões. Marcas de mordida. Arranhões.

Will mentiu:

— Trabalhei como fisioterapeuta na faculdade. Eu poderia...

— Estou bem — disse Chuck. — Desculpe por não poder ser mais útil. Isso é tudo que posso te contar.

Will percebeu que Chuck queria que ele fosse embora, o que fez com que ele não quisesse ir embora.

— Se pensar em mais alguma coisa...

— Você vai ser o primeiro a saber. — Chuck apontou para a colina. — A trilha vai te levar até a casa principal. É só passar pelo salão de jantar, à esquerda.

— Obrigado. — Will não foi embora. Não tinha terminado de deixar Chuck desconfortável. — Minha parceira vai retomar o assunto com você depois.

— Por quê?

— Você é testemunha. Precisamos pegar sua declaração por escrito. — Will fez uma pausa. — Alguma razão para não fazermos isso?

— Não — respondeu. — Razão alguma. Fico feliz em ajudar, embora não tenha visto nem ouvido nada.

— Obrigado. — Will fez um gesto com a cabeça para a trilha. — Vai para a casa?

— Acho que vou ficar aqui mais um pouco. — Chuck começou a esfregar as costas de novo, então pensou melhor naquilo. — Preciso de um tempo para refletir. Apesar das brincadeiras, percebo agora como fui afetado pela morte dela também.

Will se perguntou se o cérebro de Chuck havia dado a notícia para o rosto dele, porque ele não parecia querer tempo para reflexão. Suava profusamente. A pele estava pálida.

— Tem certeza de que não quer companhia? Sou um bom ouvinte — observou Will.

Chuck engoliu em seco. Suor escorreu pelos olhos, mas ele não limpou.

— Não, obrigado.

— Certo. Obrigado por falar comigo.

A mandíbula de Chuck estava apertada, e Will aproveitou para enrolar mais um pouco.

— Vou estar na casa principal, se precisar de mim.

Chuck ficou em silêncio, mas cada parte do corpo dele dizia que estava desesperado para que o agente fosse embora.

Não havia nada a fazer senão atendê-lo. Will começou a subir a trilha. Os primeiros passos foram complicados, não porque ele não conseguisse se equilibrar, mas porque estava calculando até onde o arpão poderia chegar. Ficou atento para ver se ouvia o som de Chuck correndo. Então se perguntou se estava sendo paranoico, o que era estatisticamente provável, mas nem todas as estatísticas compensavam comportamento imprudente.

Will manteve a mão ilesa solta ao lado do corpo, perto da arma na cintura. Viu um tronco caído a uns vinte metros à frente. A outra parte do corrimão de corda estava amarrada a um grande olhal. Ele disse a si mesmo que viraria para ver como Chuck estava quando chegasse ao tronco. Seus ouvidos ardiam enquanto tentava captar qualquer som que não fosse o silêncio da água fluindo sobre as rochas. Subir a trilha não era tão fácil quanto descer. Ele escorregou e soltou um palavrão quando se segurou com a mão machucada. Will se levantou. Quando chegou ao tronco, imaginou que Chuck já teria ido embora.

Ele estava errado.

Chuck estava deitado de rosto para baixo no meio do riacho.

— Chuck! — Will começou a correr. — Chuck!

A mão do homem estava presa entre duas pedras. A água corria ao redor do corpo dele. Ele não estava tentando levantar a cabeça. Não estava nem se movendo. Will continuou correndo, tirando a arma, o telefone via satélite, esvaziando os bolsos porque sabia que teria que entrar. Suas botas escorregaram na lama. Ele desceu a encosta de bunda, mas chegou um segundo atrasado.

A corrente arrancou a mão de Chuck das rochas. O corpo dele saiu girando rio abaixo. Will não teve escolha senão ir atrás. Deu um mergulho na água rasa e depois emergiu com uma braçada por cima. A água estava tão fria que ele sentiu como se estivesse se movendo no gelo. Will se esforçou para continuar a se mexer. Mal conseguia acompanhar o fluxo. Ele se empenhou mais. Chuck estava a cinco metros de distância, depois a três, e então Will estendeu a mão para pegar o braço dele.

Não conseguiu.

A corrente ficou mais forte. A água espumava e se agitava ao contornar uma curva do riacho. Ele bateu no corpo de Chuck, a cabeça indo para trás. Will estendeu a mão novamente, mas, de repente, os dois foram jogados pelas corredeiras. Will procurou a margem, mas estava girando rápido demais. Tentou, em vão, encontrar apoio com os pés. Ouviu um rugido alto. Will se debateu, tentando perceber o horizonte. Sua cabeça continuava afundando. Ele ergueu o corpo e ficou momentaneamente paralisado com o que viu. Cinquenta metros à frente. A turbulência diminuía quando a superfície da água beijava o céu.

Merda.

Aquela era a verdadeira cachoeira da qual Delilah havia falado.

Trinta e cinco metros.

Vinte e cinco.

Will deu uma última investida desesperada na direção de Chuck, os dedos agarrando o colete dele. Bateu os pés, tentando encontrar algo para se apoiar. A corrente envolveu suas pernas como uma lula gigante, puxando-o rio abaixo. Sua cabeça foi arrastada para o fundo. Precisaria largar Chuck. Will tentou soltar a mão, mas estava presa no colete. Seus pulmões latejavam em busca de ar. Ele se esforçou para se jogar para trás.

Seu pé bateu em algo sólido.

Will empurrou com toda a força que ainda tinha em seu corpo. Ele se debateu através da corrente, estendendo a mão cegamente. Seus dedos tocaram algo sólido. A superfície era áspera e dura. Ele, então, conseguiu se agarrar à lateral de uma pedra. Foram necessárias três tentativas antes que conseguisse se levantar. O agente sentou-se sobre a beirada para ter tempo de respirar. Seus olhos queimavam. Os pulmões tremiam. Ele colocou para fora uma torrente de bile e água.

Chuck ainda estava preso à mão dele pelo colete de pesca, mas não arrastava mais Will em direção à cachoeira. O homem estava flutuando de costas em um trecho raso. Os braços e as pernas estavam esticados, quase perpendiculares ao corpo. Will olhou para o rosto de Chuck. Olhos abertos. Água fluindo pela boca aberta. Estava morto de verdade.

Will subiu o resto do caminho até o topo da rocha. Colocou a cabeça entre os joelhos. Esperou que a visão clareasse. Que o estômago parasse de revirar. Vários minutos se passaram antes que ele pudesse avaliar os danos. O colete de pesca estava pendurado em um dos ombros de Chuck. A outra extremidade estava torcida no pulso e na mão de Will. A mesma mão que tinha sido ferida havia doze horas. A mesma mão que pulsava como se uma bomba tiquetaqueasse lá dentro.

Não havia nada a fazer, a não ser acabar logo com aquilo. Will retirou lentamente o colete pesado e molhado, desenrolando-o como um quebra-cabeça. Demorou. Anzóis estavam presos à peça. Eram de todos os formatos e tamanhos, com pontas multicoloridas amarradas para parecerem insetos. Durou uma eternidade até que Will chegasse à sua pele real.

Ele olhou incrédulo.

O curativo o tinha salvado. Seis anzóis haviam se cravado na gaze grossa. Um deles estava enrolado na parte inferior do dedo indicador como um anel. A pele sangrou um pouco quando ele puxou o gancho, mas parecia mais um corte de papel do que uma amputação. O último tinha se cravado no punho da manga da camisa. Will não mexeria com o metal. Ele rasgou o tecido. Ergueu a mão para a luz para ter certeza de que estava realmente ileso. Sem sangue. Sem sinal de osso.

Ele tinha tido sorte, mas a sensação de alívio durou pouco.

Will começara o dia com uma vítima. Naquele momento, tinha duas.

16 de janeiro de 2016

Querido Jon,

 Eu me sentei para escrever sua carta e fiquei só olhando para a página em branco porque não achei que tinha muita coisa para lhe dizer. As coisas andam realmente calmas ultimamente, pelo que estou grata. Temos uma rotina boa por aqui. Eu te acordo e te deixo pronto para a escola, e Peixe desce a montanha com você e então todos nós trabalhamos ajudando os hóspedes.
 Sei que seu tio Peixe preferiria começar o dia no riacho, mas é esse o tipo de homem que ele é, abrindo mão da manhã dele por um menininho. Até Pitica está ajudando, indo pegar você na escola à tarde. Acho que ela só precisava que você ficasse um pouco mais velho. Ela nunca gostou de bebês. Vocês estão ficando realmente próximos. Ela deixa você entrar na cozinha quando está fazendo biscoitos para os hóspedes. Às vezes, ela até deixa você sentar com ela quando está tricotando no sofá. E eu acho isso bom por ora. Só se lembre do que te falei sobre como ela pode mudar. Assim que você percebe o lado ruim dela, nunca mais vai ver aquele lado doce de novo, e pode confiar em mim, porque faz tanto tempo que nem lembro mais de como é esse outro lado.
 De qualquer modo, estava pensando no último ano e imaginando o que poderia te dizer. A parte importante era essa, as coisas vêm sendo fáceis por um tempo. Não é uma grande vida aqui em cima na montanha, mas é uma vida. Eu ando por este lugar e penso em você comandando tudo um dia e isso me deixa feliz o suficiente.
 Uma coisa de que me lembrei agora foi algo que aconteceu na primavera do ano passado. Talvez você se lembre de parte do que ocorreu, porque eu me irritei com você de um jeito desnecessário, estava com a cabeça quente por outra coisa. Nunca tinha feito isso com você e nunca mais vou fazer. Sei que posso ter pavio curto, e seu

pai vai ser o primeiro a te dizer que tenho um pouco da frieza de Pitica, mas você nunca tinha sido alvo de uma das minhas explosões. Então sinto que preciso te dizer por que estava tão brava.

Antes de qualquer coisa, quero te dizer que seu tio Peixe é uma boa pessoa. Ele não consegue evitar que Papai tenha tirado a vontade dele de lutar. Sei que ser o mais velho e homem, para ele, significa que deveria me proteger, mas a vida simplesmente fez com que fosse o contrário. Para mim está tudo bem, para ser sincera. Eu amo meu irmão e isso é um fato.

Agora, a próxima coisa que vou te dizer deve sempre ficar em segredo, porque pertence a mim e não a você. Lembra quando você estava lendo na cama em vez de dormir? Eu disse para você desligar a luz, então voltei para o meu quarto e me deitei. Estava pensando em esperar mais um minuto e verificar você de novo. Então devo ter caído no sono, porque a próxima coisa de que me lembro foi que acordei com Chuck em cima de mim.

Sei que nós dois rimos de Chuck, mas ele ainda é um homem, além de ser forte. Acho que ele sempre teve uma queda por mim. Fiz tudo o que podia para nunca encorajar isso, mas talvez tenha feito alguma coisa por engano. Eu sempre fiquei grata por Peixe ter um amigo. Seu pobre tio fica tão sozinho aqui. Para dizer a verdade, acho que ele se jogaria da cachoeira grande se não tivesse Chuck aqui como companhia.

Todos esses pensamentos estavam passando pela minha cabeça, acredite ou não. Meu cérebro estava calculando quanto eu machucaria Peixe se gritasse e acordasse a casa. Meu corpo tinha desaparecido. Eu aprendi a fazer isso há muito tempo e espero que você nunca descubra por quê. Saiba apenas que eu não partiria o coração do meu irmão.

De qualquer forma, nada disso teve importância, porque Peixe entrou. Preciso te dizer que, em toda a minha vida, Peixe nunca entrou no meu quarto sem pedir. Ele sempre bateu antes, e esperava no corredor. Ele é respeitoso assim. Mas talvez ele tenha escutado que eu estava lutando, já que está no quarto ao lado. Não sei o que o levou até lá. Tenho certeza de que não vou perguntar a ele, porque não conversamos sobre isso e nunca iremos, no que depender de mim, pelo menos. Contudo, o que aconteceu foi... Essa foi a única vez que escutei seu tio gritar. Ele nunca levanta a voz. Ele disse: PARE!

Chuck parou. Ele saiu de cima de mim tão rápido que foi como se nunca tivesse acontecido. Ele correu para fora do quarto. Aí, Peixe só me olhou. Achei que ele fosse me chamar de puta, mas o que ele disse foi: "Quer que eu diga a ele para ir embora?".

Havia muita coisa naquela pergunta, porque ela me mostrou que Peixe sabia que eu não tinha pedido nada daquilo. Para ser sincera, aquilo foi o que mais importou. As pessoas sempre pensam o pior de mim, mas ele sabia que eu não estava interessada em Chuck daquela maneira. E estava disposto a abrir mão de seu único amigo no mundo para provar isso.

Então o que eu disse a ele foi: desde que isso nunca mais aconteça, Chuck pode ficar. Peixe concordou com a cabeça e saiu. E vou te dizer que o sacana agiu como se aquilo nunca tivesse acontecido, o que é um alívio. Estamos todos apenas ignorando o fato. Mas não foi algo sem consequências, e é por isso que estou te contando essa história. Eu estava muito abalada quando Peixe fechou minha porta. Algumas das minhas roupas estavam rasgadas. E não é como se eu pudesse ir à cidade e comprar coisas novas com todo o meu dinheiro. Tudo que tenho aqui saiu de uma caixa de doação.

Porém, quando fiquei de pé, meus joelhos cederam. Caí no chão. Estava tão brava comigo mesma... Por que eu tinha que ficar brava? Não aconteceu nada de verdade. Só quase aconteceu. E foi quando vi que sua luz ainda estava ligada.

Bom, vivi toda a minha vida vendo merda rolar colina abaixo na minha direção. Papai fica bravo e desconta em Pitica. Pitica desconta em mim. Ou o contrário, mas eu sempre estou no pé da colina. Naquela noite, eu descontei em você, e sinto muito. Isso não é uma desculpa, só uma explicação. E talvez eu só quisesse escrever isso para que alguém saiba o que aconteceu. Porque o que eu aprendi com homens como Chuck é que, se eles se livram de alguma coisa uma vez, vão tentar se livrar disso de novo. Vi isso acontecer tantas vezes com seu pai que posso ajustar o relógio a partir disso.

De qualquer jeito, vou parar por aqui.

Eu te amo de todo o coração e sinto muito por ter gritado.

Mamãe

15

Penny não tinha mentido a respeito de Malandro ser cheio de gás. O cavalo tinha praticamente flutuado montanha acima em uma nuvem de flatulência. Infelizmente, Faith era quem estava mais perto da fonte. Ela cavalgou em pelo com Penny, apertando os braços em torno da cintura da mulher para salvar sua vida. A agente estava com tanto pavor de cair e ser pisoteada que tinha entrado em um tipo de estado de fuga histérico. Ela se flagrou fazendo perguntas existenciais como "Que tipo de planeta os filhos dela vão herdar?" e "Como o Scooby Doo, que é um cachorro, pode farejar a diferença entre um fantasma e um humano?".

Penny estalou a língua contra os dentes. Faith tinha enfiado o rosto no ombro da mulher. Ela levantou os olhos e quase chorou de alívio. Havia uma placa na estrada. Pousada Familiar McAlpine. Ela viu um estacionamento com uma caminhonete velha enferrujada e um quadriciclo do Departamento de Investigação da Geórgia.

— Espere — disse Penny.

Ela havia sentido o aperto de Faith se afrouxar em torno de seu abdômen surpreendentemente musculoso.

— Só mais um segundo.

O segundo foi quase meio minuto, o que era tempo demais. Penny tinha feito *eia* para Malandro ao lado da caminhonete. Faith colocou o pé na elevação sobre o pneu traseiro. Ela meio caiu, meio rolou para dentro da carroceria, despencando de lado sobre a Glock. O metal bateu no osso da cintura dela.

— Porra — gemeu Faith.

Penny lançou um olhar de desaprovação para ela. A mulher estalou a língua, e Malandro partiu.

Faith olhou para as árvores. Estava suada, picada por insetos e muito cansada da natureza. Ela saiu de cima da Glock e desceu da caminhonete. Colocou a bolsa sobre o ombro novamente. Foi até o quadriciclo e apoiou a mão no plástico sobre o motor. Estava frio, o que significava que o veículo já estava estacionado havia algum tempo. O baú de armazenamento estava trancado. Com sorte, isso significava que tinham conseguido algumas evidências. Ela olhou para o banco de trás. Havia uma caixa térmica Yeti azul, um kit de primeiros socorros e uma mochila com o logotipo do Departamento de Investigação da Geórgia. Faith abriu o zíper e encontrou um telefone via satélite.

Ela apertou um botão do lado, acionando o comunicador de curta distância.

— Will? — Faith soltou o botão. Esperou. Nada além de estática. Ela tentou de novo: — Aqui é a agente especial Faith Mitchell, do DIG. Responda.

Faith soltou o botão.

Estática.

Ela tentou mais algumas vezes, com o mesmo resultado. Enfiou o telefone na bolsa e se dirigiu ao centro do complexo. Faith deu uma volta completa. Ninguém à vista. Até Penny e Malandro tinham desaparecido. Tentou obter uma configuração básica do terreno. Oito chalés formavam um semicírculo em torno de uma casa grande e desordenada. Havia árvores por toda parte. Não dava para jogar uma pedra sem acertar uma delas. Poças formavam-se sobre o chão. O sol era como um martelo batendo no topo de seu crânio. Ela via entradas para algumas trilhas, mas não havia como saber para onde levavam porque não tinha um mapa.

Precisava localizar Will.

Faith fez um giro de 360 graus, verificando cada um dos chalés. Os cabelos de sua nuca se arrepiaram. Teve a sensação de que era observada. Por que não aparecia ninguém? Ela não tinha entrado de modo furtivo no complexo. O cavalo bufava e fazia barulho. Havia batido no caminhão feito um martelo atingindo um gongo. Faith vestia seu uniforme: calça cargo bege e uma camisa azul-marinho com as letras DIG amarelas gigantes nas costas.

Ela levantou a voz, chamando:

— Olá?

A porta de um dos chalés se abriu do outro lado do complexo. Faith observou um homem de cabelo ralo, sem se barbear e com uma camiseta amarfanhada e moletom largo andar na direção dela.

— Oi, você está com Will? Você trouxe Sara? É ela no cavalo? Não parecia. Will me disse que ela é médica.

— Frank? — tentou Faith.

— Isso, desculpe. Frank Johnson. Sou casado com Monica. Somos amigos de Will e Sara.

Faith duvidava daquilo.

— Viu Will?

— Já faz um tempo. Poderia dizer a ele que Monica melhorou?

O cérebro de policial de Faith acordou.

— O que ela tem?

— Ela bebeu um pouco demais ontem à noite. Está melhor agora, mas foi difícil. — O riso dele era sarcástico. Estava claramente aliviado. — Ela finalmente conseguiu segurar um pouco de refrigerante de gengibre. Acho que estava desidratada. Mas ainda seria bom se Sara desse uma olhada nela, certo? Acha que ela se importaria?

— Sei que não. Ela logo vai estar aqui. — Faith precisava se afastar daquele tagarela. — Will entrou na casa da família?

— Desculpe, não sei. Não vi para onde ele foi. Posso ajudar você a procurar se...

— Provavelmente é melhor que fique com sua mulher.

— Isso, certo. Talvez eu pudesse...

— Obrigada.

Faith se virou para a casa principal para deixar claro que a conversa havia acabado. Podia ouvir os passos pesados de Frank voltando pelo caminho por onde viera. A sensação estranha voltou quando ela atravessou o espaço aberto. A área era pitoresca, com flores, bancos e pavimentos, mas alguém tinha morrido de modo violento ali também, então estava um pouco nervosa por não haver ninguém por perto.

Onde estava Will? Aliás, onde estava Kevin Rayman? O agente estava no comando do departamento local enquanto o chefe participava de uma conferência. Faith disse a si mesma que Kevin não era um novato que acabara de sair das ruas. Ele sabia como se comportar. Will também, mesmo com uma mão só. Então por que tinha começado a suar frio?

Aquele lugar a afetava. Parecia aquele conto de Shirley Jackson logo antes de anunciarem os números da loteria. Ela se obrigou a respirar fundo e seguir em frente. Will e Kevin, provavelmente, estavam no salão de jantar. Era sempre melhor isolar as pessoas durante o interrogatório. Conhecendo Will, ele já havia encontrado o assassino de Mercy.

Um gato malhado bloqueou o caminho dela até a escada da varanda. Estava de costas, as patas dianteiras e traseiras em direções opostas, enquanto um raio de sol atingia sua barriga. Faith inclinou-se para fazer carinho nele e, instantaneamente, sentiu seu nível de estresse diminuir. Em silêncio, mentalizou uma lista de coisas que precisava fazer, começando por achar um mapa. Faith precisava descobrir de onde tinham vindo os gritos de Mercy e desenvolver uma linha do tempo mais sólida. Tinha que descobrir o caminho utilizado por Mercy até os chalés dos solteiros. Talvez Faith tivesse sorte e encontrasse o cabo da faca quebrado no caminho.

A porta da frente se abriu. Uma mulher mais velha, com longos cabelos grisalhos, saiu para a varanda. Ela era pequena, quase como uma boneca. Faith percebeu que era a mãe de Mercy.

Pitica a encarou do topo da escadaria.

— Você é policial?

— Agente especial Faith Mitchell. — Ela tentou estabelecer uma conversa. — Estava só consultando o Herculto Purrot aqui.

— Não damos nomes para os gatos. Eles estão aqui para controlar os roedores.

Faith tentou não se encolher. A voz da mulher era aguda como a de uma menininha.

— Meu parceiro está aí dentro? Will Trent.

— Não sei onde ele está. Posso dizer que não me agrada que ele e a mulher tenham se registrado sob falsas aparências.

Faith não cairia naquela.

— Eu sinto muito por sua filha, sra. McAlpine. A senhora tem alguma pergunta para mim?

— Sim, eu tenho — a mulher explodiu. — Quando posso conversar com Dave?

Faith iria considerar as prioridades de Pitica depois. No momento, precisava seguir com cuidado. Ela não sabia se a comunicação na pousada fora restabelecida. Penny prometera manter a soltura de Dave em segredo, mas até aí ela tinha falado livremente de vários esqueletos no armário dos McAlpine.

— Dave ainda está no hospital. Pode telefonar para o quarto dele, se quiser — disse Faith.

— Os telefones estão sem sinal. A internet também não funciona.

As mãos de Pitica foram para sua pequena cintura.

— Nunca vou acreditar que Dave teve alguma coisa com isso. Aquele menino tem seus demônios, mas não machucaria Mercy. Não daquele jeito.

— Quem mais teria um motivo? — perguntou Faith.

— Motivo? — Ela parecia chocada. — Eu nem sei o que isso quer dizer. Somos um negócio familiar. Nossos hóspedes são pessoas educadas, ricas. Ninguém tem um motivo. Alguém poderia facilmente ter vindo da cidade. Já pensou nisso?

Faith tinha pensado naquilo, mas parecia muito improvável. Mercy raramente ia até lá. Ela contara a Sara que os inimigos estavam todos ali em cima. Além do mais, havia morrido na propriedade.

Ainda assim, Faith questionou:

— Quem na cidade poderia querer Mercy morta?

— Ela irritou tanta gente, não há como dizer quem. Tivemos muitos estrangeiros vindo para a cidade ultimamente, posso lhe dizer isso. A maioria deles tem ficha criminal no México ou na Guatemala. E um deles, provavelmente, é um assassino louco do machado.

Faith ignorou o racismo e continuou:

— Posso perguntar à senhora sobre a noite de ontem?

A cabeça de Pitica começou a balançar como se não importasse.

— Nós tivemos uma pequena discussão. Nada fora do comum. Nós temos discussões o tempo todo. Mercy é uma pessoa muito infeliz. Não consegue amar alguém porque não se ama.

Mercy imaginou que transmitiam *Dr. Phil* ali em cima.

— A senhora ouviu ou viu alguma coisa suspeita?

— Claro que não. Que pergunta. Ajudei meu marido a ir para a cama e fui dormir. Não havia nada fora do comum.

— A senhora não ouviu um uivo de animal?

— Os animais uivam aqui o tempo inteiro. São as montanhas.

— E a área que vocês chamam de chalés dos solteiros? O som chega até aqui?

— Como eu iria saber?

Mercy reconhecia uma rua sem saída quando topava com uma. Olhou para a casa. Era grande, devia ter ao menos cinco ou seis quartos. Queria saber onde todos dormiam.

— Aquele é o quarto de Mercy?

Pitica olhou para cima.

— Aquele é o de Christopher. O de Mercy é o do meio, e o de Jon no lado oposto, atrás.

Aquilo ainda parecia perto.

— A senhora ouviu quando Christopher chegou na noite passada?

— Tomei um comprimido para dormir. Acredite ou não, não gosto de discutir com as pessoas. Estava muito chateada com o comportamento de Mercy ultimamente. Ela só pensava nela. Nunca considerou o que seria bom para o resto da família.

Will tinha preparado Faith para a apatia, mas aquilo ainda era mais alarmante e triste. Faith estaria no chão se um de seus filhos tivesse sido assassinado.

Pitica pareceu perceber a desaprovação.

— Você tem filhos?

Faith sempre tomava cuidado com suas informações pessoais.

— Tenho uma filha.

— Bom, sinto muito por você. Meninos são muito mais fáceis.

Pitica finalmente desceu a escada. De perto, era ainda menor.

— Christopher nunca reclamou. Nunca deu escândalo nem ficou emburrado quando não conseguia o que queria. Dave é um anjo. Ele aprontava em Atlanta, mas, desde que colocou o pé na minha casa, foi um amor. Aquele menino mora no meu coração. Não preciso de nada quando ele está por aqui. Cuidou de mim quando fiquei doente. Até lavou meu cabelo. Até hoje, não me deixa levantar um dedo.

Faith imaginou que Dave sabia como agradar.

— Mercy não era assim?

— Ela era terrível — contou Pitica. — Quando estava no fim do Ensino Fundamental, eu descia até a sala do diretor a cada duas semanas porque Mercy tinha causado problemas com as outras meninas. Fofocando, brigando e agindo feito uma tonta. Abrindo as pernas para qualquer um que olhasse para o lado dela. Quantos anos tem sua menina?

Faith mentiu para que ela continuasse a falar.

— Treze.

— Então já sabe que é quando começa. Chega a puberdade, e é tudo sobre meninos. Aí tem todo o drama sobre os *sentimentos* delas. Vou dizer quem tinha direito de reclamar, e esse era Dave. O que ele passou em Atlanta é indescritível. Contudo, ele nunca usou isso como muleta. Os meninos não choramingam sobre os sentimentos deles.

O menino de Faith tinha choramingado, mas apenas porque sua mãe dera muito duro para que ele se sentisse seguro.

— Como Mercy parecia para a senhora ultimamente?

— Parecia? — perguntou. — Ela parecia o de sempre. Cheia de mijo e vinagre e com raiva do mundo.

Faith não sabia como abordar a gravidez. Algo lhe dizia para segurar a informação. Ela duvidava que Mercy tivesse confiado na mãe algum dia.

— Dave tinha treze anos quando foi adotado pela senhora e por seu marido?

— Não, ele só tinha onze anos.

Faith estava observando o rosto da mulher atentamente quando ela respondeu. Precisava admitir que Pitica era uma mentirosa de primeira linha.

— Como Mercy e Christopher reagiram a ter um irmão de onze anos?

— Eles ficaram muito felizes. Quem não ficaria? Christopher tinha um novo amigo. Dave tratava Mercy como uma bonequinha. Teria carregado ela nos braços o tempo inteiro se pudesse. Do jeito que era, os pés dela nunca tocavam o chão.

— Deve ter sido uma surpresa quando os dois terminaram juntos.

Pitica levantou o queixo em desafio.

— Isso trouxe Jon para minha vida, e é tudo que vou dizer.

— Jon voltou para casa?

— Não, e não estamos procurando. Vamos dar um tempo como ele pediu. — Ela bateu os dedos no peito. — Jon é um menino atencioso. Bondoso e cheio de consideração, como o pai dele. Vai quebrar corações como o pai também. Você deveria ver como ele é bonito. Todos os hóspedes ficam loucos só de vê-lo. Eu olho para eles quando Jon desce a escada. Ele gosta de fazer uma entrada. Sua Sara parecia que queria comer o menino.

Faith imaginou que Sara tinha perguntado a ele de que matérias da escola ele gostava.

— Meus pobres meninos. — Pitica bateu os dedos no peito de novo. — Eu fiz tudo o que pude para manter Dave longe de Mercy. Sabia que ela arrastaria ele para baixo, e olha onde ele está agora.

Faith se esforçou para manter o tom firme.

— Sinto muito por sua perda.

— Bem, não acho que ele não vá voltar para mim. Já acionei um advogado em Atlanta, então boa sorte tentando deixá-lo na cadeia.

Ela parecia muito certa de que o sistema legal iria funcionar.

— Isso é tudo?

— A senhora tem um mapa da propriedade que eu possa pegar?

— Os mapas são para os hóspedes. — A cabeça dela se virou para o estacionamento. — Pelo amor de Deus, quem está aqui agora?

Faith ouviu um motor rugir. Outro quadriciclo tinha estacionado. Sara estava no volante.

— Outra mentirosa vem aqui para mentir.

Pitica terminou a conversa com aquilo. Ela subiu a escada, entrou na casa e fechou a porta atrás de si.

— Jesus.

Faith colocou a bolsa sobre o ombro e saiu para o estacionamento. Aquele lugar não era *A loteria*, mas sim *Colheita maldita*.

— Oi. — Sara estava levantando uma mochila de lona pesada do quadriciclo. Ela sorriu para Faith. — Você caiu?

Faith tinha se esquecido de que estava coberta de lama e de peidos de cavalo.

— Um pássaro atacou meu carro, e terminei numa vala.

— Sinto muito. — Sara não parecia sentida. — Vi você conversando com Pitica. O que achou?

— Acho que ela está mais preocupada com Dave do que com a filha assassinada. — A agente ainda não conseguia acreditar naquilo. — O que tem com essas mães de menino? Ela parecia a ex-namorada psicopata de Dave. E nem me pergunte sobre a parte de Jon. Odeio quando uma mulher adulta fala com aquela vozinha afobada de menina. É como se a Holly Hobbie fodesse o capeta.

Sara riu.

— Algum progresso?

— Não da minha parte. Estava indo para o salão de jantar para encontrar Will.

Faith olhou em torno, certificando-se de que estavam sozinhas.

— Acha que Mercy sabia que estava grávida?

Sara deu de ombros.

— Difícil saber. Ela estava com náuseas ontem à noite, mas achei que fosse sequela do estrangulamento. Mercy não me falou qualquer coisa, mas ela não iria, necessariamente, compartilhar essa informação com uma estranha.

— Minha menstruação é tão irregular que mal mantenho as contas.

Faith se perguntou se Mercy tinha usado um aplicativo no celular dela ou marcado num calendário.

— Para quem você contou?

— Só para Amanda e Will. Acho que Nadine, a investigadora forense, percebeu quando fiz o exame manual para checar o útero, mas não disse uma palavra sequer. Ela sabe que Biscoito é próximo da família e, provavelmente, não queria que se espalhasse.

— Biscoito não viu o raio X?

— Você precisa saber o que está procurando — disse Sara. — Normalmente, você não usaria raio X em uma mulher grávida. O risco de exposição à radiação é maior que o valor do diagnóstico. E com doze semanas, não tem muita coisa para ver. Um feto tem por volta de cinco centímetros, mais ou menos o comprimento de uma pilha AA. Os ossos ainda não calcificaram o suficiente para aparecer na chapa. Só sabia o que estava procurando porque já tinha visto.

Faith não queria pensar no que já tinha visto.

— Não me lembro de como é estar com doze semanas.

— Inchaço, náusea, mudanças de humor. Algumas mulheres acham que é tensão pré-menstrual. Outras abortam naturalmente e pensam que era só uma menstruação pesada. Oito de cada dez abortos espontâneos ocorrem antes das doze semanas.

Sara pousou a sacola de lona no quadriciclo.

— Quando olhar para quem estava com Mercy durante a concepção, lembre-se de que são doze semanas a partir da última menstruação, não doze semanas do encontro sexual. A ovulação acontece duas semanas depois da menstruação, o que coloca a linha do tempo em cerca de dez semanas, então estamos falando de dois meses e meio atrás, se formos meticulosas.

— Definitivamente, precisamos ser meticulosas. — Faith chegou à parte difícil. — E o estupro?

— Encontrei traços de fluido seminal, mas isso só indica que ela teve relação sexual com um homem 48 horas antes de morrer. Não posso descartar agressão sexual, mas também não posso confirmar.

Faith apenas podia imaginar quanto Amanda tinha ficado irritada com a ambiguidade.

— E entre nós?

— Entre nós, eu sinceramente não sei — respondeu Sara. — Ela não tem feridas defensivas. Talvez tenha tomado a decisão de que era mais seguro não reagir. Há sinais claros de que Mercy sofreu um nível alto de abuso. Ossos quebrados, queimaduras de cigarro. Imagino que muito disso tenha vindo das mãos de Dave, mas alguns dos danos datam da infância. Se havia alguma gana de luta nela, Mercy a usou moderadamente.

Faith foi tomada por uma tristeza profunda ao pensar na vida dura de Mercy. Penny estava certa. Ela nunca teve chance.

— Alguma coisa sobre a arma do crime?

— Com essa parte posso ajudar — disse Sara. — Numa faca, você sabe que na espiga integral o metal segue por toda a extensão, da ponta da lâmina até a base do cabo.

Faith não sabia disso, mas assentiu.

— A lâmina dentro de Mercy era uma meia espiga de treze centímetros, que é um modelo mais barato, menos durável, usado em facas de churrasco. Com a meia espiga você tem um esqueleto dentro do cabo, basicamente uma peça em forma de ferradura de metal fino que ajuda a manter o cabo preso à lâmina. Está me acompanhando?

— Esqueleto de meia espinha dentro do cabo. Entendi.

— O assassino enfiou a faca até o cabo. Pelas marcas na pele dela, percebi que a faca não tinha guarda, o colar de metal na transição entre a lâmina e o cabo. Encontrei lascas de plástico em torno de algumas feridas mais profundas. Sob o microscópio, a cor pendia para o vermelho.

Faith assentiu novamente, mas dessa tinha entendido de verdade.

— Estamos procurando o cabo vermelho de uma faca de churrasco barata com uma fita fina de metal saindo dele.

— Correto — falou Sara. — Todos os chalés têm cozinha, mas no nosso não tinha faca. E não me lembro de ter visto algo que combinasse com uma faca de cabo vermelho na cozinha da família. Valeria a pena procurar de novo com essa informação nova. Eu diria que tem uns dez centímetros de comprimento e uns seis milímetros de largura.

— Certo, eu deveria falar com Will para ver como vamos proceder. Pode passar os detalhes da faca para ele. — Faith começou a sair, mas se segurou. — Topei com Frank. Ele está preocupado com a mulher dele. Aparentemente, está com mais ressaca do que de costume.

— Vou dar uma olhada nela agora. — Sara bateu na sacola de lona. — Trouxe uns suprimentos médicos para o caso de precisarmos. Cecil está numa cadeira de rodas, mas não vi uma van.

Faith não tinha percebido isso até aquele momento.

— Como eles o colocam na caminhonete?

— Tenho certeza de que tem muita gente para ajudar — respondeu Sara. — Encontro vocês no salão de jantar quando acabar?

— Perfeito.

Faith seguiu a placa de madeira com o prato e os talheres. Manteve o olhar para o chão. O caminho era claro, mas o mato crescido dos dois lados poderia esconder cobras e esquilos raivosos. Ou pássaros. Faith olhou para cima. Galhos pendiam como dedos. Um vento firme agitava as folhas. Tinha certeza de que uma coruja atacaria seu cabelo. Ficou aliviada quando a trilha fez uma curva, mas só havia mais trilha.

— Porra de natureza.

Ela continuou a descer, o olhar indo do chão para o céu em busca de um possível perigo. O caminho fez outra curva. Havia menos árvores acima dela. Sentiu o cheiro da cozinha antes de vê-la. O pai de Emma era um americano-mexicano de segunda geração, cuja mãe rancorosa adorava cozinhar tanto quanto odiava Faith, o que dizia muito. Coentro. Cominho. Manjericão. Cheiro-verde. O estômago de Faith roncava quando ela chegou ao prédio de formato octogonal. Contornou a plataforma perigosamente pendurada sobre um desfiladeiro e passou pela porta.

Vazio.

As luzes estavam apagadas. Havia duas mesas compridas, uma já arrumada para o almoço. Janelões na parede mais distante mostravam mais árvores. Ela estaria enjoada da cor verde quando saísse daquele lugar.

— Will? — chamou. — Você está aqui?

Ela esperou, mas não houve resposta. Tudo o que escutava eram barulhos de preparação de comida do outro lado das portas vaivém da cozinha.

— Will?

Nada.

Faith pegou o telefone via satélite de novo. Apertou o botão de comunicador.

— Aqui é a agente especial Faith Mitchell, do Departamento de Investigação da Geórgia. Alguém aí?

Ela contou até dez em silêncio. Depois até vinte. Então sentiu que começava a se preocupar.

Faith deixou o telefone cair na bolsa de novo e entrou na cozinha. A luz súbita foi quase cegante. Dois rapazes estavam na mesa comprida de aço inoxidável que ia até a metade do cômodo. Um cortava vegetais. O outro misturava massa com as mãos em uma tigela grande. O chef estava de costas para Faith enquanto cozinhava no fogão. O rádio tocava Bad Bunny, o que era o motivo por que não a ouviram.

— Posso ajudar, senhora? — perguntou um dos rapazes.

Faith sentiu um aperto no coração ao vê-lo. Era só um menino.

— Do que a senhora precisa, agente? — O chef tinha se virado.

Aquele devia ser Alejandro. Ele era incrivelmente bonito, mas também parecia incrivelmente irritado por ver Faith, o que a lembrava do pai de Emma.

— Desculpe pela rispidez, mas estamos preparando o almoço.

Faith precisava encontrar o parceiro.

— Sabe onde está o agente Trent?

Um dos meninos respondeu:

— Ele desceu a Trilha Peixetopher.

Ela soltou um suspiro de alívio.

— Há quanto tempo?

Ele deu de ombros de um jeito exagerado porque era um menino e não entendia de tempo.

— Eu o vi pela janela lá fora faz uma hora, acho. Então veio um segundo homem vestido igual a vocês meia hora depois. A trilha fica atrás do prédio. Vou te mostrar — afirmou Alejandro.

Faith sentiu um pouco da tensão diminuir com o avistamento de Will e Kevin. Ela seguiu Alejandro até os fundos, verificando o restante da cozinha no caminho. As facas pareciam caras e profissionais. Sem cabos de plástico vermelho. Viu um banheiro conectado a um escritório. Ela queria examinar aqueles papéis, tentar acessar o laptop.

— O almoço começa em meia hora. — Alejandro abriu a porta e deixou Faith ir primeiro. — Eles normalmente comem em vinte minutos. Posso falar depois.

Faith sentiu sua atenção ir até o chef como uma tira de elástico.

— Por que acha que quero falar com você?

— Por que eu estava dormindo com Mercy.

Ele pareceu perceber que aquela conversa acontecia naquele momento. Fechou a porta atrás de si.

— Tentamos ser discretos, mas, obviamente, alguém contou a você.

— Obviamente — disse Faith. — E?

— Era casual. Mercy não estava apaixonada por mim. Eu não estava apaixonado por ela. Mas ela era muito atraente. É solitário aqui em cima. O corpo quer o que quer.

— Há quanto tempo vocês dormiam juntos?

— Desde o momento em que cheguei aqui. — Ele deu de ombros. — Não era frequente, especialmente nos últimos tempos. Não sei por que motivo, mas essa era a natureza das coisas entre nós, maré alta e maré baixa. Ela sofria muita pressão do pai. Ele é um homem muito duro.

— Dave sabia de vocês dois?

— Não tenho ideia. Eu mal falava com ele. Mesmo quando ele estava ampliando a plataforma de observação, fiquei longe por suspeitar que estivesse machucando Mercy.

— Por quê?

— Você não fica com aquele tipo de hematoma por causa de uma queda. — Ele limpou as mãos no avental. — Vamos dizer que, se Dave tivesse terminado assassinado, você estaria falando comigo por motivos bem diferentes.

Muita gente dizia aquilo, mas ninguém tinha feito nada quando Mercy estava viva.

— Você disse que não estava apaixonado por ela, mas você também cometeria um assassinato por ela?

O sorriso dele mostrou todos os dentes.

— Você é muito boa nisso, detetive, mas não. É meu sentido de dever.

— O que Mercy disse quando você notou os hematomas?

O sorriso desapareceu.

— Perguntei a ela uma vez, e ela me disse que poderíamos falar disso e nunca mais transar ou poderíamos continuar transando.

— Desculpe, mas você não parece ter sentido conflito na decisão.

Ele deu de ombros de novo.

— É diferente aqui em cima. O jeito como tratam as pessoas... Só sugam tudo e depois as jogam fora. Talvez eu tenha feito a mesma coisa com Mercy. Não me orgulho disso.

— Ela estava saindo com mais alguém?

— Talvez — falou o chef. — Acha que Dave ficou com ciúmes? É por isso que ele matou Mercy?

— Talvez — mentiu Faith. — O que te faz pensar que Mercy poderia estar saindo com outras pessoas?

— Muitas coisas, na verdade. Como eu disse, maré alta e maré baixa. Além disso... — Ele deu de ombros. — Quem sou eu para julgar Mercy? Ela era uma mãe solteira com um emprego exigente, um patrão difícil e poucos escapes de diversão.

Faith nunca tinha se sentido tão notada.

— Ela mencionou alguém em particular?

— Ela não diria espontaneamente, e eu não perguntaria. Como eu disse, a gente trepava. Não falávamos de nossas vidas.

Faith tivera alguns relacionamentos assim.

— Mas se precisasse adivinhar?

Ele exalou rapidamente.

— Bem, precisaria ser um dos hóspedes, não? O açougueiro é mais velho que meu avô. Mercy odeia o cara das verduras. Ele é da cidade e sabe do passado dela.

— O que tem para saber do passado dela?

— Ela foi muito honesta comigo desde o começo — explicou. — Trabalhou com sexo quando tinha vinte e poucos anos.

— Trabalhou com sexo com você?

Ele riu.

— Não, eu não pagava para ela. Poderia ter pagado se ela tivesse pedido. Ela era muito boa em separar as coisas. Trabalho era trabalho, sexo era sexo.

Faith percebia onde aquilo poderia valer o dinheiro.

— Como ela estava ontem?

— Estressada — respondeu. — Servimos hóspedes muito exigentes aqui. A maioria das nossas conversas ontem foi tipo "não esqueça que Keisha não gosta de cebola crua, que Sydney não come laticínios e que Chuck tem alergia a amendoim".

Faith o viu revirar os olhos.

— O que acha de Chuck?

— Ele vem aqui pelo menos uma vez por mês, às vezes mais. No começo, achei que era algum parente.

— Mercy gostava dele?

— Ela o tolerava — disse Alejandro. — Ele dá trabalho, mas Christopher também dá.

— Chuck e Christopher estão juntos?

— Tipo amantes? — Ele balançou a cabeça em negativa. — Não, não com o jeito que eles olham para as mulheres.

— Como eles olham para as mulheres?

— De um jeito desesperado? — Ele pareceu se esforçar para achar uma descrição melhor, então balançou a cabeça. — É difícil, porque o problema é que os dois são muito desajeitados. Eu bebo uma cerveja com Christopher de vez em quando, ele é um cara bacana, mas o cérebro dele funciona de um jeito diferente. Então, você coloca uma mulher na mistura e ele... congela. Chuck tem o problema oposto. Você bota ele a três metros de uma mulher, e ele vai recitar cada fala de Monty Python até ela sair correndo.

Infelizmente, Faith conhecia bem o tipo.

— Soube da briga que Mercy teve com Jon.

Alejandro estremeceu.

— Ele é um bom menino, mas muito imaturo. Não tem muitos amigos na cidade. Eles sabem quem é a mãe dele. E o pai. Não está certo, mas o estigma está lá.

— Já tinha visto Jon bêbado daquele jeito antes?

— Nunca — disse Alejandro. — Honestamente, eu fiquei tipo... não. Não deixem esse menino descer a trilha do vício. Ele tem isso no sangue. Dos dois lados. É triste demais.

Faith concordou silenciosamente. O vício era uma estrada solitária.

— A que horas você foi embora ontem à noite?

— Por volta das 20h30. A última conversa que tive com Mercy foi sobre limpeza. Ela tinha deixado Jon tirar a noite de folga, então estava limpando sozinha. Não me ofereci para ajudar. Estava cansado, foi um dia longo. Então coloquei a sela em Pepe e fui para casa, que fica a uns quarenta minutos além da montanha. Fiquei lá a noite inteira. Abri uma garrafa de vinho e vi um programa policial na TV.

— Que programa?

— Aquele do detetive com o cachorro. Você provavelmente pode checar essas coisas, não pode?

— Posso.

Faith estava mais interessada no fato de que ele tinha previsto todas as perguntas dela. Era quase como se tivesse estudado para a prova.

— Há alguma coisa que queira me dizer sobre Mercy e a família dela?

— Não, mas aviso se pensar em algo. — De repente, ele apontou para uma inclinação íngreme. — Aquela é a Trilha Peixetopher. Está com muito barro, então tenha cuidado.

Ele já tinha aberto a porta, mas Faith o parou com uma pergunta.

— Dá para ir até os chalés dos solteiros pela Trilha Peixetopher?

Ele pareceu surpreso, como se tivesse descoberto por que ela estava perguntando.

— Dá. Você pode seguir o riacho passando pelas cachoeiras e depois contornando o lago, mas o caminho mais rápido é pela Trilha da Corda. Ela passa pela lateral do penhasco. Chamam de Trilha da Corda porque tem uma série de cordas nas quais você precisa se agarrar para não escorregar e quebrar o pescoço. Só os empregados a utilizam. Não está no mapa. Só fui uma vez porque me assustou pra caralho. Não gosto muito de altura.

— Quanto tempo levou?

— Uns cinco minutos? — estimou. — Desculpe, eu realmente preciso voltar ao trabalho.

— Obrigada — disse Faith. — Preciso pegar uma declaração por escrito depois.

— Sabe onde me encontrar.

Alejandro desapareceu na cozinha antes que Faith pudesse dizer mais alguma coisa. Ela olhou para a porta fechada. Tentou avaliar como foi a conversa. Em sua experiência, um suspeito poderia encarar um depoimento de quatro maneiras. Poderia ficar na defensiva. Poderia ser combativo. Poderia ser desinteressado. Poderia ser prestativo.

O chef ficava aproximadamente entre as duas últimas. Ela precisaria da opinião de Will. Às vezes, os suspeitos eram desinteressados porque realmente não estavam interessados. Às vezes, eram prestativos porque queriam que você pensasse que eram inocentes.

Faith começou a descer a Trilha Peixetopher. Alejandro não tinha mentido sobre a lama. O caminho a lembrou de uma brincadeira de deslizar sobre uma superfície molhada. O ângulo era severo. Ela viu pegadas grandes de passos pesados. Homens subindo a trilha. Homens caindo.

Ela arriscou, gritando:

— Will?

A única resposta foi o trinado de um bando de passarinhos, provavelmente discutindo um plano de ataque.

Faith suspirou ao continuar a trajetória para baixo. Segundos depois, estava arrancando a bota do barro. Foi por isso que inventaram o concreto. As pessoas não foram feitas para ficar ao ar livre daquele jeito. Ela bateu as pernas bambas enquanto atravessava um pedaço íngreme. Parte dela tinha aceitado que iria terminar caindo de bunda em algum momento, mas ainda ficou irritada quando aconteceu. E a trilha não ficou menos íngreme quando se levantou. Faith precisou entrar na mata para evitar um trecho que parecia escorregadio.

— Porra! — Ela saltou para longe de uma cobra.

Então xingou de novo porque não era uma cobra. Uma corda estava largada no chão. Uma ponta estava presa a uma pedra por um gancho. A outra desaparecia na trilha. Faith a teria deixado ali se Alejandro não tivesse falado das outras cordas na Trilha da Corda. Ela soltou mais uns "porras" enquanto pegava a corda e continuava descendo. Estava coberta de suor quando ouviu o ruído de água batendo na pedra. Por sorte, a temperatura tinha caído conforme a altura baixava. Estapeou um mosquito que rodeava sua cabeça. Queria ar-condicionado, serviço telefônico e, acima de tudo, encontrar o parceiro.

— Will? — Tentou novamente.

A voz dela não ecoou tanto a ponto de competir com a algazarra do mato. Insetos, pássaros e cobras venenosas.

— Will?

Faith agarrou um galho de árvore para impedir que o pé escorregasse quando desceu pela margem. Aí seu outro pé escorregou, e ela caiu de bunda de novo.

— Jesus — sibilou.

Não tinha uma folga. Pegou o telefone via satélite do chão e apertou o botão de comunicação.

— Aqui é a agen...

Faith soltou o botão quando um chiado horrível quase estourou seus tímpanos. Chacoalhou o telefone, depois apertou o botão de novo. O chiado voltou. Vinha da bolsa dela. Ela a abriu e viu um aparelho igual.

Olhou para o telefone na mão dela, depois para o que estava na bolsa.

Como tinha acabado com dois telefones?

Faith se levantou e desceu alguns metros. Naquele momento, conseguia ver o riacho. A água girava em torno de grandes pedras. Faith deu mais um passo. A ponta da bota bateu em algo pesado. Viu um coldre com uma Smith & Wesson cano curto de cinco tiros. Estranhamente, parecia a arma sobressalente de Amanda. Olhou pelo chão. Fones de ouvido ainda no estojo. Mais adiante, um iPhone. Faith o acionou com um toque. A tela de bloqueio brilhou: uma foto de Sara segurando o cachorro de Will.

— Não-não-não-não...

A Glock de Faith estava em sua mão antes que seu cérebro pudesse processar totalmente o que tinha visto. Deu um giro de 360 graus, esquadrinhando a floresta, apavorada com a possibilidade de encontrar o corpo de Will. Não havia nada fora do lugar, a não ser um galão de dois litros vazio e um bastão com um gancho de aparência letal na ponta. Faith correu para a beira do riacho e olhou para a direita, depois para a esquerda. O coração dela parou até ter certeza de que o corpo dele não estava na água.

— Will!

Faith correu ao longo do riacho. O terreno descia. A água corria mais rápido. Cinquenta metros adiante, fazia uma curva acentuada para a esquerda, contornando algumas árvores. Faith via mais pedras, a água mais agitada. Algo poderia ter sido arrastado pela corrente turbulenta. Algo parecido com seu parceiro. Faith começou a correr em direção à curva.

— Will! — gritou. — Will!

— Faith?

A voz dele era fraca. Ela não conseguia vê-lo. Faith recolocou a Glock no coldre. Pulou na água para atravessar até o outro lado. Era mais fundo do que tinha imaginado, e seus joelhos cederam. A cabeça foi para baixo da água, que girava em torno de seu rosto. Ela se levantou, arquejando. A única coisa que havia impedido que fosse embora com a corrente era uma raiz de árvore gigante saindo da margem.

— Você está bem?

Will estava parado acima dela. A mão enfaixada, apertada contra o peito. As roupas estavam encharcadas. Kevin Rayman estava atrás dele com o corpo de um homem pendendo dos ombros. Faith viu um par de pernas peludas, meias pretas e botas amarelas.

Não se sentia segura para falar. Usou a raiz da árvore para sair da água. Will estendeu a mão e praticamente a levantou da margem. Faith não queria soltá-lo. Estava sem fôlego. Sentiu-se enjoada de tanto alívio. Estivera certa de que ele estava morto em algum lugar.

— O que aconteceu? Quem é esse?

— Bryce Weller.

Will ajudou Kevin a colocar o corpo no chão. O homem caiu de costas. A pele era pálida, e os lábios estavam azuis. A boca estava aberta.

— Também conhecido como Chuck.

— Também conhecido como pesado — complementou Kevin.

Faith se virou para Will.

— Que porra você estava fazendo aqui sem me falar aonde estava indo?

— Eu não...

— Cala a boca quando falar comigo!

— Não acho que isso...

— Por que encontrei a arma da Amanda e seus telefones no chão? Você sabe como foi pavoroso aquilo? Achei que você tinha sido assassinado.

— Faith — disse Will. — Estou bem.

— Bem, eu não estou. — O coração dela batia feito o sinete de uma vaca.

— Jesus Cristo.

— Estava conversando com Chuck — explicou Will. — Ele estava suado e branco, mas não achei que fosse algo além do sentimento de culpa. Voltei pela trilha. Quando me distanciei uns 5 metros, virei-me e ele estava na água. Joguei a arma e os eletrônicos porque sabia que precisaria entrar no riacho.

Faith odiou a calma e o tom sensato dele.

Ele continuou:

— A corrente arrastou nós dois pelo riacho. Fui atrás dele. Quase caímos em uma cachoeira, mas, de algum jeito, consegui nos puxar de volta. Eu não poderia deixar o corpo dele lá, então comecei a carregá-lo para a pousada.

— Foi quando eu apareci — interrompeu Kevin. — Vim procurar Will. Obviamente carreguei o corpo mais que ele.

— Não acho que seja verdade.

— Concordo em discordar.

— Eu estava dentro da água.

Faith não estava com saco para piadas de homens. Tentou concentrar a mente no caso em vez de no fato de que estava de pé pingando água na floresta e perdendo as estribeiras porque achara que o parceiro estava morto.

Ela olhou para o corpo. Os lábios de Bryce Weller estavam azul-escuros. Os olhos eram como bolas de gude. A correnteza tinha puxado suas roupas. A camisa estava aberta. O cinto havia se soltado. Ainda mais importante, outra pessoa morrera. Poderiam estar procurando um assassino com dois motivos em vez de apenas um. Ou Chuck poderia ter assassinado Mercy e depois se matado.

— O que Chuck disse quando você falou com ele? — perguntou Faith a Will.

— Usou terminologia incel. Agiu como se não sentisse atração por Mercy, quando claramente sentia. Eu estava desconfiando dele no assassinato quando terminamos de conversar. Ele estava hiperfocado em Dave. Abertamente enciumado porque Mercy não se livrava dele. Ficava esfregando as costas. Fiquei me perguntando se ela tinha dado uns socos nele.

— Podemos virar o corpo para checar em um minuto. Preciso recuperar o fôlego — avisou Kevin.

— Chuck descreveu a altercação dele com Mercy antes do jantar de um jeito esquisito. Ele disse: "Ela gritou comigo como se eu a tivesse estuprado". E você percebia que ele realmente se arrependeu de ter usado a palavra "estupro" — disse Will a Faith.

— Era por isso que ele estava suando? — perguntou Faith. — Ele estava nervoso?

— Acho que não. Isso seria um tipo de suor menos forte. Pingava da cabeça dele. O cabelo estava todo colado no couro cabeludo. Pensando melhor, acho que ele não estava se sentindo bem. Ele arrotava como se o estômago estivesse saindo pela boca.

— Suicídio? — perguntou Faith.

— Se ele se afogou, foi rápido. Sem se debater. Sem respingar água. Eu levei mais ou menos um minuto para subir naquela colina. Quando me virei, o corpo já estava flutuando no meio do riacho.

Faith olhou para o rosto de Chuck. Ela estivera em mais autópsias do que gostaria. Nunca tinha visto um cadáver com lábios tão azuis.

— Ele estava comendo alguma coisa antes de entrar?

— Estava bebendo água de um galão — respondeu Will. — Estava pela metade quando começamos. Ele bebeu o resto enquanto a gente conversava. No que está pensando?

— Alejandro disse que Chuck tinha alergia a amendoim. Talvez alguém tenha colocado amendoim em pó na água dele.

— Não — disse Sara.

Todos se viraram. A médica estava do outro lado do riacho.

— Não foi amendoim. Ele foi envenenado.

16

Sara não tinha ficado feliz com a expressão culpada de Will quando ele a olhou do outro lado do ribeirão. O olhar era o mesmo que ele dava para Amanda quando ela estava a ponto de dar um esculacho nele.

Sara não era chefe dele.

— Vou comprar essa — disse Faith. — Como sabe que ele foi envenenado?

Sara lidaria com Will mais tarde. Chuck não era a pessoa de quem mais gostava, mas ainda estava morto e merecia algum respeito.

— A anafilaxia é uma reação alérgica súbita e grave que faz com que o sistema imunológico libere substâncias químicas que colocam o corpo em choque. Não é uma morte rápida. Estamos falando de quinze a vinte minutos. Chuck teria apresentado desconforto e aperto no peito, tosse, tontura, rubor ou vermelhidão no rosto, erupção cutânea, náusea ou vômito e, o mais importante, problemas respiratórios. Will, você notou se Chuck estava apresentando algum desses sintomas?

Will balançou a cabeça em negativa.

— A respiração dele estava normal. Só notei que estava branco e suado.

— Veja como as unhas e os lábios dele estão azuis. — Sara apontou para o corpo. — Isso é causado pela cianose, que é a falta de oxigênio no sangue, que neste caso indica intoxicação química. Chuck estava bebendo água antes de morrer, então podemos presumir que é a fonte. A substância precisaria ser incolor, inodora e sem gosto. Pessoas com alergias graves percebem bem rápido se ela foi desencadeada. Chuck não pediu ajuda. Não se debateu. Não estava com falta de ar, nem arranhando o pescoço para respirar. Preciso estudar a cena onde ele caiu na água, mas minha teoria é que ele perdeu a consciência e tombou no riacho.

— E ataque cardíaco? — perguntou Faith.

— As unhas e os lábios não ficariam azuis assim — respondeu Sara. — Nem todos os ataques cardíacos levam à parada cardíaca. A morte cardíaca súbita é um mau funcionamento elétrico. O coração bate de maneira irregular ou simplesmente para, o sangue não chega ao cérebro e a pessoa desmaia. Em um ambiente tranquilo como este, mesmo com o som da água Will teria ouvido alguma coisa antes de Chuck perder a consciência. Gritar, agarrar o braço de dor, os sintomas clássicos. No mínimo, ele teria feito um barulho forte ao cair.

— Estava ouvindo para ter certeza de que ele não vinha atrás — disse Will. — Quando me virei, ele estava lá flutuando.

— Que tipo de veneno deixaria as unhas e os lábios dele azuis assim? — perguntou Faith.

Sara tinha algumas ideias, mas não as apresentaria a dez metros de distância.

— Só a toxicologia pode confirmar, mas posso dar algumas opções depois de examinar de perto.

— Vamos até você — disse Will. — Precisamos atravessar a água com ele. Há uma ponte de pedra para cima, nas minicachoeiras. Vocês ficam bem sem mim?

Will não esperou pela resposta de Kevin ou de Faith. Pulou de volta no rio para cruzar naquele momento. A correnteza não pareceu perturbá-lo. Ele subiu a margem e ficou na frente de Sara com um olhar resignado no rosto.

— Como estava a água? — perguntou, entregando-lhe o iPhone e os fones de ouvido.

— Fria.

Ela se perguntou se havia algum duplo sentido naquilo.

— Meu amor, não vou te passar sermão por tentar salvar a vida de um homem.

Ele lançou um olhar curioso para ela.

— Você não está brava?

— Estava preocupada — falou.

O que ela não disse foi que o som de Faith gritando o nome dele em pânico tinha parado o coração dela. Ela mal respirava até ver que Will estava bem.

— Preciso trocar o curativo da sua mão, está encharcado.

Ele olhou para a mão.

— Acredite ou não, ele salvou minha vida.

Sara não sabia se conseguia ouvir os detalhes naquele momento.

— Quanta água você engoliu?

— Alguma coisa entre um pouco e um monte, mas saiu tudo.

— Há um leve risco de embolia pulmonar. — Ela colocou o cabelo molhado dele para trás. — Quero que me diga imediatamente se tiver qualquer problema para respirar.

— Isso é difícil de julgar — disse Will. — Às vezes olho para minha esposa e fico sem fôlego.

Sara sentiu os lábios formando um sorriso, mas tinha consciência de que havia coisas mais importantes esperando sua atenção. Faith e Kevin já estavam levando Chuck de volta para a passagem.

— Faith falou sobre a faca? — perguntou a Will enquanto andava ao longo da margem.

Ele balançou a cabeça em negação.

— Cabo de plástico vermelho. Estou supondo que seja uma faca de churrasco. O vermelho não é comum. Mesmo quando o cabo é de plástico, é feito para parecer madeira.

— Amanda deve conseguir o mandado de busca logo — disse ele. — Quero virar este lugar de cabeça para baixo. Espero que o cabo não esteja no fundo do lago.

— Será que Mercy sabia que estava grávida?

Ele balançou a cabeça de novo.

— E não há uma pessoa sequer para perguntarmos. Ela não confiava nas pessoas aqui em cima.

— Não tiro a razão dela.

Sara começou a planejar os próximos passos.

— Com a estrada alagada, precisamos encontrar um lugar para colocar o corpo até que Nadine possa removê-lo com segurança.

— Tem um freezer grande atrás da cozinha. Não há muito mais coisa ali. Eles têm outra geladeira na cozinha para onde podem levar as coisas.

Will tinha colocado a mão em cima do coração. A água fria e a adrenalina claramente não estavam mais anestesiando a dor.

— Isso me faz lembrar de que eu disse a Frank que você daria uma olhada em Monica.

— Já passei lá — disse Sara. — Dei fluidos para ela, mas me sentiria melhor se ela estivesse perto de algum hospital. Ela vai precisar beber de novo ou vai entrar em abstinência. Pelos sintomas, esteve à beira do envenenamento por álcool na noite passada.

— Frank me disse que ficou surpreso por ela ter ficado tão mal com o que bebeu.

— Não tenho certeza de que Frank é confiável. Ele me disse que mentiu para você.

Will parou de andar.

— Na noite passada, Monica tinha feito um pedido de outra garrafa de bebida. Frank saiu para a varanda para deixar o bilhete para Mercy, mas em vez disso enfiou o papel no bolso.

— E me disse que Mercy tinha pegado o bilhete, o que me deu a linha do tempo que estamos seguindo — falou Will, parecendo compreensivelmente irritado. — Por que ele mentiu sobre isso?

— Ele provavelmente mente bastante para cobrir as bebedeiras da mulher — Sara o recordou. — Paul disse que viu Mercy por volta das 22h30.

— Confio em Paul menos ainda do que confio em Frank.

Will olhou para o relógio.

— O serviço de almoço acabou. Talvez você possa abordar Drew e Keisha. Amanda fez a checagem de antecedentes de todos os hóspedes. Drew tem uma acusação de agressão de quinze anos atrás.

Sara sentiu os lábios abrirem em surpresa.

— Tive a mesma reação, mas talvez isso tenha relação com o que Drew estava falando quando disse a Pitica para esquecer aquele outro negócio.

— Que negócio? — perguntou Faith. Tinham chegado à minicachoeira. Ela andava pela passagem de pedras com os braços abertos para se equilibrar. Will a esperou na beira da água. Sara desligou da conversa. Nenhum deles parecia interessado em ajudar Kevin. Sara pensou nisso, mas ele já estava atravessando o riacho com todo o peso de Chuck sobre os ombros. Will também olhava, mais por inveja do que por preocupação. Queria ser aquele que equilibrava noventa quilos no ombro enquanto seguia pelo que era uma pista de obstáculos.

— Monica poderia ser vítima de envenenamento também? — perguntou Faith.

Sara percebeu que a pergunta era para ela.

— Se for, o veneno seria um agente diferente por uma rota diferente. Posso pedir permissão a Monica para tirar sangue dela, mas precisaríamos...

— Esperar pela toxicologia — terminou Faith. — E suicídio?

— Com Chuck? — Sara deu de ombros. — A não ser que ele tenha deixado um bilhete, não saberia dizer.

— Tirando o suor, diria que ele não agia como culpado — falou Will. — Parecia bastante convencido de que Dave era o assassino.

— Eu também estaria, sem todas as provas dizendo que não é ele — disse Faith.

— Chuck não estava usando óculos? — recordou-se Sara.

— A correnteza é forte. Provavelmente, perdeu no riacho — respondeu Will.

— Obrigado, caras.

Kevin tinha atravessado o riacho. Ele ajoelhou-se, rolou Chuck para o chão, depois sentou-se, a fim de recuperar o fôlego.

— Vamos ficar longe da margem.

Sara indicou o ponto onde achava que Chuck tinha entrado na água.

— Vamos precisar colocar o arpão e a garrafa em sacos, depois começar um inventário de qualquer coisa que estiver nos bolsos dele.

— Vou pegar os suprimentos.

Kevin se levantou.

— Preciso de um pouco de água, de qualquer jeito.

— Tenha certeza de que vem de uma garrafa lacrada.

Faith tinha encontrado a bolsa no chão. Ela pegou o kit de diabetes.

— Podem começar sem mim? Preciso fazer aqui o meu lance da insulina.

Sara flagrou o olhar de Will enquanto Faith andava alguns metros adiante na trilha e sentava-se num tronco caído. Faith era muito boa no trabalho, mas nunca ficava confortável perto dos mortos.

— Pronto? — perguntou Sara a Will.

Ele colocou o telefone no bolso.

— O riacho tinha transbordado sobre a margem quando cheguei aqui. Deveríamos filmar a área onde Chuck entrou antes que desapareça.

— Vamos fazer isso.

Sara esperou que ele começasse a gravar, então deu a data, a hora e o lugar.

— Aqui é a dra. Sara Linton. Estou acompanhada dos agentes especiais Faith Mitchell e Will Trent. Este vídeo é para documentar o cenário em que acreditamos que a vítima, Bryce Weller, também conhecida como Chuck, entrou no Riacho Viúva Perdida e morreu.

Ela esperou que Will filmasse lentamente a área, começando pela base da trilha e fazendo uma ampla varredura na margem do riacho. Sara aproveitou o tempo para desenvolver uma teoria sobre o que acontecera. Havia três conjuntos distintos de pegadas de sapatos, um dos quais feito por um par de tênis. Ela olhou para a sola das botas de caminhada de Chuck. Estavam gastas na parte exterior, pois ele tinha pisada pronada. Sara já conhecia as pegadas distintas das botas HAIX de Will. Os elementos trabalharam contra eles na preservação da cena do crime de Mercy, mas a lama lhes fizera um favor ali. Os últimos momentos de Chuck poderiam muito bem ter sido gravados em pedra.

— Certo — disse Will. — Pronto. Avise quando você estiver.

— As solas da bota da vítima combinam com o padrão em forma de W no barro — disse Sara. — Dá para ver onde o peso dela foi para os dedos aqui, de frente para a água. A impressão do calcanhar é mais rasa que a dos dedos. Aqueles dois lugares ali indicam onde a vítima caiu de joelhos. Não são profundos nem de formato irregular, o que indica que foi uma ação controlada, não uma queda súbita. Há duas impressões de mãos de cada lado, aqui e ali, então ele, por fim, ficou de gatinhas.

— Deve ter sido rápido — Will complementou. — Eu só tirei os olhos dele por um minuto. Não o escutei pedir socorro, tossir nem nada.

— Os recursos de Chuck foram direcionados para mantê-lo consciente, não para pedir ajuda — respondeu Sara. — Minha teoria é que a pressão sanguínea dele caiu, fazendo ele literalmente ficar de joelhos e forçando-o depois a colocar as mãos no chão para se equilibrar. A impressão do lado direito é mais funda que a do esquerdo. Você pode ver que aquele formato oval comprido é, provavelmente, onde o cotovelo direito cedeu e ele caiu sobre o ombro direito, então desmaiou do lado direito. A partir disso, minha hipótese é que ele tenha rolado de costas, mas estava muito perto da beira da margem. A gravidade tomou conta a partir daí, empurrando-o para a água. A correnteza o levou para as rochas.

— A mão dele estava presa quando o vi — disse Will. — Quando entrei, ele já estava descendo o riacho.

— Você o viu se retorcer ou fazer qualquer gesto?

— Não. Ele estava flutuando. Os braços e as pernas estavam esticados. Não tinha resistência.

— Ele devia estar inconsciente ou já morto. Posso estar errada, mas acho que os pulmões vão mostrar que ele morreu por afogamento.

Sara olhou para a água. Ela viu um par de óculos conhecidos presos no leito do riacho.

— Aqueles são idênticos aos que Chuck usava.

Will evitou as pegadas enquanto se inclinava sobre a água com o telefone para filmar a localização dos óculos.

Sara se virou para o corpo. Chuck estava deitado de costas, o rosto para cima. Ela mal havia olhado para ele na noite anterior. Naquele momento, estudava seus traços. Era um homem comum, mas não feio, com cabelo preto ondulado até os ombros, pele morena, olhos castanho-escuros.

— Quando estava falando com Chuck, notou se as pupilas dele estavam dilatadas? — perguntou Sara.

Will balançou a cabeça em negação.

— Não tem muita luz aqui por causa das árvores. Estava mais concentrado em me certificar de que ele não pegasse aquele arpão e viesse atrás de mim.

— Não dá para saber? — questionou Faith. Ela mantinha distância na trilha, mas claramente estava escutando. — As pupilas dele não estariam ainda dilatadas?

— A íris é um músculo — respondeu. — Os músculos relaxam na morte.

— Tem umas luvas na minha bolsa — informou Faith, parecendo enjoada.

Sara achou as luvas e as vestiu enquanto Will fazia uma captura de corpo inteiro desde o começo da cabeça de Chuck até as solas das botas de caminhada. O flash estava ligado. Sob a luz forte, ela via que a cor azul não tinha se restringido às unhas e aos lábios de Chuck. O rosto dele também tinha um tom azulado, especialmente nas áreas periorbitais.

— Não deixe de focar as pálpebras superiores e inferiores e as sobrancelhas — pediu Sara a Will.

Ela esperou que Will terminasse, antes de se ajoelhar ao lado do corpo. Chuck vestia uma camisa de manga curta. Ela não viu marcas de arranhões ou feridas de autodefesa nos braços ou no pescoço. Desabotoou a camisa dele. O peito e a barriga eram peludos, mas sem uma marca sequer. Ela deu uma olhada mais de perto nas unhas dele. Estudou o rosto. Tentou se lembrar de como Chuck estava na noite anterior. Por razões óbvias, a atenção de Sara estivera voltada para Will.

— Você notou qualquer coisa estranha na aparência de Chuck na noite passada? — perguntou Sara.

Will balançou a cabeça em negação.

— Não estava realmente prestando atenção no que estava acontecendo durante os coquetéis até ele tocar o braço de Mercy e ela gritar com ele. Então entramos para jantar, e a luz estava baixa. Honestamente, não me lembro de ter olhado para ele de novo.

— Nem eu.

Sara não tinha tido muito tempo para Chuck.

— Precisamos falar com todo mundo que estava no jantar. Quero saber se alguém notou esse tom azulado na pele de Chuck na noite passada. Ou até antes.

— Acha que ele estava sendo envenenado antes de chegarmos à pousada?

— Difícil saber sem os recursos adequados. Quanto ele bebeu do galão enquanto estava falando com você?

— Estava pela metade quando começamos. Ele terminou tudo enquanto conversávamos, o que significa mais ou menos dois litros em uns oito minutos.

— Isso pode matar? — perguntou Faith. — Beber muita água?

— Pode, se você beber o suficiente para diluir o sódio no sangue, mas dois litros não vão fazer isso. Um homem de noventa quilos precisa de pelo menos três litros por dia. Na pior das hipóteses, beber dois litros tão rápido pode causar vômito.

— Parece que ainda tem um pouco de água no fundo do galão — disse Will.

Sara queria ver a análise do conteúdo do galão, mas sabia que demoraria semanas.

— O cinto dele estava aberto quando estava falando com ele?

— Não. Imaginei que tinha aberto na água.

Para que a câmera registrasse, Sara puxou o cinto para trás e mostrou que o botão de cima e parte do zíper de Chuck estavam abertos. Ela se inclinou para cheirar as roupas dele.

— Como estavam as emoções dele lá pelo fim da conversa?

— Ele estava muito suado — disse Will. — E realmente ansioso para que eu fosse embora.

— Ele poderia estar preocupado com diarreia. Talvez estivesse tentando tirar a calça quando os outros sintomas o atingiram.

— Isso explica por que ele não pediu ajuda — disse Faith. — Você não ia querer um cara testemunhando sua caganeira.

— Vê alguma ferida defensiva? — questionou Will.

— Nenhuma, mas quero olhar as costas dele. Vou verificar os bolsos antes de virar o corpo.

Sara deu uns tapinhas no material, tentando ver se havia algo pontiagudo antes de colocar os dedos nos bolsos superiores e inferiores da bermuda cargo de Chuck. Ela divulgou suas descobertas.

— Um tubo de protetor labial Carmex. Um frasco de quinze mililitros de colírio Eads Clear. Uma ferramenta dobrável para manejar a linha. Uma multiferramenta dobrável de pescador. Um cabo retrátil. Um canivete.

— Isso tudo é normal para pescaria? — perguntou Faith.

— A maior parte.

Sara tinha passado muito tempo com o pai no lago. Ele usava o equipamento no cinto, mas todo mundo era diferente.

— Estão preparados para que eu o vire?

Will se afastou alguns metros, então assentiu.

Sara estabilizou as mãos nos ombros e na cintura de Chuck, então girou-o.

Will fez um barulho. As costas da mão machucada dele foram para o nariz. Sara tomou aquilo como uma confirmação do estado dos intestinos de Chuck. Ficou feliz por Faith estar do outro lado do vento.

Sara respirava pela boca enquanto tirava a carteira de Chuck do bolso direito traseiro dele e espalhou o conteúdo sobre o chão. O couro preto era polido. Ela tirou um cartão Visa, um American Express, uma carteira de motorista e um cartão de seguro, tudo em nome de Bryce Bradley Weller. Não havia dinheiro no compartimento interno, apenas uma camisinha em um pacote dourado desbotado.

Magnum XL lubrificado e com nervuras. Sara virou a carteira. Pela marca circular de desgaste, adivinhou que a camisinha já estava ali havia algum tempo. Algo lhe dizia que Chuck não transava regularmente.

— O fluido seminal que encontrou em Mercy, aquilo poderia ser lubrificante? — perguntou Will.

— Não. A lâmina mostrou traços de espermatozoides. E mantenha em mente que não é evidência de um ataque, só prova de relação sexual.

Ela levantou as costas da camisa de Chuck. Não havia marcas de arranhão nem sinais de trauma recente. A única descoberta surpreendente foi uma tatuagem.

— Na escápula esquerda, há uma tatuagem de cerca de dez centímetros do que parece ser um copo quadrado de uísque com um líquido cor de âmbar escorrendo pela borda. Em vez de gelo, há um crânio humano.

— Uau — disse Faith. — Ele gostava de uísque?

— Não tenho ideia.

Sara tinha evitado qualquer conversa fiada.

— Will?

Ele deu de ombros.

— Não o vi beber nada além de água a noite inteira.

— Se eu fosse envená-lo — disse Faith —, definitivamente colocaria no galão.

Sara rolou Chuck com gentileza outra vez.

— Essas são todas as conclusões preliminares. Precisamos esperar a autópsia e os exames toxicológicos para ter a imagem completa.

Will parou de gravar e perguntou a Sara:

— Qual sua teoria?

Ela fez um gesto para que ele a seguisse para longe do corpo. Não gostava de falar sobre as vítimas como se fossem problemas a serem revolvidos em vez de seres humanos.

Ela esperou que Faith se juntasse a eles, então disse:

— Dado o nosso entorno, meu primeiro pensamento foi algo natural, como atropina ou solanina, encontradas na beladona. Eu já vi isso. A solanina é incrivelmente venenosa, mesmo em pequenas quantidades. Há também urtiga-de-cavalo, tintureira, cerejeira-negra e louro-cerejo.

— Jesus, a natureza faz mal — interrompeu Faith. — Qual é sua segunda hipótese?

— Estou pensando no colírio. Há um componente chamado tetraidrozolina, que é um receptor alfa-1 usado para diminuir a vermelhidão ao contrair os vasos sanguíneos. Por ingestão oral, passa rapidamente pelo trato intestinal e é absorvido pela corrente sanguínea e pelo sistema nervoso central. Em concentrações mais elevadas pode causar náuseas, diarreia, pressão arterial baixa, diminuição da frequência cardíaca e perda de consciência.

— Está falando de coisa que se compra na farmácia? — perguntou Faith.

— É a dose que faz o veneno — disse Sara. — Se o culpado for a tetraidrozolina, então está procurando algumas garrafas.

— Todo o lixo é levado para cima da colina — disse Will. — Podemos procurar garrafas vazias nos sacos, mas vamos precisar mandar qualquer coisa que encontrarmos para o laboratório, para tirarem as digitais.

— Espere — disse Faith. — Teve um caso na Carolina com isso, não foi? A mulher colocou colírio na água do marido? Mas ele levou um tempo para morrer.

Sara também tinha lido sobre o caso.

— A tetraidrozolina poderia ser um fator que contribuiu para a morte de Chuck. A causa real seria afogamento.

— Podemos descartar suicídio, concordam? — perguntou Will. — Isso não parece algo que você usaria para se matar.

— A não ser que quisesse se cagar até morrer — completou Faith. — Não tinha um filme em que um cara dava isso para outro para poder ficar com a garota?

— *Penetras bons de bico* — disse Will. — Estamos procurando uma pessoa ou duas? Quem teria motivos para matar Mercy e Chuck?

— O que sabemos sobre Chuck? — perguntou Faith. — Ele era esquisito. Gostava de uísque o suficiente para fazer uma tatuagem. Pescava. Carregava um galão de água por aí.

— Ele era o melhor amigo de Christopher. Tinha uma obsessão não correspondida por Mercy. Era incel ou quase incel — completou Will.

— Ele tinha uma camisinha na carteira, então não tinha perdido totalmente as esperanças.

Faith soltou um suspiro.

— Quem tinha acesso ao galão?

Sara olhou para Will.

— Todo mundo?

Will concordou com a cabeça.

— Chuck não teve cuidado com ele no deque de observação durante os coquetéis. Ele o colocou sobre o chão algumas vezes e saiu de perto.

— Seria pesado para carregar o tempo todo — ponderou Sara. — Cheio, com quatro litros de água, pesa por volta de quatro quilos.

— Emma tinha quase 4,5 quilos quando nasceu — observou Faith. — Era como carregar um Xbox por aí.

— Ou um galão de leite — disse Will.

— Então estamos de volta ao suspeito sendo todo mundo aqui em cima — resumiu Faith. — E qualquer um que tenha tido acesso ao colírio Eads Clear, que está em todas as lojas.

— E é um agente de envenenamento bem conhecido — completou Sara.

— Vamos tirar Mercy da equação — disse Faith. — Quem teria um motivo para matar Chuck? Ele não tinha nada a ver com a venda da pousada. Se alguém fosse matá-lo por ser esquisito e irritante, isso teria acontecido há muito tempo.

— Antes de segui-lo até aqui embaixo, ouvi Chuck e Christopher conversando sobre os investidores. Estavam na parte da trilha que fica atrás da cozinha. Christopher disse que se atrasaria para um encontro de família que, provavelmente, era sobre a venda. Chuck perguntou se os investidores ainda estavam interessados. O outro respondeu que não sabia, mas que estava fora do negócio. Nunca quis fazer isso para começo de conversa, e, sem Mercy, não daria certo. Disse que precisavam dela — disse Will.

— Isso é estranho — ponderou Sara. — Ele quis dizer fora do negócio da pousada ou de outro negócio?

— Mercy estava dirigindo o negócio depois do acidente de bicicleta de Cecil. — respondeu Faith. — De acordo com Penny, fazia um ótimo trabalho, conseguindo bastante lucro e investindo de volta na propriedade.

Will não parecia convencido.

— Uma das últimas coisas que Chuck disse a Christopher foi: "A gente tem uma coisa boa rolando aqui. Muita gente depende de nós".

— Talvez Chuck estivesse envolvido na pousada? — ponderou Faith. — Um sócio oculto?

— Não parece que estavam falando da pousada — disse Will.

O som de passos atraiu a atenção deles para a trilha. Kevin tinha voltado com os sacos de prova e kits de coleta.

— Agente Lacaio está de volta — brincou Faith.

Kevin não pareceu gostar da brincadeira, provavelmente porque estava muito perto da realidade.

— Dei uma passada no salão de jantar — disse ele. — Pedi ao chef para tirar as coisas do freezer da parte externa, mas não disse por quê.

— Ele não percebeu depois que disse que precisava de um espaço do tamanho de um homem? — falou Faith.

— Eu disse que precisávamos guardar evidência, mas não queríamos contaminar a comida.

— Certo — Faith cedeu. — Isso foi inteligente.

— Qual o plano para Chuck? Vamos contar às pessoas? Vamos manter em segredo? — perguntou Kevin.

— Preciso notificar Nadine da morte, mas ela não vai conseguir transportar o corpo até que a estrada esteja acessível. Sei que vai manter segredo — respondeu Sara.

— O chef e os garçons vão nos ver levando o corpo para o freezer — disse Will. — Mas, se eles ficarem no salão de jantar e ninguém da casa descer, a informação não vai chegar ao complexo.

— Se a pousada mantiver a programação, os hóspedes não vão descer para os coquetéis até as seis da tarde — falou Sara.

— E a parte não-foi-o-Dave? Ainda fica em segredo? — perguntou Kevin.

— Acho que precisamos fazer isso — disse Faith. — A família não está exatamente clamando pelo nome do assassino.

— E Jon? —perguntou Sara. — Ele vai aparecer uma hora. No momento, ele acha que o pai assassinou a mãe. Vamos deixar que continue a acreditar nisso?

— Essa é uma conversa complicada — disse Will. — Não podemos pedir para ele guardar segredo, e ele pode dar a pista para o assassino real. Ainda precisamos encontrar aquele cabo de faca perdido. O assassino pode ficar relaxado porque acha que se safou.

— Meu voto é para manter tudo em segredo, Chuck e Dave — disse Kevin.

— Concordo — disseram Will e Faith em uníssono, o que tornou o voto de Sara irrelevante.

— Vamos traçar um plano — disse Faith. — Podemos usar um dos chalés vazios para fazer as entrevistas, então ninguém estará em seu território. Começamos com Monica e Frank e descobrimos sobre o que estão mentindo. Precisamos de uma linha do tempo sólida. Então, vamos para os caras do aplicativo. Quero saber por que mentiram sobre o nome de Paul Peterson.

— É Ponticello — afirmou Will. — Amanda encontrou uma certidão de casamento. Paul Ponticello é casado com Gordon Wylie.

— Por que mentir se você é casado? — perguntou Faith.

— Essa está no topo da lista de perguntas — respondeu Will. — Não tenho certeza de como lidar com Christopher.

— Por que ele foi a última pessoa a ver Chuck e teve acesso ao galão de água? — Faith bufou. — Quero dizer, deixa disso. Ele é o suspeito *numero uno*.

— Qual é o motivo dele?

— Sei lá. — Faith soltou um suspiro longo e pesado. — Estamos apenas andando em círculos. Vamos parar de falar e começar a agir.

— Você está certa — concordou Will. — Kevin, vou te ajudar a levar Chuck até o freezer. Vou verificar a pilha de lixo enquanto você processa a cena aqui. Faith, vá pedir permissão para usar um chalé vazio. Se puder, provoque Christopher. Veja se ele pergunta onde está Chuck. Sara, há outro telefone via satélite no quadriciclo para ligar para Nadine. Fique com ele caso eu precise de você. Amanda me disse que ligaria quando o mandado fosse enviado, mas verifique o aparelho de fax mesmo assim. Você se importa de ver se Drew e Keisha vão falar?

— Posso tentar.

Sara estava mais preocupada com as suturas na mão de Will. Tinha trazido antibióticos apenas para se prevenir.

— Deixei a bolsa de lona com os suprimentos médicos no nosso chalé. Quero trocar seu curativo.

— Melhor esperar até eu terminar de mexer no lixo.

— Parece bom.

Sara não iria travar a batalha por causa da infecção, principalmente na frente de uma plateia. Não havia nada que pudesse fazer a não ser subir a trilha. A ligação para Nadine seria fácil, mas não tinha certeza de como abordar Drew e Keisha. Eles pareciam pessoas genuinamente legais. Tinham todo o direito de se recusar a responder perguntas. Contudo, Sara estaria mentindo se dissesse que a acusação de agressão de Drew não tinha levantado suspeitas. Ele já havia estado na pousada duas vezes, talvez até dez semanas antes.

— Sara? — Will claramente tinha feito alguns cálculos. — Faith vai com você. Ela precisa de um mapa da propriedade.

A esposa abriu um sorriso só para ele.

— Posso trazer um depois de falar com Drew e Keisha.

Will também abriu um sorriso.

— Ou você poderia levar Faith junto quando falar com eles.

— Puta merda.

Faith colocou a bolsa sobre o ombro como um embornal e começou a andar na trilha.

Sara foi na frente. Faith não falou muito além de reclamar da lama, das árvores, da vegetação rasteira e da natureza em geral. O caminho era estreito, e a caminhada não era fácil por causa da lama. Em vez de se preocupar com a mão de Will, Sara focou as áreas onde poderia ser mais eficaz. Nadine poderia ter alguma informação sobre Chuck. As cidades pequenas eram notoriamente cautelosas com estranhos. Exceto por isso, um homem como Chuck se destacaria. Devia haver histórias sobre ele por lá.

— Jesus. — Faith parecia mais estar rezando quando chegaram à Trilha Circular. — Não tenho ideia do motivo de Will estar tão empolgado com esse lugar. Estou coberta de suor, lama e cavalo. Alguma coisa mordeu meu pescoço. Meu corpo inteiro está grudento. Tem pássaros em todos os lugares.

Sara sabia que Faith odiava pássaros.

— Tenho umas roupas que você pode usar.

— Não sei se notou, mas meu tipo de corpo é mais o de um adolescente robusto do que supermodelo alta e esbelta.

Sara riu. Ela era alta, mas os outros dois adjetivos eram exagero.

— Vamos achar alguma coisa.

Faith murmurou entre os dentes enquanto andavam pela Trilha Circular, e perguntou:

— Você falou com Amanda?

— Não sobre o que ela quer falar.

— Ela meio que tem razão sobre Will enfiar o nariz nas coisas. Ele está na lua de mel e termina entrando numa casa em chamas, com um ferimento à faca na mão, e agora quase caiu de uma cachoeira.

Sara precisou engolir em seco antes de conseguir falar. O detalhe da cachoeira era novo para ela.

— Não me casei com ele para mudá-lo.

— O nível de interação saudável de vocês às vezes pode ser realmente irritante.

Sara riu de novo.

— Como vai o Jeremy?

— Ah, você sabe, pronto para se tornar um agente do FBI e se jogar em cima de uma bomba suja.

Sara olhou para ela. Faith era normalmente fácil de ler, em grande parte porque soltava o que estivesse passando pela cabeça, mas era muito reservada em relação aos filhos.

— E?

— E — disse Faith — não sei o que fazer. Antes disso, a coisa mais chocante que ele já tinha me falado foi que os Estados Unidos mantêm 680 milhões de quilos de queijo escondidos em uma caverna no Missouri.

Sara sorriu. Ela amava os fatos aleatórios de Jeremy.

— Você tentou conversar com ele?

— Vou continuar gritando por mais um tempinho para ver se funciona, então talvez tente o tratamento silencioso. Depois vou emburrar por um tempo e usar isso como desculpa para tomar muito sorvete. — Faith cruzou os braços ao olhar para o céu. — É esquisito aqui, né?

— Você diz todos esses pássaros?

— É, mas fico voltando para a mãe de Mercy — disse Faith. — O jeito de Pitica ao falar da própria filha...

Sara compartilhava a repugnância.

— Não imagino que tipo de pessoa você precisa ser para odiar a própria filha. Que ser humano infeliz...

— Os filhos podem te ensinar quem você é — disse Faith. — Com Jeremy tentei tanto ser perfeita, queria provar para os meus pais que era adulta o suficiente para tomar conta dele sozinha. Fiz cronogramas e planilhas e mantinha as roupas lavadas até que um dia percebi que tudo bem comer comida que estava no chão se estiver mais perto da sua boca do que da lata de lixo.

Sara sorriu. Tinha visto a irmã fazer os mesmos cálculos.

— Emma está me ensinando como a minha própria mãe é uma boa mãe. Queria ter escutado ela mais. Não que eu vá começar a escutar agora, mas é a intenção que conta.

O sorriso de Faith não durou muito.

— Conversando com Pitica, tudo que conseguia pensar era que ela não tinha aprendido coisa alguma. Ela tinha essa menininha linda e poderia ter transformado o mundo em um lugar maravilhoso para ela, mas não fez isso. Pior, escolheu Dave em vez de Mercy e Christopher. E, agora, Mercy está morta e Pitica também não aprendeu nada com isso. Não consegue parar de cagar sobre a própria filha. Eu sei que brinquei que ela estava se comportando como a ex psicopata ciumenta de Dave, mas dá a impressão de ser patológico.

— Eu não diria que ela se saiu melhor com Christopher — observou Sara. — Ela o ignorou durante os coquetéis. E a vi bater na mão dele quando ele tentou pegar mais pão.

— E Cecil?

— Mercy me disse uma coisa na noite passada que ficou muito na minha cabeça hoje — disse Sara. — Ela me perguntou se eu tinha me casado com meu pai.

— E o que você respondeu? — perguntou Faith, olhando diretamente para Sara.

— Que me casei. Will é muito parecido com meu pai. Eles têm o mesmo código moral.

— Meu pai era um santo. Nenhum homem jamais vai chegar perto, então, por que tentar? — Faith deu de ombros, mas não tinha de fato desistido. — O que fez Mercy perguntar isso?

— Ela estava me dizendo que Dave é igual ao pai dela. O que faz sentido, depois de ver os resultados dos raios X. Ela sofreu muito abuso na infância.

Sara se perguntou quanto Will tinha contado a Faith sobre Dave. Ela não queria ir além.

— Pelo que soube, Dave tem dois lados. Como Cecil, ele pode ser a alma da festa. Aí tem o outro lado, que pode machucar a mãe do filho dele.

— A maioria dos abusadores é assim. Eles aliciam as vítimas, não começam mostrando a merda toda. Mas não deixe a Pitica fora isso — disse Faith. — Ela pode ter abusado fisicamente dos filhos também.

— Não me surpreenderia — falou Sara. — Pela minha experiência, mulheres assim têm mais prazer em tortura psicológica.

— Sei que encontrar Mercy foi difícil para Will, mas estou feliz por ela não ter morrido sozinha.

— Ela estava preocupada com Jon — disse Sara. — Pediu a Will para dizer a Jon que ela o perdoava pelo que tinha acontecido no jantar. As últimas palavras dela, os últimos pensamentos dela, foram só sobre o filho.

Faith esfregou os braços como se estivesse com frio.

— Se achasse que Jeremy precisaria carregar esse tipo de culpa a vida inteira, eu morreria.

— Jeremy tem muita gente que cuidaria dele. Você se certificou disso.

Faith claramente não queria entrar no lado emocional. Ela olhou para a trilha.

— Porra, é o chalé de vocês?

Sara sentiu uma pontada de tristeza quando viu as belas floreiras e a rede. Eles tinham perdido a semana perfeita.

— É bem bonitinho, não é?

— Está brincando?

Faith parecia extasiada.

— Um personagem de O Senhor dos Anéis poderia morar aí.

Sara esperou enquanto via Faith correr escada acima. Havia um odor adocicado familiar no ar que não conseguia identificar.

— Está sentindo esse cheiro?

— Provavelmente sou eu. Não queira saber o que saiu daquele cavalo. — Faith deu um tapa do lado do pescoço. — Outro mosquito. Olha, posso tomar uma ducha rápida? Você não sabe como estou me sentindo nojenta.

— Entre. Pegue as roupas na cômoda. Vou esperar aqui fora. É bonito demais para ficar aí dentro.

Faith não fez perguntas. Subiu a escada correndo.

— Faith! — O coração de Sara tinha disparado. — Fique longe da minha mala, certo?

Faith lançou um olhar estranho para ela, mas respondeu:

— Certo.

A médica a viu desaparecer. Rezou para que fosse a primeira vez que Faith não fosse xeretar. Will largaria o emprego e se mudaria para uma ilha deserta se ela encontrasse o consolo rosa-choque que Tessa colocara na mala de Sara.

Ela esperou até que a porta se fechasse para voltar à vista. O corpo estava trêmulo de exaustão. Nem ela nem Will tinham dormido na noite anterior. E não pelo motivo pelo qual não se deveria dormir na lua de mel. Sara respirou fundo. O cheiro doce e enjoativo ainda estava lá.

Seguindo um palpite, ela continuou pela Trilha Circular. A maioria dos hóspedes estava em chalés perto da casa principal, mas ela se lembrava, pelo mapa, de que o chalé 9 ficava escondido entre o dela e o resto do complexo.

Sara só tinha andado pela parte superior da Trilha Circular duas vezes, uma com Will e Jon e a segunda na escuridão. Em nenhuma das ocasiões tinha visto o chalé 9. Sara se perguntava se tinha saído em uma missão perdida quando finalmente avistou uma trilha que subia outra colina. O cheiro doce ficou decididamente mais forte enquanto ela caminhava pela trilha. Sara sabia por causa de Jon que o odor vinha de um cartucho de vape. Também lembrava que ele havia mentido sobre ter só o que vendera para ela. O que ele segurava na boca naquele momento era prateado.

Jon estava sentado no balanço da varanda e olhava para a floresta. O rosto estava inchado, os olhos vermelhos, de luto pela perda de sua mãe. Estava tão imerso em pensamentos que não notou Sara até que ela chegasse na varanda. Ele não se assustou. Apenas olhou para ela. A julgar pelas pálpebras pesadas e pela expressão vítrea dos olhos, tinha fumado mais que o vape naquele dia.

— É um bom lugar para se esconder — falou Sara.

Jon usou a desculpa de colocar o vape de novo nos lábios para enxugar rapidamente as lágrimas.

— Você tem comida suficiente? — perguntou Sara.

Ele assentiu enquanto soprava fumaça no ar.

— Não vou dizer para voltar para casa, mas preciso ter certeza de que está seguro.

— Sim, senhora. — Ele limpou a garganta. — Estou seguro.

Sara percebia o que aquela admissão tinha tirado dele. A mãe de Jon estava morta, e, até onde ele sabia, o pai era o assassino. Ele sentia-se completamente sozinho.

— Você estava na trilha perto do meu chalé agora há pouco? — perguntou Sara.

Ele limpou a garganta de novo.

— O banco de observação foi a última vez... Quero dizer, não a última vez, o último lugar...

Sara viu uma lágrima escorrer pelo rosto dele. Não iria inundá-lo de perguntas, mas sentiu que o garoto precisava de alguém para escutá-lo.

— Você sentou com sua mãe no banco?

O rosto dele pareceu dolorido pela lembrança.

— Ela queria conversar. A gente fazia muito isso quando eu era pequeno. Achei que estava encrencado, mas ela não estava brava. Estava muito triste.

Sara se encostou no guarda-corpo.

— Por que ela estava triste?

— Ela me disse que a tia Delilah estava aqui. — Jon colocou o vape a seu lado sobre o balanço. — Ela me disse para perguntar a Papai o que estava acontecendo. Minha mãe queria que ele me contasse em vez dela. Mas não porque era covarde.

O coração de Sara doeu com o tom protetor da voz dele.

— De qualquer forma, eu fiquei bravo com ela. Depois que falei com Papai, digo. Por que ela queria ficar aqui? Qual era o propósito? Nós poderíamos ir todos para uma casa grande na cidade, e ela poderia fazer as coisas dela, e eu poderia... Não sei. Fazer alguns amigos. Sair com...

Sara ouviu a voz dele se perder de novo.

— É um lugar lindo. Está na sua família por gerações.

— É chato pra caralho. — Ele apoiou o queixo no peito. — Desculpe, senhora.

— Não acho que tenha muita coisa para você fazer aqui.

— Tudo o que tem é trabalho. — Jon usou a ponta do vape para limpar o nariz. — Pelo menos, Pitica começou a me pagar alguns anos atrás. Papai nunca me deu um centavo. Eu nem tinha telefone até Pitica me dar um escondido. Papai dizia que todo mundo com quem eu precisava conversar estava aqui na montanha.

Sara observou enquanto ele brincava com o vape, virando-o de ponta-cabeça.

— Quando você estava no banco com sua mãe, ela disse mais alguma coisa?

— Disse pra eu tirar a noite de folga. Então me disse para levar bebida para a senhora no chalé 7. Só que me esqueci.

Sara se perguntou se ele tinha mesmo esquecido.

— Você bebeu? — A expressão de Jon disse a ela a verdade. — Sinto muito que ela tenha partido. Mercy parecia uma boa pessoa.

Os olhos dele saltaram para ela. Sara percebeu que ele não sabia se ela estava brincando. Jon obviamente não estava acostumado a ouvir Mercy sendo elogiada.

— Não passei muito tempo com sua mãe, mas conversamos um pouco. A única coisa que ficou clara para mim é que ela te amava muito. Ela não estava chateada com a discussão. Acho que, como todas as mães, ela só queria que você fosse feliz.

Jon limpou a garganta.

— Eu disse coisas horríveis para ela.

— É o que os jovens fazem. — Sara deu de ombros quando ele olhou para ela. — Todas aquelas emoções que você sentiu na noite passada são perfeitamente normais. Mercy entendia isso. Eu te prometo que ela não te culpou por ficar bravo com ela. Ela te amava.

As lágrimas de John recomeçaram com força. Ele levou o vape até a boca, então mudou de ideia.

— Ela não queria que eu usasse vape.

Sara não passaria um sermão nele sobre deixar aquilo de lado naquele momento.

— Quando estiver pronto, quero que converse com Will. Ele quer dizer uma coisa a você.

Jon limpou os olhos.

— Ele não está bravo comigo por ter chamado ele de Lata de Lixo?

Sara tinha quase esquecido daquela conversa.

— Nem um pouquinho. Ele ficaria muito feliz por conversar com você.

— Onde está meu... — A voz dele sumiu. — Onde está Dave?

— Ele está no hospital.

Sara escolheu as palavras com cuidado. Sabia que não podia contar a verdade a ele no momento, mas não mentiria.

— Seu pai está bem, mas ficou machucado quando foi preso.

— Ótimo. Espero que ele esteja machucado do jeito que sempre machucou minha mãe.

Sara sentiu a amargura no tom dele. O punho estava fechado em torno do vape.

— Um tempo atrás, ele me disse que provavelmente terminaria morrendo na prisão. Ele queria que eu sentisse pena, mas acho que estava certo, né? Vai acontecer uma hora.

— Vamos falar de outra coisa — disse Sara, tanto pelo bem de Jon quanto pelo seu próprio. — Você tem alguma pergunta sobre o que vai acontecer com sua mãe?

— Papai disse que vamos cremá-la, mas...

Os lábios dele começaram a tremer. Ele virou a cabeça, mirando a floresta.

— Como é isso?

— Cremação? — Sara pensou um pouco na resposta. Nunca baixava o nível da conversa com crianças, mas Jon estava numa posição delicada. — Sua mãe está sendo transportada para a sede do Departamento de Investigação da Geórgia agora. Assim que a autópsia for feita, ela vai ser levada para um crematório. É uma câmara que usa calor e evaporação para transformar o corpo em cinzas.

— Como um forno?

— Mais como uma pira funerária. Sabe o que é isso?

— Sei, senhora. Pitica me deixava assistir *Vikings* no iPad dela.

Jon se inclinou para a frente, colocando os cotovelos sobre os joelhos.

— Vocês não precisam de uma autópsia se já sabem o culpado, certo?

— Ainda precisamos fazer a autópsia. É parte do procedimento. Precisamos coletar provas para estabelecer legalmente a maneira da morte.

Ele pareceu desconcertado.

— Não foi porque ela foi esfaqueada?

— Por fim, sim.

Sara deixou de lado a explicação sobre causa *versus* mecanismo da morte.

— Lembre-se do que eu disse. Isso é parte de um procedimento legal. Tudo precisa ser documentado. As evidências precisam ser coletadas e identificadas. É um processo longo. Posso repassar os passos com você se quiser. Ainda estamos no começo.

— Se meu pai confessasse o assassinato dela, ainda precisaria fazer isso?

Sara sentiu a culpa aumentar por esconder a inocência de Dave. Mesmo assim não se desviou da verdade estrita.

— Jon, sinto muito. Não é assim que funciona. É preciso fazer uma autópsia.

— Não diga que sente muito.

Ele estava chorando de verdade naquele momento.

— E se eu não quiser? Eu sou filho dela. Diga a eles que eu não quero.

— Legalmente, ainda é obrigatório.

— Está brincando comigo? — gritou ele. — Ela já foi esfaqueada até a morte e agora vão cortá-la mais um pouco?

— Jon...

— Como isso é justo?

Ele ficou de pé na frente do balanço.

— Você disse que gostava dela, mas é tão ruim quanto o resto. Ela já não foi machucada o suficiente?

Jon não esperou a resposta. Entrou no chalé e bateu a porta.

Sara quis segui-lo. Ele tinha o direito de saber sobre Dave. Porém, ele também era um garoto de dezesseis anos que estava com raiva e magoado. Em última análise, encontrar a pessoa responsável pelo assassinato da mãe daria a ele alguma sensação de paz. Por enquanto, Sara só poderia garantir que ele tivesse o mínimo. Ele estava protegido. Tinha comida e água. Todo o resto estava fora do controle dela.

Em vez de voltar para seu chalé, ela decidiu procurar o telefone via satélite no quadriciclo. Sara tinha o dever de relatar a morte de Chuck a Nadine. Essa, pelo menos, era uma tarefa que poderia completar. Colocou a dor de Jon no fundo da mente. Repassou os detalhes da cena do crime de Chuck para que o relatório para Nadine fosse sucinto. Analisar o conteúdo do galão de água era fundamental. A motivação também seria um fator importante na acusação. Se a teoria de Sara estivesse correta, o colírio seria listado como causa da morte, mas o mecanismo seria o afogamento e o modo, homicídio. Quaisquer fatores atenuantes seriam decididos pelo júri.

Ela respirou fundo para limpar os pulmões. O chalé 6 apareceu. Um pouco mais adiante ela se viu no complexo, passando pelos outros chalés. Quando chegara com Will, Sara tinha achado a clareira idílica, quase como uma pintura de um livro de histórias. Naquele momento, sentia um grande peso sobre os ombros ao se aproximar da casa principal. Cecil estava sentado na varanda com Pitica a seu lado. Ambos tinham expressões de raiva no rosto. Não era de admirar que Jon não quisesse vir para casa.

— Sara?

Keisha estava de pé à porta aberta do chalé dela. Os braços, cruzados.

— O que está acontecendo? Você precisa tirar a gente desta montanha.

Sara caminhou até ela, tentando engolir o medo. Drew era um suspeito legítimo, e a médica precisava manter a mentira por mais um tempo.

— Sinto muito por não poder ajudá-los. Eu ajudaria se pudesse.

— Há dois quadriciclos lá com quatro assentos cada um. Você poderia nos emprestar um. Levaríamos Monica e Frank. Eles também estão prontos para ir embora.

— Essa decisão não cabe a mim.

— Bem, e a quem cabe a decisão? — perguntou Keisha. — Estamos com medo de ir andando por causa de deslizamentos. Sabe Deus como está a estrada. Não podemos chamar um Uber, não há internet nem telefone. Vocês nos prenderam aqui.

— Vocês não estão tecnicamente presos. Podem ir embora a qualquer hora. Só escolheram não ir embora por motivos válidos.

— Nossa, sempre falou como se fosse casada com um policial ou eu só percebi agora?

Sara respirou fundo.

— Sou legista no Departamento de Investigação da Geórgia.

Keisha pareceu surpresa, então impressionada.

— Sério?

— Sério — respondeu. — Pode me dizer alguma coisa sobre a família de Mercy?

Keisha estreitou os olhos.

— O que quer dizer?

— É a terceira vez de vocês aqui, e conhecem os McAlpine melhor do que nós. A resposta deles à morte de Mercy parece muito reservada.

Keisha cruzou os braços enquanto se encostava no batente da porta.

— Por que eu deveria confiar em você?

Sara deu de ombros.

— Não precisa confiar, mas acho que você se importava com Mercy. Precisamos que o caso contra o assassino dela seja inquestionável. Ela merece justiça.

— Com certeza ela não merecia Dave.

Sara engoliu a culpa. Tinha sido vencida em votação. Mais que isso, ela não era uma agente. Não era um caso para resolver.

— Conhece bem Dave?

— Apenas o suficiente para sentir desprezo. Ele me lembra um ex-marido babaca preguiçoso.

O olhar de Keisha tinha pousado na casa principal. Pitica e Cecil olhavam para elas, mas o casal estava muito longe para ouvir alguma coisa.

— A família sempre foi reservada, mas você está certa. Eles todos estão se comportando de um jeito estranho. Os McAlpine guardam muitos segredos. Imagino que não queiram que sejam revelados.

— Segredos sobre o quê? — Keisha apertou os olhos de novo. — Sendo legista, isso significa que você é policial também? Porque não sei como isso funciona.

Sara voltou para uma abordagem sincera.

— Eu posso testemunhar sobre qualquer coisa que você me diga.

Keisha gemeu.

— Drew não quer que me envolva com isso.

— Onde ele está agora?

— Procurando Peixetopher no galpão de equipamentos, para pedir que ele conserte nossa maldita privada. Está dando problema desde que chegamos, e Drew não sabe a diferença entre uma torneira e o cu dele.

— O que está acontecendo?

— Faz barulho de vazamento.

Sara viu uma maneira de ganhar um pouco da confiança dela de novo.

— Meu pai é encanador e fui ajudante dele em todos os verões. Quer que eu dê uma olhada?

Os olhos de Keisha voltaram para a casa principal, depois de novo para Sara.

— Drew me disse que os policiais não têm o direito de procurar nada sem mandado.

— Ele não está totalmente correto nessa — explicou Sara. — Os McAlpine são donos da propriedade. Em última instância, eles são responsáveis por dar permissão. E se eu topar com alguma coisa no seu chalé, como a arma do crime, então obviamente vou dizer a Will.

— Obviamente.

Keisha pensou naquilo por um segundo, então soltou um gemido alto enquanto abria a porta.

— Não posso ficar presa aqui com esse barulho de vazamento. Desculpe a bagunça.

Sara imaginou que os dois copos e o pacote de biscoitos pela metade na mesa de centro eram a bagunça a que Keisha se referia. O chalé 3 era menor que o 10, mas a mobília era semelhante. Um conjunto de portas francesas na sala oferecia uma vista espetacular. Sara olhou pela porta aberta do quarto. A cama estava feita, ao contrário do que Faith encontraria no chalé de Sara e Will. Havia duas malas esperando ao lado da porta da frente. As mochilas estavam cheias no local onde tinham sido feitas às pressas. Para o alívio de Sara, não havia frascos vazios de colírio Eads Clear na lata de lixo.

— Venha para o fundo. — Keisha andou até o banheiro. Dois grupos de produtos de higiene pessoal estavam alinhados na pia, mas sem colírios. — Você experimentou a bebida aqui?

— Não.

Sara tivera vontade nas últimas doze horas, mas disse:

— Will e eu não bebemos.

— Eu continuaria assim. Monica teve uma noite difícil.

Keisha baixou a voz, embora estivessem sozinhas.

— Vi Mercy falando com a bartender. Tenho certeza de que estavam tentando cortar a bebida dela. Aquela merda é perigosa. Se alguém ficar realmente mal aqui em cima é uma viagem de helicóptero até Atlanta, e o seguro não paga se for você quem serviu.

Sara imaginou que Keisha conhecesse as responsabilidades por causa do negócio de bufê.

— Escutou alguma coisa na noite passada? Um barulho ou um grito?

— Nem a privada vazando.

Keisha parecia exasperada.

— Isso deveria ter sido uma escapada romântica, mas estamos na etapa sexy do casamento em que eu durmo com o ventilador ligado para não precisar escutar a máquina para apneia do sono de Drew.

Sara riu, tentando manter as coisas leves.

— Quando vocês estiveram aqui pela última vez?

— Quando as folhas começaram a brotar. Acho que foi há dois meses e meio, por aí. É lindo naquela época do ano. Tudo está florindo. Fico muito triste por não voltarmos mais.

— Eu também.

Sara não pôde evitar fazer as contas. Drew estaria por aqui bem na janela para a gravidez de Mercy.

— Vocês passaram algum tempo com Mercy?

— Não muito nesta última viagem, porque o lugar estava lotado — respondeu. — Agora, na nossa primeira estada, bebemos com ela depois do jantar umas três ou quatro vezes. Ela bebia água com gás, mas podia ser divertida depois que a tensão ia embora. Sei como é. No setor de serviços, as pessoas estão sempre atrás de você. O dia inteiro, todos os dias, você é afogado por coisinhas. Mercy entendia esse sentimento e relaxava com a gente. Fico feliz porque pudemos proporcionar isso a ela.

— Aposto que ela gostava disso — concordou Sara. — Nem imagino como deve ser solitário aqui em cima.

— Não é? — disse Keisha. — Ela só tinha o irmão e aquele esquisito do amigo dele.

— Você notou alguma coisa entre Mercy e Chuck?

— A mesma coisa que você viu ontem à noite — respondeu Keisha. — Chuck estava aqui quando viemos pela primeira vez. Acho que na segunda vez todos os chalés estavam ocupados, então ele dormiu na casa. Papai não estava feliz com aquilo. Nem Mercy, pensando bem. Ela disse alguma coisa sobre colocar uma cadeira na porta.

— Isso é estranho.

— Eu sei, mas você sabe como as pessoas brincam com esse tipo de coisa.

Sara sabia. Muitas mulheres usavam humor mórbido como talismã para minimizar o medo de agressão sexual.

— Por que Papai não gosta de Chuck?

— Precisa perguntar para ele, mas duvido que haja uma só razão — disse Keisha. — Sendo sincera, Papai não tem meio-termo. Ele ama ou odeia a pessoa. Eu odiaria estar do lado errado. Ele é um homem duro.

— Teve a oportunidade de conversar com Chuck?
— Sobre o que eu falaria com ele?
Sara sentia a mesma coisa.
— E Christopher?
— Acredite ou não, ele é agradável. Depois que você se acostuma com a timidez dele, é uma companhia fácil. Não para tomar uma bebida, mas, como guia, ele sabe das coisas. Aquele cara ama pescar. Pode dizer qualquer coisa sobre a água, os peixes, o equipamento, a ciência, o ecossistema. Ele me deixava entediada, mas Drew ama esse tipo de coisa. É bom para ele sair um pouco da casca de vez em quando. É por isso que estou tão triste que este lugar esteja arruinado para nós. Duvido que vão conseguir seguir sem Mercy.
— Christopher não pode gerenciar o negócio?
— Você teve a oportunidade de ver o galpão de equipamentos dele?
Ela esperou que Sara concordasse.
— Drew chama de Palácio do Peixe. Tudo bonitinho e arrumado no lugar certo, e isso é bom, porque deixa Peixe feliz, mas não dá para gerenciar um negócio assim, a não ser que você seja o único funcionário. As pessoas são imprevisíveis. Têm a tendência de fazer o que querem. As coisas ficam loucas de uma hora para a outra. Você precisa equilibrar um monte de pratos, ficar desesperada para pagar os funcionários, lidar com fregueses que enchem o saco o dia inteiro e, no meio disso, a van quebra ou a privada começa a vazar. Você precisa seguir com toda essa merda ou cair fora.
Sara conhecia a pressão. Tivera um consultório pediátrico.
— Uma vez, Drew foi ao galpão para colocar a vara de pescar de volta no lugar, tentando ser bacana e ajudar, certo? E Peixetopher veio correndo atrás dele, todo agitado, porque queria ter certeza de que tinha colocado do modo *correto*.
Ela balançou a cabeça com a lembrança.
— O único negócio que ele consegue gerenciar é pescaria pela manhã e beber uísque à noite.
Sara se lembrou da tatuagem de Chuck.
— Ele gosta de uísque?
— Não sei do que eles gostam, e não dou a mínima. Assim que sair desta montanha, nunca mais volto.
Sara achou interessante que a pergunta tinha sido sobre Christopher, mas Keisha tinha incluído Chuck também.
— E minha privada? — perguntou Keisha. — Você descobriu o que é o barulho de vazamento?
Sara descobrira que Keisha sabia mais do que estava dizendo.

— Provavelmente é a aba de borracha ao redor da válvula de descarga. Ela pode se desgastar com o tempo e deixar a água vazar. Se eles não tiverem uma peça sobressalente, você pode se mudar para um dos chalés vazios.

— Já falei para Drew que a gente deveria mudar, mas ele não me escuta. Disse que ficaríamos aqui, no mesmo chalé em que sempre ficamos. Sabe como os homens podem ser.

— Sei.

Sara levantou a tampa do tanque de água e teve a sensação de que tinha levado um chute no estômago. Ela estava certa sobre a fonte do vazamento, mas errada a respeito do desgaste da aba.

Uma peça de metal impedia a vedação da borracha. Estava preso a um pedaço de plástico vermelho com uns dez centímetros de comprimento e seis milímetros de espessura.

Ela encontrara o cabo quebrado da faca.

17

WILL OBSERVOU O PAPEL térmico sair do aparelho de fax portátil como uma lesma se espremendo por uma máquina de fazer macarrão. O mandado de busca para o complexo finalmente chegara.

— Certo. — Ele posicionou o telefone via satélite na orelha, dizendo a Amanda: — Está imprimindo.

— Ótimo. Quero que termine com isso em uma hora.

Will teria rido se não fosse o fato de que ela poderia tornar a vida dele um inferno.

— Faith ainda está com Sara, mas elas devem voltar logo. Pedi a Penny, a faxineira, para arrumar o chalé 4, assim teremos privacidade nos depoimentos. Kevin está vigiando o corpo no freezer. Os funcionários da cozinha, provavelmente, viram quando o colocamos lá, mas estão enrolados na preparação da refeição. Acho que vamos conseguir manter a morte de Chuck em segredo, pelo menos até o jantar.

— Ainda estou tentando rastrear o arquivo da acusação de agressão contra Drew Conklin — disse ela. — E a família?

— A hora deles está chegando. — Will começou a andar na direção da pilha de madeira. Ele queria vê-la sob a luz do dia. — Estava evitando os pais enquanto esperava pelo mandado. Não sei onde está Christopher. Vou mandar Kevin atrás dele assim que ele voltar. Jon ainda está sumido. Acho que Sara vai sair para procurá-lo de novo. O Subaru da tia está no estacionamento, então ela deve ter voltado para a casa.

— Há mais para ser tirado da tia.

— Concordo.

Will ficou na frente da pilha imensa de madeira. Havia carvalho rachado suficiente para durar o inverno todo.

— Dei uma olhada no chalé de Chuck. Está uma bagunça, mas nada de interessante. Nada de roupas com sangue. Nada de faca quebrada. Não tinha nem colírio. O que não é surpresa. Entrei em todos os chalés depois do assassinato procurando Dave. Se não vi nada naquele momento, não vou encontrar nada agora.

— Acharia surpreendente saber que o sr. Weller tinha duzentos mil dólares em uma conta?

— Cristo.

Will precisara tirar dinheiro do fundo de emergência para pagar a lua de mel.

— Eu meio que vejo como Christopher teria juntado dinheiro. Ele não tem contas para pagar. Mas qual a história de Chuck?

— Muito parecida com a de Christopher. Pagou o débito estudantil há um ano, quase na mesma semana. Ele tem licença de pesca, carteira de motorista e dois cartões de crédito que paga regularmente. Não tem parente que eu consiga localizar. E, como acontece com Christopher, isso parece um dinheiro inesperado recente. Eu fucei tudo até dez anos atrás. Os dois eram cheios de dívidas até há um ano.

— Precisamos ver os impostos deles.

— Dê uma razão e lhe dou uma intimação.

— Mercado de ações? Raspadinhas?

— Eu olhei, nada.

— O dinheiro precisa ser legal. Não colocariam no banco se não tivessem pagado o imposto.

Will andou ao longo das pilhas de madeira. Uma delas parecia diferente das outras.

— O que Chuck fazia para ganhar a vida?

— Não achei nada sobre isso. Pelas redes sociais, parece que ele passava o tempo pagando dançarinas em clubes de striptease.

Will prendeu o telefone com o ombro para liberar a mão.

— Não há registro de emprego em lugar algum?

— Nada — respondeu ela. — Ele aluga um lugar num condomínio em Buckhead. Estamos no processo de execução de uma busca. Talvez a gente encontre algum parente ou documentos relacionados a emprego lá.

— Procure colírio Eads Clear.

— O assassino pode ter usado uma marca diferente. Deixei em aberto no seu mandado de busca.

— Ótimo.

Will pegou um pedaço de castanheira. O grão era fechado. Uma escolha cara para ir para o fogo.

— Já vasculhei todos os sacos de lixo. Não achei nada.
— Como conseguiu com uma mão só?

Will tinha se sentido um bebê quando pediu ajuda a Kevin para colocar a luva.

— Dei um jeito.
— Quantas garrafas está procurando?
— Não sei.

Will passou o dedo por um pedaço de bordo. Outra escolha cara.

— Quero falar com Sara, mas acho que me lembro de um caso em que um cara estava usando colírio como droga para cometer estupro.

— Se o sr. Weller estava usando o colírio nas mulheres, por que usaria nele mesmo?

— Não posso responder a isso no momento.

Will bateu num pedaço de acácia. Era macia e seca pela exposição ao tempo, não era o tipo de coisa que você queria na lareira.

— O que você sabe sobre madeira? — perguntou ele.
— Mais do que gostaria. No passado trabalhei em um caso de agressão sexual contra um carpinteiro.

Will não pediu detalhes.

— Tenho a impressão de que Christopher e Chuck tinham um trabalho por fora. E Mercy era importante para a operação. A tia me disse que os dois caras estavam perto da pilha de madeira quando ela entrou de carro.

— Descubra por quê — disse Amanda. — O tempo está passando.

A linha ficou muda. Will tinha que reconhecer. Ela sabia como terminar uma conversa.

Ele prendeu o telefone na parte de trás da calça. Ajoelhou-se na frente dos troncos empilhados. Tudo menos uma seção era carvalho. Por que estavam armazenando madeira cara? Que tipo de negócio renderia aos bolsos de Chuck e Christopher duzentos mil para cada um? E por que Mercy não era paga?

— Will? — A voz de Sara parecia tensa.

Ele ficou de pé. Faith não estava por perto.

— Qual o problema?
— Encontrei o cabo quebrado da faca na privada de Keisha e Drew.

Will a encarou.

— O quê?
— Keisha me disse que a privada estava vazando, então olhei e...
— Ela sabe que você viu?
— Não. Coloquei a tampa de volta e disse que ela precisava falar com Christopher.

— Onde está Drew?

— Foi para o galpão de equipamentos procurar Christopher.

— Você o viu? Onde está Faith? — Tudo o que ele conseguiu pensar em fazer foi se colocar fisicamente entre Sara e o chalé de Drew. — O que você estava fazendo lá sozinha?

— Will — disse. — Olhe para mim. Estou bem. Podemos falar disso depois.

— Porra.

Will pegou o telefone e apertou o botão de comunicação.

— Faith, pode vir até aqui?

Houve estática, então a agente respondeu:

— Estou indo na direção da casa principal. Onde está Sara?

— Comigo. Venha rápido.

Ele apertou o botão de novo.

— Kevin, pode vir?

— Estou bem aqui.

Kevin ia na direção deles. Estava coberto de lama e detritos por ter levado o corpo de Chuck pela trilha.

— O que está acontecendo?

— Preciso que localize Drew. Ele deve estar no galpão de equipamentos com Christopher. Fique de olho nele. Não se aproxime. Ele pode estar armado.

— Entendi.

Kevin saiu num passo rápido.

— Will — disse Sara. — Keisha me disse que a última vez em que eles estiveram aqui foi há dois meses e meio.

Ele não precisou de um lembrete.

— Na época em que Mercy ficou grávida.

— O que está rolando?

Faith tinha passado por Kevin enquanto cruzava o complexo. Segurava a Glock e vestia um calça preta larga.

— Sara, para onde você foi? Eu queria dar uma olhada no mapa.

Will disse a ela:

— Precisamos proteger o chalé 3. O cabo quebrado da faca está na caixa de descarga da privada de Keisha e Drew.

Faith não fez perguntas. Começou a correr na direção do chalé, a Glock ao lado do corpo.

Will a acompanhou.

— Há um par de portas francesas na parte de trás.

— Vou para lá. — Faith se afastou.

Will observou a área, verificando janelas e portas para se certificar de que ninguém os surpreenderia. Ele sabia que a porta da frente não estaria trancada. Entrou sem bater.

— Merda!

Keisha pulou do sofá.

— Que porra é essa, Will?

A mesma reação que ela teve antes, mas dessa vez, Will sabia exatamente o que estava procurando.

— Fique aqui.

— O que quer dizer com isso?

Keisha tentou segui-lo para os fundos, mas Faith a impediu.

— Quem é você?

— Sou a agente especial Faith Mitchell.

Will tirou uma luva do bolso enquanto se aproximava da privada, uma barreira entre os dedos e a porcelana para levantar a tampa.

O cabo quebrado da faca estava exatamente onde Sara tinha dito. Um pedaço fino de metal impedia a vedação da aba ao redor da válvula. O que não fazia sentido. Se Drew tinha colocado o cabo no tanque da privada, por que estava procurando Christopher para consertar o vazamento?

Ou Drew tinha ficado preocupado com uma busca nos chalés e manipulado a privada com inteligência para parecer que não tinha sido ele quem escondeu o cabo da faca?

Will não tinha certeza de nada, a não ser de que o assassino gostava de água. Mercy tinha sido deixada no lago. Chuck tinha morrido no riacho.

— Will! — gritou Keisha. — Me diga que porra está acontecendo.

Ele colocou cuidadosamente a tampa da caixa de descarga no tapete ao lado da banheira. Faith estava bloqueando Keisha quando ele voltou para a sala.

— Proteja a prova — pediu a Faith.

— Que prova? — perguntou Keisha. — Por que estão fazendo isso?

— Preciso que venha para o chalé ao lado comigo.

— Não vou para lugar algum com você — retrucou Keisha. — Onde está meu marido?

— Keisha — disse Will. — Ou vem por vontade própria ou terei que carregá-la até lá.

O rosto dela ficou cinza.

— Não vou falar com você.

— Entendo — disse. — Mas preciso que vá ao outro chalé para que possamos vasculhar suas coisas.

Keisha contraiu a mandíbula. Parecia furiosa e amedrontada, mas saiu para a varanda.

Sara estava parada no meio do complexo. Will sabia por que ela estava lá. Ela queria encarar Keisha, dar a ela a chance de gritar com a pessoa que tinha causado aquilo. Will não se importava com os sentimentos de traição de Keisha. Queria Sara fora desta montanha o mais rápido possível.

— Por aqui.

Will conduziu Keisha até o chalé 4. Ela olhou de volta para Sara antes de subir a escada. Abriu a porta. O local era exatamente como o 3. Mesmo desenho. Mesma mobília. Mesmas janelas e portas.

— Sente-se no sofá, por favor — disse Will.

Keisha sentou com as mãos entre os joelhos. A raiva tinha ido embora. Ela estava visivelmente abalada.

— Onde está Drew?

— Meu colega está atrás dele.

— Ele não fez nada, certo? Ele está cooperando. Nós dois estamos cooperando e seguindo ordens. Estamos obedecendo. Certo? Sara, ouviu isso? Estamos obedecendo.

Will sentiu o estômago revirar ao ver Sara.

— Eu ouvi — falou Sara. — Vou ficar com você até que a gente resolva isso.

— Claro, bem, eu cometi o engano de confiar em você, e olhe onde estou agora.

Keisha colocou a mão sobre a boca. Lágrimas escorriam dos olhos dela.

— Que porra aconteceu? Nós viemos para cá para ficar longe dessa merda.

Will observou Sara sentar em uma das poltronas de couro. Ela olhava para ele como se quisesse orientação, quando a orientação dele tinha sido para que ela ficasse lá fora.

De repente, houve uma explosão de estática:

— Will, está me ouvindo?

Ele alcançou o telefone. Não tinha opção a não ser sair para a varanda. Deixou a porta aberta para poder ficar de olho em Keisha.

— O que é?

— Os indivíduos estão pescando em uma canoa no lago. Não me viram — respondeu Kevin.

Will bateu o telefone no queixo. Pensou em todas as ferramentas a que Drew teria acesso no barco, incluindo facas.

— Mantenha distância, fique de olho neles, me avise se alguma coisa mudar.

— Will?

Faith subiu até a varanda. Segurava um saco de evidência com o cabo quebrado da faca dentro.

— Não tem nada nas malas e mochilas deles. O chalé estava limpo. Quer que tranque isso no quadriciclo?

— Traga para dentro.

Keisha estava ereta sentada no sofá quando Will entrou de volta na sala. Os olhos dela foram para a arma dele, depois para a de Faith. As mãos dela tremiam. Estava claramente apavorada porque a tinham levado para dentro do chalé longe de testemunhas, para poderem machucá-la.

Will pegou o saco de provas e fez um gesto para que Faith saísse. Ela deixou a porta escancarada, assim poderia ficar na varanda e escutar. Ele sentou na outra poltrona, o que não teria sido sua escolha, mas Sara estava mais perto de Keisha. Colocou o saco plástico de provas sobre a mesa.

Keisha olhou para o cabo.

— O que é isso?

— Estava no tanque da sua privada.

— Isso é um jogo de criança ou… — Ela se inclinou para a frente. — Não sei o que é isso.

Will olhou para o cabo plástico vermelho com um pedaço fino de metal curvado saindo da ponta quebrada. Se você não soubesse para o que estava olhando, poderia confundir com um apetrecho de cozinha ou um brinquedo antigo.

— O que acha que é? — perguntou Will.

— Eu não sei!

A voz dela falhou em desespero.

— Por que está me perguntando sobre isso? Vocês pegaram o assassino. Todos nós sabemos que você prendeu Dave.

Will imaginou que era uma boa hora para dizer a verdade:

— Dave não matou Mercy. Ele tem um álibi.

As mãos de Keisha tremiam sobre sua boca. Ela parecia estar a ponto de vomitar.

— Keisha… — disse Will.

— Jesus Cristo — sussurrou ela. — Drew me disse para não falar com vocês.

— Pode escolher não falar — respondeu Will. — É um direito seu.

— Vocês vão nos ferrar de qualquer jeito. Puta merda. Não acredito que isso está acontecendo. Sara, que porra é essa?

— Keisha… — Will não queria que ela falasse com Sara. — Vamos tentar esclarecer isso.

— Que porra você está falando? — gritou ela. — Pensa que não sei quantos idiotas estão apodrecendo na cadeia porque os policiais disseram que eles precisavam esclarecer as coisas?

Will não disse uma palavra sequer. Felizmente, nem Sara.

— Jesus. — Keisha voltou a colocar a mão sobre a boca. Ela olhou para o saco em cima da mesa. Tinha finalmente entendido. Sabia que era parte da arma do crime. — Nunca vi isso antes, certo? Nem eu, nem Drew. Nenhum de nós. Me diga como sair dessa, certo? Nós não fizemos isso. Nenhum de nós tem nada a ver com isso.

— Quando ouviu a privada vazando pela primeira vez? — perguntou Will.

— Ontem. Estávamos tirando as roupas das malas e ouvimos pingar, então Drew foi procurar Mercy. Ela ficou chateada porque Dave deveria ter consertado a privada antes que a gente chegasse.

Will a ouviu engolindo. Ela estava apavorada.

— Mercy nos disse para sair para uma caminhada enquanto ela cuidava disso, então fomos para a Trilha Juiz Cecil para olhar para o vale. Quando voltamos, estava consertada.

— Mercy ainda estava aqui?

— Não. Não a vimos de novo até os coquetéis.

— Quando você notou o barulho na privada de novo?

— Hoje de manhã — respondeu. — Fomos tomar café da manhã e… foi quando aconteceu, não foi? Alguém colocou essa coisa na nossa privada. Estão tentando nos incriminar.

— Quem mais estava no café da manhã?

— Hum… — Ela pressionou a cabeça, tentando lembrar. — Frank e Monica já estavam comendo quando chegamos, mas eles foram embora antes da gente. E os caras, os caras do aplicativo. Sabia que o nome dele é Paul?

— Sabia.

— Eles só chegaram quando estávamos indo embora. Estão sempre atrasados. Atrasaram para os coquetéis ontem à noite também. Lembra?

— E a família?

— Eles nunca vêm para o café da manhã. Pelo menos, que eu tenha visto.

Ela se virou para Sara.

— Por favor, me escute. As portas estão sempre destrancadas. Você sabe que não tivemos nada a ver com isso. Qual poderia ser nosso motivo?

— Mercy estava grávida de doze semanas — falou Will.

O queixo de Keisha caiu.

— Quem era…

Will ouviu os dentes dela baterem quando fechou a boca. Ela olhou para Sara com uma expressão de traição furiosa.

— Você me enganou.

— Enganei — disse Sara.

— Keisha.

Will chamou a atenção de volta para si.

— Drew foi condenado por agressão.

— Isso faz doze anos — disse Keisha. — Meu ex, Vick, ficava me ferrando, aparecendo no trabalho, mandando mensagem. Disse a ele para parar, então ele apareceu bêbado na nossa casa. Tentou me pegar pelo braço. Drew o empurrou para trás, e Vick caiu pela escada. Bateu a cabeça. Estava bem, mas insistiu em ir para o hospital, fez um alarde. Foi só isso. Podem verificar.

Will esfregou o queixo. A história parecia crível, mas, até aí, Keisha estava desesperada para que acreditassem nela.

— Drew ficou sozinho com Mercy alguma vez?

— Você quer que eu diga sim, não quer? — O desespero deixava a voz dela esganiçada. — E se eu vi Dave ontem à noite? Ele estava andando na trilha, certo? Eu posso jurar sobre uma pilha de Bíblias.

— Certo — disse Will, embora não acreditasse nela.

— Dave batia em Mercy. Vocês dois sabem disso. Seja qual for o álibi dele, pode ser eliminado, não pode? Então, se eu o vi na trilha antes que ela fosse assassinada...

Keisha ficou de pé, então Will também ficou.

— Jesus Cristo, só preciso me mexer. Para onde eu iria?

Ele a observou andar pela pequena sala até que Sara chamou sua atenção. Percebeu que ela estava em conflito. Também percebeu que a presença dela o distraía. Keisha estava com raiva e chateada. Will não precisava se preocupar com Sara. Precisava que toda a sua atenção fosse dirigida à possível cúmplice do assassinato.

— Me diga o que dizer — implorou Keisha. — Só me diga o que dizer e vou dizer.

— Keisha. — Will esperou que ela olhasse para ele. — Quando eu trouxe todos para fora do complexo para dizer que Mercy estava morta. Você se lembra do que aconteceu?

— O quê? — Ela parecia perplexa. — Claro que me lembro do que aconteceu. Do que está falando?

— Drew disse uma coisa a Pitica.

O olhar dela se fixou no dele, mas ela não disse nada.

Will continuou:

— Drew disse a Pitica: "Esqueça aquele outro negócio. Faça o que quiser aqui. Não nos importamos".

Keisha cruzou os braços. Era um exemplo típico de alguém que tinha algo a esconder.

— O que Drew quis dizer? — perguntou Will. — O que era o outro negócio?

Ela não respondeu à pergunta. Estava procurando uma saída.

— Podemos fazer uma troca, certo? É assim que funciona?

— Assim que funciona o quê?

— Você precisa de alguém para colocar a culpa. Por que não Chuck? — Ela estava realmente fazendo aquela pergunta. — Ou um dos caras do aplicativo? Ou Frank? Deixe Drew em paz.

— Keisha, não é assim que eu trabalho.

— É o que diz cada policial corrupto.

— Tudo o que quero saber é quem matou Mercy.

— Chuck tem o motivo — disse Keisha. — Você viu como ele apavorava Mercy. Nós todos vimos. Quer saber quem estava aqui há dois meses e meio? Chuck. Ele sempre está aqui. Ele é esquisito para caralho. Sara, você sabe do que estou falando. O cara tem uma vibração de estupro. As mulheres percebem. Pergunte agora mesmo para sua parceira. Melhor ainda, deixe ela sozinha com Chuck num cômodo por cinco minutos e ela vai perceber sozinha.

Will gentilmente mudou o rumo da conversa.

— O que está tentando trocar?

— Informação — respondeu. — Algo que dá um motivo, que dá a Chuck um motivo.

Will não diria o que tinha acontecido com Chuck, mas tinha aprendido havia muito tempo que as pessoas eram atraídas por enigmas. Mesmo quando a solução não era necessariamente benéfica para elas.

— Tanto Chuck quanto Christopher tinham duzentos mil no banco.

— Está me zoando? — Keisha parecia chocada. — Jesus, eles estavam aprontando alguma.

— O que estavam aprontando?

— Não. — Ela começou a balançar a cabeça. — Não vou dizer outra palavra até que Drew esteja do meu lado. Ileso. Você entende?

— Keisha...

— Não, senhor. Nem mais uma palavra.

Ela sentou no sofá, apertando os braços na cintura, olhando para a porta como se estivesse rezando para que o marido entrasse.

— Keisha — tentou Will de novo.

— Se eu pedir um advogado, se eu fizer esse pedido, você precisa parar de me fazer perguntas, certo?

— Certo.

— Então não me faça pedir um advogado.

Will cedeu.

— Minha parceira vai entrar para sentar com você.

— Não — disse Keisha. — Para onde eu iria, cara? Já teria caído fora desta montanha se pudesse. Não preciso de uma porra de babá.

— Se você quer fazer um acordo, então precisa manter em segredo o que eu disse sobre a gravidez de Mercy — avisou Will.

— E você precisa cair fora da minha frente.

Will abriu a porta. Faith ainda estava na varanda. Ambos olharam Keisha entrar no chalé dela.

— O que acha? — perguntou a parceira a Will.

Ele balançou a cabeça em negação. Não sabia o que pensar.

— Christopher e Chuck estavam em um negócio com Mercy. Drew sabia. Agora Chuck e Mercy estão mortos.

— Então vamos falar com Christopher e Drew?

Ele assentiu.

— Kevin já está perto do lago. Quer vir?

— Quero endireitar este mapa. Alguma coisa não está certa no tempo.

Will já tinha visto o que Faith podia fazer com uma linha do tempo.

— Eu te aviso se precisarmos de você.

Ele segurou a porta aberta para Sara. Ela foi até a varanda. Ele sentiu os dentes cerrados enquanto a seguia em direção à Trilha Circular. A caminhada até a casa levaria cerca de dez minutos. Aproveitaria o tempo para explicar por que ela precisava ficar na dela. Tinha sido uma distração enquanto ele interrogava Keisha. Will não poderia deixar aquilo acontecer novamente.

Sara estava alheia ao que estava por vir. Caminhou até a Trilha Circular, apontando para o chalé 5. Paul e Gordon estavam em lados opostos da rede na varanda da frente. Gordon acenou para eles. Paul bebia direto de uma garrafa.

A porta do chalé 7 se abriu com um rangido. Monica saiu, semicerrando os olhos por causa do sol. Vestia uma camisola preta e segurava um copo, provavelmente com álcool, porque Sara estava certa sobre beber ser a única coisa a fazer por ali.

Sara mudou o trajeto. Foi na direção de Monica, perguntando:

— Como você está?

— Melhor, obrigada. — Monica olhou para o copo na mão. — Você estava certa. Isso amenizou a coisa.

— Você se importa se eu experimentar?

Monica pareceu tão surpresa quanto Will, mas passou o copo para Sara de qualquer modo.

Ele a observou tomando um gole.

— Isso queima.

— Você acostuma.

Monica soltou um riso triste.

— Não ouça conselhos meus sobre beber. Preciso me desculpar com vocês dois pelo meu comportamento ontem à noite. E hoje de manhã. O tempo inteiro, na verdade.

— Você não tem por que sentir culpa. — Sara passou o copo para ela. — Ao menos, não no que nos diz respeito.

Will não estava tão certo sobre aquilo.

— Preciso perguntar a respeito da noite passada, um pouco antes da meia-noite — disse ele a Monica.

— Se eu ouvi alguma coisa? — perguntou Monica. — Estava desmaiada na banheira quando o sino tocou. Achei que fosse o alarme de incêndio. Não conseguia encontrar o Frank.

Will sentiu os dentes cerrarem.

— Onde ele estava?

— Acho que estava sentado na varanda de trás, tirando um tempo das minhas palhaçadas. Ele entrou pelas portas francesas em pânico.

Monica balançou a cabeça com tristeza.

— Honestamente não sei por que ele fica comigo.

Will estava mais preocupado com o álibi de Frank. Aquela era a segunda vez que ele mentia.

— Onde está Frank agora?

— Ele desceu para o salão de jantar para pegar refrigerante de gengibre. Meu estômago ainda não está bom.

Will imaginou que Frank fosse voltar com a notícia da morte de Chuck, o que traria seu próprio conjunto de problemas.

— Diga que preciso falar com ele.

Monica assentiu e, dirigindo-se a Sara, disse:

— Obrigada pela ajuda. De verdade.

Sara apertou a mão dela.

— Me avise se precisar de mais alguma coisa.

Will seguiu Sara de volta à Trilha Circular. Estava feliz porque ela ia em um ritmo mais rápido dessa vez. Ela não estava dando um passeio. Will trabalhou para colocar um plano em mente. Deixaria Sara no chalé deles e depois rumaria até o lago. Entraria em contato com Kevin e elaboraria uma abordagem para Drew e Christopher, porque, não importava o que Keisha dissesse, o marido não estava totalmente descartado. Estava claro que ele sabia sobre o *negócio*. O cabo da faca fora encontrado no banheiro dele. Drew tinha invocado seus direitos de imediato, o que era, tecnicamente, seu direito, mas Will também tinha o direito de suspeitar.

A melhor coisa a fazer era separar Christopher e Drew. Kevin poderia levar Drew para o galpão dos barcos. O homem, provavelmente, chamaria um advogado de novo. Will poderia manter Christopher no galpão de equipamentos. O irmão de Mercy não era tão sofisticado quanto Drew. Ficaria com medo de que o outro abrisse a boca. Will diria a ele que passarinho que acorda cedo come a minhoca. Com sorte, Christopher entraria em pânico e não perceberia até que fosse tarde demais que deveria ter ficado de boca fechada.

Will enfiou a mão no bolso e observou Sara caminhar à sua frente. Precisava ter certeza de que ela ficaria no chalé, o que significava que teria que ter uma conversa um tanto desconfortável até chegarem lá.

— Você não deveria estar no mesmo cômodo que Keisha e eu. Eu estava conduzindo um depoimento e você me desconcentrou — disse.

Sara olhou para ele.

— Desculpe. Não pensei nisso. Você está certo. Vamos falar disso no chalé.

Will não esperava que fosse tão fácil, mas aceitou a vitória.

— Você precisa fazer as malas. Quero que saia desta montanha antes de anoitecer.

— E eu quero que sua mão não infeccione, mas aqui estamos nós.

Aquilo era mais do que ele estava esperando.

— Sara…

— Tenho antibiótico no chalé. Podemos falar…

— Minha mão está bem.

A mão o matava.

— Não é só a respeito de você estar no mesmo ambiente. Eu te disse para ficar com Faith, e você fugiu sozinha. O que estava fazendo falando sozinha com Keisha? E se Drew tivesse aparecido? Esqueça Mercy e Chuck. Ele tem passagem por agressão.

Ela parou no meio da trilha e olhou para ele.

— Algo mais?

— Sim, e você bebendo no meio do dia? É algo que vai começar a fazer?
— Jesus — sussurrou ela.
— Jesus você.
Will sentiu um traço de álcool no hálito dela.
— Você está com cheiro de fluido de isqueiro.
Sara apertou os lábios. Ela esperou. Quando ele ficou em silêncio, perguntou:
— Terminou?
Will deu de ombros.
— O que tem mais para falar?
— Quando eu *fugi sozinha*, encontrei Jon. Ele está no chalé 9, que fica ali. Não quero que ele escute o que tenho a dizer.

Will olhou por cima da cabeça dela. Ele via o teto de ripas inclinado entre as árvores.

— Eu vasculhei o chalé hoje de manhã quando estava procurando Dave. Jon deve ter entrado depois que fui embora.

Sara não comentou. Começou a descer a trilha. Will seguiu atrás dela de novo. Ele se perguntou se Jon ainda estava no chalé e, em caso afirmativo, o quanto tinha escutado. Will só tinha levantado a voz por causa do álcool. Ele sabia que era muito tenso em relação a bebidas. Contudo, foi estranho Sara ter tomado um gole do copo de Mônica. O que o fez se perguntar o que Sara queria dizer quando disse a Will que não queria que Jon ouvisse o que ela tinha a dizer.

Ele não precisou esperar muito. Sara parou a alguns metros do chalé deles.
— O negócio por fora em que Mercy, Christopher e Chuck estão envolvidos. Quais são suas teorias?

Ele ainda não tinha chegado a teorias.
— A propriedade é cercada por uma floresta estadual e uma nacional. Talvez retirada ilegal de madeira?
— Madeira?
— A pilha tem madeira de árvores caras, castanheira, bordo, acácia.
— Certo, isso faz sentido.

Sara assentia com a cabeça.
— Os caras do aplicativo me disseram que o bourbon tinha gosto de terebintina. Monica está bebendo uísque de luxo, mas tem gosto e cheiro de fluido de isqueiro. Ela estava beirando o envenenamento alcóolico na noite passada, mas Frank e Monica ficaram surpresos porque normalmente ela não passa tão mal. E, há vinte minutos, Keisha me perguntou se eu tinha experimentado a bebida. Ela me avisou para não beber, fez um discurso sobre responsabilidade se um hóspede precisa ser retirado por helicóptero da montanha.

Will se sentiu cego por não ter juntado as coisas antes.

— Acha que o negócio do qual Chuck e Christopher estavam falando é venda de bebida de contrabando.

— Keisha e Drew dirigem um negócio de bufê. Eles notariam se a bebida estivesse estranha. Talvez tenham mencionado a Papai e Pitica. Algumas marcas caras têm sabores defumados. Carvalho, algaroba...

— Castanheira, bordo, acácia?

— Isso.

Will continuou voltando à conversa que tinha escutado na trilha atrás do salão de jantar.

— Chuck disse a Christopher: "Muita gente depende de nós". Amanda disse que as redes sociais de Chuck o colocam em vários clubes de striptease.

— Onde normalmente há consumação mínima de duas bebidas.

— Acha que Drew foi falar com Pitica porque eles queriam uma parte? — perguntou Will.

— Acho que não — disse Sara. — Talvez esteja dando demais o benefício da dúvida a eles, mas Keisha e Drew adoravam ficar aqui. Parece mais provável que estivessem tentando impedir. Keisha sinalizou a responsabilidade. Ela me alertou para não beber. Não a vejo entrando em algo que sabe que poderia causar mortes. Além disso, pense no que ela falou sobre negociar informações. Ela não iria largar Drew. Estava largando o contrabando.

— A verificação de crédito deles não apontou problemas. Não estão cheios de dinheiro.

Will esfregou o queixo. Ainda estava deixando de ver alguma coisa.

— O que não está se encaixando é: por que matar Mercy e Chuck se poderia matar Drew?

— Quem gosta de motivo financeiro é você — disse Sara. — Sem Mercy e Chuck, Christopher fica com todo o dinheiro que juntaram, além do mais, fica com o negócio para si. Então, ele prende Drew com uma acusação de assassinato.

Will tirou o telefone, apertou o botão de comunicação.

— Kevin, atualizações?

— Só dois caras sentados no lago bebendo umas cervejas.

Will percebeu a expressão preocupada de Sara. A água de Chuck tinha recebido algum tipo de veneno, e agora o cara com mais acesso a Chuck tinha servido uma cerveja para Drew.

— Kevin, tente impedi-los de beber qualquer coisa, mas não deixe que eles percebam que está fazendo isso.

— Entendido.

Will preparou-se para sair, mas então se lembrou de Sara.

— Vá — disse ela. — Eu vou ficar aqui.

Will prendeu o telefone no cinto enquanto corria em direção ao lago. Passou pela bifurcação e pelo banco de observação. Não sabia muito sobre bebidas alcoólicas, mas sabia tudo sobre as leis estaduais e federais que restringiam a fabricação, o transporte, a distribuição e a venda não licenciada. A pergunta que mais precisava responder era como eles estavam fazendo aquilo. Testar as garrafas de bebida na propriedade levaria semanas. Estavam substituindo produtos de primeira qualidade por versões baratas, o que lhes custaria a licença para comercializar bebidas alcoólicas e uma multa pesada? Ou eles mesmo estavam fazendo a bebida, o que violava todos os tipos de leis estaduais e federais?

Will desceu pelo atalho em direção ao galpão. Via o lago à frente. Havia duas cadeiras de jardim vazias, cada uma com uma lata de cerveja no porta-copos de plástico. Kevin estava deitado no chão, segurando a perna. Christopher e Drew estavam de pé ao lado dele. O coração de Will parecia ter sido sugado por uma mangueira de vácuo, mas então ele percebeu que Kevin havia encontrado uma maneira de evitar que os homens bebessem.

Kevin aceitou a ajuda de Will.

— Desculpem, caras, eu tenho cãibras muito fortes na perna.

Drew parecia cético.

— Peixe, vou voltar. Obrigado pela cerveja.

Christopher fez um gesto com o chapéu enquanto Drew seguia na direção da trilha. Will fez um gesto de cabeça para que Kevin o seguisse. Drew não ficaria feliz quando Keisha contasse a ele que havia falado com Will.

— E aí? — perguntou Christopher. — O que aconteceu? Dave confessou?

Will calculou que a notícia já tinha se espalhado.

— Dave não matou sua irmã.

— Bem... — A expressão de Christopher não se alterou. — Sabia que ele daria um jeito de se livrar dessa. Pitica deu um álibi para ele?

— Não, Mercy deu.

Will tinha esperado ao menos um pouco de surpresa, mas Christopher ficou impassível.

— Sua irmã ligou para Dave antes de morrer. A mensagem de voz dela exclui Dave.

Christopher olhou para o lago.

— Isso é uma surpresa. O que Mercy disse?

— Que precisava da ajuda de Dave.

— Também uma surpresa. Dave nunca ajudou Mercy quando ela estava viva.

— Você ajudou Mercy?

Christopher não respondeu. Cruzou os braços e olhou para a água.

Will ficou em silêncio. Em sua experiência, as pessoas não toleravam o silêncio. Evidentemente, Christopher era imune. Manteve os braços cruzados, os olhos no lago e a boca fechada.

Will precisava achar outro modo de incomodar o homem.

Ele olhou de volta para o galpão de equipamentos. As portas estavam escancaradas. As facas estavam no mesmo lugar de antes, mas pareciam mais afiadas à luz do dia. As lâminas não eram a única preocupação de Will. Um remo na cabeça ou um golpe na barriga com um dos cabos de madeira de uma rede poderia causar muitos danos. Sem falar que Christopher deveria ter o mesmo equipamento de pesca nos bolsos que Chuck. Uma ferramenta dobrável para manejar a linha. Uma multiferramenta dobrável para pescador. Um cabo retrátil. Um canivete.

Will só tinha uma mão. A outra estava quente e latejava porque Sara estava certa sobre a infecção. Por outro lado, a mão que não estava infeccionada alcançaria fácil o revólver Smith & Wesson de cano curto.

Ele entrou no galpão. Começou a abrir armários e gavetas fazendo barulho.

Christopher correu para dentro, claramente perturbado.

— O que está fazendo? Fique longe daqui.

— Tenho mandado de busca para a propriedade.

Will abriu outra gaveta.

— Se quiser ler o mandado, pode voltar para o complexo e pedir ao meu parceiro para mostrar.

— Espere! — Christopher estava irritado. Começou a fechar as gavetas. — Espere, o que você está procurando? Posso dizer onde está.

— O que eu estaria procurando?

— Não sei — respondeu. — Mas é o meu galpão. Tudo que está aqui, eu que coloquei.

Ele pareceu perceber um segundo tarde demais que tinha declarado a posse de qualquer coisa que Will encontrasse.

Will perguntou:

— O que acha que estou procurando?

Christopher balançou a cabeça.

O agente andou pelo galpão como se nunca o tivesse visto. Ficou atento a qualquer movimento repentino de Christopher. O homem parecia passivo, mas aquilo poderia mudar facilmente. O que impressionou Will no galpão foi que tudo estava de volta a seu lugar. Naquela madrugada, Will não tinha sido gentil ao procurar um jeito de amarrar Dave. As ferramentas foram devolvidas a seus lugares específicos. As redes estavam separadas pela mesma distância ao longo da parede posterior. A luz do dia dava a Will uma visão clara da fechadura na parte dos fundos. E do cadeado surrado.

— Olhe — disse Christopher. — Os hóspedes não podem entrar aqui. Vamos voltar lá para fora.

Will se virou para encará-lo.

— Você armazenou umas madeiras interessantes perto da casa.

Christopher engoliu em seco. Ele começou a suar. Will esperava muito que não fosse outra consequência do colírio. Queria seguir com aquilo rápido e decidiu arriscar.

— Na noite passada, quando todos entraram para jantar, você ficou do lado de fora com Mercy — disse.

O rosto de Christopher seguiu impassível.

— E?

Will imaginou que o risco tinha valido a pena.

— Sobre o que vocês conversaram?

Christopher não respondeu. Ele baixou os olhos para o chão.

Will repetiu a pergunta:

— Sobre o que você conversou com Mercy?

Christopher balançou a cabeça, mas disse:

— Sobre a venda, claro. Tenho certeza de que ficou sabendo dela por Papai e Pitica.

Will assentiu, embora ainda não tivesse falado com os pais.

— Sabe o que mais eles me disseram?

— Não é segredo. Mercy estava barrando a venda. Estava esperando que eu me juntasse a ela, mas estou cansado. Não quero mais fazer isso.

— Foi o que disse a Chuck, não foi? — O cérebro de Will tinha decorado a conversa que os dois homens tiveram na trilha. — Você disse que nunca quis fazer isso em primeiro lugar. Que não funcionaria sem Mercy. Que você precisava dela.

Christopher finalmente pareceu surpreso.

— Ele contou isso pra você?

Will estudou o rosto do homem. A surpresa parecia verdadeira, mas ele tinha aprendido do jeito mais difícil a não confiar em um psicopata em potencial.

— Você nem precisa do dinheiro da venda na verdade, precisa?

Christopher passou a língua pelos lábios.

— O que quer dizer?

— Está bem ajeitado, não está?

— Não sei o que está tentando dizer.
— Você tem duzentos mil numa conta. Pagou as dívidas estudantis. Chuck está no mesmo barco. Como isso aconteceu?

Os olhos de Christopher foram de novo para o chão.

— Nós dois fizemos investimentos com base em boas informações.

— Mas vocês não têm investimentos ou conta em agência de corretagem em seus nomes. Vocês não são executivos em uma corporação. Seu único emprego é guia de pesca no negócio da família. Então de onde veio o dinheiro?

— Bitcoin.

— É isso que seus impostos vão dizer?

Christopher limpou a garganta fazendo barulho.

— Vai encontrar recibos de pagamento do fundo da família. É parte do que recebo dos lucros.

Will imaginou que encontraria evidências de lavagem de dinheiro. Provavelmente era aí que Mercy entrava.

— Dave faz parte do fundo da família, certo? Onde está o dinheiro dele?

— Não sou responsável por quem fica com o quê.

— Quem é?

Christopher limpou a garganta de novo.

— Mercy não estava recebendo a parte dela na divisão de lucros. Ela não tem conta no banco. Não tem cartões de crédito nem carteira de motorista. Ela não tinha um centavo sequer. Por quê?

Ele balançou a cabeça.

— Não tenho ideia.

— O que há ali atrás?

Will bateu na parede. As redes bateram na madeira.

— O que vou encontrar quando arrombar esta porta?

— Não arrombe. Por favor.

O olhar de Christopher retornou para o chão.

— A chave está no meu bolso.

Will não sabia se o homem estava obedecendo de fato ou se era alguma armadilha. Ele fez questão de exibir a mão no cabo do revólver.

— Esvazie todos os bolsos sobre o banco.

Christopher começou com o colete de pesca, depois desceu até a bermuda cargo. Colocou uma série de ferramentas no balcão que eram exatamente da mesma marca e cor daquelas que Chuck guardava nos bolsos. Ele carregava até um tubo de protetor labial Carmex. A única coisa que faltava era um frasco de colírio Eads Clear.

O último item que Christopher colocou sobre o balcão foi um molho de chaves. Eram quatro ao todo, o que era estranho, considerando que nenhuma das portas da pousada era trancada. Will reconheceu a chave de um Ford. Uma chave cilíndrica que, provavelmente, abria um cofre. As duas restantes eram do tipo para cadeado menor, com alças de plástico preto. Uma delas tinha um ponto amarelo. A outra, um verde.

Will manteve a mão no revólver enquanto se afastava da parede.

— Abra.

A cabeça de Christopher permaneceu abaixada. Will fez questão de observar as mãos dele, porque o homem não transmitiria suas intenções por meio de expressões faciais. Ele selecionou a chave com o ponto amarelo, enfiou-a na fechadura, puxou o ferrolho e abriu a porta.

A primeira coisa que Will notou foi o cheiro de fumaça velha. Então viu os pedaços de papel-alumínio onde tinham queimado combinações de madeira como teste. Havia barris de carvalho. Tanques de cobre. Canos e tubos em espiral. Eles não colocavam bebidas baratas em garrafas caras. Eles estavam fazendo as próprias bebidas.

— Tem duas chaves — disse Will. — Onde está o outro alambique?

Christopher não erguia o olhar do chão.

Will precisaria irritá-lo novamente. Nada assustava mais um homem do que sentir o metal frio de um par de algemas girando nos pulsos. O agente não tinha algemas, mas sabia onde Christopher guardava as braçadeiras de plástico. Ele se abaixou para abrir a gaveta.

Naquela manhã, Will tinha sentido culpa por deixar as braçadeiras soltas. Em algum ponto entre aquele momento e este, alguém as prendera novamente. Ele presumiu que fosse o mesmo homem que havia deixado seis frascos vazios de colírio Eads Clear na gaveta.

18

Faith ansiava por outro banho. E não apenas porque estava pingando de suor. Keisha tinha olhado para ela com tanta repulsa que Faith se sentira como a figura de todos os policiais ruins no mundo inteiro.

Era por isso que ela não queria que o filho ingressasse no FBI, no DIG ou em qualquer outra agência policial. Ninguém mais confiava na polícia. Alguns tinham boas razões. Outros eram inundados com exemplos constantes de maus policiais. Não era mais apenas uma questão de maçãs podres. Departamentos inteiros eram barris podres. Se Faith tivesse que fazer tudo de novo, teria sido bombeira. Ninguém ficava bravo com as pessoas que resgatavam gatos de árvores.

Faith balançou a cabeça enquanto seguia pela metade inferior da Trilha Circular. Aquilo fora suficiente para chafurdar em coisas que não poderia mudar. Por enquanto, tinha dois assassinatos e um suspeito. Will queria que ela assumisse a liderança no interrogatório de Christopher. Imaginava que o homem compartilhava as crenças de Chuck, o que significava que ser entrevistado por uma mulher o deixaria profundamente incomodado. Faith concordava com a estratégia. Christopher parecia calmo demais para o próprio bem. Ela precisava encontrar um jeito de assustá-lo. Felizmente, ele tinha dado bastante munição a ela.

No estado da Geórgia, era crime apenas ter um alambique que produzisse qualquer coisa além de água, óleos essenciais, vinagre e similares. Juntando a distribuição, o transporte e a venda, Christopher estava diante de um longo período na prisão estadual. Contudo, isso era apenas parte do problema dele. O governo federal deveria receber parte de cada gota de álcool vendida no país.

Se os dois assassinatos não colocassem Christopher na prisão pelo resto da vida, a evasão fiscal daria conta do recado.

— Oi. — Sara estava esperando ao pé da escadaria. — Will e Kevin ainda estão no lago. Christopher está indo com eles ao galpão dos barcos para mostrar o segundo alambique.

Faith riu. Will estava arrastando Christopher por aí como um cachorro na coleira, para que, quando chegasse a hora de Faith, ele estivesse se sentindo totalmente indefeso.

— O momento é perfeito. Dave apareceu na casa um pouco antes que eu saísse, então agora todos sabem que ele não matou Mercy.

Sara franziu as sobrancelhas..

— Como ele chegou lá?

— Moto de trilha — respondeu Faith. — Deve estar com dor do traseiro até as bolas.

— Ele provavelmente conseguiu fentanil assim que saiu do hospital — disse Sara. — Liguei para Nadine para falar de Chuck. O problema é que o aviso da morte colocou a pousada no topo da lista para arrumar a estrada, então não vamos ficar isolados aqui por muito mais tempo.

— Bem, tenho notícias ainda piores. O sinal de telefone e internet voltou, então este lugar não é mais nosso pedacinho de Cabot Cove.

Sara parecia preocupada.

— Jon estava escondido no chalé ao lado. Eu deveria dizer a ele que Dave está aqui. Ele deve estar procurando um motivo para voltar para casa.

— Não sei, veja que casa ele tem para voltar.

Faith pensou em algo melhor. Ela deu uns tapinhas do lado da bolsa.

— Jon não vai conseguir acessar a internet no chalé 9, de qualquer jeito. Pode me mostrar o mapa? Talvez você possa me ajudar a preencher algumas lacunas enquanto espero Will me avisar sobre Christopher.

— Claro.

Sara fez um gesto para que ela a seguisse pela escada.

Faith precisava se reajustar primeiro. Ela tinha pegado emprestada uma calça de ioga de Sara. Sobravam uns trinta centímetros no comprimento e faltavam uns três centímetros na largura. Ela precisara enrolar a cintura três vezes para que o cavalo não ficasse nos joelhos, e então puxar as pernas que pareciam bocas franzidas em torno das canelas. Certamente, os homens não ficariam interessados nela desse jeito.

O chalé tinha sido limpo desde o banho de Faith. Sara arrumara as coisas. Ou talvez Penny tivesse, porque Faith sentiu cheiro de laranjas e, embora Sara fosse organizada, não era tanto assim.

— O que você tem? — perguntou a médica.
— Canetas coloridas e um gosto por vingança.
Faith sentou no sofá e fuçou a bolsa atrás do mapa. Ela o esticou sobre a mesa.
— Andei pela propriedade com meu telefone para testar o sinal de wi-fi. As linhas amarelas marcam mais ou menos a área de recepção. Mercy precisaria estar dentro dessas áreas para conseguir telefonar para Dave.
Sara assentiu.
— Então isso inclui os chalés 1 a 5, além do 7 e do 8, mais a casa principal e o salão de jantar.
— A retransmissão no salão de jantar cobre a plataforma de observação e metade da Trilha Peixetopher, que é onde Chuck morreu. Do outro lado, o sinal vai até a área abaixo da plataforma de observação. Não queria ficar muito longe da civilização sem que alguém soubesse que eu estava lá embaixo. Além disso, tinha uma caralhada de pássaros.
— É interessante que os dois corpos tenham sido encontrados na água.
— Christopher ama a água. Sabia que existe um FishTok?
— Meu pai entrou.
— Christopher também. Ele realmente adora truta-arco-íris. Vamos começar aqui.
Faith apontou para a área em que o corpo de Mercy tinha sido encontrado.
— A Trilha da Viúva Perdida liga os chalés dos solteiros ao salão de jantar. É o caminho que vocês tomaram com Nadine para chegar à cena do assassinato de Mercy. Will acabou pegando a mesma trilha quando correu na direção do primeiro e do segundo gritos. Está acompanhando?
Sara assentiu.
— Você percebe que a trilha meio que segue pela ravina, e leva de dez a quinze minutos para ser percorrida para baixo. Mas tem um caminho mais rápido do salão de jantar até os chalés dos solteiros que não está no mapa. Alejandro me falou dele. Chamam de Trilha da Corda. Encontrei as cordas, e é uma queda controlada pelo lado da ravina. Mercy estava correndo para salvar a vida, é o caminho que ela teria tomado. Alejandro estima que leve uns cinco minutos para descer. Vou precisar que Will me ajude a marcar o tempo. Podemos usar isso como escudo para qualquer história que Christopher invente.
— Então está dizendo que o primeiro grito, o uivo, veio do salão de jantar, e que os dois últimos gritos vieram dos chalés dos solteiros.
Sara olhou para o mapa.
— Isso faz sentido, mas, na noite passada, eu só conseguia imaginar os dois gritos vindo dessa direção geral. A maneira como o som viaja aqui é esquisita por causa da elevação. O lago está em uma caldeira vulcânica.

Faith olhou suas anotações.

— Você estava no complexo com Jon quando escutou o segundo pedido de socorro?

— Estava. Tivemos uma conversa breve, então ouvi o grito por socorro. Houve uma pausa, então outro grito, um "por favor". Jon correu de volta para dentro da casa e eu fui procurar Will.

— De volta para dentro da casa — repetiu Faith repetiu. — Então, quando você viu Jon, ele estava saindo da casa?

— Não o reconheci no começo porque estava muito escuro. Ele descia a escada com uma mochila. Caiu de joelhos e vomitou.

— Qual foi a conversa?

— Pedi para ele sentar na varanda e conversar. Ele me mandou cair fora.

— Parece um adolescente bêbado — disse Faith. — Mas você estava olhando para ele enquanto ouviu os dois gritos, então Jon está fora da lista.

Sara pareceu chocada.

— Ele estava nela?

Faith deu de ombros, mas, até onde lhe dizia respeito, qualquer macho ali em cima estava na lista, com exceção do Malandro.

— Amanda me disse que quer uma declaração de Jon — disse Sara. — Ele poderia ajudar com a linha do tempo. Depois do escândalo no jantar, Mercy teria dado uma olhada nele, pelo menos.

— Talvez não — disse Faith. — Ela pode ter desejado dar espaço a ele.

— De qualquer modo, não imagino que ele vá ajudar muito. Ele provavelmente estava muito bêbado para se lembrar de qualquer coisa.

Sara apontou para o mapa.

— Posso ajudar a identificar onde todo mundo estaria. Sydney e Max, os investidores, estavam no chalé 1. Chuck estava no 2. Keisha e Drew, no 3. Gordon e Paul, no 5. Monica e Frank, no 7. A área de wi-fi cobre todos eles, então Mercy poderia ter ligado para Dave de qualquer um desses chalés. De acordo com Paul, ela estava na trilha às 22h30.

— Paul Ponticello parece amigo da Peppa Pig.

Faith virou as páginas para achar a linha do tempo.

— O que aconteceu deve ter começado às 22h10, certo? Mercy ligou para Dave cinco vezes no espaço de doze minutos. Você não faz isso a não ser que esteja descontrolado, com medo ou com raiva ou os três. Mercy deixou a mensagem de voz às 23h28, então sabemos que ela estava falando com o assassino na hora. Ela disse: *"Dave vai chegar logo. Eu contei para ele o que aconteceu"*.

— O que aconteceu?

— É o que eu preciso descobrir — respondeu Faith. — Mas vamos imaginar que Christopher seja o assassino. Ele mata Mercy, tira Chuck do caminho, incrimina Drew, o que cala a boca de Keisha. Sopa no mel.

— É complicado — falou Will.

Faith se virou. Ele estava parado na porta, com a mão enfaixada sobre o coração. Ela sabia que Will não estava sendo irônico. A maioria dos crimes era bem direta. Só vilões de quadrinhos confiavam em dominós caindo na ordem certa para derrubar as pessoas certas.

— Dave está na casa principal. Veio de moto de trilha — falou Faith.

Will não respondeu. Sara tinha voltado com um copo de água. Ela estendeu o braço com dois comprimidos. Will abriu a boca e ela os jogou lá dentro, passando o copo para ele em seguida. Ele devolveu o copo, e Sara foi para a cozinha. Faith dobrou o mapa e fingiu que nada daquilo era esquisito.

— Sabemos se a perícia conseguiu salvar o caderno de Mercy? — perguntou a agente.

Ela tinha feito a pergunta para Sara, mas a legista estava olhando para Will. O que era estranho, porque perícia era o departamento de Sara.

Will balançou a cabeça brevemente.

— Ainda sem notícias sobre o caderno.

— Certo.

Faith tentou ignorar a esquisitice.

— E a gravidez? Sei que a autópsia preliminar não descartou violência sexual, mas estamos achando que Christopher poderia ser o pai?

Sara pareceu horrorizada, mas ainda assim não falou.

Faith tentou de novo:

— Sei que, por fim, vamos conseguir DNA do feto, mas Mercy estava saindo com outros homens. Seria fácil para o advogado de defesa de Christopher argumentar que um dos casos dela tinha descoberto a gravidez, ficado com ciúmes e esfaqueado Mercy.

Will balançou a cabeça de novo, mas não como resposta.

— Sara, poderia conversar com Jon de novo? Vocês criaram uma boa conexão. Ele provavelmente viu muitas coisas por aqui. As pessoas tendem a se esquecer das crianças por perto.

— Tem certeza? — perguntou Sara.

— Tenho — respondeu. — Você também é parte desta equipe.

Ela assentiu.

— Certo.

Ele assentiu.

— Certo.

Faith observou enquanto eles se olhavam daquele jeito secreto que excluía todos os outros. Ela era de novo a parceira engraçada da comédia romântica deles. Embora fosse querer um prêmio por não ter olhado dentro da mala de Sara quando teve a chance.

— Pronto? — perguntou a Will.

— Pronto.

Ele recuou para que Faith pudesse descer a escada primeiro. O que era cavalheiresco, mas também perigoso porque Faith não tinha ninguém em quem se apoiar caso caísse. Ela deu um tapa num mosquito sobre o braço. O sol era como um raio laser perfurando suas retinas. Estava pronta para sair daquele lugar.

Will estava mais relaxado que de costume enquanto desciam a trilha. Enfiou a mão esquerda no bolso. A direita ainda estava pressionada contra o peito.

Faith não conseguia pensar em um jeito de ser sutil, então mandou na lata:

— Me conte sobre você e Dave quando eram crianças.

Ele olhou para ela, claramente precisando de uma explicação.

— Dave fugiu do orfanato — falou ela. — O que ele estava fazendo lá em Atlanta, provavelmente fez com Christopher aqui.

Will grunhiu, mas respondeu:

— Ele inventava apelidos estúpidos. Roubava suas coisas. Colocava a culpa em você por coisas que tinha feito. Cuspia na sua comida. Encontrava maneiras de enfiar você em problemas.

— Parece um vencedor. — Faith ainda não conseguia pensar em um jeito de ser delicada. — Dave abusava sexualmente de alguém?

— Ele definitivamente estava fazendo sexo, mas isso não é incomum. Crianças que são abusadas sexualmente tendem a se concentrar em sexo para conexão. E sexo é bom, então eles querem continuar fazendo.

— Eram meninos, meninas ou as duas coisas?

— Meninas.

Faith tomou o modo como a mandíbula dele se contraiu como sinal de que Dave estivera com a ex-mulher de Will. O que não o tornava um ponto fora da curva.

— Sofrer abuso sexual quando criança não significa que você abusará sexualmente de crianças. Se fosse assim, metade do mundo seria de pedófilos — disse Will.

— Você está certo — disse ela. — Mas vamos isolar Dave dessa estatística. Ele tinha treze anos quando chegou à pousada, mas diminuíram a idade dele para onze. Ter treze enquanto todo mundo o trata como se tivesse onze é infantilizar.

Dave deve ter ficado com raiva, frustrado, sentindo-se emasculado, confuso. Mas ele também estava aliciando Mercy. Estava transando com ela ao menos desde os quinze anos dela, e ele tinha vinte. Onde estava Christopher quando Dave estava estuprando a irmã mais nova?

— Não a protegia, quer dizer?

— Quero dizer que Christopher também tinha medo de Dave.

— Seria realmente uma grande motivação se Christopher tivesse assassinado Dave.

— Talvez a gente volte para o complexo e ele esteja com uma bomba presa no peito, e aí você vai precisar desativá-la antes que exploda.

Will olhou para ela.

— Deixa disso, Cachorro Bravo. Você já correu por um prédio em chamas e quase caiu numa cachoeira.

— Eu realmente apreciaria se você não descrevesse as coisas desse jeito no relatório.

Ele a conduziu por outro caminho íngreme. Faith viu o lago primeiro. O sol refletia na superfície como uma bola de discoteca vinda do inferno. Ela bloqueou a luz ofuscante com a mão. Kevin estava parado perto do galpão de equipamentos. Eles tinham colocado uma canoa no chão. Christopher estava sentado dentro. Os pulsos estavam amarrados com braçadeiras na barra que atravessava o centro do barco.

— Sara me disse que a barra é chamada de través. A borda de cima é chamada de amurada — falou Will.

Faith se lembrou de quando Will tinha acabado de conhecer Sara. Ele achava os motivos mais estúpidos só para falar o nome dela.

— Ei. — Kevin correu para encontrá-los. — Não deu um pio.

— Ele pediu um advogado? — perguntou Faith.

— Não. Gravei em vídeo quando li o Aviso de Miranda. O cara olhou para a câmera e disse que não precisava de um advogado.

— Boa, Kev — disse Faith.

— Agente Lacaio continua entregando. — Ele tirou um molho de chaves do bolso. — Falo com vocês se encontrar o cofre.

Will o observou indo embora e perguntou a Faith:

— Kevin está bravo com a brincadeira de lacaio?

— Não tenho ideia.

Kevin estava bravo com ela por tê-lo ignorado depois de ficarem juntos dois anos antes.

— Preciso que faça o lance assustador de rodear enquanto converso com Christopher, certo?

Will assentiu.

Faith estudou Christopher enquanto seguia em direção à canoa. Fora colocado virado de costas para a água, dando uma vista aberta do alambique ilegal nos fundos do galpão. Ele tinha uma compleição média. Não era musculoso, mas também não era gorducho. A camiseta azul mostrava uma pancinha. O cabelo escuro tinha um pequeno mullet atrás, como o de Chuck.

Ela passou por ele, respirando fundo enquanto olhava para a água. Mosquitinhos voavam em torno do deque flutuante. Pássaros voavam em círculos. Ela soltou um suspiro falso de contentamento.

— Deus, é maravilhoso aqui. Não imagino como é ter a natureza como escritório.

Christopher permaneceu em silêncio.

— Você deveria pedir a seu advogado para dar uma olhada no presídio em Savannah. Se o vento bater do jeito certo, às vezes você consegue sentir o cheiro de maresia sobre o aroma de esgoto a céu aberto.

Christopher ainda não respondia.

Faith andou em torno do barco. Will estava encostado na porta aberta do galpão, parecendo intimidador. Ela assentiu para ele antes de se virar para ficar de frente para Christopher. O suspeito estava sentado inclinado em um dos bancos, porque as mãos tinham sido presas na barra. O segundo banco era menor, localizado na parte de trás.

Ela apontou para ele, perguntando:

— É a proa ou o estibordo?

Ele olhou para Faith como se ela fosse uma idiota.

— Estibordo é o lado direito. A proa é a frente. Você está na popa.

— Falando de vento em popa — brincou Faith.

Ela entrou na canoa. A fibra de vidro fez um barulho de raspagem ao afundar na margem rochosa.

— Pare — disse Christopher. — Está estragando o casco.

— *Casco*.

Faith exagerou na raspagem quando sentou.

— Acredite, não quer me ver na água. Não sei distinguir um através da namorada.

— É *través* e *amurada*.

— Ah, engano meu, desculpe.

Faith fingiu que nunca tinha sido corrigida por um homem. Pegou um pedaço de corda que estava preso a uma argola de metal.

— Como chama essa coisa?

— Corda.

— Corda — repetiu ela. — Eu me sinto uma marinheira.

Christopher soltou um suspiro de um explorado. A cabeça dele se virou e ele olhou para o chão.

— Eles te alimentaram? Está com fome?

Faith abriu a bolsa e achou uma das barras de Snickers de Will.

— Gosta de chocolate?

Aquilo atraiu a atenção dele.

Faith abriu a embalagem. Lançou um olhar de desculpas para Christopher enquanto colocava a barra na mão dele que estava virada para cima. Ele não pareceu se importar. Deixou a embalagem cair no chão do barco. Segurou a barra de Snickers entre as mãos. Então se inclinou e mordiscou como se fosse uma espiga de milho.

Ela deixou que ele se divertisse enquanto tentava descobrir uma abordagem melhor. Não havia muitas outras partes de uma canoa que pudesse errar o nome. Normalmente, Will usava seu silêncio taciturno para arrancar a verdade dos suspeitos, mas aquilo só funcionava se você tivesse mais de 1,90 metro e fosse naturalmente aterrorizante. O talento particular de Faith era deixar os homens incrivelmente desconfortáveis cada vez que abria a boca. Ela esperou até que Christopher desse uma grande mordida no Snickers para fazer a primeira pergunta.

— Christopher, você estava fodendo com a sua irmã?

Ele engasgou tanto que a canoa balançou.

— Está louca?

— Mercy estava grávida. Você era o pai?

— Está ti-tirando com a minha cara? — ele gaguejou. — Como você pode me perguntar uma coisa dessas?

— É uma pergunta óbvia. Mercy estava grávida. Você é o único homem aqui em cima além do seu pai e de Jon.

— Dave. — Ele limpou a boca no ombro. — Dave está aqui em cima o tempo inteiro.

— Está me dizendo que Mercy estava fodendo com o ex-marido abusivo?

— É exatamente isso que estou dizendo. Ela estava com ele ontem antes do encontro de família. Estavam rolando no chão feito animais.

— Que chão?

— Do chalé 4.

— A que horas era o encontro de família?

— Meio-dia. — Ele balançou a cabeça, ainda se prendendo ao incesto. — Jesus, não acredito que você me perguntou aquilo.

— Dave já tentou foder você?

O choque não foi tão extremo dessa vez, mas ele ainda parecia enojado.

— Não, claro que não. Ele era meu irmão.

— Ele fodia a irmã, mas não o irmão?

— O quê?

— Você acabou de me dizer que Dave estava fodendo a irmã.

— Pode parar de dizer essa palavra? — pediu. — É muito deselegante.

Faith riu. Se Amanda não conseguia envergonhá-la, aquele cara não tinha chance.

— Certo, amigo. Sua irmã foi brutalmente estuprada e assassinada, mas você está bolado porque estou falando "foder".

— O que isso tem a ver com fabricação ilegal de bebidas? — perguntou ele. — Vocês me pegaram com a boca na botija.

— Pegamos pra caralho.

Christopher bufou baixo, como se estivesse tentando se controlar. Ele olhou para Will.

— Senhor, podemos, por favor, terminar com isso? Eu assumo a culpa. Foi ideia minha. Eu construí os dois alambiques, era responsável por tudo.

— Ei, alô. — Faith estalou os dedos. — Não fale com ele. Fale comigo.

O rosto de Christopher ficou vermelho de raiva.

Faith não baixou a bola.

— Já sabemos que Chuck estava enfiado até as bolas na sua pequena operação de bebidas. Ele tem até uma tatuagem para provar.

As narinas de Christopher se dilataram, mas ele desistiu rápido.

— Certo, vou acusar o Chuck. É isso que você quer?

Faith abriu bem os braços.

— Me diga você.

— Chuck e eu somos especialistas, certo? Amamos uísque, bourbon e tudo desse tipo. Começamos fazendo pequenas quantidades para nós. Só um pouquinho de cada vez. Experimentando com sabores e as várias espécies de madeiras exóticas para ressaltar a riqueza.

— E então?

— Papai sofreu o acidente de bicicleta, e Mercy começou a fazer mudanças na pousada. Ela consertou os banheiros. Começou a oferecer coquetéis. Começou a entrar mais dinheiro. Dinheiro grande. Principalmente do álcool. Chuck disse que a gente deveria cortar o intermediário, usar nossa birita. No começo, Mercy não sabia que estávamos enchendo de novo as garrafas com a nossa bebida, mas depois ela percebeu. Mercy não se importou. Só queria provar para Papai que podia conseguir lucro.

— Não era só a pousada — disse Faith. — Chuck estava vendendo para clubes de striptease em Atlanta também.

Christopher parecia ter sido pego no flagra. Ele tinha finalmente percebido que Faith sabia muito mais do que deixava transparecer.

— Seus pais sabiam? — perguntou a agente.

— De jeito nenhum.

— Mas Drew e Keisha, sim.

— Eu... — Ele balançou a cabeça. — Não sabia disso. O que eles falaram?

— Quem faz as perguntas aqui sou eu — explicou Faith. — Vamos voltar a Mercy. Como ela se sentiu ficando de fora do trem da alegria financeiro?

— Não deixamos ela de fora. Ela é minha irmã. Eu criei um fundo para Jon e coloquei o dinheiro em uma conta. Ele vai poder acessá-la quando tiver 21 anos.

— Por que não dar o dinheiro a Mercy?

— Porque Dave colocaria aquelas mãos gananciosas nele. Mercy não consegue, quer dizer, não conseguia dizer "não" para Dave. Ele tirava tudo dela. Não havia nada que ele não tomasse dela. E você está me dizendo que ela estava grávida? Ela ficaria presa a ele para o resto da vida.

Christopher subitamente pareceu triste.

— Acho que ela ficou, não foi? Mercy morreu antes de conseguir ficar longe dele.

Faith deu a ele alguns segundos para recuperar o fôlego.

— Mercy sabia do fundo que fez para o Jon?

— Não, não contei nem para o Chuck.

Ele se inclinou para a frente, forçando as braçadeiras.

— Não está me escutando, senhora. Estou contando como funciona. Mercy acabaria contando para Dave, e Dave perseguiria Jon até que o fundo estivesse vazio. Ele só se preocupa com duas coisas: dinheiro e Mercy. Nessa ordem. E ele faz qualquer coisa para controlar ambos.

Faith se recompôs.

— Me conte como funcionava. Como vocês lavavam o dinheiro?

Ele se endireitou. Olhou para as mãos.

— Através da pousada. Mercy é muito boa em contabilidade. Ela abriu uma conta on-line, criou uma folha de pagamento. Fez questão de pagar impostos de tudo. Todos os registros estão no cofre do escritório.

— Você diz que Mercy era boa com dinheiro, mas ela não tinha um centavo no nome dela.

— Era uma escolha dela — disse Christopher. — Eu dava a ela o que queria, mas ela sabia que, se tivesse dinheiro no banco, um cartão de crédito ou um cartão de débito, Dave descobriria. Ela dependia de mim para tudo.

Faith sentiu uma sensação imensa de claustrofobia ao pensar em como Mercy tinha sido verdadeiramente desamparada.

— Era sobre isso que estávamos conversando de verdade antes do jantar.

Christopher estava de olho em Will de novo.

— Mercy estava me pressionando para rejeitar os investidores. Ela me disse que não tinha nada a perder. Eu disse que poderia tirar o resto da vida dela. E talvez eu tenha feito isso. Talvez eu devesse ter simplesmente limpado as minhas contas e entregado o dinheiro para ela. Ela poderia ter deixado Dave antes que fosse tarde demais, certo?

Ele tinha feito a pergunta para Faith, mas ela não poderia responder. Só sabia das estatísticas, e elas eram de chorar. Uma mulher fazia uma média de sete tentativas de deixar o abusador, e isso se ele não a matasse antes.

— E Chuck? — perguntou ela a Christopher.

— Eu já disse, ele não sabe do fundo de Jon. Ele tem mais medo de Dave do que eu.

— Não, o que estou querendo dizer é: por que você assassinou Chuck?

Não houve reação dessa vez, apenas um olhar vago.

— O quê?

— Chuck está morto, Christopher. Mas você sabia disso. Foi você quem colocou colírio no galão de água dele.

Christopher olhou para Faith, então para Will, então de volta para Faith.

— Vocês estão mentindo.

— Eu te levo até ele agora mesmo — ofereceu Faith. — Precisamos armazenar o corpo dele no freezer do lado de fora da cozinha. Ele está lá feito um pedaço de carne.

Christopher olhou para Faith como se estivesse esperando que ela risse, dissesse que era tudo uma brincadeira. Quando a agente não riu, ele respirou fundo. A cabeça caiu apoiada no peito quando ele começou a soluçar. Estava mais triste por Chuck do que tinha ficado por Mercy.

Ela deu a ele uns momentos para chorar. Faith tinha feito o papel de valentona. Naquele momento, seria a mãe. Ela se inclinou para a frente, esfregando as costas de Christopher para consolá-lo.

— Por que você matou Chuck?

— Não. — Christopher balançou a cabeça em negativa. — Eu não matei.

— Você queria cair fora do negócio das bebidas. Ele estava te forçando a ficar.

— Não. — Christopher seguia balançando a cabeça. — Não. Não. Não.

— Você disse a Chuck que o negócio não funcionava sem Mercy.

Ele tremia tanto que ela sentia pelo casco.

— Christopher, você está tão perto de contar a verdade... — Faith continuou a esfregar as costas dele. — Vamos, amigo. Vai se sentir melhor quando colocar tudo para fora.

— Ela odiava ele — sussurrou Christopher.

— Mercy odiava Chuck? — Faith deu mais tapinhas no ombro dele, mas continuou com o tom maternal. — Vamos, Christopher. Endireite as costas. Me conte o que aconteceu.

Ele endireitou-se lentamente. Faith observou o estoicismo dele desmoronar. Era como se cada emoção que ele tinha reprimido na vida tivesse sido solta.

— Chuck envergonhou Mercy na frente de todo mundo. Eu estava, eu estava tomando as dores dela. Queria dar uma lição nele.

— Que tipo de lição?

— Para que ele não mexesse mais com ela — explicou Christopher. — Eu não entendo. Como ele morreu? Usei a mesma quantidade que antes.

Faith raramente ficava surpresa com algo que os suspeitos diziam, mas dessa vez ela precisou parar.

— Você envenenou o galão de água de Chuck antes?

— Sim, é o que estou dizendo. Eu sou um destilador. Sou muito preciso com minhas medidas. Coloquei a mesma quantidade na água dele que tinha colocado nas vezes anteriores.

— Vezes? — repetiu Faith. — Quantas vezes você o envenenou?

— Ele não estava envenenado. Ficava com o estômago ruim apenas. Tinha caganeira. É tudo o que sempre causou. Chuck dizia alguma coisa mal-educada para Mercy, e eu colocava umas gotas na água para dar uma lição nele. Como ele morreu? Precisa ser outra coisa. Por que estão mentindo para mim? Vocês têm permissão para fazer isso? — Christopher parecia genuinamente confuso.

Faith ouvira a teoria de Sara na cena do crime. Chuck não tinha morrido por causa do colírio. Ele havia morrido porque caíra dentro da água e se afogara.

— Christopher, Chuck matou Mercy? — perguntou Faith.

— Não.

Faith ouviu a certeza na voz dele. Tinha esperado que ele dissesse alguma coisa delirante, tipo "Chuck estava apaixonado por Mercy, como poderia matá-la?". Mas não fez isso.

— Eu fiz ele apagar.

— Você o quê?

— Nós sempre terminamos a noite com uma saideira. Coloquei Xanax na bebida dele para ter certeza de que ele não faria algo estúpido. Chuck estava lendo no iPad dele, então pegou no sono.

Christopher deu de ombros.

— A janela do quarto do chalé 2 fica alinhada com a janela na escada de trás que sai da cozinha. Eu dei uma olhada nele antes de ir dormir. Ele nunca saiu de lá.

Faith ficou momentaneamente sem palavras.

— Eu amava minha irmã — disse Christopher. — Mas Chuck era meu melhor amigo. Ele não podia fazer nada se também amava Mercy. Eu ficava de olho nele. Apoiei Mercy do único jeito que sabia.

Faith estava quase sem palavras de novo.

— Chuck sabia que estava drogando a bebida dele?

— Não importa. — Christopher deu de ombros para os crimes múltiplos. — Mercy era bondosa comigo. Você sabe como é não ter ninguém no mundo que seja bom com você? Sei que sou esquisito, mas Mercy não se importava. Ela cuidava de mim e se colocou entre mim e Papai inúmeras vezes. Você sabe quantas vezes vi Papai espancá-la? Não estou falando com os punhos. Ele a chicoteava com uma corda. Chutava a barriga dela. Quebrava ossos dela e não permitia que fosse ao hospital. O rosto dela... a cicatriz no rosto dela... é tudo culpa de Papai. Ele deixou Mercy carregar essa culpa por...

Faith viu a expressão de medo nos olhos de Christopher antes que ele baixasse a cabeça novamente. Ele tinha falado demais, talvez não por acidente. Christopher queria que Faith tentasse arrancar a verdade dele. O que ele não entendia a respeito dela era que nenhum dos dois deixaria a canoa até que ela quisesse.

— Penny Danvers me disse que sua irmã ficou com aquela cicatriz no rosto por causa de um acidente de carro na Curva do Diabo. Mercy tinha dezessete anos. A melhor amiga dela morreu.

Christopher não respondeu.

— Como a cicatriz de Mercy é culpa de seu pai? — perguntou Faith.

Christopher balançou a cabeça em negação.

— Como seu pai é responsável pela cicatriz? — Faith esperou, mas ele ainda não falava. — Que culpa seu pai deixou Mercy carregar?

De novo, nada.

— Christopher. — Faith se inclinou para a frente, avançando sobre o espaço pessoal dele. — Você me disse que tentou proteger Mercy do jeito que sabia, e eu acredito nisso. Eu realmente acredito. Contudo, não entendo por que você protegeria seu pai neste momento. Mercy foi assassinada violentamente. Foi largada para sangrar até a morte nas terras de sua família. Não pode dar um pouco de paz à alma dela?

Christopher ficou em silêncio por mais alguns segundos, então tomou fôlego e forçou as palavras para fora.

— Foi ele.

— Foi quem?

— Papai.

Christopher levantou os olhos antes de virá-los para baixo de novo.

— Foi ele quem matou Gabbie.

Faith podia sentir a tensão de Will atrás dela. Também precisou tomar fôlego antes de conseguir falar.

— Como ele...

— Gabbie era tão linda. E boa. E doce. Eu estava apaixonado por ela.

Christopher olhava diretamente para Faith, a voz estridente.

— As pessoas riam de mim porque eu não tinha chance, mas eu a amava tanto. Um tipo de amor puro. Nada que pudesse ser maculado. É por isso que entendia o que Chuck sentia por Mercy. Ele não conseguia evitar.

— O que aconteceu com Gabbie? — perguntou Faith, esforçando-se para manter o tom firme.

— Aconteceu Papai.

O tom estridente tinha sumido. A voz voltara à apatia conhecida.

— Ele não conseguia suportar o jeito como Gabbie curtia o mundo, como uma borboleta linda. Ela estava sempre tão feliz. Tinha uma leveza dentro de si. Ela flertava com os hóspedes. Ria das piadas estúpidas deles. Ela amava Mercy. De verdade. E Mercy a amava. Todo mundo amava Gabbie. Todo mundo a queria. Então Papai a estuprou.

Faith teve a impressão de que estava com a boca cheia de areia. Ele usara um tom pragmático para descrever algo que era quase indescritível.

— Quando isso aconteceu?

— Na noite do suposto acidente.

Faith ficou em silêncio. Não precisava mais pressioná-lo. Christopher estava pronto para contar a história.

— Eu tinha saído para caçar minhocas — começou. — Papai estuprou Gabbie no meu quarto e a largou lá para que eu a encontrasse. Papai me disse que não deixaria ninguém pegar algo que ele não tinha pegado primeiro.

Faith tentou engolir a areia na boca.

— Ele não só a estuprou. Ele a espancou. Toda a beleza e perfeição dela tinham sumido.

Christopher respirou fundo de novo.

— Eu fui atrás de Mercy, mas ela estava desmaiada no chão do banheiro com uma agulha no braço. Ela tinha muita dor no corpo. Estava muito desesperada para escapar. Gabbie e ela iriam embora juntas no fim do verão, mas…

Faith não precisava que ele terminasse a frase. Sabia do plano por Penny Danvers. Gabbie e Mercy se mudariam para Atlanta, conseguiriam um apartamento, trabalhariam como garçonetes, ganhariam muito dinheiro e viveriam a vida como só os adolescentes conseguiam.

E então Gabbie tinha morrido, e a vida de Mercy mudado para sempre.

Christopher falou:

— Papai me fez, ele me fez carregar Mercy até o carro. Ele só a jogou lá no banco de trás feito um saco de lixo. Então colocamos Gabbie na frente. Ela nem se mexia àquela altura. Acho que por causa do choque ou por levar tantos golpes na cabeça, não sei. Talvez Gabbie já estivesse morta. Fiquei feliz por ela não ter percebido o que estava acontecendo.

Ele começou a chorar. Faith ouviu o nariz dele chiar enquanto tentava controlar a respiração. Ela se lembrou de outro detalhe de Penny: que Christopher tinha ficado tão inconsolável após a morte de Gabbie que havia passado semanas na cama.

— Papai me disse para voltar para dentro de casa, então voltei. Da janela do meu quarto, eu o vi sair com o carro. Peguei no sono com a cabeça apoiada no braço.

Christopher respirava mais aceleradamente.

— Três horas depois, ouvi uma porta de carro bater. O delegado Hartshorne estava aqui. Minha mãe veio até o meu quarto. Estava chorando tanto que mal conseguia falar. Todos nós descemos para a cozinha. Papai também estava lá. O delegado disse que Gabbie estava morta e Mercy, no hospital.

— O que seu pai disse?

Ele soltou um riso amargo.

— Ele disse: "Merda, eu sabia que Mercy ia terminar matando alguém".

Ele soava como se tivesse acabado, mas Faith não deixaria que ele parasse ali.

— Pitica não escutou nada?

— Não, Papai tinha enfiado Xanax nela. Nada iria acordá-la. — Ele se inclinou para limpar o nariz no braço. — Tudo que mamãe sabia era que Mercy tinha ficado chapada e terminado batendo o carro e matando Gabbie. Nós nunca pedimos detalhes. Não queríamos saber.

Faith conhecia a versão oficial por Penny. Mercy era a motorista que tinha descido a montanha-russa que levava à Curva do Diabo. Os paramédicos tinham contado à cidade que Mercy riu como uma hiena na traseira da ambulância. Mercy havia insistido que eles estavam estacionados em frente à pousada. O que fazia sentido, porque Mercy estava no quarto quando cochilou com uma agulha no braço. Não se lembrava de ter sido carregada até o carro.

Naquele momento, Faith só poderia presumir que Cecil McAlpine havia colocado a marcha em ponto morto e torcido para que a gravidade o livrasse da filha e da jovem que tinha espancado e estuprado.

— O carro caiu seis metros em um penhasco. Mercy foi jogada pela janela da frente. É como o rosto dela foi arrancado. A cabeça de Gabbie tinha sido esmagada, mas isso foi antes do acidente. O delegado Hartshorne, bom amigo de seu pai, disse que os pés dela estavam no painel de controle no impacto. O investigador forense disse que o crânio dela havia sido pulverizado. Precisaram usar registros dentários para identificá-la na autópsia. Era como se alguém tivesse usado uma marreta na cabeça dela — disse Faith a Christopher.

Os lábios de Christopher tremiam. Ele não conseguia olhar Faith nos olhos, mas ela sabia que o homem não conseguia olhar muita gente no olho.

— Qual era o nome completo de Gabbie? — perguntou ela.

— Gabriella — sussurrou ele. — Gabriella Maria Ponticello.

19

O CÉREBRO DE WILL vibrava com autorrecriminações. Paul tinha estado bem na frente dele o tempo todo. Deveria ter pressionado o homem sobre ter se registrado com um pseudônimo. Deveria ter se aprofundado no passado de Paul. Delilah tinha contado a Will sobre Gabbie menos de uma hora depois da morte de Mercy. Will teve a sensação doentia de saber exatamente o que dizia a tatuagem no peito de Paul. Não se tatuava uma palavra em seu coração, a menos que ela fosse importante.

Will tinha olhado diretamente para ela e não fora capaz de ler.

Faith precisara de menos de um minuto no telefone para confirmar a conexão entre Paul e Gabbie. Ela havia encontrado um obituário nos arquivos do *Atlanta Journal-Constitution*. Gabriella Maria Ponticello tinha deixado os pais, Carlos e Sylvia, e o irmão mais novo, Paul.

— Kevin — disse Faith. — Faça a volta do outro lado. Quero que tire Gordon do chalé 4. Escute qualquer história que ele diga, depois comparo suas notas com o que eu tirar de Paul.

Kevin pareceu surpreso, mas fez uma saudação.

— Sim, senhora.

Will sentiu os dentes começarem a doer de tanto apertar a mandíbula. Faith tinha dado o depoimento a Kevin porque sentia necessidade de ficar de babá de Will.

Ele não tirava a razão dela. Ele havia ferrado tanto as coisas ultimamente...

A porta da casa principal se abriu. Delilah saiu primeiro. Ela desceu pulando a escada. Pitica empurrou Cecil para a varanda. Dave estava atrás deles. Ele acendeu um cigarro, então soltou um fluxo de fumaça enquanto os seguia até a rampa para cadeira de rodas do lado de trás da casa.

Faith segurou a manga de Will, puxando-o para o mato. Estavam esperando que o complexo ficasse vazio. Christopher estava preso pelas braçadeiras a uma roda propulsora dentro do abrigo para botes. Sara estava com Jon. Os coquetéis tinham começado havia cinco minutos. Monica e Frank tinham sido os primeiros a sair. Então Drew e Keisha. Com o resto da família a caminho, aquilo deixava Gordon e Paul. As luzes estavam acesas no chalé 5, mas os homens ainda não tinham saído. E por que sairiam? Graças a Will, Paul estava certo de que se livraria de um assassinato.

Will não conseguia mais segurar.

— Eu ferrei tudo. Desculpe.

— Me diga como você ferrou tudo.

— Paul tem uma tatuagem no peito. Sei que está escrito Gabbie. Eu a vi, mas não consegui ler rápido o suficiente. Ele a cobriu com uma toalha.

Faith ficou em silêncio por um segundo a mais.

— Você não sabe disso.

— Eu sei. Amanda vai saber. Sara vai...

Ele teve a sensação de que o estômago estava cheio de diesel.

— Keisha me disse que Paul e Gordon estavam atrasados para o café da manhã. Foi quando Paul escondeu o cabo quebrado da faca no tanque da privada deles. Eu apavorei Keisha e Drew por nada. Eles estavam com medo de levar um tiro. E Chuck provavelmente ainda estaria vivo. Christopher deveria ter guiado hóspedes hoje de manhã. Chuck estaria dormindo na cama.

— Errado — disse Faith. — As atividades foram canceladas por causa de Mercy.

Will balançou a cabeça em negação. Nada daquilo importava.

— Penny me contou sobre o acidente de carro — disse Faith. — Eu poderia ter seguido isso há horas. Eu tinha o primeiro nome de Gabbie. Poderia ter cruzado com todos os outros nomes, incluindo o de Paul. Foi assim que encontrei o obituário.

Will sabia que ela estava se agarrando a qualquer coisa.

— Nós precisamos tirar uma confissão de Paul. Não posso deixar ele escapar dessa por causa do meu engano.

— Ele não vai escapar dessa — disse Faith. — Olhe para mim.

Will não conseguia olhar para ela.

— Christopher vai pegar um belo tempo na cadeia. Vamos usar o testemunho dele para pegar Cecil por assassinar Gabbie. Vamos prender Paul por matar

Mercy. Deus sabe quantos clubes de striptease em Atlanta estavam comprando bebida ilegal de Chuck. Eles quase mataram Monica com aquela merda. Nada disso teria acontecido se vocês não estivessem aqui. Acha que Biscoito teria investigado a morte de Mercy? Você é a única razão pela qual Paul vai ser capturado. E Christopher. E Cecil.

— Faith, sei que você está tentando fazer com que eu me sinta melhor, mas cada palavra que saiu da sua boca soou como pena.

A porta do chalé 5 se abriu. Gordon saiu primeiro, então Paul. Eles estavam rindo de algo porque não tinham ideia do inferno que estava a ponto de cair sobre eles.

— Vamos — convocou Will.

Ele correu pelo complexo. Kevin saiu do outro lado e segurou Gordon pelo braço.

— Com licença? — disse Gordon, mas Kevin já o puxava para longe.

— Ei! — Paul tentou ir atrás dele, mas Will colocou uma mão no peito do homem com firmeza.

Paul olhou para baixo. Não houve gracinha de flerte dessa vez. A boca dele formou uma linha reta.

— Tudo bem. Acho que vamos fazer isso agora.

— Vamos voltar para dentro — disse Faith.

Will ficou perto das costas de Paul, para o caso de ele tentar fugir. Kevin levou Gordon para dentro do chalé 4. As luzes se acenderam. A porta se fechou, mas não antes que Gordon lançasse um olhar firme para Paul. Will certificou-se de que Faith também tinha percebido aquilo.

Os dois estavam juntos naquilo.

A sala tinha cheiro de boteco. Havia garrafas de bebida pela metade e copos virados. O lixo estava transbordando com embalagens de batatas fritas e doces. Will sentiu cheiro de maconha. Olhou para um cinzeiro ao lado da poltrona, que estava cheio de pontas de baseados.

— Parece que vocês deram uma bela festa. Estavam celebrando algo em particular? — começou Faith.

Paul levantou uma sobrancelha.

— Está chateada por não ter sido convidada?

— Arrasada.

Faith apontou para o sofá.

— Sente-se.

Paul obedeceu, bufando. Ele se recostou, de braços cruzados.

— Do que se trata isso?

— Foi você quem disse "acho que vamos fazer isso". O que estamos fazendo? — perguntou Faith.

Paul olhou para Will.

— Você viu a tatuagem.

Will teve a impressão de que uma lança de metal tinha atravessado seu peito.

— Fiquei vendo vocês circulando por aí o dia inteiro. Foi Mercy? Ela contou para alguém antes de morrer? — continuou Paul.

— O que ela teria para contar? — perguntou Faith.

Will assistiu enquanto Paul desabotoava a camisa e puxava o tecido para o lado para mostrar o peito. A tatuagem era ornada, decorada com corações vermelhos e flores coloridas. Daquela distância, Will só distinguia o G, mas isso, provavelmente, porque já sabia o nome.

Faith inclinou-se para a frente.

— Isso é inteligente. Você não consegue ver o nome direito, a não ser que esteja à procura dele. Posso?

Paul deu de ombros enquanto Faith tirou o iPhone.

Ela bateu várias fotos, então se recostou na poltrona com um suspiro.

— Sou suspeito ou testemunha? — perguntou Paul.

— Percebo o motivo da confusão — disse Faith. — Porque você está agindo como se não fosse nenhuma das duas coisas.

— Privilégio de macho branco, né?

Paul esticou a mão para pegar uma garrafa de bebida.

— Preciso de uma bebida.

— Eu não faria isso — disse Faith. — Não é Old Rip.

— Ainda é álcool.

Paul deu uma golada diretamente da garrafa.

— O que vocês estão procurando?

Faith olhou para Will como se esperasse que ele assumisse o comando. Ele achou que seu silêncio a venceria dessa vez, mas não venceu.

— Olá? Testemunha-barra-suspeito chamando. Tem alguém em casa? — disse Paul.

Will sentiu o rosto corar. Ele não podia seguir sendo o motivo para que aquilo tivesse dado errado.

— Mercy viu a tatuagem? — perguntou Will.

— Eu mostrei a ela, se é o que você quis dizer.

— Quando?

— Não sei, uma hora e pouco depois que nos registramos. Eu tomei um banho. Estava no quarto para me vestir. Olhei pela janela. Vi Mercy vindo na direção do nosso chalé. Pensei: por que não? — Paul rolou a garrafa entre as mãos. — Enrolei a toalha na cintura e esperei.

— Por que você queria que ela visse a tatuagem? — perguntou Will.

— Queria que ela soubesse quem eu sou.

— Mercy sabia que Gabbie tinha um irmão?

— Acho que sim. Elas só foram amigas por alguns meses no verão, mas formaram um laço muito forte bem rápido. Todas as cartas de Gabbie para casa falavam de Mercy e de como elas se divertiam juntas. Parecia... — Paul parou, procurando as palavras certas. — Sabe quando você é jovem e encontra alguém e simplesmente encaixa, e são como dois ímãs juntos? Você não sabe como viveu antes de encontrar a pessoa, e não quer viver o resto da vida sem ela.

— Elas eram namoradas? — perguntou Will.

— Não, eram somente amigas perfeitas, lindas. E então isso foi destruído.

— Você se registrou na pousada com um nome falso. Aquele seria o melhor momento de dizer a Mercy que você era irmão de Gabbie.

— Não queria que a família descobrisse.

— Por quê?

— Porque... — Paul pegou outra bebida. — Jesus, isso é terrível. Que merda é essa?

— Ilegal.

Faith se esticou e tirou a garrafa da mão dele. Ela a colocou no chão e esperou que Will continuasse. Porém, tudo o que ele conseguiu fazer foi deixar a boca no piloto automático.

— Por quê?

— Por que eu não queria que os McAlpine descobrissem? — Paul suspirou enquanto pensava mais. — Eu queria manter aquilo entre mim e Mercy, certo? Eu não tinha nem certeza de que queria fazer isso, mas aí eu a vi e...

Paul levantou os ombros em vez de terminar a frase.

Will ouviu o silêncio na sala. Olhou para as mãos. Até a mão ferida tentava cerrar em punho. A mandíbula doía profundamente por apertar os dentes. Seu corpo estava familiarizado com essa raiva. Tinha sentido essa raiva na escola, quando a professora o repreendeu por não terminar a frase no quadro. Tinha sentido no orfanato quando Dave zombou dele por não saber ler bem. Will havia desenvolvido um truque para tirar a mente da situação, desconectando-a do corpo como o fio de uma lâmpada.

Mas ele não estava mais sentado no fundo da sala de aula. Não estava mais no orfanato. Estava conversando com um suspeito de assassinato. Sua parceira contava com ele. Mais importante ainda, Jon contava com ele. Will sentiria a última batida do coração de Mercy. Havia feito uma promessa silenciosa à mulher de que o assassino dela seria julgado. Que o filho dela conheceria a paz de ver o homem que a roubara dele punido pelo crime.

Will afastou a mesa de centro do sofá. Sentou-se bem à frente de Paul.

— Você estava discutindo com Gordon na trilha ontem à tarde.

Paul pareceu surpreso. Ele não tinha como saber que Sara os tinha escutado.

— Você disse para Gordon: "Não me importo com o que você pensa. É a coisa certa a fazer" — falou Will.

— Isso não parece comigo.

— Aí Gordon perguntou: "Desde quando você se importa com a coisa certa?".

— Tem câmeras por aqui? — perguntou Paul. — Este lugar está grampeado?

— Sabe o que você disse a Gordon?

Paul deu de ombros.

— Surpreenda-me.

— Gordon perguntou: "Desde quando você se importa com a coisa certa", e você gritou: "Desde que eu vi como é a porra da vida dela".

Paul assentiu.

— Certo, isso parece comigo.

— Gordon disse que você precisava deixar aquilo para lá. Mas você não deixou, deixou?

Paul mexeu na barra da camisa, fazendo dobras finas.

— O que mais eu disse?

— Me diga você.

— Provavelmente alguma coisa do tipo "Vamos discutir isso com um barril de Jim Beam".

— Você me disse que viu Mercy na trilha por volta das 22h30 de ontem.

— Eu vi.

— Disse que ela estava fazendo a ronda.

— Ela estava.

— Você falou com ela?

Paul começou a desfazer as dobras.

— Falei.

— O que você disse?

— Você não vai acreditar em mim — disse Paul. — Gordon me disse para ficar longe de você. Que você era só um policial burro e grandão querendo prender qualquer um por meio motivo.

— Você tem mais do que meio motivo — explicou Will. — O que você disse a Mercy na trilha ontem à noite, Paul? Ela estava trabalhando, fazendo a ronda, e você saiu do seu chalé às 22h30 e conversou com ela.

— Está correto.

— O que você disse?

— Que... — Ele soltou outro suspiro. — Que eu a perdoava.

Will observou Paul recomeçar as dobras.

— Eu a *perdoei* — disse Paul. — Eu culpei Mercy por tantos anos. Aquilo me consumia por dentro, sabe? Gabbie era minha irmã mais velha. Eu tinha só quinze anos quando aconteceu. Teve tanta coisa da vida dela, da nossa vida juntos, que foi roubada de mim. Eu nunca a conheci como uma pessoa de verdade.

— É por isso que matou Mercy?

— Eu não matei Mercy — respondeu Paul. — Você precisa odiar alguém para matar essa pessoa.

— Você não odiava a mulher que foi responsável pela morte de sua irmã?

— Odiei essa mulher por muitos anos. E então descobri a verdade.

Paul levantou os olhos para Will.

— Mercy não estava dirigindo o carro.

Will observou o homem, mas ele não transparecia o que quer que fosse.

— Como você sabe que ela não estava dirigindo?

— Do mesmo jeito que sei que ela foi estuprada por Cecil McAlpine.

Will sentiu como se todo o oxigênio da sala tivesse sido sugado. Ele deu uma olhada em Faith, que parecia tão desconcertada quanto ele.

Paul continuou:

— Eu também sei que Cecil e Christopher colocaram Gabbie no carro com Mercy. Espero que Gabbie já estivesse morta nesse ponto. Não quero pensar nela acordando daquele jeito, vendo o carro voando por aquela curva na estrada, sabendo que não havia nada que pudesse fazer para impedir.

Will olhou para Faith de novo. Ela tinha se movido para a beira da poltrona.

— A pélvis dela ficou destruída também — disse Paul. — Minha mãe me contou esse pequeno detalhe no ano passado. A pobre mulher estava no leito de morte. Câncer de pâncreas e demência, além de uma grave infecção do trato urinário. Estava tomando doses altas de morfina. O cérebro dela, o lindo cérebro dela, a mantinha presa no verão em que Gabbie morreu. Ajudando Gabbie a fazer as malas para as montanhas, vendo se ela tinha as roupas certas, acenando em despedida enquanto meu pai saía com ela. Então pegar o telefone. Saber do acidente de carro. Descobrir que Gabbie estava morta.

Paul se abaixou e pegou a garrafa do chão. Ele tomou um longo gole antes de continuar.

— Eu estava sozinho ao lado da minha mãe. Meu pai tinha morrido dois anos antes. — Paul abraçou a garrafa contra o peito. — A demência não tem padrões.

Detalhes estranhos iam e vinham na mente dela: Gabbie tinha se esquecido de levar o ursinho de pelúcia. Talvez ela pudesse mandar pelo correio. Ou que ela esperava que os McAlpine estivessem alimentando Gabbie bem. Não eram pessoas tão legais? Ela tinha conversado com o pai pelo telefone quando Gabbie se inscreveu no estágio. O nome dele era Cecil, mas todos o chamavam de Papai. Foi ele quem ligou para dizer que Gabbie estava morta. — Paul começou a beber, mas mudou de ideia. Ele entregou a garrafa para Will. — Aquele telefonema de Cecil, foi isso que realmente marcou minha mãe. Papai contou a ela todos os detalhes do acidente. Minha mãe presumiu que ele estivesse tentando ajudar com aquela honestidade brutal, mas não era disso que se tratava. Ele estava revivendo a violência. Pode imaginar que tipo de psicopata é preciso ser para estuprar e assassinar a filha de uma mulher e depois ligar para ela e contar tudo?

Will já tinha encontrado aquele tipo de psicopata, mas não percebera que Cecil McAlpine era um deles até aquele momento.

— Aquele telefonema perseguiu minha mãe até a cova. Ela tinha poucas horas de vida, e só conseguia falar disso. Não dos tempos felizes, como um dos recitais de violino ou as competições de atletismo de Gabbie, ou quando eu surpreendi todo mundo e entrei na faculdade de medicina. Sempre aquele telefonema de Cecil McAlpine contando todos os detalhes mórbidos da morte de Gabbie. E eu precisei escutar cada palavra, porque aqueles eram os últimos momentos que teria com minha mãe na Terra.

Ele olhou pela janela, os olhos brilhando na luz.

— Como você descobriu que Cecil matou sua irmã? — perguntou Faith.

— Precisei mexer nos documentos da minha mãe depois que ela morreu. Do meu pai também. Ela nunca tinha se preocupado em arrumá-los. Havia uma pasta no fundo do arquivo. Tinha tudo a respeito do acidente. Não que houvesse muito para ver. Um relatório policial de quatro páginas. Um relatório de autópsia de doze páginas. Eu sou cirurgião plástico. Trabalhei em pessoas após acidentes de carro. Testemunhei em julgamentos criminais e civis sobre os danos. Nunca vi um caso que não tivesse caixas de papelada. E isso até quando não tinha uma morte. Gabbie morreu. Mercy quase morreu. Está me dizendo que só precisaram de dezesseis páginas?

Will também tinha lido muitos relatórios de autópsia. O homem estava certo.

— Eles fizeram exames toxicológicos?

— Por fim, você não é apenas um rostinho bonito. — O sorriso de Paul tinha um toque triste. — Foi o que realmente chamou minha atenção. Gabbie tinha marijuana e uma alta concentração de alprazolam no sistema.

— Xanax — disse Will.

Os McAlpine tinham uma predileção pela droga.

— Gabbie fumava, mas ela gostava de ficar ligada — disse Paul. — Tomava estimulantes: Adderall, MDMA, às vezes coca, se alguém tivesse. Não era viciada. Ela só gostava de festejar. É um dos motivos pelos quais meu pai a forçou a fazer o estágio na pousada. Foi ele quem viu o anúncio. Achou que ar fresco, trabalho duro e exercício a colocariam no caminho certo.

— Mercy nunca foi acusada de nada com relação ao acidente. Seus pais não acharam isso estranho? — perguntou Will.

— Meu pai acreditava muito na verdade, na Justiça e nos costumes dos Estados Unidos. Se um policial dissesse que não tinha nada para ver ali, então não tinha nada para ver ali.

Faith limpou a garganta.

— Que policial?

— Jeremiah Hartshorne primeiro. Número dois está no emprego agora, o que é uma designação apropriada.

— Falou com ele?

— Não, contratei um detetive particular — disse Paul. — Ele fez umas ligações, bateu em portas. Metade das pessoas da cidade se recusou a falar com ele. A outra metade fervia de raiva toda vez que ele mencionava o nome de Mercy. Ela era uma puta, uma viciada, uma assassina, péssima mãe, uma inútil, uma bruxa, possuída por Satã. Cada um deles a culpou por ter matado Gabbie, mas aquilo não dizia respeito a Gabbie. Eles só odiavam muito Mercy.

— Como você descobriu o que aconteceu de verdade? — perguntou Will.

— Fomos abordados por um informante. Muito por baixo dos panos. — O sorriso de Paul ficou amargo. — Me custou dez mil, mas valeu a pena finalmente saber a verdade. Obviamente não pude fazer nada a respeito. O cuzão fechou a boca assim que pegou o dinheiro. Não quis testemunhar. Se recusou a aparecer. Demos uma pesquisada sobre ele. É um merdinha liso. Duvido que o testemunho dele fosse mandar Jeffrey Dahmer para a cadeia por atravessar fora da faixa de pedestres.

Will já sabia a resposta, mas precisava perguntar:

— Quem era o informante?

— Dave McAlpine — disse Paul. — Vocês o prenderam pelo assassinato de Mercy e o soltaram por algum motivo. Sabe que ele não é só ex-marido dela, certo? Ele também é irmão adotivo.

Will esfregou o queixo. Tudo que Dave tocava virava merda.

— O que você disse para Mercy na trilha ontem à noite?

Paul soltou o ar lentamente.

— Primeiro, vocês deveriam saber um pouco mais sobre as cartas de Gabbie. Ela escrevia pelo menos uma vez por semana. Amava tanto Mercy. Elas alugariam um apartamento em Atlanta, e você sabe como a gente é estúpido aos dezessete anos. Você faz as contas e pode passar comendo macarrão com queijo de dez centavos por semanas. Gabbie estava tão feliz por ter encontrado uma amiga. As coisas não eram fáceis para ela na escola. Eu contei sobre o violino. Ela estava na banda da escola. Tinha sido zoada por anos. Só quando cresceu e ficou mais bonita que finalmente teve um tipo de vida. E Mercy era a primeira amizade daquela época da vida dela. Era especial. Era perfeita.

— Qual a segunda coisa? — perguntou Will.

— Gabbie também escreveu sobre Cecil. Ela achava que ele estava machucando Mercy. Abusando dela fisicamente e, talvez, algo mais. Não sei dos detalhes porque ela não disse. Duvido que ela tivesse palavras, na verdade, Gabbie não cresceu com medo. Isso foi antes que a internet tirasse nossa inocência. Não tínhamos vinte zilhões de podcasts sobre mulheres jovens e belas sendo estupradas e assassinadas.

Will ouvia a tristeza na voz dele. A única coisa clara era que Paul tinha amado a irmã. Ainda assim, não respondera à pergunta original.

— O que disse a Mercy na trilha ontem à noite?

— Perguntei se ela sabia quem eu era. Ela disse que sabia. Eu disse que a perdoava.

Will esperou, mas ele tinha parado.

— E? —instigou Faith.

— E eu tinha esse longo discurso preparado sobre como eu sabia que ela amava Gabbie, que elas tinham sido melhores amigas, que Mercy não era culpada, que tinha sido o pai o tempo todo, que ela não tinha motivos para sentir culpa. Todas essas coisas. Mas Mercy não me deu chance para dizer nada disso.

Paul forçou um sorriso.

— Ela cuspiu em mim. Literalmente. Puxou alguma coisa pavorosa e mandou ver.

— Só isso? — perguntou Faith. — Ela não disse uma palavra?

— Disse, ela mandou eu me foder. E aí saiu andando na direção da casa. Eu fiquei olhando enquanto ela entrou e bateu a porta.

— E aí? — quis saber Faith.

— E aí nada. Eu fiquei pasmo, claro. E não sairia correndo atrás dela depois daquilo. Mercy deixou os sentimentos dela bem claros. Então voltei para dentro e me sentei exatamente onde estou sentado agora. Gordon tinha escutado tudo. Ficamos os dois meio sem palavras, para ser franco. Não estava esperando um momento memorável, mas achei que ao menos poderia começar um diálogo, talvez ajudar os dois a encontrar um pouco de superação.

A tristeza tinha saído da voz dele. Naquele momento, ele soava perplexo.

— Certo, preciso voltar um pouco.

Faith obviamente compartilhava do ceticismo de Will.

— Mercy cuspiu em você e você não fez nada?

— O que eu poderia fazer? Eu não estava bravo. Fiquei com pena dela. Olhe como Mercy estava vivendo aqui. Desprezada por todos. Presa nesta montanha com o pai que a incriminou por matar a melhor amiga. A família inteira acredita na culpa dela. Ela perdeu o rosto por causa daquele homem. Pense nessa parte. O próprio pai tirou o rosto dela, e ela mora com ele, trabalha com ele, come com ele, toma conta dele. Para piorar, o próprio ex-marido, ou irmão, seja lá como queira chamá-lo, me tirou dez mil para dizer a verdade. E ele nunca contou a ela o que aconteceu? É só triste.

— Como Dave sabia a verdade? — perguntou Will.

— Essa parte não posso contar a vocês. — Paul deu de ombros. — Ofereça mais dez mil a ele, e tenho certeza de que ele vai ceder.

Will chegaria a Dave depois.

— Você não pareceu abalado hoje de manhã, quando anunciei que Mercy tinha sido morta a facadas.

— Eu estava muito bêbado e muito chapado — disse Paul. — Gordon me enfiou no chuveiro para passar a bebedeira. É por isso que não estava no meu melhor quando você me viu. A água tinha ficado brutalmente fria.

— Como você tem certeza de que Mercy não sabia que o pai é responsável pela morte de Gabbie? — perguntou Faith.

— O marido/irmão me disse que ela não tinha ideia. Pior, ele parecia um pouco babaca a respeito disso. Arrogante, tipo, "ha-ha eu sei essa coisa que ela não sabe, olha como sou inteligente".

Aquilo era típico de Dave.

— Eu soube que era verdade na primeira vez que falei com Mercy — disse Paul. — Eu estava tentando tirar isso dela, certo? Ver se ela realmente sabia o que o pai tinha feito. Falei do dinheiro que o lugar traz, sobre como é bonito aqui. Achei que talvez ela estivesse naquilo, ou estivesse encobrindo o pai.

— Mas? — perguntou Faith.

— Perguntei a ela sobre a cicatriz no rosto, e ela tentou cobri-la com as duas mãos.

Paul balançou a cabeça. A lembrança claramente tinha despertado alguma emoção.

— Mercy parecia tão envergonhada, sabe? Não, tipo, envergonhada normal, mas o tipo de vergonha que você sente a alma sendo arrancada do corpo.

Will conhecia aquele tipo de vergonha. O fato de que Dave tinha forçado aquilo em Mercy, que tinha usado aquilo para punir a mãe do filho dele, era imensamente cruel.

— É por isso que Gordon e eu estávamos brigando na trilha. Eu sabia que precisava contar a verdade. E eu tentei, mas ela deixou claro que não estava interessada. Gordon estava certo. Eu já perdi minha irmã e os meus pais. Não é meu papel consertar essa família fodida. Já não tem mais conserto.

Faith colocou as mãos sobre os joelhos.

— Você se recorda de mais alguma coisa sobre Mercy na noite passada? Ou sobre a família? Viu alguma coisa?

— Talvez eu escute muitos podcasts também, mas é sempre a coisa que você acha que não importa que termina sendo importante. Então... — Paul deu de ombros. — Quando Mercy entrou na casa e bateu a porta, eu fiquei totalmente pasmo. Fiquei lá por um momento, olhando sem acreditar. E juro por Deus que vi alguém na varanda.

— Quem? — perguntou Faith.

— Provavelmente estou errado. Quero dizer, estava escuro, certo? Mas juro que parecia Cecil.

— Por que estaria errado a respeito disso?

— Porque, depois que a porta bateu, ele se levantou e andou de volta para dentro.

20

Sara acompanhava os passos arrastados de Jon enquanto seguiam pela Trilha Circular até o salão de jantar. Tinha adiado a partida deles porque não levaria um menino de dezesseis anos para tomar coquetéis. Parecia uma linha boba a traçar, considerando que Jon estava chapado quando ela bateu na porta do chalé 9. Entrara após um suborno de sacos de batatas fritas e duas barras de Snickers de que Will certamente sentiria falta.

Jon absorveu a notícia da inocência do pai num silêncio chocado. Estava claramente atordoado com os acontecimentos das últimas 24 horas. Parou de tentar esconder as lágrimas. Apenas olhou para Sara, incrédulo, as mãos e o lábio inferior tremendo, enquanto ela contava os fatos: Dave era inocente. Eles tinham outro suspeito, mas Sara não podia falar mais do que isso.

Ela se ofereceu para levá-lo até os avós, mas Faith estava certa. O menino não tinha pressa de voltar para casa. Sara fez companhia a ele o melhor que pôde. Conversaram sobre árvores, trilhas para caminhadas e tudo menos o assassinato da mãe dele. Sara percebeu, pela maneira como ele falava — a ausência de "huns" e "tipos" que salpicavam as frases da maioria dos adolescentes —, que o rapaz fora criado na companhia de adultos. O fato de todos aqueles adultos compartilharem o sobrenome McAlpine tinha sido azar.

Jon chutou uma pedra para fora do caminho, com o pé varrendo a terra. Estava visivelmente ansioso. Sabia melhor do que Sara que estavam perto do salão de jantar. Era provável que estivesse pensando que sua presença depois de tantas horas fora criaria um rebuliço. Na última vez que estivera no local, estava bêbado e tinha gritado para a mãe que a odiava.

— Tem certeza de que quer fazer isso? Não é exatamente privado. Muitos hóspedes vão estar lá também — perguntou Sara.

Ele assentiu, o cabelo caindo sobre os olhos.

— Ele vai estar lá?

Sara sabia que ele estava falando de Dave.

— Provavelmente, mas poderia ser eu a contar para sua família que você voltou. Você poderia esperá-los na casa.

Ele chutou outro pedregulho e balançou a cabeça.

Sara imaginou que continuariam em silêncio, mas Jon limpou a garganta. Ele a encarou antes de desviar o olhar de novo para o chão.

— Como é sua família? — perguntou Jon.

Sara considerou a resposta.

— Tenho uma irmã mais nova que tem uma filha. Ela está estudando para ser parteira. Minha irmã, não minha sobrinha.

A boca de Jon esboçou um sorriso.

— Meu pai é encanador. Minha mãe faz a contabilidade e marca os horários para o negócio. Ela é muito envolvida em causas cívicas e em atividades na igreja dela, coisa que ela vive me lembrando.

— Como é seu pai?

— Bem...

Sara sabia que Jon tinha um relacionamento complicado com pai. Ela não queria envergonhá-lo por tabela.

— Ele adora piada de tiozão.

Os olhos de Jon foram para ela de novo.

— Que tipo de piada de tiozão?

Sara pensou no cartão que o pai tinha colocado na mala dela.

— Ele sabia que eu vinha para as montanhas nesta semana, então me deu dois dólares para o caso de ter alguma festa da floresta.

— Festa da floresta?

— É, custa dois paus para entrar.

Jon soltou uma risadinha.

— Ele queria que eu tivesse uma reserva.

Jon riu alto.

— Isso é bem tio do pavê mesmo.

Sara achava que era maravilhoso. Se Jon tinha tido azar, Sara tirara a sorte grande.

— Lembre-se do que eu disse sobre Will. Ele quer falar com você sobre sua mãe. Ele tem umas coisas para te dizer.

Jon assentiu. O olhar dele voltou para o chão. Ela pensou no jovem que tinha conhecido no dia anterior. Ele estava tão confiante quando desceu os degraus da frente da casa da família. Pelo menos ele se manteve assim até Will colocá-lo no lugar. Naquele momento, Jon parecia nervoso e intimidado.

Como pediatra, Sara havia testemunhado as dualidades em crianças. Os meninos, em particular, ficavam desesperados para descobrir como ser homens. Infelizmente, muitas vezes escolhiam os homens errados como modelos. Jon tinha Cecil, Christopher, Dave e Chuck. Claramente, ele poderia se sair pior do que um incel assustador que era rotineiramente envenenado pelo melhor amigo, mas também poderia se sair muito melhor.

— Sara?

Faith esperava por ela na plataforma de observação. Estava sozinha. As luzes estavam acesas dentro do salão de jantar. Sara ouviu o barulho dos talheres e o zumbido baixo de conversa. Todos tinham ficado isolados ali por horas, observando os convidados serem selecionados para interrogatório, um a um. O pessoal da cozinha devia ter contado a eles sobre o corpo no freezer. Christopher não estava em lugar nenhum. E então Dave apareceu como uma bomba atômica explodindo, e Gordon e Paul não desceram para beber. Sara imaginou que todos estavam cheios de teorias.

— Quer esperar por mim para entrar? — perguntou a Jon.

— Não, senhora. Eu dou um jeito.

O jovem endireitou os ombros enquanto atravessava a porta. Ele estava colocando a armadura. O coração dela doeu com a visão da coragem frágil dele.

— Sara — repetiu Faith. — Por aqui.

Sara a seguiu até a Trilha do Rango. Mais cedo, Faith tinha atualizado Sara com as revelações de Christopher enquanto Kevin e Will vigiavam o homem no galpão dos barcos. Naquele momento, Sara tentava atualizar Faith sobre a parte dela na investigação:

— Nadine ligou. O riacho baixou. Colocaram duas toneladas de cascalho na estrada. Ela vai estar aqui em uma hora, e não vai demorar muito até que todos saibam que as pessoas podem ir embora. Já estão conversando uns com os outros. O que disser para uma pessoa, pode dizer a todas.

— Me fale da autópsia — pediu Faith.

Sara não conseguia pensar em tópicos principais naquele momento.

— Quer dizer a gravidez ou...

— Que amostras você colheu para o laboratório?

— O esperma na vagina dela. Urina e sangue. Amostra das coxas, da boca, da garganta e do nariz em busca de saliva, suor ou DNA de toque. Coletei algumas fibras, principalmente vermelhas, mas algumas pretas, o que não é consistente com as roupas de Mercy. Havia alguns cabelos com os folículos intactos. Tirei raspagens de unha. Fiz um...

— Certo, isso está bom. Obrigada.

Faith ficou estranhamente silenciosa. Claramente estava revirando ideias na cabeça. Sara imaginou que logo descobriria o que estava acontecendo, e foi exatamente o que ocorreu quando eles fizeram a última curva da trilha e avistaram Will.

Ele estudava o mapa que Faith havia marcado. Sara percebeu, pela expressão cansada no rosto dele, que algo tinha dado muito errado durante o interrogatório de Paul.

— Não foi ele? — perguntou ela.

— Não — disse Will. — Paul já sabia que Cecil tinha matado a irmã dele. A história de Gordon bateu com a dele quase totalmente. Não foi ele.

Antes que Sara pudesse se recuperar da surpresa, Faith perguntou:

— Como médica, o que você reparou em Cecil?

Sara balançou a cabeça. A pergunta tinha sido inesperada.

— Seja mais específica.

— Ele pode sair da cadeira de rodas?

Sara balançou a cabeça novamente, mais para tentar acabar com a confusão.

— Não sei a extensão dos ferimentos dele, mas dois terços de quem utiliza dispositivos de mobilidade têm algum grau de deambulação.

— Que significa? — perguntou Faith.

— Eles não estão paralisados. Conseguem andar distâncias curtas, mas usam a cadeira por causa de dor crônica, ferimento ou exaustão, ou porque é fisicamente mais fácil.

Sara repassou mentalmente as breves interações que tivera com Cecil no serviço de coquetéis.

— Ele consegue usar a mão direita. Apertou nossa mão na noite passada, lembra?

— O aperto dele era forte — confirmou Will.

— Você está certo, mas não tem como extrapolar esse dado sem um exame completo.

Sara tentou pensar, mas não via um modo de ser útil.

— Não consigo saber se ele pode ou não andar, a não ser que veja todos os registros médicos e fale com os profissionais que o atendem. Mesmo assim, a força de vontade é incrível. Veja quanto tempo Mercy ficou viva depois de ser esfaqueada tantas vezes. A ciência nunca vai explicar tudo. Às vezes, corpos conseguem fazer coisas que não fazem sentido.

— Eles podem ter uma ereção? — questionou Faith.

Sara sentiu o choque da implicação. Eles tinham voltado a mente para Cecil.

— Me dê mais informações.

— Você entrou na casa. Viu onde Cecil estava dormindo? — perguntou Will.

— Eles adaptaram uma das salas no andar térreo — Sara recordou. — Ele está usando uma cama normal, não de hospital. Isso pode não significar nada, mas eu esperaria uma cadeira sanitária ao lado da cama. O banheiro do andar de baixo é muito estreito para uma cadeira. A banheira não tem um assento de transferência. Cecil estava de cueca boxer quando o vi na varanda da frente hoje de manhã. Não estava usando uma bolsa coletora de urina. Não havia cateteres no banheiro. Também vi uma série de produtos de higiene masculinos em uma prateleira acima da privada. Mesmo se o banheiro fosse acessível, ele não conseguiria alcançá-los da cadeira.

— Você me falou que era esquisito não ter uma van para cadeira de rodas no estacionamento — disse Faith.

— Não disse que era esquisito. Disse que ele, provavelmente, tinha pessoas para ajudá-lo a entrar e sair da caminhonete. Pitica é muito pequena para fazer isso sozinha. Ela poderia pedir a Jon ou a Christopher. Ou a Dave, aliás.

— Espere — disse Will. — Quando toquei o sino, Cecil foi o primeiro a sair. Então vi Pitica, mas não a vi empurrando a cadeira. Cecil só estava lá, e então Pitica estava lá. Christopher só apareceu depois. Jon também. Delilah ainda estava no andar de cima quando voltei do chalé de Gordon e Paul. Você mesma disse. Não há como Pitica ter levantado Cecil sozinha. Ela não tem nem 1,50 metro e pesa no máximo 45 quilos. Então como Cecil subiu na cadeira?

— Ele se levantou e andou — disse Faith.

Sara não podia mais discutir o andar.

— O que Paul disse que causou tudo isso?

— Ele viu Mercy às 22h30, mas ela não seguiu pela trilha. Ela foi para dentro da casa. Paul acha que viu Cecil se levantar da varanda e segui-la para dentro — contou Will.

Sara não sabia o que dizer.

— A primeira ligação de Mercy foi às 22h47 — disse Faith. — Dave não respondeu. Mercy ficou aflita. Então foi falar com o pai. Talvez Cecil tenha ficado apavorado porque achou que Mercy falaria com Paul de novo e descobriria como Gabbie morreu de verdade. O que Cecil fez a Mercy naqueles minutos todos?

Sara colocou a mão na garganta. Tinha ouvido sobre o tipo de coisa de que Cecil McAlpine era capaz.

— O que aconteceu com Cecil colocou Mercy em parafuso. Ela ligou para Dave às 22h47, 23h10, 23h12, 23h14, 23h19, 23h22. Sabemos que ela estava em uma área de wi-fi quando fez essas ligações.

Will levantou o mapa para que Sara pudesse ver.

— Mercy ainda estava dentro da casa quando começou a fazer as ligações. Ela arrumou a mochila, enfiou as roupas e o caderno. Desceu correndo para o salão de jantar. Continuou tentando entrar em contato com Dave.

— Tem um cofre de escritório atrás da cozinha — disse Faith. — Kevin o abriu com a chave de Christopher. Estava vazio.

— Lembrem-se do que Mercy disse na mensagem de voz: "Dave vai chegar logo" — relembrou Will.

— Ela estava falando com Cecil — concluiu Faith.

Sara olhou para o mapa, observando as distâncias entre a casa e o salão de jantar e entre o salão de jantar e os chalés dos solteiros.

— Cecil poderia ir até o salão de jantar, mas não descer até os chalés. Ele não conseguiria passar pela Trilha da Corda, e pela Velha Viúva levaria muito tempo. Sem mencionar ter a habilidade física de esfaquear Mercy tantas vezes.

— O que é o motivo de ele ter mandado outra pessoa para cuidar dela — afirmou Will.

Sara precisou de um momento para processar exatamente o que eles estavam dizendo. Ela se virou para Will. Naquele momento entendeu a expressão extenuada dele.

— Acha que Cecil teve um cúmplice?

— Dave.

Sara sentiu tudo se encaixar.

— Mercy estava tentando barrar a venda. Com ela fora do caminho, Dave controlaria o voto de Jon. Ele tem um motivo financeiro.

— Ele tem mais que isso — disse Will. — Já tinha ajudado Cecil a limpar as bagunças dele antes.

Faith assumiu a conversa:

— Dave sabia que Cecil tinha forjado o acidente de carro. Ele contou a Paul no ano passado em troca de dinheiro. Olhem...

Sara viu Faith passar o dedo pelo telefone para puxar um mapa do condado.

— A Curva do Diabo fica perto da pedreira fora da cidade, uma viagem de uns 45 minutos da pousada. Christopher disse que três horas se passaram entre a hora em que Cecil saiu dirigindo com Gabbie e Mercy no carro e a hora em que o delegado veio avisá-los do acidente. Não há como Cecil ter caminhado para casa em três horas. É uma montanha inteira entre os dois lugares. Alguém precisou trazê-lo de carro.

— Dave — deduziu Sara.

— Há quatorze anos, Dave ajudou Cecil a esconder o assassinato de Gabbie — disse Faith. — E, na noite passada, Dave ajudou Cecil a matar Mercy para livrá-lo novamente.

Sara estava convencida.

— O que vão fazer? Qual o plano?

— Quero que ache um jeito de tirar Jon daqui. Vou provocar Dave — disse Will.

— Provocar Dave? — Sara não gostava daquilo. — Como você vai provocá-lo?

— Nos dê um minuto — pediu Will a Faith.

Sara sentiu todos os pelos da nuca se eriçarem quando Faith desceu pela trilha.

— Você precisa fazer Dave se virar contra Cecil — disse ela a Will.

— Isso.

— Então vai provocar Dave para que ele diga alguma coisa estúpida.

— Isso.

— E ele provavelmente vai tentar machucar você.

— Isso.

— E ele provavelmente tem outra faca.

— Isso.

— E Kevin e Faith vão deixar isso acontecer.

— Isso.

Sara olhou para a mão direita de Will, que ele ainda segurava contra o peito. O curativo estava desgastado e quase preto por causa da sujeira, do suor e só Deus sabe o que mais. Ela deixou o olhar ir para baixo. Ele não estava usando o revólver que Amanda lhe dera. A mão esquerda estava ao lado do corpo. Ela podia ver a aliança de casamento no dedo.

A primeira proposta de casamento de Will para Sara não fora realmente uma proposta. Ela não respondera à pergunta porque ele não tinha feito a pergunta de fato. Isso não deveria ser surpreendente. Ele era um homem extremamente desajeitado. Era dado a grunhidos e longos silêncios. Preferia a companhia de cães à da maioria das pessoas. Gostava de consertar as coisas. Preferia não discutir como elas tinham sido quebradas.

Contudo, ele também ouvia Sara. Respeitava a opinião dela. Valorizava a contribuição dela. Fazia com que ela se sentisse segura. Era muito parecido com o pai dela. O que explicava por que Sara estava tão profunda e irrevogavelmente apaixonada por ele. Will sempre se levantava quando todos os outros ficavam sentados.

— Encha ele de porrada.

— Deixa comigo.

Sara sentiu-se trêmula enquanto caminhava em direção ao salão de jantar. Girou a aliança de casamento no dedo. Pensou em Jon, porque era a única pessoa que queria proteger. As últimas 24 horas tinham sido extremamente traumáticas para o jovem. Ele ficara bêbado. Havia discutido com a mãe. Tinha vomitado no próprio jardim, na frente de um estranho. Tinha sido cercado por mais estranhos quando soube que a mãe fora assassinada. Então o pai tinha sido preso, depois foi colocado em liberdade, e, naquele momento, Will estava prestes a incitar Dave a se gabar do fato de ter assassinado a mãe de seu filho.

Sara precisava tirar Jon de lá antes que aquilo acontecesse.

Faith esperava no deque de observação de novo. Kevin juntara-se a ela.

— Tirei os funcionários da cozinha do caminho. Eles estão no chalé 4 até que isso acabe. E os hóspedes? — perguntou Kevin.

— Vamos seguir instintivamente — disse Will. — Queremos que Dave dê um espetáculo. Ele pode querer plateia.

Sara olhou diretamente para o marido.

— E se eu não conseguir fazer Jon sair?

— Então ele vai ouvir o que tiver que ouvir.

Sara respirou fundo. Era uma realidade dura para ser engolida.

— Certo.

— Fiquem de olho em Pitica. Lembrem-se do que eu disse sobre se comportar feito a ex psicopata de Dave. Ela pode ser imprevisível — avisou Faith.

Sara estava pronta para aquela parte. Nada mais que acontecesse naquele lugar poderia surpreendê-la.

— Vamos acabar logo com isso.

Kevin abriu a porta.

Sara foi a primeira a entrar no salão de jantar. A cena era familiar. Duas mesas, apenas uma delas posta. O jantar já havia sido servido. Pratos de sobremesa tinham sido raspados. As taças de vinho estavam meio vazias. Em vez de estarem agrupados, os casais tinham se espalhado, cada um deles em formações diferentes. Frank e Monica estavam com Drew e Keisha. Gordon e Paul estavam sentados com Delilah. A cadeira de Cecil estava na cabeceira da mesa. Pitica à esquerda dele, com Dave ao lado dela. Jon estava à direita de Cecil, bem na frente da avó.

Sara sentiu todos os olhares voltados para ela quando sentou ao lado de Jon. Estar tão perto do pai tinha minado a coragem do jovem. As mãos estavam juntas sobre o colo. Havia marcas de suor na camisa. A cabeça estava baixa, mas até Sara podia sentir o ódio incandescente que ele dirigia a Dave do outro lado da mesa.

— Jon. — Sara tocou o braço dele. — Posso falar com você lá fora?

— De jeito nenhum — disse Dave. — Vocês já me tiraram tempo bastante com meu menino.

— Isso é verdade — concordou Pitica. — Quero vocês todos fora daqui assim que a estrada estiver aberta.

— Quieta — disse Cecil.

Ele estava apertando o garfo na mão direita. Espetou um pedaço de bolo e mastigou, produzindo um barulho no silêncio.

Jon manteve a cabeça baixa. Sua angústia era tão palpável quanto sua raiva. Sara queria abraçá-lo e levá-lo embora, mas não poderia interferir na investigação. Will e Faith já haviam assumido suas posições. Kevin estava bloqueando a entrada. Faith posicionara-se na extremidade oposta da mesa. Will havia se colocado perto de Dave, o que também o deixava próximo à porta da cozinha. Eles formavam um triângulo perfeito.

— Então? — rosnou Cecil. — Do que se trata isso?

— Onde está meu filho? — perguntou Pitica.

— Christopher foi preso por produzir, distribuir e vender bebida alcoólica ilegal — respondeu Faith.

Houve um curto período de silêncio, que foi quebrado pelo riso de Dave.

— Droga — disse. — Boa, Peixetopher.

— Muito bom. — Paul levantou sua taça. — Ao Peixetopher.

Monica tentou se juntar ao brinde, mas Frank segurou a mão dela. Sara olhou para Pitica. A atenção da mulher estava somente em Dave.

O comportamento dele tinha mudado. Ele sabia que aquela não era uma conversa amigável. Então tamborilou os dedos na mesa enquanto olhava para Kevin, depois para Faith, e finalmente virou a cabeça para Will.

— Ei, Lata de Lixo. Como vai a mão?

— Melhor que suas bolas — respondeu Will.

Jon riu entre dentes.

— Jon. — Sara manteve a voz baixa. — Por que não saímos?

— Mantenha a bunda nessa cadeira, menino — bradou Dave.

Jon tinha congelado com a ordem ríspida. Pitica fez um som de desaprovação. Sara olhou para os conjuntos de talheres. Dois tipos de garfos, uma faca, uma colher. Qualquer um deles poderia se transformar em uma arma. Ela sabia que Will tinha feito o mesmo cálculo. O olhar dele não ficava no rosto de Dave, mas em suas mãos. Sara prestou atenção nas mãos de Pitica. Estavam dobradas sobre a mesa.

— Então? — disse Dave. — O que você tem, Lata de Lixo?

— A investigadora forense ligou. Ela encontrou algumas provas na autópsia de Mercy — falou Faith.

Pitica bufou.

— Esse é um lugar apropriado para discutir essas questões?

— Acho que será uma grande noite para todos nós ouvirmos a verdade — disse Paul.

Sara viu Faith calando a boca dele com um olhar.

— Ou não.

Paul devolveu a taça à mesa.

A agente recomeçou:

— A investigadora forense raspou debaixo das unhas de Mercy. Encontrou pedaços de pele, o que significa que Mercy arranhou quem a atacou. Vamos precisar do DNA de cada pessoa aqui.

Dave riu.

— Boa sorte, senhora. Precisa de um mandado para isso.

— O juiz Framingham está assinando um bem agora — falou Faith com tanta autoridade que Sara quase acreditou nela. — Conhece o juiz, não conhece? Ele esteve em alguns dos seus julgamentos por embriaguez ao volante, certo? Foi quem tirou sua carteira de motorista.

Dave passou o dedo pelo garfo ao lado de seu prato.

— Vocês vão simplesmente pegar o DNA de todo mundo aqui?

— Isso — disse Faith. — De cada pessoa.

— Não pode fazer isso. Não há motivo para suspeitar... — disse Drew.

— Vocês não precisam da porra do meu DNA — disse Cecil. — Eu sou o pai dela.

Sara se encolheu com a explosão de raiva. A mente dela imediatamente foi para Gabbie, depois para Mercy.

— Sr. McAlpine. — Faith manteve a voz calma. — Existe algo chamado DNA de toque, que significa que qualquer pessoa que entrou em contato físico com Mercy, seja Pitica, Delilah, Jon ou até um dos hóspedes, deixou um pouco de material genético no corpo dela. Precisamos estabelecer os perfis de todos, assim podemos isolar o do assassino. Os funcionários da cozinha e Penny já deram amostras. Realmente, não é grande coisa.

— Certo. — Delilah surpreendeu a todos ao falar primeiro. — Eu segurei a mão de Mercy. Foi antes do jantar, mas eu topo. Como fazemos isso? Cuspe? Coleta?

— Porra. Não. — Keisha bateu na mesa. — Não vou mais manter os segredos de vocês. Isso é besteira.

— Que segredo? — perguntou Delilah.

— Mercy estava grávida de doze semanas — explicou Faith.

Pitica arquejou. Os olhos dela foram diretamente para Dave.

Sara também olhou para Dave. A notícia claramente o deixou perturbado.

— Sabemos que Mercy fez sexo com alguns dos hóspedes — continuou Faith.

Houve uma conversa paralela no fim da mesa, mas Sara só conseguiu observar Pitica colocar uma mão tranquilizadora sobre o braço de Dave. A mandíbula dele estava contraída. Ele ficava apertando e soltando o punho.

— O que está dizendo da minha esposa?

Will resolveu entrar na conversa.

— Mercy não era sua mulher.

O punho de Dave se fechou com força. Ele ignorou Will, dirigindo toda a sua raiva para Faith.

— Que besteira acabou de sair da porra da sua boca?

— Não eram só os hóspedes. Mercy estava fodendo com Alejandro regularmente — provocou Will.

Dave ficou de pé tão rápido que a cadeira caiu. Ele estava olhando para Will naquele momento.

— Cala a porra da sua boca!

Sara ficou tensa, como todo o resto dos ocupantes da mesa. Os dois homens estavam se enfrentando, prontos para matar um ao outro.

— Dave. — Pitica puxou as costas da camisa dele. — Sente-se, querido. Se eles tivessem um mandado, estariam mostrando.

A boca de Dave se torceu num sorriso vulgar.

— Ela está certa. Mostre o documento, Lata de Lixo.

— Acha que não posso pegar seu DNA? — perguntou Will. — Você vai jogar fora um cigarro ou uma garrafa de Coca, ou vai passar a bunda na privada... e eu vou estar lá para coletar. Não vai poder evitar. Deixa sua catinga em tudo que toca.

— Eu não fumo — falou Frank, sempre tentando aplacar as coisas. — Porém, não tem necessidade de me seguir. Fico feliz em dar cuspe ou qualquer outra coisa.

— Claro, por que não? Contem comigo — anunciou Gordon.

— Podemos escolher a doação que damos? — perguntou Paul.

Sara observou Jon pousar o rosto nas mãos. Ele soltou um grito agudo enquanto se afastava da mesa. Correu pela sala, quase esbarrando em Kevin. A porta se fechou atrás dele. O som ecoou no silêncio. Sara não sabia o que fazer, se ia atrás dele ou se ficava.

— Meu menino precioso — sussurrou Pitica no silêncio.

Dave olhou para a mãe. Pitica ainda estava esticada sobre a mesa, na direção da cadeira vazia de Jon. Ela recostou-se lentamente e apertou as mãos. O olhar de Dave se ergueu para a porta pela qual Jon acabara de escapar. Havia um desamparo na expressão dele. O lábio inferior começou a tremer. Lágrimas brotaram em seus olhos.

Então, com a mesma rapidez com que tinham surgido, as expressões sumiram.

O comportamento de Dave mudou tão rapidamente que Sara pensou ter testemunhado um truque de mágica. Num momento ele parecia completamente alquebrado, no seguinte, estava furioso.

Dave chutou a cadeira virada. A madeira se estilhaçou na parede.

— Quer meu DNA, Lata de Lixo? — gritou.

— Isso — disse Will. — Quero.

— Pegue do bebê que coloquei na barriga de Mercy. Ninguém jamais tocou nela. Aquela porra de filho é meu.

— Aí está ele — disse Will. — Pai do ano.

— Você está totalmente certo, eu sou.

— Você é tão mentiroso! — disse Will. — Mercy foi o único pai que Jon teve. Ela o manteve em segurança. Cuidava dele. Colocou um teto sobre a cabeça do filho, comida na boca dele e amor no coração. E você tirou isso dele.

— *Nós* demos essas coisas a Jon! — berrou Dave. — Mercy e eu. Sempre fomos nós dois.

— Desde que tinha onze anos, certo?

— Vai se foder! — Ele deu um passo ameaçador na direção de Will. — Você não tem ideia do que a gente tinha. Mercy me amava desde que era um bebê.

— Como uma boa irmãzinha?

— Seu filho da puta! — murmurou Dave. — Você sabe exatamente o que a gente tinha. Era eu quem ela amava. Era comigo que ela se preocupava. Eu fui o único homem que fodeu com ela.

— Você fodeu com ela muito bem.

— Fale de novo — pediu Dave. — Fale mais uma vez na minha cara, seu babaca. Você quer que eu escreva pra você? Quer que eu soletre, Lata de Lixo? Mercy *me* amava. Ela só se preocupava *comigo*.

— Então por que ela não disse nada sobre você? — perguntou Will. — Mercy ainda estava viva quando eu a encontrei, Dave. Ela desabafou comigo. Não mencionou seu nome.

— Mentira.

— Pedi que ela me contasse quem a tinha esfaqueado. Implorei a ela. Sabe o que ela disse?

— Ela não disse que tinha sido eu.

— Não, não disse — confirmou Will. — Ela sabia que estava morrendo, e a única coisa com que ela se importava era Jon.

— *Nosso* Jon. — Ele bateu o punho no peito. — *Nosso* filho. *Nosso* menino.

— Ela queria que Jon ficasse longe de você — continuou Will. — Foi a primeira coisa que ela me disse. "Jon não pode ficar. Afaste ele daqui." Afaste ele de *você*, Dave.

— Isso não é verdade.

— Eles discutiram no jantar — disse Will. — Jon estava bravo com Mercy por barrar a venda. Ele disse que queria morar com a avó em uma casa com você. Quem colocou isso na cabeça dele, Dave? Foi o mesmo cuzão que disse a ele pra me chamar de Lata de Lixo?

Dave começou a balançar a cabeça em negação.

— Você só fala merda.

— Mercy queria que eu dissesse a Jon que ela o perdoava — continuou Will. — Ela não queria que ele carregasse culpa pela briga. Aquelas foram as últimas palavras que saíram da boca dela. Não sobre você, Dave. Nunca sobre você. Mercy mal conseguia falar. Ela estava sangrando até morrer. A faca ainda estava dentro do peito dela. Eu conseguia ouvir a respiração soprando pelos buracos nos pulmões dela. E com aquele último pingo de força, nos últimos suspiros, ela olhou diretamente para mim e disse três vezes, *três vezes*. "Perdoo ele. Perdoo ele. Perdoo…".

A voz de Will ficou embargada. Ele encarou Dave com um olhar de horror no rosto.

— O quê? — perguntou Dave. — O que ela disse?

Sara não entendia o que estava acontecendo. Ela observou o peito de Will subir e descer enquanto ele respirava fundo e soltava o ar lentamente. O olhar dele ainda estava fixo no de Dave. Algo tinha acontecido entre eles. Talvez a história compartilhada. Eram dois meninos órfãos de pai. Jon tinha sido criado como filho órfão de pai. E agora a mãe havia partido. Ambos sabiam melhor do que ninguém o que significava estar verdadeiramente sozinho.

— As últimas palavras de Mercy foram "diga a Jon que eu perdoo ele" — disse Will a Dave.

Dave não disse nada. Ele olhou para Will, a cabeça para trás, a boca fechada. Deu um leve aceno de cabeça, não mais que uma inclinação do queixo. Então o truque de mágica aconteceu, mas, dessa vez, ao contrário. Dave murchou como um balão. Os ombros rolaram para a frente. Os punhos relaxaram. As mãos caíram para os lados. A única coisa que não mudou foi a expressão triste no rosto dele.

— Mercy disse isso? — perguntou Dave.
— Disse.
— Foi exatamente o que ela disse?
— Sim.
— Certo.
Dave assentiu uma vez, como se tivesse se decidido.
— Certo, fui eu. Eu a matei.
Pitica arquejou.
— Davey, não.
Ele pegou um guardanapo de papel da mesa e secou os olhos.
— Fui eu.
— Davey — disse Pitica. — Pare de falar. Vamos conseguir um advogado.
— Está tudo bem, mamãe. Eu esfaqueei Mercy. Fui eu quem a matou. — Dave acenou na direção da porta. — Vá embora agora. Você não precisa ouvir os detalhes.

Sara não conseguia tirar os olhos de Will. A dor nos olhos dele a matava. Ela o tinha visto no lago com Mercy. Sabia o que a morte dela havia lhe custado. Will olhou para a mão machucada. Colocou-a de volta sobre o peito. Sara queria ir até ele, mas sabia que não podia. Só podia ficar sentada, impotente, enquanto a sala começava a se esvaziar. Primeiro os hóspedes, depois Pitica finalmente se levantou para empurrar a cadeira de Cecil, e todos foram embora.

Will finalmente olhou para Sara. Ele balançou a cabeça e disse a Faith:
— Assuma o controle.

Sara sentiu a mão dele em seu ombro quando ele passou. Ele a apertou, dizendo a ela para ficar. Precisava de um tempo sozinho. Sara precisava lhe dar esse direito.

Faith agiu rápido. Ela estava com a Glock nas mãos. Kevin tinha se aproximado.
— Mostre aquele canivete, devagar — pediu a Dave.

Dave começou com o canivete borboleta na bota. Ele o colocou sobre a mesa.
— Eu sabia que Mercy andava trepando por aí e que estava grávida. Não tinha conhecimento sobre a produção de bebida, mas sim que ela estava ganhando dinheiro e não me dava. Começamos a discutir.
— Onde vocês discutiram?
— Na cozinha. — Dave tirou a carteira e o telefone. — Eu limpei o cofre. Foi por isso que não acharam nada.
— O que tinha lá dentro? — perguntou Faith.
— Dinheiro. Os balanços que ela estava fraudando para que todo mundo fosse pago.

— E a faca? — perguntou Faith.

— O que tem ela? — Dave deu de ombros com exagero. — Cabo vermelho. Com um pedaço de metal saindo da parte quebrada.

— Onde pegou a faca?

— Mercy a deixava na gaveta. Usava para abrir envelopes.

— Como ela terminou nos chalés dos solteiros?

— Eu fui atrás dela pela Trilha da Corda. Eu a esfaqueei e a deixei lá para morrer. Comecei o incêndio para encobrir as pistas.

— Ela não foi encontrada no chalé.

— Mudei de ideia. Queria que Jon tivesse um corpo para enterrar. Arrastei-a até a água, pois achei que fosse apagar qualquer evidência. Não sabia que ela ainda estava viva, senão a teria afogado.

Ele deu de ombros.

— Então me escondi no antigo acampamento. Depois peguei uns peixes e fiz o jantar.

— Você a estuprou?

Dave hesitou, mas só um pouco.

— Estuprei.

— O que você fez com o cabo da faca?

— Entrei escondido no chalé 3 depois que Lata de Lixo tocou a campainha. A mesma privada que tinha consertado quando os hóspedes estavam vindo pela trilha. — Dave deu de ombros de novo. — Pensei que Drew fosse ser enquadrado por ele, mas acho que vocês me pegaram.

Sara observou Dave levantar as mãos, oferecendo os pulsos para serem algemados.

— Ainda não — disse Faith. — Fale sobre Cecil.

Dave deu de ombros mais uma vez.

— O que você quer saber?

21

WILL CORREU PELA FLORESTA. Estava fora da trilha de novo, atravessando a Trilha Circular em linha reta. Galhos e folhas cortavam seu rosto. Ele ergueu o braço para proteger os olhos. Recordou-se da noite anterior, da confusão cega enquanto procurava a origem dos gritos. Os locais ainda não estavam definidos em sua mente. Tinha virado, sido enviado para duas direções diferentes. Tinha sentido o cheiro da fumaça do chalé em chamas. Havia corrido para dentro à procura Mercy. Havia corrido para a margem para resgatá-la. Tinha esfaqueado a própria mão tentando salvá-la. E aí tinha ouvido exatamente o que queria ouvir.

Perdoo ele... Perdoo ele...

Will subiu a escada até a varanda da frente com passo leve. A porta estava entreaberta. Ele avançou lentamente para dentro. A escuridão havia chegado, a lua obscurecida por nuvens que traziam a promessa de outra tempestade. Will pôde ver uma figura no quarto. As gavetas tinham sido reviradas. As malas estavam abertas no chão.

Dave tinha percebido alguns minutos antes de Will. Uma faísca de entendimento tinha tirado o Chacal do jogo. Ele conhecia Mercy desde que ela era criança. Era irmão dela. Era marido dela. Era o abusador dela.

Também era astuto, inteligente e manipulador.

A confissão que Dave daria a Faith seria imaculada. Também seria uma mentira. Ele provavelmente havia reunido detalhes suficientes nas últimas doze horas para responder a cada uma das perguntas de Faith. Todos no complexo tinham sido acordados por Will tocando o sino. Biscoito sabia que Mercy havia sido encontrada no lago. Delilah ficara com o corpo perto da cabana incendiada.

Keisha tinha visto o cabo da faca quebrado. Dave provavelmente sabia onde a faca estava guardada antes de ter sido usada como arma. O pessoal da cozinha tinha visto Kevin abrir o cofre vazio. Não era difícil adivinhar o que Mercy guardaria lá dentro. Dave sabia onde funcionava o wi-fi, onde um telefonema poderia ser feito ou não.

Perdoo ele. Perdoo ele.

No lago, Will tinha ficado de joelhos implorando a Mercy para aguentar por Jon. Ela tossira sangue na cara de Will. Tinha pegado a camisa dele e o puxado para perto, tinha olhado nos olhos dele e dito suas últimas palavras. Contudo, seu último desejo de morte não havia sido para Jon. Tinha sido para Will.

Perdoe ele.

Você, um policial, *perdoe meu filho* por me assassinar.

Will ouviu um zíper sendo puxado. Depois outro. Jon estava revistando freneticamente a mochila de Sara. Estava procurando o vape que Sara havia tirado dele mediante suborno. No salão de jantar, Will tinha dito ao garoto que o metal poderia ser examinado em busca de DNA, e que o DNA o ligaria ao assassino de Mercy.

Ele esperou até que Jon encontrasse o saco Ziploc no bolso da frente.

Will acendeu as luzes.

A boca de Jon se abriu.

— Eu-eu-eu... — gaguejou Jon. — Eu pre-precisava, hum, precisava acalmar os nervos.

— E seu outro vape? — perguntou Will. — O que está no seu bolso de trás?

Jon levou a mão na direção do bolso de trás, então parou.

— Está quebrado.

— Deixe-me dar uma olhada. Talvez consiga arrumar pra você.

Os olhos de Jon corriam furtivamente pelo quarto — as janelas, a porta. Ele começou a correr na direção do banheiro porque tinha dezesseis anos e ainda pensava como criança.

— Não — disse Will. — Sente-se na cama.

Jon sentou-se no canto do colchão, os sapatos apoiados no carpete, para o caso de ter chance de correr. Segurava o saco plástico como se a vida dependesse disso. O que era verdade, porque dependia.

Dave não era o cúmplice de Cecil.

Jon era.

Sara quase o pegara logo após o assassinato. Jon estava carregando uma mochila, pronto para descer a montanha. Também estava escondido na escuridão. Sara estava só presumindo quando chamou o nome de Jon. Achou que ele estava vomitando porque estivera bebendo. Não tinha como saber que ele tinha acabado de assassinar a mãe.

Que o Chacal tivesse percebido antes de Will não era surpresa. Que ele tivesse tentado dar a própria vida pelo filho era a única coisa boa que o homem já tinha feito.

Will tirou o saco Ziploc das mãos de Jon. Colocou-o sobre a mesa e sentou-se na poltrona. Então disse:

— Conte o que aconteceu.

O pomo de adão de Jon subiu e desceu.

— Sara me disse que estava olhando para você quando sua mãe pediu socorro — disse Will. — Sua mãe não morreu imediatamente. Ela desmaiou e acordou. Devia estar em agonia, desorientada e com medo. Por isso pediu socorro. Por isso gritou "por favor".

Jon ficou em silêncio, mas começou a cutucar a cutícula do dedão. Will observou os olhos do menino indo para lá e para cá, como se ele tentasse pensar desesperadamente numa maneira de sair daquilo.

— O que você fez com a sua mãe? — perguntou Will.

O sangue brotou na cutícula de Jon.

— Sara me disse que você estava carregando uma mochila de cor escura — falou Will. — O que havia ali? Suas roupas manchadas de sangue? O cabo da faca? O dinheiro do cofre?

Jon apertou a unha, arrancando mais sangue.

— Depois que Mercy gritou pedindo socorro, você correu para dentro da casa. — Will fez uma pausa. — O que fez você entrar na casa, Jon? Alguém o esperava?

Jon balançou a cabeça, mas Will sabia que o quarto de Cecil ficava no andar térreo.

— Seu cabelo estava molhado quando eu o vi. Quem mandou você tomar banho? Quem disse para trocar de roupa?

Jon passou o sangue pelo polegar, atravessou as costas da mão. Por fim quebrou o silêncio.

— Ela ficava voltando para ele.

Will deixou que ele falasse.

— Ela só se importava com Dave — confessou Jon. — Eu implorava para ela largar dele. Para sermos só nós dois. Mas ela sempre voltava para ele. Eu não, eu não tinha ninguém.

Will ouvia o tom dele tanto quanto as palavras. Jon parecia desamparado. Will conhecia a angústia particular de ser uma criança à mercê dos caprichos de adultos não confiáveis.

— Não importava o que Dave fizesse — continuou Jon. — Batia nela, sufocava ela, chutava ela... ela sempre o aceitava de volta. Toda vez, ela sempre escolhia ele em vez de mim.

Will se inclinou para a frente na poltrona.

— Sei que é difícil para você entender agora, mas o relacionamento de Mercy com Dave não tinha nada a ver com você. Abuso é complicado. Não importa o que aconteceu, ela te amava de todo o coração.

Jon balançou a cabeça em negação.

— Eu era um fardo na vida dela.

Will sabia que Jon não teria pensado sozinho em uma descrição dessas.

— Quem disse isso a você?

— Todo mundo, a vida inteira.

Jon olhou para ele, em rebeldia.

— Vocês mesmos disseram que Mercy estava transando com hóspedes, transando com Alejandro, grávida de novo. Vá falar com as pessoas na cidade. Vão dizer a mesma coisa. Mercy era uma má pessoa. Assassinou uma garota. Era prostituta. Bebia e se drogava. Deixou outra pessoa criar o filho. Deixou o ex-marido encher a cara dela de porrada. Ela não era nada além de uma puta burra.

— Deixa mais fácil chamá-la de todos esses nomes, não deixa? — interveio Will.

— Deixa o que mais fácil?

— O fato de que você a esfaqueou tantas vezes.

Jon não negou, mas também não desviou o olhar.

— Sua mãe te amava — disse Will. — Eu vi vocês juntos quando fizemos o registro. Mercy brilhava quando você estava por perto. Ela lutou pela sua guarda com a tia Delilah. Ficou sóbria. Virou a vida para o caminho certo. Tudo por você.

— Ela queria vencer — disse Jon. — Era com isso que ela realmente se preocupava. Ela queria ganhar de Delilah. Eu era o troféu. Assim que ela me conseguiu, me colocou na prateleira e não pensou mais em mim.

— Isso não é verdade.

— É verdade! — insistiu ele. — Dave quebrou meu braço uma vez. Ele me colocou no hospital. Sabia disso?

Will gostaria de se sentir menos surpreso.

— O que aconteceu?

— Mamãe me disse que eu precisava perdoar ele. Disse que ele se sentiu mal, que tinha prometido que nunca mais botaria a mão em mim, mas foi Pitica que, no fim, me protegeu. Ela disse a Dave que se ele me machucasse de novo, não poderia mais vir aqui para cima. E falou sério. Então ele me deixou em paz. É o que Pitica fez por mim. Ela me protegeu. Ainda protege.

Will não perguntou a ele por que a avó não tinha usado a mesma ameaça para proteger a própria filha.

— Ela me salvou — disse Jon. — Se eu não tivesse a Pitica, não sei o que teria acontecido comigo. Dave já teria me matado a essa altura.

— Jon...

— Não percebe o que mamãe me forçou a fazer? — A voz de Jon falhou na última palavra. — Eu teria simplesmente sumido aqui. Teria sido um nada. Pitica é a única mulher que me amou. Mamãe não se importava até ver que tinha me perdido.

Will precisava pesar seu desejo por uma confissão e pela saúde mental de Jon. Não podia deixar aquele menino em pedaços. Jon passaria o resto da vida na prisão, mas em algum momento precisaria olhar para o que tinha feito. Ele merecia saber as últimas palavras da mãe.

— Jon — disse Will. — Mercy estava viva quando eu a encontrei. Ela conseguiu falar comigo.

A reação dele não foi a que Will esperava. A boca de Jon se abriu. O rosto dele ficou branco. O corpo ficou imóvel. Ele tinha até parado de respirar.

Ele parecia totalmente apavorado.

— O que... — o pânico deixava Jon sem palavras — o que e-ela...

Will reviveu os últimos cinco segundos da conversa. Jon havia ficado quieto quando Will o acusara de assassinato. O que o tinha incitado? Do que ele estava com medo?

— O que ela viu... — Jon começou a arquejar de novo, quase hiperventilando. — Não era, nós não...

Will recostou-se lentamente na poltrona.

Não percebe o que mamãe me forçou a fazer?

— Eu não queria... — Jon engoliu em seco. — Ela precisava sumir, certo? Se ela simplesmente tivesse deixado a gente em paz, assim poderíamos...

Mamãe não se importava até ver que tinha me perdido.

— Por favor, eu não... por favor...

O corpo de Will começou a aceitar a verdade antes do cérebro. Sua pele estava quente. Os ouvidos zumbiam com um zunido alto e penetrante. A mente voltou ao salão de jantar como um carrossel de pesadelos. Viu a expressão abalada de Dave quando Jon saiu correndo pela porta. A lenta mudança no comportamento dele. O aceno de compreensão. A capitulação repentina. Não tinha sido a partida de Jon que desencadeara a confissão dele, e sim ouvir o sussurro suave de Pitica...

Meu menino precioso.

Faith tinha brincado dizendo que Pitica se comportava como a ex psicopata de Dave. Contudo, não era uma brincadeira. Dave tinha treze anos quando fugiu do orfanato. Pitica havia diminuído a idade dele para onze. Ela o tinha infantilizado, fizera com que se sentisse com raiva, frustrado, emasculado, confuso. Nem todas as crianças que foram sexualmente abusadas cresciam e viravam abusadoras, mas os predadores sexuais estão sempre caçando novas vítimas.

— Jon. — Will mal conseguia pronunciar o nome. — Mercy ligou para Dave porque viu alguma coisa, não foi?

As mãos de Jon cobriram seu rosto. Ele não estava chorando. Tentava se esconder. A vergonha expulsava a alma de seu corpo.

— Jon, o que sua mãe viu? — perguntou Will. — Conte pra mim.

O garoto começou a balançar a cabeça em negação.

— Jon — repetiu Will. — O que sua mãe viu?

— Você sabe o que ela viu! — gritou Jon. — Não me obrigue a dizer!

Will teve a sensação de que seu peito era atravessado por mil lâminas. Ele tinha sido tão estúpido, ainda só escutava o que queria escutar.

Mercy não tinha dito a Will que Jon precisava ficar longe *dali*.

Ela lhe dissera que Jon precisava ficar longe *dela*.

TRINTA E SETE MINUTOS ANTES DO ASSASSINATO

Mercy olhou pela janela aberta do saguão de entrada. A lua estava tão brilhante que era como se um holofote iluminasse o complexo. Paul Ponticello, provavelmente, estava reclamando com o namorado no chalé 5. Ele tinha direito. O famoso Gênio de Mercy havia rugido como um leão, e ela fora dominada pelo arrependimento. A verdade é que tinha ficado chocada com a oferta de perdão de Paul.

Mercy merecia muitas coisas por matar Gabbie, mas perdão não era uma delas.

Ela pressionou os dedos nos olhos. A cabeça a matava. Estava feliz por Dave não ter atendido o telefone quando ligou para contar o que havia acontecido. Deus sabia que ele adorava uma boa história de "vá se foder", mas ele a teria irritado ainda mais.

O corpo dela estava tenso. Estava inchada e nojenta. Sua menstruação devia estar perto de descer. Mercy havia parado de usar o aplicativo no celular para marcar o ciclo. Tinha lido histórias de terror na internet sobre policiais obtendo seus dados e fazendo referências cruzadas de cartões de crédito para ver a última vez que você tinha comprado absorventes. Tudo o que Mercy precisava era que Peixe examinasse seus registros financeiros. Precisava conversar com Dave sobre voltar a usar camisinha. Dessa vez, falaria sério. A chateação dele valia o risco ao irmão.

Irmão de Dave também, se fosse mais literal.

Mercy fechou os olhos novamente. Todas as coisas ruins que aconteceram naquele dia a atingiram. Além disso, o polegar estava doendo como um desgraçado. Outro erro estúpido que tinha cometido, deixando cair o copo quando Jon gritou com ela. Os pontos haviam ficado encharcados quando estava limpando a cozinha. A garganta estava em carne viva e machucada porque Dave a tinha sufocado. Não aguentava nada mais forte que Tylenol.

Pior, o que ela estava pensando, conversando com aquela médica? Sara tinha sido tão gentil que convencera Mercy a se esquecer de que o marido dela era policial. Will Trent tinha uma fixação por Dave. A última coisa que Mercy precisava era de um agente do DIG farejando a propriedade. Graças a Deus, uma tempestade estava se aproximando do cume. Mercy duvidava que os recém-casados precisassem de uma desculpa para ficar dentro do chalé durante o resto da semana.

Pensou no idiota do Chuck balançando aquele papel-alumínio fumegante do lado de fora do galpão de equipamentos naquela manhã. Ele estava ficando desleixado, destilando bebida rápido demais para acompanhar o controle de qualidade. Estava na hora de acabar com aquela merda. Peixe vinha dizendo havia meses que queria sair. E não se tratava apenas da bebida falsificada. Ele queria se libertar daquela prisão claustrofóbica que gerações dos McAlpine construíram não por orgulho, mas por despeito.

A verdade chocante era que Mercy também queria sair.

Por fim, suas ameaças na reunião de família tinham sido vazias. Nunca mostraria a ninguém seus diários de infância que detalhavam a raiva de Papai. Ninguém descobriria que ele havia assumido o controle da pousada atacando a própria irmã com um machado. Os crimes de Pitica desapareceriam com o prazo de prescrição. As cartas de Mercy para Jon que denunciavam o abuso de Dave nunca veriam a luz do dia. Peixe poderia se livrar do contrabando e viver sua vida solitária na água.

Mercy quebraria o ciclo. Jon merecia mais do que estar preso a esta terra amaldiçoada. Votaria para vender aos investidores. Pegaria cem mil para ela e guardaria o resto em um fundo para beneficiar Jon. Delilah poderia ser a administradora. Que Dave tentasse tirar sangue daquela pedra. Mercy alugaria um pequeno apartamento na cidade para que Jon pudesse terminar a escola e depois o enviaria para uma boa faculdade. Não sabia quanto dinheiro era necessário para viver sozinha, mas havia encontrado trabalho da última vez. Encontraria novamente. Tinha costas fortes. Uma ética de trabalho sólida. Experiência de vida. Poderia fazer isso.

E, se falhasse, sempre poderia voltar a morar com Dave.

— Quem está aí? — rugiu Papai.

Mercy prendeu a respiração. O pai estava na varanda quando tinha mandado Paul se foder. Ele havia exigido detalhes, mas Mercy se recusara. Naquele momento, ouvia o pai mexendo na cama. Ele logo entraria cambaleando no corredor, arrastando as pernas como as correntes de Jacob Marley. Mercy subiu a escada antes que ele pudesse alcançá-la.

As luzes estavam apagadas, mas a lua entrava pelas janelas nas duas extremidades do corredor. Ela ficou do lado direito. Mercy entrava e saía de casa o suficiente para saber quais tábuas do piso rangiam. Olhou em direção ao banheiro no final do corredor. Jon havia deixado a toalha no chão. Ela podia ouvir Peixe roncando como um trem de carga atrás da porta fechada. A porta de Pitica estava entreaberta, mas Mercy preferiria enfiar o rosto no traseiro de uma vespa.

A porta de Jon estava fechada. Uma luz suave saía por debaixo.

Mercy sentiu um pouco da ansiedade anterior retornar. Na escala de todas as brigas que tivera com o filho, a do jantar não fora a pior, mas fora a mais pública. Tinha perdido a conta do número de vezes que Jon havia gritado a plenos pulmões que a odiava. Ele, em geral, precisava de um ou dois dias para se acalmar. Não era como Dave, que podia dar um soco na sua cara em um minuto e fazer beicinho porque ela estava brava com ele no seguinte.

Deus sabia que Mercy nunca se iludira pensando que era uma boa mãe. Ela era muito melhor que Pitica, mas essa era uma régua pateticamente baixa. Mercy era uma mãe regular. Amava o filho. Daria sua vida por ele. Os Portões de Pérola não se abririam para ela na vida após a morte — não depois de todas as pessoas que tinha machucado, da vida preciosa que havia tirado —, mas talvez a pureza do amor de Mercy por Jon desse a ela um bom lugar no purgatório.

Ela devia contar ao menino sobre a venda. Ele não podia ficar bravo com ela por lhe dar exatamente o que queria. Talvez pudessem ir a algum lugar juntos. Podiam passar férias no Alasca ou no Havaí ou em um das dezenas de lugares que ele falava que queria visitar quando era um garotinho tagarela com grandes sonhos.

O dinheiro podia ajudar alguns daqueles sonhos a se tornarem realidade.

Mercy estava do lado de fora da porta de Jon. Ela ouviu o tilintar de uma caixa de música. Franziu as sobrancelhas. O filho dela ouvia Bruno Mars e Miley Cyrus, não *Brilha, Brilha, Estrelinha*. Ela deu uma leve batida na porta. Deus sabia que não queria pegar Jon com um frasco de creme novamente. Ela esperou ouvir o passo familiar dele pelo chão. Tudo o que ouviu foi o som de barras de metal sendo cravadas em um carretel giratório.

Algo lhe disse para não bater novamente. Ela girou a maçaneta. Abriu a porta.

O acidente de carro que matou Gabbie sempre estivera em branco na mente de Mercy. Ela cochilara no quarto. Havia acordado em uma ambulância. Esses eram os únicos dois detalhes de que Mercy conseguia se lembrar. Contudo, às vezes, o corpo dela tinha uma memória. Um brilho de terror queimando seus nervos. Um medo frio congelando o sangue em suas veias. Um martelo quebrando seu coração em pedaços.

Era assim que se sentia naquele momento, ao encontrar a mãe na cama com o filho.

Era uma cena casta. Ambos estavam vestidos. Jon estava deitado nos braços de Pitica. Os lábios dela estavam pressionados no topo da cabeça dele. A caixa de música estava tocando. O cobertor de bebê dele estava sobre seus ombros. Os dedos de Pitica estavam enrolados em seus cabelos, as pernas entrelaçadas com as dele, a mão na frente da camisa dele enquanto lhe acariciava a barriga com os dedos. Poderia ter passado por normal, exceto pelo fato de Jon ser quase um homem adulto e ela ser avó dele.

A expressão de Pitica tirou qualquer fiapo de dúvida dela. A culpa no rosto dela contava toda a história. Ela levantou-se apressadamente da cama, apertando o robe e dizendo:

— Mercy, eu posso explicar.

Os joelhos de Mercy cederam conforme ela cambaleou para o banheiro. Começou a sentir ânsia na privada. Água e vômito respingaram no rosto dela. Ela abraçou a privada com os braços. Teve ânsia de novo.

— Mercy — sussurrou Pitica.

Ela estava bloqueando a porta. Apertava o cobertor de bebê de Jon contra o peito.

— Vamos conversar. Não é o que está pensando.

Mercy não precisava conversar. Estava tudo voltando à sua mente. O jeito como a mãe tratava Jon, o jeito como ela tratava Dave. Os olhares melosos. Os toques constantes. A infantilização e os afagos implacáveis.

— Mamãe... — Jon estava no corredor. O corpo dele inteiro tremia. Usava pijama, o que Pitica o fazia usar, que tinha desenhos na calça. — Mamãe, por favor...

Mercy engoliu o vômito.

— Arrume as malas.

— Mamãe, eu...

— Volte para o quarto. Troque de roupa. — Ela o virou e o levou para o quarto. — Coloque suas coisas na mala. Leve o que precisar, porque não vamos voltar para cá nunca mais.

— Mamãe...

— Não! — Ela apontou o dedo para o rosto dele. — Está me escutando, Jonathan? Faça a porra da mala e me encontre no salão de jantar daqui a cinco minutos ou vou botar esta casa no chão!

Mercy correu para o quarto dela. Tirou o celular do carregador e ligou para Dave. O filho da puta. Ele sempre soubera o que Pitica era.

— Mercy! — gritou Cecil. — Que porra está acontecendo aí?

Ela ouviu até o quarto toque. Encerrou a ligação antes que o correio de voz de Dave atendesse. Olhou ao redor do quarto. Precisava das botas de caminhada. Eles iriam descer a montanha naquela noite. Nunca mais voltariam para aquele lugar esquecido por Deus.

— Mercy! — berrou Papai. — Eu sei que você está me escutando!

Mercy encontrou a mochila lilás no chão. Começou a colocar roupas dentro. Não prestou atenção no que entrava, não tinha importância. Ligou de novo para Dave.

— Atende, atende! — exigiu ela. Um toque. Dois toques. Três, quatro. — Porra!

Mercy começou a sair, mas então se lembrou do caderno. Suas cartas para Jon. Ela caiu de joelhos na frente da cama. Enfiou a mão debaixo do colchão. De repente, não havia ar em seus pulmões. A infância de Jon passou por cada molécula de seu corpo. Seu filho. Seu jovem, gentil e sensível filho. Segurou o caderno perto do coração e o abraçou como se estivesse abraçando seu bebê. Ela queria voltar, ler cada palavra de cada carta, ver o que havia perdido.

Mercy conteve um soluço, ela não tinha percebido os sinais. Dave não era o único monstro ali. Tudo havia acontecido dentro daquela mesma casa, daquele mesmo corredor, enquanto ela dormia.

Ela enfiou o caderno na mochila. O náilon estava tão esticado que mal conseguia fechar o zíper. Mercy se levantou.

Pitica estava bloqueando a porta.

— Mercy! — gritou Papai de novo.

Ela pegou a mãe pelos braços e a sacudiu de modo violento.

— Vaca maldita. Se pegar você perto do meu filho de novo, vou te matar. Você me entendeu?

Mercy a empurrou de encontro à parede e ligou para Dave de novo enquanto entrava no quarto de Jon. Ele estava sentado na cama.

— Levante-se. Agora. Coloque suas coisas na mala. Estou falando sério, Jon. Sou sua mãe e vai fazer o que estou mandando.

Jon ficou de pé. Ele olhou em torno do quarto, zonzo.

Mercy encerrou a ligação para Dave. Foi ao armário do filho e começou a tirar roupas. Camisas. Cuecas. Shorts. Botas de caminhada. Ela não saiu até Jon começar a fazer as malas. A mãe ainda estava no corredor. Mercy ouviu um som de estalido no assoalho. Peixe estava de pé, do outro lado da porta fechada do quarto dele.

— Fique aí dentro! — Mercy avisou o irmão. Ela não podia deixar que ele visse aquilo. — Volte para a cama, Peixe. Vamos conversar sobre isso de manhã.

Mercy esperou ele obedecer antes de ir na direção da escada do fundo. Sentiu lágrimas e ranho escorrendo pelo rosto. Papai estava esperando por ela lá embaixo. Ele estava abraçado ao corrimão com os dois braços para se equilibrar.

Ela enfiou um dedo na cara dele.

— Espero que o diabo te foda no inferno.

— Sua vagabunda! — Ele esticou a mão para pegar o braço dela, mas só conseguiu pegar os cadarços das botas de caminhada. Ela as jogou na cara dele enquanto saía pela porta correndo. Mercy desceu correndo a rampa para cadeira de rodas e ligou para Dave de novo. Contou as chamadas.

Porra!

Os joelhos de Mercy cederam quando chegou à Trilha Rango. Ela caiu no chão e pressionou a testa nos cascalhos de pedra. Continuava vendo imagens de Pitica. Não com Jon — a ideia era muito angustiante —, mas com Dave. A maneira como a mãe exigia um beijo na bochecha toda vez que o via. A forma como Dave lavava o cabelo de Pitica na pia e deixava que ela escolhesse suas roupas. Não fora o câncer que tinha iniciado aqueles rituais. Dave ia buscar o café da manhã para Pitica, esfregava os pés dela, ouvia as fofocas dela, pintava as unhas da mulher e colocava a cabeça no colo dela enquanto ela brincava com seu cabelo. Pitica havia começado a treiná-lo no segundo em que Papai o trouxera pela porta. Ele tinha ficado tão grato. Tão desesperado por amor…

Mercy sentou-se sobre os calcanhares. Olhou fixamente para a escuridão.

E se Dave não soubesse sobre Jon? E se ele fosse tão ignorante quanto Mercy? O ex-marido tinha sido molestado pelo professor de educação física. Nunca tinha conhecido a mãe. Passara a vida cercado por pessoas danificadas. Não sabia como era ser normal, só como sobreviver.

Mercy ligou para o número dele novamente. Esperou os quatro toques antes de desligar. Dave devia estar em um bar. Ou com uma mulher. Ou enfiando uma agulha no braço. Ou engolindo um punhado de Xanax com uma garrafa de rum. Qualquer coisa para entorpecer as memórias. Qualquer coisa para escapar.

Mercy não permitiria que o filho terminasse da mesma maneira.

Ela se levantou. Desceu a Trilha Rango e atravessou a plataforma de observação. Precisava ir ao cofre. Havia só cinco mil em dinheiro, mas pegaria aquilo e desceria caminhando com Jon. Depois, quando tivesse um momento para recuperar o fôlego, descobriria o que fazer a respeito de tudo aquilo.

Mercy sentiu um minúsculo alívio quando viu que as luzes da cozinha já estavam acesas. Jon tinha vindo pela trilha dos fundos. Ela tentou se controlar enquanto andava pelo lugar, esforçando-se para tirar o tormento do rosto quando abrisse a porta.

— Merda.

Drew estava de pé no carrinho de bar. Tinha uma garrafa de bebida na mão. Uncle Nearest. Mercy ansiou pelo gosto suave queimando a garganta.

Ela largou a mochila perto da porta. Não tinha tempo para aquilo.

— Você me pegou. É falsa. O alambique grande fica no galpão de equipamentos, o pequeno fica no de barcos. Conte para Papai. Conte para a polícia.

Drew colocou a garrafa de volta no carrinho.

— Não vamos contar a quem quer que seja.

— Jura? — perguntou ela. — Vi você puxar Pitica de lado depois do jantar. Disse a ela que tinha um negócio para discutir. Achei que fosse reclamar da porra das manchas nos copos. O que é, você e Keisha querem uma parte?

— Mercy. — Drew parecia desapontado. — Nós amamos aqui. Só queremos que pare. É perigoso. Pode acabar matando alguém.

— Se fosse fácil assim, despejaria cada garrafa que temos na porra da garganta da minha mãe.

Drew claramente não sabia o que fazer. Tinha alcançado o alvo, mas não tinha ideia de como seguir com aquilo.

— Só vá embora.

Mercy abriu a porta para ele.

Drew balançou a cabeça enquanto passava. Ela o seguiu até a plataforma de observação para ver se Jon estava lá. Ouviu um farfalhar atrás da cozinha. Seu coração quase deu um pulo. Jon estava descendo a Trilha Peixetopher.

Só que não foi Jon quem ela encontrou parado ao lado do freezer externo.

— Chuck — Mercy cuspiu o nome dele. — O que você quer?

— Estava preocupado. — Chuck deu aquele olhar tímido idiota que fazia o estômago dela revirar. — Estava dormindo. Ouvi Cecil gritando, e aí vi você correndo pelo pátio.

— Ele estava gritando pra você? — perguntou Mercy. — Não estava. Então volte pela trilha e cuide do seu nariz.

— Jesus, estava tentando ser um cavalheiro. Por que você precisa ser sempre uma vaca?

— Você sabe por quê, pervertido de merda.

— Uau. — Chuck deu batidinhas no ar como se ela fosse um animal. — Calma, minha rainha. Não precisa ficar desagradável.

— Por que não levo meu traseiro desagradável até o chalé 10? Aquele cara com a ruiva é policial. Quer que eu o chame pra você, Chuck? Quer que eu conte sobre seu negocinho paralelo em Atlanta?

As mãos dele caíram.

— Você é uma vadia arrombada de merda.

— Bem, parabéns. Você finalmente chegou perto de uma boceta.

Mercy foi até a cozinha e bateu a porta. Olhou para o relógio. Não tinha ideia de que horas havia saído de casa. Tinha dito a Jon para estar ali em cinco minutos, mas parecia mais de uma hora.

Ela correu até o salão de jantar para procurá-lo, mas estava vazio. Então seu coração pulou na garganta. A plataforma de observação. A ravina era uma armadilha mortal. E se Jon não conseguisse enfrentá-la? E se ele tivesse decidido tirar a própria vida?

Mercy correu para fora. Agarrou o corrimão. Olhou sobre ele, para a queda abrupta de quinze metros que cortava a montanha como a lâmina de um machado.

Nuvens rolavam sobre o luar. Sombras dançavam pela ravina. Ela parou, tentando ouvir qualquer coisa — gemidos, gritos, o som de uma respiração difícil. Sabia como era quando você chegava ao fim, quando a dor era demais, quando o corpo estava muito cansado, quando tudo que você queria era o abraço bem-vindo da escuridão.

Ela ouviu risadas.

Mercy se afastou do corrimão. Duas mulheres estavam na Trilha do Velho Solteirão. Ela reconheceu os longos cabelos brancos de Delilah. Mercy nem tinha percebido que a cadela velha não estava dentro de casa. Esticou o pescoço para ver com quem Delilah estava de mãos dadas.

Era Sydney, a investidora que não calava a boca sobre cavalos.

— Jesus Cristo — sussurrou Mercy.

Cada porra de fantasma que estava aparecendo para ela naquela noite...

Mercy correu de volta para a casa principal. Atravessou o salão de jantar vazio até a cozinha. Olhou de volta para o banheiro, para seu escritório. Peixe fizera um cofre na parede quando começaram a vender a bebida falsificada. Havia um calendário pendurado na porta. Mercy correu até o fundo e vasculhou as gavetas da mesa em busca da chave. Ela encontrou uma das mochilas velhas de Peixe acumulando poeira em um canto. Cada item que tirava do cofre colocava Mercy e Jon mais perto da liberdade.

Cinco mil dólares, tudo em notas de vinte. O livro-razão da bebida ilegal. Recibos de folha de pagamento. Dois conjuntos de livros da pousada. O diário que Mercy escreveu quando tinha doze anos. Colocou tudo na mochila marrom de Peixe. Puxou o zíper para fechá-lo e tentou pensar em um plano: *onde poderia esconder Jon, como poderia ajudá-lo, quanto tempo levaria para o dinheiro acabar, onde poderia encontrar um emprego, quanto custaria um psiquiatra infantil, a quem ela poderia recorrer, se à polícia ou a um assistente social, encontraria alguém em quem Jon confiasse o suficiente para conversar, como, em nome de Deus, ela poderia encontrar as palavras para o que tinha visto...*

As perguntas eram demais para seu cérebro. Mercy precisava pensar uma hora de cada vez. A caminhada era perigosa à noite. Ela guardou uma caixa de fósforos no bolso frontal da mochila. Pegou a faca de cabo vermelho da gaveta da escrivaninha. Ela a usava para abrir envelopes, mas a lâmina ainda estava afiada. Precisaria dela caso encontrassem algum animal na trilha. Mercy enfiou a faca no bolso de trás. A lâmina cortou a costura, criando uma espécie de bainha. Ela sabia como fazer as malas para uma trilha. Segurança, água e comida. Voltou para a cozinha. Jogou a mochila ao lado da dela contra a porta fechada. Encheu duas garrafas de água. Havia mistura de nozes e frutas secas na geladeira. Ela precisaria de mais para Jon.

Mercy levantou o olhar.

O que ela estava fazendo?

A cozinha ainda estava vazia. Ela voltou para o salão de jantar. Ainda vazio. Seu coração afundou quando voltou novamente para a cozinha. O pânico havia diminuído. Naquele momento, a realidade a atingia como um trem de carga.

Jon não viria.

Pitica o convencera a não ir embora. Mercy nunca deveria ter deixado ele sozinho, mas tinha ficado chocada, enojada e assustada e, como sempre, havia deixado as emoções assumirem o controle em vez de olhar para os fatos frios e duros. Tinha falhado com o filho, assim como havia falhado com ele mil vezes antes. Mercy teria que voltar para casa e arrastar Jon para longe das garras de Pitica. Não havia como fazer a próxima parte sozinha.

Mercy teve que colocar o celular no balcão, porque suas mãos estavam suadas demais para segurá-lo. Ligou para Dave uma última vez. Seu desespero aumentava a cada toque. Ele não estava respondendo de novo. Precisava deixar uma mensagem para ele, para tirar esse nojo que estava apodrecendo sua alma. Mercy pensou no que diria, como contaria a ele o que tinha visto, mas, quando o quarto toque passou e a saudação dele tocou, as palavras saíram de sua boca em pânico...

— Dave! Ah, meu Deus, onde você está? Por favor, por favor, me liga de volta. Não acredito... Ah, Deus, não consigo... Por favor, me ligue. Por favor. Preciso de você. Sei que você nunca esteve aqui para mim, mas eu realmente preciso de você agora. Preciso de sua ajuda, amor. Por favor, li-ligue...

Ela olhou para cima. A mãe estava parada na cozinha. Pitica segurava a mão de Jon. Mercy teve a sensação de que havia um punho socando sua garganta. Jon encarava o chão. Ele não conseguia olhar para a própria mãe. Pitica o tinha destruído, assim como destruíra todos os outros.

Mercy lutou para encontrar a voz.

— O que está fazendo aqui?

Pitica esticou a mão para o celular.

— Não! — gritou. — Dave vai chegar logo. Eu contei para ele o que aconteceu. Ele está...

Pitica já tinha tocado na tela para finalizar a ligação antes que ela terminasse.

— Não, ele não está.

— Ele me disse que...

— Ele não disse coisa alguma — falou Pitica. — Dave está dormindo nos alojamentos.

Mercy levou a mão à boca. Ela olhou para Jon, mas ele não olhou para ela. Os dedos dela começaram a tremer. Não conseguia recuperar o fôlego. Estava assustada. Por que estava tão assustada?

— Jo-Jon... — gaguejou ela. — Amor, olhe pra mim. Está tudo bem. Vou tirar você daqui.

Pitica ficou na frente de Jon, mas Mercy ainda conseguia ver o rosto dele virado para o lado. Lágrimas se empoçavam na gola da camiseta do jovem.

— Amor — Mercy tentou. — Venha para cá, certo? Só venha para cá comigo.

— Ele não quer falar com você — disse Pitica. — Não sei o que acha que viu, mas está agindo de modo histérico.

— Eu sei a porra que vi!

— Olha a boca! — retrucou Pitica. — Precisamos conversar sobre isso como adultos. Volte para a casa.

— Eu nunca mais vou botar o pé dentro da porra daquela casa — sibilou Mercy. — Seu monstro fodido. Você é o demônio parado bem na minha frente.

— Pare com isso de uma vez! — ordenou a mãe. — Por que você torna tudo difícil?

— Eu vi...

— O que você viu?

O cérebro de Mercy mostrou a imagem de pernas entrelaçadas, uma mão debaixo da camisa de Jon, lábios apertados no topo da cabeça dele.

— Sei exatamente o que vi, *mãe*.

Jon se encolheu com o tom áspero dela. Ele não conseguia olhar para a mãe. O coração de Mercy se partiu. Ela sabia como era ficar de cabeça baixa de vergonha. Tinha feito isso por tanto tempo que mal sabia mais levantar o olhar.

— Jon — pediu Mercy. — Isso não é culpa sua, amor. Você não fez nada de errado. Vamos encontrar ajuda, tá? Vai dar tudo certo.

— Encontrar ajuda de quem? — perguntou Pitica. — Quem vai acreditar em você?

Mercy tinha ouvido a pergunta ecoar durante todos os anos de sua vida. Quando Papai arrancou a pele de suas costas com uma corda. Quando Pitica a acertou com tanta força com uma colher de pau que o sangue escorreu pelos braços dela. Quando Dave pressionou a ponta acesa de um cigarro em seu peito até que o cheiro da própria carne queimada a fez vomitar.

Havia uma razão pela qual Mercy nunca tinha contado a ninguém.

Quem vai acreditar em você?

— Foi o que pensei.

O rosto de Pitica tinha um olhar de triunfo total. Ela esticou a mão, enlaçando seus dedos nos de Jon, que, por fim, levantou a cabeça. Os olhos estavam vermelhos. Os lábios tremiam.

Mercy olhou em horror enquanto ele levantava a mão de Pitica e dava um beijo gentil nela.

Ela gritou como um animal.

Toda a dor da vida dela saiu em um uivo sem palavras. Como tinha deixado aquilo acontecer? Como tinha perdido o filho? Não podia deixar que ele ficasse. Não permitiria que Pitica o devorasse.

A faca estava na mão de Mercy antes que ela se desse conta do que fazia. Ela afastou Pitica de Jon, jogou-a contra o balcão e segurou a lâmina na direção do olho dela.

— Sua vaca idiota. Você se esqueceu do que eu disse hoje de manhã? Vou colocar a sua bunda magra na prisão federal. Não por foder meu menino, mas por fraudar a contabilidade.

Não houve nada mais doce na vida de Mercy do que assistir a arrogância sumir do rosto de Pitica.

— Achei os livros no fundo do arquivo. Papai sabe do seu caixa dois?

Mercy percebeu pela expressão chocada dela que o pai não tinha ideia.

— Não é só com ele que você deveria se preocupar. Está trapaceando nos impostos há anos. Acha que pode se livrar dessa? O governo vai atrás da porra dos presidentes, acha que vai parar com uma velha pedófila? Especialmente depois que eu colocar as provas nas mãos deles.

— Você... — Pitica engoliu em seco. — Você não iria...

— Eu iria pra caralho.

Mercy tinha terminado de falar. Enfiou a faca de novo no bolso, virou-se para pegar as mochilas e colocou as duas sobre os ombros. Ela girou para dizer a Jon para ir, mas ele estava abaixado para que Pitica pudesse cochichar no ouvido dele.

A bile invadiu novamente a boca de Mercy. A hora para ameaças havia acabado. Ela empurrou a mãe com força suficiente para derrubá-la no chão. Então, fechou a mão em torno do pulso de Jon e o puxou porta afora.

Jon não tentou se livrar. Não fez força para atrasá-la. Deixou que ela usasse o pulso dele como leme para levá-lo. Mercy ouviu a respiração rápida dele, os passos pesados. Ela não tinha um plano, a não ser ir para um lugar ao qual Pitica não pudesse segui-los.

Ela encontrou a pedra que marcava a Trilha da Corda. Fez Jon ir na frente para poder manter os olhos nele. Ambos trabalharam rapidamente nas cordas, indo de uma para a outra, deslizando a maior parte do caminho ao redor da ravina. Finalmente, estavam de volta à terra firme. Mercy agarrou o pulso dele para mostrar o caminho. Acelerou o ritmo e começou a correr. Jon foi atrás dela. Ela iria fazer isso. Realmente iria fazer isso.

— Mãe... — sussurrou Jon.

— Não agora.

Eles caminharam pela floresta. Galhos batiam no corpo dela. Não se importou. Não pararia. Continuou correndo, usando a luz brilhante da lua para se orientar. Eles se abrigariam nos chalés dos solteiros naquela noite. Dave apareceria de manhã para trabalhar. Ou talvez ela levasse Jon até Dave naquele momento. Poderiam seguir a margem, pegar uma canoa e remar. Se Dave estivesse dormindo nos alojamentos, teria varas de pescar, combustível, cobertores, comida, abrigo. Dave sabia como sobreviver. Poderia falar com Jon, mantê-lo seguro. Mercy caminharia até a cidade e encontraria um advogado. Não desistiria da pousada. Com certeza, não seria ela quem iria embora no domingo. Mercy daria aos pais até o meio-dia de amanhã para arrumarem as coisas deles e irem embora. Peixe poderia ficar ou ir embora, mas, de qualquer forma, Mercy e Jon seriam os últimos McAlpine sobreviventes.

— Mãe — Jon tentou de novo. — O que você vai fazer?

Mercy não respondeu. Via o luar sobre o lago no fim da trilha. A última parte era socalcada com dormentes de ferrovia. Estavam a apenas alguns metros dos chalés dos solteiros.

— Mãe — chamou Jon.

Era como se ele tivesse acordado de um transe. Estava finalmente resistindo, tentando se soltar dela.

— Mãe, por favor.

Mercy o apertou mais, puxando-o com tanta força que sentiu os músculos das costas se retesarem. Quando chegaram à clareira, ela arfava pelo esforço de arrastá-lo.

Ela largou as duas mochilas no chão. Havia pontas de cigarro por toda parte. Dave não tinha preparado as coisas para a tempestade. Tudo estava exatamente onde ele havia deixado. Cavaletes e ferramentas, uma lata de gasolina sem tampa, um gerador virado de lado. O péssimo estado do local de trabalho era um lembrete claro de quem Dave realmente era. Ele não cuidava das coisas, muito menos das outras pessoas. Não conseguia nem se preocupar em cuidar de si mesmo. Mercy não podia confiar nele com aquilo.

Mais uma vez, ela estava sozinha.

— Mãe — falou Jon. — Por favor, apenas deixe isso de lado, certo? Me deixe voltar.

Mercy olhou para ele. O filho tinha parado de chorar, mas ela ouvia o chiado do ar passando pelo nariz entupido dele.

— E-eu preciso voltar. Ela me disse que eu poderia voltar.

— Não, amor.

Mercy pressionou a mão sobre o peito dele. O coração batia tão forte que ela podia senti-lo através das costelas. Não conseguiu impedir o soluço que saiu de sua boca. A enormidade do que havia acabado de acontecer a afetou de uma só vez. A coisa terrível que a mãe tinha feito com seu filho. A podridão que tinha tomado conta da família dela.

— Amor, olhe para mim — disse ela. — Você nunca vai voltar. Isso está decidido.

— Eu não...

Ela pegou o rosto dele entre as mãos.

— Jon, me escute. Nós vamos conseguir ajuda, certo?

— Não. — Ele tirou as mãos dela de seu rosto e deu um passo para trás, depois outro. — Pitica não tem ninguém além de mim. Ela precisa de mim.

— Eu preciso de você. — A voz de Mercy estava rouca. — Você é meu filho. Preciso que seja meu filho.

A cabeça de Jon começou a balançar.

— Quantas vezes eu pedi pra largar ele? Quantas vezes fizemos as malas e, no dia seguinte, você estava fodendo com ele de novo?

Mercy não podia brigar com a verdade.

— Você está certo. Fracassei com você, mas vou compensar isso agora.

— Não preciso que faça o que quer que seja — disse Jon. — Foi Pitica quem me protegeu. Foi ela quem me manteve em segurança.

— Em segurança de quê? É ela que está machucando você.

— Sabe o que Dave fez comigo — falou ele. — Eu só tinha cinco anos. Ele quebrou meu braço, e você me disse que eu precisava perdoá-lo.

— O quê? — O corpo inteiro dela tremia. Aquilo não era o que tinha acontecido. — Você caiu de uma árvore. Eu estava bem ali. Dave tentou pegá-lo.

— Ela me avisou que diria isso — respondeu Jon. — Pitica me protegeu dele. Você me disse para perdoá-lo, para deixá-lo fazer o que queria, assim não ficaria bravo de novo.

Mercy sentiu as mãos pousarem sobre a boca. Pitica tinha entupido o filho com mentiras nojentas.

— Jon, vamos agora até o chalé 10. — Ela disse a primeira coisa que lhe veio à cabeça.

— O quê?

— O casal no chalé 10.

Ela finalmente via uma saída daquilo. A solução estava lá o tempo todo.

— Will Trent trabalha no Departamento de Investigação da Geórgia. Ele não vai deixar Biscoito enfiar isso debaixo do tapete. A mulher dele é médica e pode cuidar de você enquanto eu conto ao marido o que aconteceu.

— Você está falando do Lata de Lixo? — A voz dele se esganiçou em alarme. — Você não pode...

— Posso e vou.

Mercy nunca tinha se sentido mais certa de algo na vida. Sara lhe dissera que confiava em Will, que ele era um homem bom. Ele daria um jeito nisso e salvaria os dois.

— É o que vamos fazer. Agora.

Mercy esticou o braço para pegar as mochilas.

— Vai se foder!

A frieza na voz dele paralisou Mercy. Ela levantou o olhar para ele. O rosto de Jon era tão duro que poderia ser de uma estátua de mármore.

— Você só se importa em ganhar — bradou ele. — Você só me quer agora porque não pode me ter.

Mercy percebeu que precisaria ter muita cautela. Já tinha visto Jon bravo, mas nunca daquele jeito. Os olhos dele estavam vermelhos de raiva.

— Foi isso que Pitica disse?

— É a porra do que eu vi! — Voou cuspe da boca dele. — Olhe como você é patética. Você não está tentando me proteger. Está correndo para aquele policial porque não consegue aceitar que encontrei alguém que *me* faz feliz. Que se importa *comigo*. Que ama só a *mim*.

Ele soava tanto como Dave que ela quase ficou sem fôlego. Aquele poço sem fundo, aquela areia movediça sem fim. O próprio filho tinha corrido ao lado dela aquele tempo todo, e Mercy não tinha se importado em notar.

— Desculpe — pediu ela. — Eu deveria ter visto. Eu deveria saber.

— Fodam-se suas desculpas. Não preciso delas. Porra! — Ele jogou as mãos para o ar. — Foi exatamente sobre isso que ela me avisou. Que porra preciso fazer pra impedir você?

— Amor...

Ela esticou os braços na direção dele de novo, que bateu em suas mãos.

— Não ponha a porra de um dedo em mim! — avisou ele. — Ela é a única mulher que pode me tocar.

Mercy levantou as mãos em rendição. Nunca tinha tido medo de Jon, mas sentia isso naquele momento.

— Respire fundo, certo? Apenas se acalme.

— É você ou ela — falou ele. — Foi o que ela me disse. Eu preciso decidir. Você ou ela.

— Amor, ela não te ama. Ela está manipulando você.

— Não. — Ele começou a balançar a cabeça em negação. — Cale a boca. Preciso pensar.

— Ela é uma predadora — disse Mercy. — É o que ela faz com meninos. Ela entra na cabeça deles e fode com as coisas...

— Cale a boca.

— Ela é um monstro — continuou a mãe. — Por que você acha que seu pai é tão fodido? Não foi só o que aconteceu com ele em Atlanta.

— Cale a boca.

— Me escute — implorou Mercy. — Você não é especial para ela. O que ela está fazendo com você é a mesma coisa que fez com seu pai.

Ele estava sobre Mercy antes que ela percebesse o que estava acontecendo. As mãos dele se esticaram, apertando o pescoço dela.

— Cala a porra da sua boca!

Mercy ofegou, buscando ar. Agarrou os pulsos dele e tentou afastar as mãos. Ele era muito forte. Ela cravou as unhas no peito de Jon e tentou chutá-lo. Sentiu suas pálpebras começarem a tremer. Ele era muito mais forte que Dave e apertava com muita força.

— Vaca patética.

A voz de Jon era mortalmente baixa. Tinha aprendido com o pai que não podia fazer muito barulho.

— Não sou eu quem está indo embora hoje. É você.

Mercy sentiu a cabeça girar. A visão ficou borrada. Ele iria matá-la. Ela esticou a mão para o bolso, envolveu os dedos em torno do cabo de plástico da faca.

O tempo desacelerou até se arrastar. Mercy fez os movimentos silenciosamente. Retiraria a faca. Cortaria o antebraço dele. Haveria artérias ali? Músculo? Não poderia machucá-lo, ele já estava ferido, quase sem possibilidade de reparo. Precisaria mostrar a faca para ele. A ameaça seria suficiente. Aquilo o impediria.

Não impediu.

Jon arrancou a faca dela. Balançou a lâmina sobre a cabeça, pronto para enfiá-la no peito dela. Mercy se abaixou, rastejando de joelhos enquanto se movia pelo chão. Sentiu o ar se mover quando a lâmina passou a centímetros de sua cabeça. Ela sabia que um segundo golpe estava por vir. Pegou a mochila e a segurou como um escudo. A lâmina passou pelo material grosso à prova de fogo. Ela não deu tempo para Jon se recuperar. Bateu com a mochila na cabeça dele, derrubando-o para trás.

O instinto tomou conta. Ela apertou a mochila contra o peito e começou a correr. Passou pelo primeiro chalé, pelo segundo. Jon correu rápido, diminuindo a distância. Ela correu escada acima até o último chalé. Bateu a porta na cara dele. Atrapalhou-se para colocar o ferrolho na fechadura. Ouviu o soco forte do punho dele contra a madeira maciça.

Mercy buscou ar, o peito arfando enquanto o ouvia andando pela varanda. O coração parecia estar na boca. Mercy colocou as costas na porta, fechou os olhos e escutou o andar galopante do filho. Não havia nada além de silêncio. Sentiu uma brisa secando o suor em seu rosto. Todas as janelas estavam fechadas com tábuas, exceto uma. A lua jogava um brilho azul nos grãos das paredes rústicas, no chão, nos sapatos, nas mãos.

Mercy ergueu o olhar.

Dave não estava mentindo sobre a podridão no chalé 3. A parede dos fundos do quarto tinha sido completamente arrancada. Jon havia entrado pelas vigas. Estava com a faca na mão.

Mercy apalpou cegamente atrás de si. Deslizaria o ferrolho para trás. Viraria a maçaneta. Abriria a porta. Fugiria. Ela se virou, e foi como se uma marreta a acertasse entre os ombros quando Jon enfiou a lâmina até o cabo.

O golpe a deixou sem fôlego. Ela olhou para o lago, a boca aberta em horror. Então Jon tirou a faca e a enfiou de novo. E de novo. E de novo.

Mercy tombou para a varanda, caindo pela escada e pousando de lado.

A faca cortou o braço dela. O seio. A perna. Jon montou nela, cravando a lâmina no peito, na barriga. Mercy tentou tirá-lo, sair de debaixo dele, mas nada o detinha. Jon continuou balançando para a frente e para trás, enfiando a lâmina nas costas dela, tirando e enfiando-a novamente. Ela sentiu o estalo dos ossos, a explosão dos órgãos, o corpo se enchendo de mijo, merda e bile, até que o filho não estava somente enfiando a faca, mas batendo com os punhos, porque a lâmina havia quebrado dentro de seu peito.

De repente, Jon parou.

Mercy podia ouvi-lo ofegar, como se tivesse terminado uma maratona. Ficara exausto com o ataque. Mal conseguia ficar de pé. Ele tropeçou para longe dela. Mercy tentou respirar. Seu rosto estava na terra. Avançou para o lado, sentia dor vindo de cada parte do corpo. Havia caído sobre a escada. Os pés ainda estavam na varanda. A cabeça, no chão.

Jon estava de volta.

Ela ouviu o barulho de líquido, mas não eram as ondas atingindo a margem. Jon subiu a escada com a lata de gasolina. Mercy o ouviu espalhar o combustível pelo interior do chalé. Queimaria as evidências. Queimaria Mercy. Ele soltou a lata vazia ao lado dos pés dela.

Ele desceu a escada de novo. Mercy não ergueu o olhar. Observou o sangue escorrer dos dedos dele. Olhou para os sapatos que Pitica tinha comprado para ele na cidade. Podia sentir Jon olhando para ela. Não com tristeza ou pena, mas com o distanciamento que tinha visto no irmão, no pai, no marido, na mãe, nela mesma. Seu filho era um McAlpine completo.

Comprovado ainda mais quando riscou um fósforo e o jogou dentro do chalé.

O *vuuush* trouxe uma rajada de ar quente sobre sua pele. Mercy observou os sapatos encharcados de sangue de Jon se arrastarem pela terra enquanto ele se afastava. Estava voltando para casa. De volta para Pitica. Mercy suspirou lentamente. As pálpebras começaram a tremer. Sentiu o sangue borbulhar dentro da garganta. Foi dominada pela sensação de flutuar. Sua alma estava deixando o corpo. Não havia a calma esperada, a sensação de desapego. Havia apenas uma escuridão fria que se espalhava pelas bordas, da mesma forma que o lago congelava no inverno.

Então veio Gabbie.

Ambas voavam, não como anjos no céu. Estavam sendo jogadas para fora do carro na Curva do Diabo. Mercy se virou para olhar o rosto de Gabbie, mas só restava uma polpa ensanguentada. Um olho pendurado em uma órbita. Uma erupção de dentes e ossos quebrados pela pele. Depois um calor intenso e abrasador que ameaçou engoli-la.

— Socorro! — gritou Mercy. — Por favor!

Seus olhos se abriram. Ela tossiu. Gotas de sangue espalharam-se pelo chão. Mercy ainda estava de lado, ainda estava pendurada na escada da varanda. A fumaça sujava o ar. O calor do fogo era tão intenso que podia sentir o sangue secando na pele. Mercy forçou uma virada de cabeça para olhar para trás, para o que estava por vir. As chamas se espalhavam pela varanda. Logo, seguiriam até a escada e encontrariam seu corpo.

Ela se preparou para mais dor enquanto rolava de bruços. Arrastou-se pela escada com os cotovelos. A faca quebrada dentro de seu peito arranhou a terra como um suporte. Ela se impulsionou para a frente, a ameaça do fogo levando-a a continuar. Os pés arrastavam-se como partes mortas. A calça estava desabotoada. A sujeira se acumulou no material, arrastando a calça jeans até os tornozelos. O esforço rapidamente a afetou. A visão de Mercy começou a flutuar de novo. Ela se esforçou para não desmaiar. Delilah dissera que os McAlpine eram difíceis de matar. Mercy não viveria para ver o sol nascer sobre as montanhas, mas poderia chegar ao maldito lago.

Como sempre, até aqueles últimos momentos foram uma luta. Ela continuou desmaiando, acordando, empurrando-se para a frente, desmaiando novamente. Seus braços tremiam quando ela sentiu água no rosto. Usou o que restava de sua força para rolar de costas. Queria morrer olhando para a lua cheia. Era um círculo perfeito, como um buraco na escuridão. Ouviu o próprio batimento cardíaco bombeando lentamente o sangue do corpo. Ouvia o barulho suave da água perto dos ouvidos.

Mercy sabia que estava perto da morte, que não havia nada que pudesse impedir isso. Ela não viu sua vida passar diante de seus olhos.

Viu a vida de Jon.

Brincando no quintal de Delilah com seus brinquedinhos de madeira. Encolhendo-se no fundo da sala quando Mercy apareceu para sua primeira visita marcada pelo tribunal. Sendo arrancado dos braços de Delilah por Mercy em frente ao tribunal. Sentado no colo de Mercy enquanto Peixe os levava montanha acima. Escondendo-se com Mercy quando Dave estava em um de seus ataques. Levando livros para Mercy sobre o Alasca, Montana e o Havaí para que pudessem fugir. Vendo-a fazer as malas repetidas vezes. Vendo-a desempacotá-las porque Dave havia escrito um poema para ela ou enviado flores. Sendo entregue a Pitica enquanto Mercy fugia para um dos chalés com Dave. Sendo deixado com Pitica porque Mercy precisava ir ao hospital por causa de outro osso quebrado, um corte que não cicatrizava, uma sutura que não segurava. Sendo constantemente enfiado nos braços da mãe de Mercy, sua avó, sua estupradora.

— Mercy...

Ela ouviu o próprio nome como se fosse um sussurro dentro do crânio. Sentiu a cabeça sendo virada, viu o mundo como se estivesse olhando do lado errado de um telescópio. Um rosto apareceu. O homem do chalé 10. O policial que era casado com a ruiva.

— Mercy McAlpine — disse ele, a voz apagada como uma sirene passando na rua.

E continuou a chacoalhá-la, forçando-a a não desistir.

— Olhe para mim, Mercy. Olhe para mim.

— J-Jon...

Mercy cuspiu o nome. Ela precisava fazer isso. Não era tarde demais.

— Diga a ele... diga a ele que e-ele precisa... ele precisa se afastar d-de ...

O rosto de Will entrava e saía de seu campo de visão. Ela o via num momento, desaparecia no seguinte.

Então ele gritou:

— Sara, chame o Jon! Rápido!

— N-não...

Mercy sentiu um tremor nos ossos. A dor era insuportável, mas não podia desistir ainda. Tinha uma última chance para acertar aquilo.

— J-Jon não pode... e-ele não pode... ficar... A-afaste ele de... de...

Will falou, mas ela não conseguia entender as palavras. O que ela sabia era que não poderia deixar as coisas com Jon daquela maneira. Ela precisava aguentar.

—A-amo... Amo ele... t-tanto.

Mercy sentia o coração desacelerando. Sua respiração estava fraca. Lutou contra a facilidade de ir embora. Precisava que o filho soubesse que ele era amado. Que não era culpa dele. Que não precisava carregar esse fardo. Que ele poderia sair da areia movediça.

— S-sinto muito...

Ela precisava dizer isso a Jon. Deveria ter dito face a face. Naquele momento, tudo o que podia fazer era pedir àquele homem que contasse ao filho suas últimas palavras.

— P-perdoo...ele...

Will sacudiu Mercy com tanta força que ela sentiu sua alma voltar ao corpo. Ele estava inclinado sobre seu corpo, com o rosto próximo ao seu. Esse policial. Esse detetive. Esse bom homem. Ela agarrou a camisa dele, puxando-o ainda mais para perto, olhando tão profundamente em seus olhos que praticamente podia ver sua alma.

Ela precisou aspirar antes de conseguir soltar as palavras, dizendo a Will:

— P-perdoe ele...

— Certo... — respondeu ele, assentindo com a cabeça.

Isso era tudo o que Mercy precisava ouvir. Ela soltou a camisa dele, e sua cabeça estava de volta na água. Olhou para a lua linda e perfeita. Sentiu as ondas puxando seu corpo. Lavando seus pecados. Lavando a vida dela. A calma finalmente chegou e, com ela, uma poderosa sensação de paz.

Pela primeira vez na vida, Mercy sentiu-se segura.

UM MÊS DEPOIS DO ASSASSINATO

Will sentou-se ao lado de Amanda no sofá do escritório dela. O laptop da chefe estava aberto na mesa de centro. Estavam assistindo à entrevista gravada da confissão de Jon. Ele vestia um macacão bege. Os pulsos não estavam algemados porque havia sido internado em um centro psiquiátrico juvenil, não em uma prisão para adultos. Delilah contratou um excelente advogado criminal de Atlanta. Jon permaneceria institucionalizado, mas talvez não pelo resto da vida.

No vídeo, Jon dizia:

— Eu apaguei. Não me lembro do que aconteceu a seguir. Só sabia que ela voltaria para ele. Ela sempre voltava para ele. Sempre me deixava.

— Deixava você com quem? — A voz de Faith era fraca. Ela estava fora do enquadramento. — Com quem ela deixava você?

Jon balançou a cabeça. Ele não incriminaria a avó, ainda que ela estivesse morta. Pitica tinha engolido um frasco de morfina antes que pudessem prendê-la. A autópsia havia revelado que ela tinha câncer terminal. A mulher não apenas trapaceara a Justiça, mas uma morte prolongada e dolorosa.

— Vamos voltar àquela noite — disse Faith. — Depois que você deixou o bilhete dizendo que fugiria, para onde foi?

— Fiquei no pasto dos cavalos, então na manhã seguinte fui para o chalé 9 porque sabia que não havia ninguém ali.

— E o cabo da faca?

— Eu sabia que Dave... — Jon parou de falar. — Sabia que Dave tinha consertado a privada, então achei que seria prova contra ele. Porque ele já estava preso pela morte dela. Ele iria para a prisão de qualquer jeito. Sei que Mercy disse que não era verdade, mas ele quebrou meu braço. Isso é abuso infantil.

— Certo.

Faith não se desviou, embora ambos tivessem visto o relatório do hospital sobre o braço quebrado. Jon tinha caído de uma árvore.

— Quando Dave foi preso, você já tinha fugido de casa. Quem contou a você o que aconteceu?

— Eu precisava fazer uma escolha — respondeu Jon, balançando a cabeça.

— Jon...

— Eu precisava me proteger — assumiu. — Ninguém mais cuidava de mim. Ninguém mais se importava.

— Vamos voltar a...

— Quem vai me proteger agora? — perguntou ele. — Não tenho ninguém. Ninguém.

Will desviou o olhar da tela quando Jon começou a chorar. Pensou na última conversa que teve com o garoto. Eles estavam sentados no quarto do chalé 10. O agente tinha dito a Jon que abuso era complicado, mas parecia muito simples naquele momento.

Não machuque crianças.

— Certo, você pegou a ideia — disse Amanda. Ela fechou o laptop e segurou a mão de Will por alguns segundos. Então, levantou-se do sofá e foi até a mesa dela. — Me atualize no caso das bebidas ilegais.

Will se levantou, feliz porque a hora-da-emoção tinha acabado.

— Temos os livros-razão de Mercy que detalham os pagamentos. As planilhas no computador de Chuck listam todos os clubes para os quais ele estava vendendo. Estamos em coordenação com o Departamento de Álcool, Tabaco, Armas e Explosivos e com a Investigação Criminal da Receita Federal.

— Ótimo.

Amanda sentou-se atrás da mesa e pegou o telefone.

— E?

— Christopher está determinado a declarar homicídio culposo no envenenamento de Chuck. Ele vai pegar quinze anos, desde que testemunhe contra o pai no assassinato de Gabriella Ponticello. Além disso, temos a segunda leva de livros-razão da pousada para acusar Cecil de sonegação de imposto. Ele diz que não sabia de nada, mas o dinheiro está nas contas dele.

Ela digitou no celular.

— E?

— Tanto Paul Ponticello quanto o detetive particular deram depoimentos sobre o que Dave disse a eles. Contudo, é prova testemunhal indireta. Nós precisamos encontrar Dave para fazer o gol.

Amanda levantou o olhar.

— Nós? Você não está trabalhando nessa parte do caso.

— Eu sei, mas...

A chefe interrompeu-o com um olhar incisivo.

— Dave desapareceu um dia depois que a mãe cometeu suicídio. Não tentou entrar em contato com Jon. O telefone dele morreu. Ele não voltou para o trailer. Não estava no acampamento. O departamento regional distribuiu uma nota pelo sistema. Tenho certeza de que ele vai acabar aparecendo.

Will esfregou o queixo.

— Ele passou por muita coisa, Amanda. A única família que ele conheceu simplesmente se desintegrou.

— O filho dele ainda está aqui — ela o lembrou. — E não se esqueça do que ele fez com a ex-esposa. Não estou falando só do abuso físico e sexual. Dave sabia há anos que Mercy não era responsável pela morte de Gabbie. Ele escondeu isso dela como meio de controle.

Will não podia argumentar contra aquilo, mas havia muitas outras coisas.

— Amanda...

— Wilbur — disse ela. — Dave McAlpine não vai subitamente se transformar num homem melhor. Nunca vai ser o pai que Jon precisa. Não há lógica, conselho sábio, lição de vida ou quantidade de amor que vá mudá-lo. Ele vive do jeito que vive por escolha. Ele sabe exatamente o que é. Aceite isso. Não vai mudar porque não quer mudar.

Will estregou o queixo de novo.

— Muita gente teria dito isso sobre mim quando eu era criança.

— Mas você não é mais criança. Você é um adulto.

Ela pousou o telefone sobre a mesa.

— Conheço melhor que a maioria das pessoas o que você superou para chegar aqui. Você conquistou sua felicidade. Tem o direito de desfrutar dela. Não vou permitir que jogue tudo fora numa tentativa equivocada de salvar todo mundo. Especialmente aqueles que não querem ser salvos. Você não pode servir a dois mestres. Tem um motivo pelo qual o Super-Homem nunca se casou com Lois Lane.

— Eles se casaram em 1996, em *O casamento do Super-Homem*.

Ela pegou o celular e começou a digitar de novo.

Will esperou pela resposta de Amanda. Então se lembrou de como ela era boa em terminar conversas.

Ele enfiou as mãos nos bolsos enquanto descia a escada. Havia muito o que desvendar sobre Jon, mas Will era mais um motor do que um desempacotador.

Ele estendeu a mão machucada para a porta de saída. O ferimento de faca tinha Frankensteinado. Sara não estava brincando sobre aquela infecção. Um mês depois, ele ainda estava tomando comprimidos que tinham aproximadamente o tamanho de uma bala de ponta oca.

As luzes estavam apagadas em seu andar. Tecnicamente, Will estava fora do expediente, embora tivesse notado que Amanda não o repreendera por ficar até tarde. O que ela lhe dissera estava errado, e não apenas porque Will era claramente mais Batman do que Super-Homem.

A mudança era possível. Will tinha passado seu aniversário de dezoito anos em um abrigo, o de dezenove na prisão e, aos vinte, estava matriculado na faculdade. O garoto do Ensino Fundamental que era rotineiramente mandado para a detenção por não fazer todas as tarefas tinha um diploma em justiça criminal. A única diferença entre Will e Dave era que alguém havia dado um respiro a ele.

— Ei! — gritou Faith do escritório dela.

Will enfiou a cabeça pelo vão da porta. Ela estava usando um rolo adesivo para tirar os pelos de gato da calça. Faith havia trazido os felinos dos McAlpine para Atlanta a fim de colocá-los em um abrigo. Então Emma os viu e um deles saiu da caixa de transporte e matou um pássaro, e essa era a história de por que Faith tinha dois gatos naquele momento, um chamado Hercule e o outro chamado Agatha.

— Alguma criança idiota na escola mostrou o TikTok para Emma. Ela fica tentando roubar meu celular agora.

— Aconteceria cedo ou tarde.

— Achei que teria mais tempo. — Faith jogou o rolo dentro da bolsa. — Enquanto isso, o FBI foi bater na minha porta porque querem apressar a inscrição de Jeremy. Por que tudo está acontecendo tão rápido? Até os jantares congelados precisam esperar um minuto depois que você tira do micro-ondas.

Will sentiu o estômago roncar.

— Vi o interrogatório do Jon. Você fez um bom trabalho.

— Bem… — Faith colocou a bolsa sobre o ombro. — Terminei de ler as cartas de Mercy para Jon. Elas destruíram meu coração. Eu poderia ter escrito aquilo para Jeremy. Ou para Emma. É só Mercy tentando ser uma boa mãe. Espero que Jon um dia chegue a um ponto em que possa ler essas cartas.

— Ele vai chegar lá — disse Will, mais porque desejava do que por ser verdade. — E o diário de Mercy?

— Exatamente o que era de esperar de uma menina de doze anos apaixonada pelo irmão adotivo e apavorada pelo pai abusivo.

— Alguma coisa de Christopher?

— Ele continua dizendo que não tinha ideia do que acontecia. Pitica nunca o tocou daquela maneira. Acho que ele não era o tipo dela.

Faith deu de ombros, mas não para desdenhar. Porque era demais.

— Mercy viu acontecendo com Dave, sabe? Parte disso está no diário dela. Muito está nas cartas. Quando Mercy entrava em um cômodo, Pitica acariciava os cabelos de Dave ou estava com a cabeça dele no colo. Às vezes, ele massageava os pés da mãe adotiva ou os ombros. Era esquisito. Quero dizer, Mercy diz isso ela mesma, que é esquisito, mas ela nunca tinha juntado as coisas.

— Os abusadores vão além de aliciar as vítimas. Eles manipulam todos ao redor dela, assim, se disser alguma coisa, o doente é você.

— Se quer saber o que é doente, deveria ler umas mensagens entre Pitica e Jon.

— Eu li — disse Will.

Ele ficara tão enojado que pulara o almoço.

— Ela odiava bebês — falou Faith. — Você se lembra de Delilah dizendo que Pitica não pegava nem os próprios filhos? Deixava os bebês cozinhando na fralda suja. E então chega Dave, e ele é exatamente o tipo dela. Ou ela tira anos da idade dele para torná-lo seu tipo. Acha que Dave sabia que ela estava abusando de Jon todo o tempo?

— Acho que ele juntou os pontos no salão de jantar, e fez o que podia para salvar a vida do filho.

— Vou me permitir acreditar nisso, porque a alternativa é ele ter confessado para salvar Pitica.

Will não queria imaginar esse cenário. Tinha outras coisas para mantê-lo acordado à noite.

— Desculpe por não ter lido a tatuagem de Paul.

— Cale a boca — disse Faith. — Eu sou a tonta que ficou dizendo que Pitica era a ex psicopata de Dave como se ela não fosse de fato a ex psicopata de Dave.

Will sabia que precisava deixar aquilo para trás.

— Tente não foder tudo assim de novo.

— Vou tentar. — Faith começou a sorrir. — Como eu consegui um mistério de *escape room* de Agatha Christie com um toque V. C. Andrews?

Ele se encolheu.

— Cedo demais?

Will imitou Amanda e saiu pelo corredor em direção ao seu escritório. Girou a maçaneta e sentiu uma leveza familiar no peito ao ver Sara sentada no sofá. Ela havia tirado o sapato. Estava esfregando o dedinho.

Ele amava o jeito como o rosto dela brilhava ao olhá-lo.
— Oi — falou ela.
— Oi.
— Enfiei meu dedo na cadeira.
Ela colocou de novo o sapato.
— Você assistiu ao interrogatório?
— Assisti.
Will sentou-se ao lado dela.
— Como foi o almoço com Delilah?
— Acho que é bom para ela ter alguém para conversar — disse Sara. — Ela está fazendo tudo o que pode por Jon. É difícil no momento, porque ele não quer aceitar ajuda. Toda vez que ela o visita, ele olha para o chão por uma hora, então ela vai embora e volta no dia seguinte e ele olha para o chão de novo.
— Ele sabe que ela está ali — explicou Will. — Acha que ajudaria se Dave visitasse Jon?
— Eu deixaria isso para os especialistas. Jon tem muito dano para processar, e Dave tem seus próprios. Ele precisa se ajudar antes de poder ajudar o filho.
— Amanda me disse que Dave não quer se endireitar porque ser danificado é tudo o que ele tem.
— Ela provavelmente está certa, mas eu não desistiria de Jon. Delilah está nessa por uma longa jornada. Ela realmente o ama, e acho que isso faz uma grande diferença nessas situações. A esperança é contagiosa.
— Essa é sua opinião médica?
— Minha opinião médica é que meu marido e eu deveríamos ir embora do trabalho, assim podemos comer um monte de pizza, assistir a vários episódios de *Buffy* e nos certificar de que não vai ser só meu dedinho que levou uma enfiada hoje.
Will riu.
— Preciso enviar um relatório, vejo você em casa.
Ela deu um beijo apaixonado nele antes de sair.
Will sentou-se à mesa e bateu no teclado para acender a tela. Estava a ponto de colocar os fones de ouvido quando o telefone sobre a mesa tocou.
Ele apertou o botão do viva voz.
— Will Trent.
— Trent — disse um homem. — Aqui é o delegado Sonny Richter, do Condado de Charlton.
Will nunca tinha recebido uma ligação do condado mais ao sul da Geórgia.

— Sim, senhor. Como posso ajudá-lo?

— Paramos um camarada com uma lanterna quebrada. Achamos um tijolo de heroína preso debaixo do banco dele. Tem um aviso sobre ele do departamento regional do norte da Geórgia, mas ele disse para ligar para você. Está falando que tem informação para barganhar por uma sentença menor.

Will sabia o que viria antes que o homem terminasse.

— O nome dele é Dave McAlpine — contou o delegado. — Você quer vir até aqui ou ligo para o departamento regional?

Will girou a aliança de casamento no dedo. O pedaço fino de metal abrangia tantas coisas... Ele ainda não sabia o que fazer com a sensação de leveza que tinha dentro do peito toda vez que estava perto de Sara. Nunca havia experimentado esse tipo de felicidade prolongada. Fazia um mês desde o casamento, e a euforia que sentira durante a cerimônia ainda não havia diminuído. Na verdade, a intensidade aumentava a cada dia que passava. Sara sorria para ele ou ria de uma de suas piadas estúpidas, e era como se borboletas voassem em seu estômago.

Amanda estava errada novamente.

Na verdade, havia uma certa quantidade de amor que poderia endireitar um homem.

— Ligue para o departamento regional — respondeu Will. — Não posso ajudá-lo.

AGRADECIMENTOS

O primeiro agradecimento sempre vai para Kate Elton e Victoria Sanders, por estarem do meu lado desde o início. Também gostaria de agradecer à minha confreira Bernadette Baker-Baughman, assim como Diane Dickensheid e à equipe da VSA. Obrigada a Hilary Zaitz Michael e ao povo da WME. Liz Heldens, por seguir adiante depois daquele jantar em Atlanta e fazer a magia acontecer, e também por trazer Dan Thomsen para minha vida. Vocês são os melhores.

Na William Morrow, agradecimentos especiais a Emily Krump, Liate Stehlik, Heidi Richter-Ginger, Jessica Cozzi, Kelly Dasta, Jen Hart, Kaitlin Harri, Chantal Restivo-Alessi e Julianna Wojcik. Na HarperCollins em todo o mundo, muito obrigada a Jan-Joris Keijzer, Miranda Mettes e, por último mas não menos importante, à incrível e incansável Liz Dawson.

David Harper vem dando conselhos médicos gratuitos para mim (e para Sara) há muito tempo, e continuo grata por sua paciência e gentileza, especialmente quando entro em um buraco na internet e tenho que ser arrancada de lá pelos braços. O incomparável Ramón Rodríguez teve a gentileza de sugerir alguns itens do menu que um chef porto-riquenho serviria. Dona Robertson respondeu a algumas perguntas sobre o DIG. Obviamente, quaisquer erros são meus.

Por último, obrigada ao meu pai por aguentar firme, e a DA — meu coração. Você sempre terá certeza sobre mim. E sempre terei certeza sobre você.

Este livro foi impresso pela Braspor, em 2024, para a HarperCollins Brasil.
O papel do miolo é pólen natural 70g/m² e o da capa é cartão 250g/m².